LAS CRISIS
DE LA EDAD
ADULTA

☆

GAIL SHEEHY

☆

LAS CRISIS
DE LA EDAD
ADULTA

autoayuda y superación

grijalbo

MÉXICO BARCELONA BUENOS AIRES

LAS CRISIS DE LA EDAD ADULTA

Título original en inglés: *Passages*
Traducción: Iris Menéndez de la primera edición
de E. P. Dutton & Co., Inc., Nueva York, 1976.

©1984, Gail Sheehy
©1984, Ediciones Grijalbo, S.A.
      Aragón 385, Barcelona 08013

D.R. ©1987 por EDITORIAL GRIJALBO, S.A.
      Calz. San Bartolo Naucalpan núm. 282
      Argentina Poniente 11230
      Miguel Hidalgo, México, D.F.

ISBN 968-419-657-1

IMPRESO EN MEXICO

ÍNDICE GENERAL

Agradecimientos de la autora

La simiente de esta obra fue plantada por el difunto Hal Scharlatt, admirable editor y magnífico ser humano que me estimuló a explorar la condición adulta sin precipitaciones. Después de su muerte prematura, Jack Macrae avanzó todavía más. Además de cientos de horas de sabio consejo editorial, aportó a la personalidad de este libro sus cualidades específicas incluso en cuanto a gusto y temperamento.

Cuerpo le dieron todos aquellos que tuvieron tiempo y valor para contribuir con sus historias de vida. No es posible agradecerles su colaboración mencionándolos. Abrigo la esperanza de haberles hecho justicia.

Muchos fueron los que contribuyeron al crecimiento de esta obra. Tengo una deuda fundamentalmente profesional con Daniel J. Levinson, Margaret Mead y Roger Gould. Merecen un agradecimiento especial Bernice Neugarten, George Vaillant, Margaret Hennig, James M. Donovan, Marylou Lionells y Carola Mann por la amable aportación de su experto conocimiento.

Me siento profundamente reconocida a Carol Rinzler, Deborah Maine y Byron Dobell por leer partes del manuscrito y ayudarme a me-

11

jorarlas. También Jerzy Kosinski, Patricia Henion y Chota Chuda-sama me hicieron llegar sus cordiales comentarios.

Muchas noches y madrugadas encontraron a Virginia Dajani escribiendo a máquina, a Lee Powell transcribiendo y a Ella Council tirando copias de lo que por momentos parecía un ímprobo esfuerzo que jamás adquiriría forma. Les agradezco que nunca lo hayan dicho y agradezco también su infatigable buena voluntad.

La Alicia Patterson Foundation prestó su ayuda financiera en forma de una beca cuando la obra sólo era una nebulosa en mi mente. También me brindó su apoyo moral y me siento más que profesionalmente agradecida a su director, Richard H. Nolte.

En realidad, no sé cómo expresar mi reconocimiento a Maura Sheehy y a Clay Felker por su paciencia. Pero al haber sacrificado mi atención en casa y en lugares de vacaciones mientras yo escribía angustiada, reescribía, soñaba y vivía esta obra son, de hecho, sus padrinos.

Gail Sheehy

Las crisis
de la
edad adulta

Primera Parte

Misterios del ciclo vital

*¿Qué trama es ésta
del será, del es y del fue?*

JORGE LUIS BORGES

1
Locura
y método

Mediados los treinta y sin advertencia previa, sufrí una crisis nerviosa. Jamás había pensado que mientras navegaba por las aguas de mi etapa más dichosa y más productiva, el mero hecho de permanecer a flote me exigiría un tremendo esfuerzo de voluntad. O de algún poder más fuerte que la voluntad.

Conversaba con un joven en Irlanda del Norte —donde me encontraba haciendo un trabajo para una revista— cuando una bala le destrozó la cara. Todo cambió instantáneamente. Estábamos de pie bajo el sol, relajados y triunfantes después de una marcha de los Católicos de Derry por los derechos civiles. Se nos habían unido soldados en la barricada; habíamos vomitado gas lacrimógeno y habíamos dado protección a quienes se habían visto alcanzados por balas de goma. En aquel momento observábamos a la multitud desde una galería.

—¿Cómo hacen los paracaidistas para disparar tan lejos esos botes de gas? —inquirí.

—¿Ve cómo clavan la culata del rifle en tierra? —decía el muchacho cuando el fragmento de acero le arrancó la boca y el tabique nasal, transformando su rostro en una masa informe de hueso triturado.

—¡Dios mío! —exclamé desconcertada—. Son balas de verdad.

Traté de pensar en la forma de recomponer su rostro. Hasta ese momento, siempre había creído que todo podía arreglarse.

Allá abajo, los tanques británicos empezaron a cargar contra la multitud. De su interior salieron paracaidistas portando rifles de alta velocidad. Recibimos una rociada de balas.

El muchacho sin cara cayó sobre mí. Un hombre mayor, al que habían golpeado en el cuello con la culata de un rifle, tropezó escaleras arriba y cayó sobre nosotros. Fueron sumándose cuerpos aturdidos hasta que formamos una especie de oruga humana que ascendió palmo a palmo, boca abajo y trabajosamente, los peldaños de la expuesta escalera exterior.

—¡Metámonos en alguna casa! —grité.

Reptamos ocho pisos arriba pero las puertas de todos los apartamentos estaban cerradas con llave. Alguien tendría que desafiar el fuego arrastrándose por la galería para llamar a la puerta más cercana. Desde abajo, otro muchacho chilló:

—¡Jesús, estoy herido!

Su voz me impulsó a través de la galería, temblando pero todavía sintiéndome protegida por una especie de bolsa de líquido amniótico de suaves paredes, que —eso creía— me hacía invulnerable. Un segundo después una bala pasó a pocos centímetros de mi nariz. Me lancé contra la puerta más próxima y nos dejaron pasar a todos.

Las habitaciones de aquel apartamento ya estaban llenas de mujeres con hijos colgando de sus faldas. Seguimos escuchando el ruido de los disparos durante aproximadamente una hora. Desde la ventana vi cómo tres chicos se levantaban de detrás de una barricada para huir precipitadamente. Fueron derribados como muñecos en un puesto de tiro al blanco, lo mismo que el sacerdote que los siguió agitando un pañuelo blanco y el viejo que se inclinó sobre ellos para rezar una oración. Un hombre herido al que habíamos arrastrado escaleras arriba preguntó si alguien había visto a su hermano menor.

—Muerto —le informaron.

Algo similar le había ocurrido a mi propio hermano en Vietnam. Pero el funeral se celebró en la plácida campiña de Connecticut y yo era unos cuantos años más joven. La guardia de honor había recortado con tanto esmero en triángulo la bandera de la víctima, que parecía un banderín bordado sobre un cojín del sofá. La gente me apretaba las manos diciendo: «Sabemos cómo te sientes». Eso me hizo pensar en los extraños que siempre me confiaban que se estaban preparando para someterse a una operación quirúrgica o «tomándose la vida con filosofía» después de un ataque cardíaco. Todo lo que yo podía ofrecer a su aflicción eran las mismas palabras: «Sé cómo te sientes». Pero no sabía nada sobre eso.

Después de la sorprendente masacre, fui sólo una entre los miles de personas refugiadas en los apartamentos de frágiles paredes del ghetto católico. Todas las salidas de la ciudad estaban bloqueadas. Todo lo que se podía hacer era esperar. Esperar a que el ejército británico registrara casa por casa.

—¿Qué hará si los soldados entran disparando? —le pregunté a la anciana que me albergaba.

—Tenderme boca abajo —respondió.

Otra mujer hablaba por teléfono, verificando los nombres de los muertos. Tiempo atrás yo había sido una ferviente protestante: traté de orar. Pero el tonto juego infantil seguía martillándome la mente... *si supieras que un solo deseo tuyo se vuelve realidad*... Decidí llamar a mi amor. Él pronunciaría las palabras mágicas que alejarían el peligro.

—¡Hola! ¿Cómo estás? —su voz sonó absurdamente despreocupada; estaba en la cama, en Nueva York.

—Estoy viva.

—Bien, ¿cómo va el artículo?

—Estuve a punto de dejar de estarlo. Hoy han matado aquí a trece personas.

—Espera. El noticiario de la CBS está hablando de Londonderry en este preciso momento...

—El día de hoy pasará a la historia como el Domingo Sangriento.

—¿No puedes levantar la voz?

—Todavía no ha concluido. Una madre de catorce hijos acaba de ser aplastada por un tanque.

—Escucha, no tienes por qué estar en primera línea. Estás escribiendo un artículo sobre las mujeres irlandesas, recuérdalo. Limítate a estar con ellas y permanece alejada de todo el problema. ¿De acuerdo, cariño?

Desde que colgué el teléfono tras esa no-conversación, mi mente se entumeció. Se me contrajo el cuero cabelludo. Se agitó alguna varita oscura y una serie de pesas empezaron a rodar por mi cerebro como pequeñas bolas de acero. Había desperdiciado mi único deseo de salvación. El mundo era negligente. Podían morir trece personas o trece mil, podía perecer yo y mañana nada tendría importancia.

Cuando me reuní con las personas que estaban tendidas boca abajo, una única idea me dominó: *Nadie está conmigo. Nadie puede mantenerme a salvo. No hay nadie que impida que esté sola.*

Tenía dolores de cabeza suficientes para un año entero.

Cuando partí de Irlanda y tomé el avión hacia Estados Unidos no pude escribir el artículo, no pude afrontar el hecho de mi propia mortalidad. Por fin logré encontrar algunas palabras y cumplí la tarea que se me había encomendado, aunque a un precio muy alto. Mi genio vivo me llevó a pelearme con mis seres más queridos, alejando el único apoyo que podría haberme ayudado a luchar contra mis demonios. Rompí con el hombre que había compartido mi vida durante cuatro años, despedí a mi secretaria, perdí a mi ama de llaves y me quedé sola con mi hija Maura, dejando pasar el tiempo.

Cuando llegó la primavera, apenas me conocía a mí misma. El desarraigo que me había supuesto un placer a principios de los treinta, que me había permitido cortar los lazos de antiguos roles, ser atolondrada y egoísta, y concentrarme en alargar mi sueño recién descubierto, vagar por el mundo cumpliendo tareas por encargo y quedarme levantada durante toda la noche escribiendo a máquina gracias a la cafeína y a la nicotina... todo eso dejó de funcionar.

Una voz intrusa me sacudió por dentro gritando: *¡Haz inventario! Ya ha transcurrido la mitad de tu vida. ¿Qué hay de esa parte de ti que desea un hogar y otro hijo?* Antes de que pudiera responder, la voz se refirió a otra cuestión que yo había postergado: *¿Y esa parte de ti que quiere ayudar al mundo? Palabras, libros, manifestaciones, donaciones... ¿son suficientes? Has sido una ejecutante pero no has participado con todo tu ser. Y ahora tienes treinta y cinco años.*

Enfrentarse por primera vez a la aritmética de la vida era, sencillamente, aterrador.

No es corriente encontrarse en medio de una cortina de fuego, pero muchos accidentes de la vida pueden tener un efecto similar. Usted juega dos veces a la semana al tenis con un dinámico hombre de negocios de treinta y ocho años. En los vestuarios, un coágulo silencioso le obtura una arteria a su compañero y antes de que haya conseguido pedir ayuda, una gran parte de su músculo cardíaco se ha estrangulado. El ataque afecta a su esposa, a sus socios y a todos sus amigos de la misma generación, incluido usted.

Una conferencia telefónica le notifica que su padre o su madre ha ingresado en el hospital. Usted tiene en la mesilla de noche una fotografía de la persona dinámica que vio la última vez, limpiando un terreno o precipitándose a una reunión de la Liga de Sufragistas Femeninas. En el hospital comprueba que aquella persona llena de vitalidad ha pasado, en un momento y en forma irreversible, al ocaso de la enfermedad y la impotencia.

Cuando nos acercamos a la mitad de la vida —a mediados de los treinta o principios de los cuarenta— nos volvemos susceptibles a la idea de nuestra propia perdurabilidad. Si en ese momènto ocurre un accidente que afecta nuestra vida, nuestro temor a la muerte se agudiza. No estamos preparados para la idea de que el tiempo corre, ni para la sorprendente verdad de que si no nos apresuramos a cumplir nuestra definición de una existencia significativa, la vida puede convertirse en una repetición de rutinarias obligaciones de mantenimiento. Tampoco anticipamos un cataclismo de los roles y reglas que pueden habernos definido cómodamente en la primera mitad de la vida, pero eso debe reordenarse en torno a un centro de valores personales fuertemente sentidos en la segunda mitad.

En circunstancias normales y sin el choque que significa un accidente vital, los problemas relacionados con la edad mediana se ponen de relieve en un período de años. Tenemos tiempo de adaptarnos. Pero cuando caen sobre nosotros en un santiamén, somos incapaces de aceptarlos de inmediato. El declive de la vida se nos hace demasiado duro y difícil.

En mi caso, la imprevista escaramuza con la muerte en Irlanda situó en un primer plano y en toda su magnitud los problemas subyacentes de la primera mitad de mi vida.

Si les hablara de aquella semana, seis meses más tarde, si les contara los hechos observables —cuando salí corriendo para coger un avión a Florida con el fin de cubrir la información de la Convención Demócrata: una madre sana, profesional y divorciada, encuentra muerto a uno de sus periquitos y rompe a llorar incontrolablemente—, dirían: «Esta mujer se estaba desmoronando». Y eso es precisamente lo que yo pensé.

Ocupé el asiento del lado del pasillo en la cola del avión, para que así, cuando nos estrelláramos, fuera la última en ver la tierra.

Para mí, viajar en avión siempre había sido un placer. A los treinta años era muy valerosa y había practicado el deporte del paracaidismo. Ahora todo era diferente. Cada vez que me acercaba a un avión veía una galería de imágenes de Irlanda del Norte. En seis meses, el miedo a los aviones se había transformado en auténtica fobia. Cualquier fotografía de un accidente de aviación llamaba mi atención. Estudiaba las imágenes con morboso detalle. Los aviones siempre parecían agrietarse en la parte de delante, así que me impuse la regla de sentarme en la cola. Desde la seguridad de la entrada, le preguntaba al piloto: «¿Tiene experiencia en aterrizajes con instrumentos?». No me daba vergüenza.

Tenía un consuelo. Las alteraciones que había experimentado durante los primeros meses de mi trigésimo quinto año de vida eran vagamente susceptibles de clasificación. Podía relacionar mi angustia con cualquier clase de acontecimientos reales. Mi fobia al avión podía situarse en el contexto de las reacciones de conversión (proceso mediante el cual un hecho psíquico reprimido se convierte en otro síntoma). La sensación de desarraigo podía explicarse en virtud de que había tenido que experimentar cuatro domicilios distintos en los dos años anteriores. Todos mis sistemas de apoyo vital estaban cambiando.

No obstante, aquel mes de julio había apretado los frenos. Parecía haber renacido la calma. Pero eso no era cierto. Era muy poco lo que ocurría en la superficie, pero todo se agitaba por dentro.

Un ataque de llanto por un periquito muerto fue la señal. ¿Qué me ocurría que ni siquiera podía mantener vivo a un periquito? Por alguna razón, relacioné esa pérdida con la inesperada partida de mi ama de llaves. Si no conseguía una persona que ocupara su puesto tendría que dejar mi trabajo. ¿Cómo sobreviviríamos entonces mi hija y yo?

En ese momento, Maura estaba instalada con su padre, libre de todo mal. A pesar de nuestro divorcio, o quizá como resultado de él, sentíamos el tipo de cariño de largo alcance que trasciende las pequeñeces porque se basa en una convicción compartida. Incluso en los momentos de tensión de la separación, habíamos acordado que siempre nos reconoceríamos como la madre y el padre de esa hija. Habíamos elaborado juntos ese contrato, que era inalterable y aplazaba cualquier otro. Así habíamos llegado a disfrutar de las cualidades específicas del respeto y la amistad que surgen cuando se sitúa en primer plano el bienestar de otro. No tenía nada de extraordinario que Maura pasara una semana con su padre, pero yo la echaba mucho de menos. Bruscamente había perdido la capacidad de distinguir entre una separación temporal y una ruptura definitiva. Una idea aciaga ocupó su lugar: lo que se había roto en mi interior, fuera lo que fuese, había liberado una fuerza siniestra que amenazaba destruir mi mundo de pacotilla.

En el vuelo a Miami, no había hecho sino desear fervientemente que el 727 salvara la Bahía de Flushing, cuando volvió la voz intrusa a revolverme la psiquis y desdeñar el valor de mis recursos: *Has hecho un buen trabajo pero... ¿qué importancia tiene en realidad?*

Me sentía demasiado nerviosa para comer pero ignoraba que en mi zona abdominal se había desatado un combate entre dos medicamentos incompatibles. Uno de ellos me lo habían recetado para un persistente transtorno intestinal; el segundo me lo había prescrito otro médico, después del trauma de Irlanda. A las aguas y aceites que se separaban violentamente en ese sistema digestivo, agregué cognac y champagne.

Cuando entré a la habitación del hotel, me pareció que lo mejor sería actuar en forma estúpidamente mecánica. Llenar los armarios. Despejar un sitio para trabajar. Instalar, como suele decirse, una nueva «base». Abrir la maleta. Pero en ese preciso momento, al abrir la maleta: parálisis. Había apoyado sobre una falda blanca un par nuevo de sandalias rojas de piel que dejaron una mancha brillante sobre la falda. Me estremecí. De pronto comprendí que no podía forzarme a hacer planes, recibir mensajes telefónicos, cumplir plazos. De todos modos, ¿qué estaba escribiendo y para quién? Sin que yo lo supiera, la pugna de los medicamentos había empezado a manifestarse. El mareo, los lacerantes calambres estomacales. Mi corazón adquirió un ritmo maníaco y empezó a saltarme en el pecho como una rana dentro de un frasco.

Mi habitación se encontraba en el piso 21. Un ventanal de vidrio comunicaba con un balcón, temerariamente suspendido sobre la Bahía Vizcaína. Debajo sólo agua, nada, salvo líquido. Aquella noche tenía lugar un eclipse.

Me sentí atraída al balcón. Con mórbida fascinación, seguí el eclipse. Hasta el planeta estaba suspendido en situación inestable entre fuerzas interpuestas del Universo. Observé cómo un relámpago sacaba chispas de las torres de Miami Beach. Mi impulso era dejarme ir, flotar con él. Fragmentos de mí misma —enterrada viva con un padre irreconciliable, un marido herido, amigos y amores fuera de lugar, incluso mis antepasados desconocidos— quebraron la superficie y saltaron sobre mí en una masa de visiones fraccionadas, confundidas con la cabeza sangrante del muchacho de Irlanda. Pasé la noche en ese balcón de Miami, tratando de obtener de la luna alguna seguridad.

A la mañana siguiente telefoneé a los dos médicos que me habían recetado las píldoras. Quería una clara explicación científica que diera sentido al temor que me acosaba con tanta liberalidad. Cuando conocí el diagnóstico, logré tenderme y librarme del miedo. Ambos médicos confirmaron que las dos drogas (un barbitúrico y un estimulante) habían entrado en conflicto, produciendo una violenta reacción química. Debía guardar cama un día entero. Mantener la estimulación al mínimo. Descansar. Sí. Pero el diagnóstico médico no logró hacerlo desaparecer, porque «eso» era de mucha mayor magnitud que una simple enfermedad de un día.

Probé una vieja técnica. Escribiría para exorcizar a los demonios. Escribir siempre me había servido para comprender lo que estaba viviendo. Sin ninguna razón aparente, había llevado conmigo unas notas para escribir un cuento roto. De hecho, me sentía casi obligada a escribir ese relato mientras estaba en Miami. Se inspiraba en un incidente que me había descrito un médico interno diez años atrás. Repasé las notas:

Una mujer excepcionalmente vital y activa de sesenta años había llevado una vida conyugal prolongada y cómoda en el hotel Fifth Avenue. Su marido murió. De la noche a la mañana, se encontró sin medios de vida. No tuvo más remedio que abandonar el hogar y los amigos de hacía más de cuarenta años. El único pariente al que podía recurrir era una antipática cuñada que vivía en el Sur. A pesar de este giro brusco y total, la viuda fue despidiéndose graciosamente de su vida neoyorquina. La noche anterior a su partida, durante la cena, su director espiritual y sus amigos ensalzaron la notable fortaleza de su carácter. A la mañana siguiente fueron a buscarla para llevarla al aeropuerto: nadie respondió a la llamada. Forzaron la puerta y al entrar la encontraron tendida en el suelo del cuarto de baño, en ropa interior. No tenía ninguna moradura ni protuberancia que indicara que había resbalado. Sencillamente, había perdido el conocimiento.

Desconcertados, sus amigos la condujeron al hospital. En un examen preliminar, el médico interno no encontró nada. La viuda, ahora consciente, tuvo que instalarse en un rincón de la concurrida sala de urgencias. Su pelo, recién peinado estaba desgreñado. Sus ojos cada vez más vacíos. Olvidó subir la tapa del inodoro para usarlo. Sus amigos esperaban pacientemente a que atendieran a los heridos de urgencia, pero en ese ambiente parecían totalmente fuera de lugar. Eran personas delicadas, vestidas de seda, al igual que la viuda... antes de eso. Empezó a alterarse hasta llegar a resultar irreconocible para sus propios amigos. Titubeaba ante las preguntas más sencillas, confundía nombres y fechas, y por último perdió toda orientación. El sacerdote y sus amigos retrocedieron discretamente horrorizados. En el transcurso de unas horas se había desintegrado hasta convertirse en una vieja balbuciente.

No logré escribir una sola palabra del relato.

Todo lo que me sentía capaz de hacer era ver la televisión. A medianoche apagué el aparato. Para lo que ocurrió después existe una sencilla explicación mecánica, pero en aquel momento la segura concatenación de causa y efecto estaba fuera de mi alcance.

Pasé frente al televisor y me incliné para recoger un cinturón de metal. Del aparato escapó un sonido siseante. Levanté la vista en estado de alerta y vi una aparición. Una medusa de diabólicos matices se deslizaba por la pantalla haciendo destellar sus repulsivos azules y repugnantes verdes, sus pegajosos pelos de amarillo sulfúrico. *¡Basta!* Me erguí, atontada, y sentí que algo explotaba en el interior de mi cabeza.

—Ya está —dije en voz alta—. Me he desintegrado.

El teléfono estaba en el dormitorio, detrás del ventanal que daba al balcón suspendido sobre el agua. Las puertas de corredera se encontraban abiertas. El viento proyectaba hacia afuera las cortinas, agitándolas por encima de la bahía. De pronto me dio pánico pasar junto al ventanal. Si me acercaba a ese balcón perdería el equilibrio, caería al vacío. Me agaché. A la manera de un cangrejo, aferrándome a las patas de los muebles, atravesé la habitación. Traté de convencerme de que todo eso era ridículo. Pero cuando me levanté, lo que ocurrió fue que mis miembros se aflojaron. Persistía una sola idea: *Si pudiera llegar a la persona adecuada, esta pesadilla cesaría.* Me estaba aferrando a una mentira y lo sabía.

Lo de Irlanda era perfectamente explicable: unas balas reales habían amenazado mi vida desde el exterior. Se trataba de un hecho constatable. Mis temores se correspondían con la realidad. Pero ahora la fuerza destructiva moraba en mi interior. Yo era mi propio acontecimiento. No podía escapar. Algo ajeno, horrible, innombrable pero a la vez innegable, había empezado a apoderarse de mí: mi propia muerte.

Todos nos vemos enfrentados al importante problema de la mitad de la vida en algún momento de la década que va de los treinta y cinco a los cuarenta y cinco años. Aunque también puede ser un paso corriente sin ningún acontecimiento exterior que lo señale, finalmente todos acabamos por plantearnos la realidad de nuestra propia muerte. Y de algún modo debemos aprender a vivir con ella. La primera vez que se recibe el mensaje es, probablemente, la peor.

Tratamos de rehuir la tarea de asumir nuestros defectos y nuestra destructividad, al igual que hacemos con el lado destructivo del mundo. En lugar de aceptar los fantasmas inaceptables, intentamos alejarlos recurriendo a técnicas que han dado buen resultado anteriormente.

La primera consiste en encender las luces. En la niñez, la luz siempre hacía huir a los fantasmas. De adultos, aplicamos la misma técnica a la adquisición del conocimiento correcto. Busqué en primer lugar una explicación médica clara y sencilla. Sólo una parte de mis síntomas era atribuible a una reacción química provocada por las píldoras; yo quería que esa parte fuera toda la explicación. Pero no lo era, y encender las luces no alejó mis temores.

Una segunda técnica consiste en pedir ayuda. Cuando el niño tiene miedo llama a una Persona Fuerte para que haga desaparecer el temor. Después aprende la técnica por sí mismo y logra superar los temores más irracionales. ¿Y qué ocurre cuando sentimos un miedo que no logramos desvanecer? Nadie posee una magia contra la mortalidad. Aquéllos a quienes asignamos esa tarea nos decepcionan. Mi llamada telefónica desde Irlanda fracasó, naturalmente.

El tercer método se reduce a ignorarlo manteniéndonos ocupados, fingiendo seguir adelante como si nada hubiera cambiado. Pero es probable que persistan las mismas sensaciones. No podía evadir los interrogantes referentes a dónde había estado y a dónde iba, la abrumadora sensación de pérdida de equilibrio. El equilibrio es, simbólicamente hablando, permanecer erguido sobre los dos pies. Es el primer estadio que alcanzamos de niños cuando estrenamos los primeros zapatos de suela dura. Aun entonces, en virtud del aprendizaje de la forma de adquirir parte de la responsabilidad de nosotros mismos, nos sentimos al mismo tiempo ganadores de nuevos poderes y perdedores de nuestros apoyos protectores. La principal tarea a llevar a cabo en la edad mediana consiste en abandonar a nuestros imaginarios proveedores de seguridad y situarnos de pie desnudos en el mundo, como paso previo para asumir la autoridad *plena* sobre nosotros mismos.

El temor se expresa en estos términos: *¿Y si no puedo permanecer de pie sobre mis dos pies?*

La noción de la muerte es demasiado terrorífica para encararla de frente, de modo que se nos aparece disfrazada: aviones estrellados, suelos movedizos, balcones poco firmes, disputas de amantes, misteriosas disfunciones de nuestro organismo. La eludimos fingiendo que todo sigue su curso normalmente. Algunas personas aprietan más a fondo el acelerador. Otras juegan más al tenis, pasan más tiempo corriendo, organizan fiestas más fastuosas, encuentran carne más joven para llevar a la cama. Yo volé para asistir a una convención política. Pero tarde o temprano un desencadenamiento de pensamientos, visiones distorsionadas y agudas del envejecimiento, la soledad y la muerte, llegan a adquirir fuerza suficiente para dislocar transitoriamente nuestra premisa básica: *mi sistema trabaja en perfecto orden y soy capaz de resistir siempre que lo deseo.* ¿Qué ocurre cuando no podemos confiar siquiera en eso? Comienza una seria lucha entre una mente que ocupa el primer plano e intenta eludirlas y los penetrantes problemas de la segunda mitad de la vida, que martillean en el segundo plano de la mente, repitiendo: *¡No puedes olvidarnos!*

Trabajar es otra forma de estar ocupados. En mi caso, el temor me impedía trabajar. El artículo que estaba tratando de escribir en Miami trataba sobre una mujer que estaba llegando al límite. Está sola, cae desmayada, pierde sus facultades mentales y se transforma en una anciana a la manera de Dorian Gray.

En verdad era el relato del drama psíquico interior que yo estaba viviendo. También mi estructura se estaba desintegrando por completo. Estaba abandonando el mundo de la chica que me gustaba creer que era —la chica «buena», amorosa, generosa, audaz y ambiciosa que vivía en un mundo humano, sensible, de seda estampada— y me veía enfrentada a su lado oscuro. Los temores inson-

dables eran: *Perderé mi pauta estable y todo lo que funciona para mí...
Despertaré en un lugar extraño... Perderé a todos mis amigos y relaciones... Súbitamente, dejaré de ser... Quedaré convertida en una forma
execrable... en una vieja.*

Pero no fue así. Sobreviví. Crecí un poco y ahora parece que hubieran transcurrido cien años. Un extraordinario accidente vital había
coincidido con un punto crítico de mi ciclo vital. Esa experiencia
fue la que me estimuló a averigüar cuanto me fuera posible en relación con eso que se designa como *crisis de la mitad de la vida* o *crisis
de la edad mediana.*

Pero en cuanto empecé a estudiar a las personas que son protagonistas de los casos que se relatan en esta obra, me encontré inmersa en un tema infinitamente más laberíntico. Detecté la existencia de crisis o, mejor dicho, coyunturas críticas en todos los
momentos de la vida. Cuantas más personas entrevistaba, más
similitudes percibía en las coyunturas críticas que la gente describía. No sólo existían otras ajenas a la mitad de la vida, sino que
aparecían con implacable regularidad a las mismas edades.

La gente se desconcertaba ante esos períodos de quebrantamiento. Trataban de relacionarlos con acontecimientos externos,
pero no había coincidencia en los hechos a los que responsabilizaban, en tanto sí la había, y sorprendente, con la perturbación
interior que describían. En puntos específicos de su ciclo vital,
sentían agitación, a veces cambios momentáneos de perspectiva, a
menudo misteriosas insatisfacciones con el camino que habían elegido con todo entusiasmo apenas un año atrás.

Empecé a preguntarme si existirían, de hecho, coyunturas críticas *previsibles* en la vida adulta.

¿Hay vida después de la juventud?

Se me ocurrió que nadie había hecho para nosotros, los adultos, lo que Gesell y Spock hicieron para los niños.

Los estudios de la evolución infantil han puesto al descubierto hasta el último matiz del crecimiento y nos han proporcionado reconfortantes definiciones tales como los Terribles Dos Años y los Ruidosos Nueve. La adolescencia ha sido tan minuciosamente diseccionada que se la ha privado de la mayor parte de la novedad de sus características. Pero después de documentar meticulosamente los períodos del desarrollo de la personalidad hasta los dieciocho o veinte años, nada más se ha hecho. Traspasada la frontera de los veintiún años, aparte de los profesionales de la medicina que sólo se interesan por nuestra gradual decadencia física, debemos apañarnos por nuestra cuenta en la cuesta abajo que nos conduce a la senectud, momento en el que vuelven a ocuparse de nosotros los geriatras.

Resulta mucho más sencillo estudiar a los adolescentes y a los ancianos. Ambos grupos se encuentran en instituciones (escuelas o residencias) de las que son sujetos cautivos. El resto de nosotros se encuentra en la línea central de una sociedad confusa y enmarañada, tratando de encontrarle algún sentido a nuestro viaje sin retorno a través de sus ambigüedades.

¿Dónde están las guías para recorrer los Penosos Veinte o los Melancólicos Cuarenta? ¿Se puede confiar en la sabiduría popular, por ejemplo, cuando nos dice que cada siete años los adultos experimentamos una comezón?

Nos han enseñado que los niños evolucionan por edades y etapas, que los peldaños son prácticamente los mismos para todo el mundo y que para superar la limitada conducta de la infancia debemos escalarlos todos. Los niños alternan entre etapas de equilibrio y desequilibrio. Como padres, se nos enseña que no debemos culpar de estos extremos de comportamiento a los maestros —segundos padres— ni a los propios niños, sino aceptarlos como pasos inevitables en el desarrollo.

Pero después de aplicar esta comprensión del capítulo de la evolución de la personalidad y de habernos versado en la forma de guiar a nuestra prole desde la cuna hasta la Universidad, dejamos a los hijos a la puerta de la edad adulta como muñecos de cuerda: tecnológicamente eficientes, preparados para resolver problemas, entrenados para maniobrar y eludir obstáculos, pero no equipados con una comprensión real de los mecanismos *internos,* con la noción de que incluso en su época adulta deberán alternar entre el equilibrio y el desequilibrio tanto consigo mismos como con las fuerzas del mundo: esto no forma parte de la programación cultural.

Los años que transcurren entre los dieciocho y los cincuenta constituyen el centro de la vida, el despliegue de las oportunidades y capacidades máximas. Pero sin nada que nos guíe por las modificaciones interiores en el camino al pleno estado adulto, avanzamos a ciegas. Cuando no «encajamos», es probable que pensemos que nuestra conducta es la prueba de nuestra inadecuación y no una etapa válida de una secuencia de evolución, algo que, sin embargo, todos aceptamos cuando hablamos de la niñez. Resulta más cómodo culpar de nuestros períodos de desequilibrio a la persona o institución más próxima: nuestra madre, nuestro matrimonio, nuestro trabajo, la familia nuclear, el sistema. Responsabilizamos a lo que tenemos más a mano.

Hasta hace muy poco tiempo, siempre que los psiquiatras y los científicos sociales se referían a la vida adulta, lo hacían únicamente en términos de los problemas planteados y rara vez desde la perspectiva de cambios *continuos* y *previsibles.* Los conceptos aportados por Freud se basan en el supuesto de que la personalidad queda determinada más o menos cuando el niño alcanza la edad de cinco años.

¿De qué pueden servirle estos conceptos al hombre de cuarenta años que ha alcanzado su meta profesional pero se siente deprimido y desvalorizado? Culpa a su trabajo, o a su esposa, o a su entorno físico por ser esclavo de esa rutina. La fantasía de escapar empieza a dominar sus pensamientos. Una mujer interesante a la que acaba de conocer, otra actividad profesional, un lugar paradisíaco en el campo... se convierten en imanes de sus deseos de liberación. Pero cuando esos objetos de deseo llegan a ser accesibles, a menudo se invierte el cuadro. La nueva situación parece ser la trampa peligrosa de la que ansía huir retornando a su antiguo hogar, esposa e hijos, cuya pérdida repentina los vuelve queridos.

No es extraño que muchas esposas se comporten como pasmadas espectadoras de este juego de azar, al que sólo pueden calificar como «la locura de mi marido». Nunca les han dicho que hay que esperar una sensación de estancamiento, de desequilibrio y depresión cuando ingresamos en el período de la mitad de la vida.

¿Y qué pueden decirle los tradicionales conceptos freudianos a la madre de treinta y cinco años que después de intentar proporcionar lo ideal para la formación de los egos de sus hijos, de pronto siente que el suyo es tan sólido como una casa en ruinas? Cualquiera sea su edad, usted puede sentir que se identifica con la experiencia apócrifa de una mujer de treinta y cinco años llamada Doris.

En quince años de matrimonio, el marido nunca la había presionado para que recibiera a sus relaciones de trabajo o le acompañara a reuniones de negocios. Una noche volvió a la casa con la novedad de que la principal competidora de su empresa estaba pensando en él como candidato al puesto más elevado.

—Además —le dijo a su mujer—, el presidente que está a punto de retirarse nos ha invitado a una cena que dará la semana próxima. Esto definirá la cuestión.

—¡Dios Santo! —exlamó Doris—. Hace un año que no ceno con nadie que me llegue más arriba de la cintura. Ni siquiera sé de qué temas hablar con adultos.

—Por favor, cariño, todo lo que tienes que hacer es leer los periódicos de la semana pasada —sugirió el marido.

Sumisamente, Doris leyó los números de *Síntesis semanal*

correspondientes a las cuatro últimas semanas y todas las noches, antes de dormirse, memorizaba el nombre de algún líder árabe.

La cena era una reunión de sabios y mundanos. El compañero de mesa de Doris era el presidente de la empresa. «¡Oh, no!», pensó, pero se lanzó con valentía y empezó a exponer el problema de los derechos aéreos cuando las ciudades empezaran a utilizar la energía solar. El hombre tenía la boca llena, de modo que Doris percibió, encantada, que todos los invitados de ese extremo de la mesa tenían su atención fija en ella. Estimulada, siguió hablando durante cinco minutos más. El presidente estaba evidentemente impresionado. De hecho, no podía apartar los ojos de ella.

Doris bajó la vista, modestamente. Entonces descubrió que durante todo el tiempo, llevada de la costumbre, le había estado cortando el biftec al presidente.

La médula de esta historia —y la situación del marido en ese momento— atañe a algo que podemos haber sentido pero que nunca nos dijeron que debíamos esperar: que después de la adolescencia la vida *no es* una extensa llanura. Los cambios no sólo son posibles y previsibles, sino que negarlos significa convertirse en cómplice de una innecesaria vida vegetativa.

Un nuevo concepto del estado adulto que abarca la totalidad del ciclo vital, pone en cuestión actualmente las antiguas premisas. Si no se considera a la personalidad como un todo fundamentalmente construido cuando concluye la infancia, sino como algo que siempre está evolucionando en su esencia, la vida a los veinticinco, o a los treinta, o a las puertas de la madurez, proporcionará su propia intriga, sorpresa y emoción de descubrimientos.[1]

Los místicos y los poetas son siempre los primeros en llegar. En el discurso «Todo el mundo es un teatro», de *A vuestro gusto*, Shakespeare intentó decirnos que el hombre vive a través de siete estadios. Y muchos siglos antes de Shakespeare, las escrituras hindúes describían cuatro etapas vitales distintas, cada una de las cuales exigía su propia respuesta: estudiante; cabeza de familia; retirado —etapa en la que se estimulaba al individuo a hacerse peregrino e iniciar su verdadera educación como adulto—, y *sannyasin*, al que se define como «aquél que no odia ni ama nada».[2]

Else Frenkel-Brunswik fue el primer psicólogo que enfocó el ciclo vital por etapas. Construyó su teoría en la opulencia intelectual de la Viena de los años treinta y posteriormente presentó sus planteamientos a diversos teóricos de la Universidad de California, en Berkeley. El suyo fue un esfuerzo pionero en el intento de vincular la psicología a la sociología. Basándose en las biografías de cuatrocientas personas —una lista deslumbrante que incluía a la reina Victoria, a John D. Rockefeller, a Casanova, a Jenny Lind, a Tolstoi, a Goethe y a la madre de éste—, analizó sus historias tanto por lo que se refiere a los acontecimientos externos como experiencias subjetivas. Frenkel-Brunswik llega a la conclusión de que todas las personas pasan por cinco fases claramente delimitadas.[3] Las etapas que describe anuncian los ocho estadios (tres de ellos correspondientes a la edad adulta) del ciclo vital posteriormente bosquejados por Erik Erikson.[4]

Fue Erikson quien empezó a hacer del ciclo vital un concepto claro y popular con la publicación de su primera obra, *Childhood and Society* en 1950. Sólo conocemos tangencialmente los sufrimientos que padeció el propio Erikson en el esfuerzo que llevó a cabo durante toda su vida por construir una identidad personal. Era hijo de madre judía y de un padre que abandonó a la familia antes de que él naciera. Repudió el apellido de su padrastro judío alemán y creó su nombre: Erik, hijo de Erik, declarándose así su propio padre. Abandonó Europa en 1939, víctima del nazismo, y se estableció en California naturalizándose como estadounidense. En Berkeley empezó a dedicarse al estudio de las crisis universales del desarrollo.[5]

Erikson construyó un gráfico que mostraba el desenvolvimiento de la vida en secuencias observables. Cada etapa estaba señalada por una crisis. La palabra «crisis» no implica una catástrofe sino un punto decisivo, un período crucial de vulnerabilidad creciente y potencial elevado. Insistió en señalar que no consideraba que toda evolución fuera una serie de crisis. Afirmó que el desarrollo psicosocial se produce a través de pasos críticos, siendo el término «crítico» una característica de los momentos decisivos entre el progreso y la regresión. En esas coyunturas se alcanzan logros o se producen fracasos que hacen que el futuro sea mejor o peor pero que, en cualquier caso, lo reestructuran.

Erikson sólo dedicó unos pocos párrafos a describir las tres etapas de la edad adulta. Planteó el tema central de la evolución de cada período, el terreno que la personalidad podía ganar o perder. En el primer estadio adulto, la cuestión clave es la *intimidad* y la alternativa, el aislamiento. El siguiente criterio —según él— para la continuación del crecimiento es la *generatividad*, el proceso mediante el cual el individuo se vuelve paternal y creativo en un sentido diferente, al aceptar el compromiso voluntario de guiar a las nuevas generaciones. La última etapa presenta la oportunidad de alcanzar la *integridad* y puede decirse que representa el punto en el que la crisis de la mitad de la vida ha quedado resuelta.

Me sentí estimulada cuando descubrí que Erikson había hecho un llamamiento para que otros desarrollaran sus teorías en embrión. Yo sentía una natural afinidad con las obras de Frenkel-Brunswik, Erikson y otros a quienes ellos habían inspirado. Mi mentora fue Margaret Mead. Comprendí que la forma en que yo estaba acostumbrada a escribir sobre la gente adolecía de un fallo muy grave: la enfocaba siempre en fragmentos, tomando un capítulo de cada vida. Me di cuenta de que la perspectiva de la gente *a través del tiempo* habría resultado mucho más lúcida y aclaratoria.

Avanzando con dificultad por el laberinto de la literatura impresa sobre el matrimonio, el divorcio, la familia, la muerte de la familia, etcétera, un día tropecé con una estadística de una Oficina de Censos:

La duración media del matrimonio antes del divorcio ha sido, durante los últimos cincuenta años, de aproximadamente siete años.[6]

La computadora coincidía con la sabiduría popular. ¿Cuántos nuevos descubrimientos, estudios, estadísticas e historias adultas no registradas esperarían salir a la luz? Esto me decidió. Me sentí muy excitada ante la oportunidad de aceptar una beca de la Alicia Patterson Foundation y dedicar todo mi tiempo al estudio de la evolución del estado adulto.

Una noche de la primavera de 1973 asistí a un simposio sobre «Crisis normal en los años maduros». El auditorio del Hunter College estaba lleno de rostros indefinidos pero esperanzados: una mezcla —cabía imaginar— de buscadores, acusadores, escépticos de sí mismos, desertores, cónyuges fracasados dos o tres veces, mujeres maduras abandonadas y nerviosos hombres «menopáusicos». Todos estaban ansiosos por oír qué tenía de normal la crisis que habían creído sólo les afectaba a ellos.

Daniel Levinson —un profesor de psicología social de Yale tímido y atractivamente entrecano— empezó a describir la vida de los hombres entre los dieciocho y los cuarenta y siete años. Él y su equipo habían estudiado durante años a cuarenta hombres de diversas profesiones. Así como existen principios básicos que rigen el desarrollo en la infancia y en la adolescencia, afirmó Levinson, los adultos evolucionan por períodos, y en cada uno de dichos períodos se hallan sumidos en empresas específicas. *Dentro* de cada período pueden tener lugar muchos cambios. Pero la persona sólo pasa al siguiente período cuando se dedica a nuevas tareas evolutivas y construye una nueva estructura para su vida.[7]

Ninguna estructura, según los cálculos de Levinson, puede prolongarse más de siete u ocho años. Una vez más, la ciencia ratifica el folklore.

Me sentí muy interesada por las teorías de Levinson, aunque me plantearon un cúmulo de interrogantes. Descubrí que Else Frenkel-Brunswik había sido su mentora. Cuando me acerqué a él para que me guiara en la forma de trabajar con el método biográfico, fue generoso con su tiempo y leyó algunas de las primeras biografías que yo había reunido.

—Son entrevistas excelentes, con muchas citas interesantes —dijo—, lo que significa que usted capta a la persona en su plenitud o en su vaciedad (me sentí dichosa). Pero no introduzca conceptos que resulten demasiado abstractos. Cuando quieran hablar de algo importante, déjelos.

La última observación me llevó a preguntarme si no pasarían a ser un caso geriátrico antes de que yo lograra transcribir todas las cintas.

Aunque el estudio del desarrollo adulto estaba aún en sus primeras fases, algunos esfuerzos teóricos brotaban en Harvard, en Berkeley, en Chicago, en la UCLA (Uiversity City of Los Angeles). Cuando visité dichos centros académicos, me sorprendió descubrir que prácticamente no había tenido lugar ningún contacto entre esos diversos núcleos. Evidentemente, operaba el fenómeno de la simultaneidad.

Pero la mayor parte de las investigaciones las llevaban a cabo hombres que estudiaban a otros hombres.

Puede aislarse a hombres y mujeres con el fin de realizar un estudio académico, pero no es así como vivimos. Vivimos juntos. ¿Cómo podremos comprender la evolución de los hombres si no escuchamos también a las personas que los traen al mundo, a las mujeres que aman y odian y temen, que dependen de ellos y de quienes ellos dependen, a las que destruyen y por las que son destruidos?

En la UCLA encontré una excepción: el psiquiatra Roger Gould, que había hecho un estudio preliminar sobre personas de raza blanca de la clase media entre dieciséis y sesenta años, incluyendo a mujeres. Debido a que no se habían hecho entrevistas en profundidad, los resultados eran fascinantes pero incompletos. Posteriormente, Gould estuvo de acuerdo en que era de vital importancia entrevistar tanto a hombres como a mujeres. Leyó algunas de las historias que yo estaba reuniendo y me ofreció exhaustivas interpretaciones.[8]

Al comenzar este libro me propuse tres objetivos básicos. El primero consistía en descubrir los cambios *internos* del individuo en un mundo en el que la mayoría nos preocupamos por los acontecimientos externos: redescubrir lo obvio y de algún modo expresarlo en palabras. ¿Habría alguna forma de desmitificar la jerga profesional? ¿De convertir en un arte vivo y terapéutico el auto-examen que queda al alcance de quienes, como yo, se encuentran atrapados en el laberinto de ser adultos, pero al no contar con una guía se culpan a sí mismos o a las personas que les rodean?

El segundo objetivo consistía en comparar la pauta de evolución de hombres y mujeres. Pronto resultó manifiestamente obvio que el tiempo de desarrollo de ambos sexos no está sincronizado. Los pasos fundamentales de expansión que con el tiempo abrirán a una persona al pleno florecimiento de su individualidad son los mismos para ambos sexos. Pero hombres y mujeres rara vez se encuentran en el mismo lugar, enfrentados a los mismos problemas, a la misma edad.

El tercer propósito se planteó como consecuencia natural: estudiar las crisis previsibles de las parejas. Si Dick y Jane tienen la misma edad, la mayor parte del tiempo no estarán sincronizados. En los veinte, cuando el hombre adquiere confianza a pasos agigantados, la mujer pierde, generalmente, la seguridad superior que tuvo como adolescente. Cuando el hombre supera los treinta y desea asentarse, a menudo la mujer se siente inquieta. Y alrededor de los cuarenta, cuando al hombre le parece que se encuentra ante un precipicio, que su fuerza, su potencia, sus sueños e ilusiones se le escapan, es probable que su esposa sienta la ambición de escalar su propia montaña.

Dado que a menudo se cumple este modelo asincrónico y en virtud de que esta obra sigue cronológicamente el ciclo vital, durante la primera mitad del libro el lector pensará quizás que me ocupo más de las mujeres. Ello se debe a que observé más restricciones externas y contradicciones internas en el caso de las mujeres durante la primera mitad de la vida. Con frecuencia ocurre todo lo contrario en la segunda mitad, de ahí que la última parte de la obra puede resultar más reconfortante para los hombres.

El uso de la palabra *crisis* para describir la alternación estratégica de períodos estables y coyunturas críticas ha provocado alguna confusión. La gente suele decir, a la defensiva: «¿Y yo? Yo *no tuve* ninguna crisis». La interpretación que se da entre nosotros al término griego *krisis* es peyorativa e implica fracaso personal, debilidad e incapacidad de resistencia frente a acontecimientos *externos* cargados de tensión. He reemplazado este confuso rótulo por una palabra más aséptica para referirme a las transiciones críticas que se producen entre una y otra etapa, y las he designado *pasos*.

Mi propio trabajo progresó por etapas. Comenzó con una inocente excitación. Después publiqué un artículo titulado «Cath-30» en la revista *New York*, en el que planteaba las grandes líneas del tema que estaba estudiando. Las respuestas, y cientos de cartas de personas de todas las edades que decían «Usted se refiere *a mí*», me dieron un toque de fiebre mesiánica a la que de inmediato siguió el pánico. ¿Y si diez personas se tomaban en serio lo que yo decía? La mayoría de nosotros no influye sobre diez personas extrañas en toda su vida. La responsabilidad era pavorosa. Me volví pesada: leía psiquiatría, psicología, biografías, novelas, estudios longitudinales y publicaciones estadísticas mortalmente aburridas. En las cenas todos se reían de mí, de modo que dejé de asistir a ellas o, cuando iba, me dedicaba a comer pistachos.

Gradualmente fui abandonando mi dependencia de las autoridades en la materia. Empecé a confiar en la riqueza de las historias de vida que había reunido para demostrar e informar la teoría y para agregar una interpretación original. Empecé a sentirme cómoda con mi propia autoridad.

Reuní en total 115 historias de vida. Estudié juntas a muchas parejas después de haber elaborado sus biografías por separado. Esas sesiones eran de una fascinante complejidad y arrojaban mucha luz sobre la psicología individual.

La gente a la que decidí estudiar pertenece al «grupo de los que marcan la pauta» norteamericana: gente sana y motivada que partió de o ingresó en la clase media, aunque algunos de ellos procedían de la pobreza, e incluso varios provenían de ghettos. Escogí a este grupo por diversas razones.

En primer lugar, tenía que elegir un estrato de la sociedad americana con el fin de poder extraer consecuencias rastreando paralelamente su interior.

En segundo lugar, la gente de dicho grupo es la portadora de nuestros valores sociales. Son también los más importantes exportadores de nuevas pautas de vida y actitudes a otras clases. Aproximadamente cinco años después de que surgen ideas en la clase media —como lo demuestra el ensayo de Daniel Yankelovich—, los jóvenes de la clase trabajadora hacen suyas las nuevas opiniones sobre el sexo y la familia, las expectativas de trabajo y de estilo de vida.[9]

Por último, escogí a este grupo porque la clase media educada tiene el mayor número de opciones y el menor número de obstáculos a la hora de elegir qué hacer de su vida. No están constreñidos por las tradiciones, como los que nacieron ricos y socialmente poderosos y tampoco gozan de la misma estabilidad. No se ven privados de educación ni de posibilidades económicas, como la clase obrera y tampoco disfrutan de la prerrogativa de algunos miembros de aquélla clase, que tienen parientes y amigos a los que recurrir cuando se encuentran en dificultades.

Si hay un grupo social que tiene posibilidades de cambio y de mejorar su vida, es la clase media americana. Cierto que con la libertad aparece la inquietud. De ahí que en las tensiones, las victorias y derrotas de la gente de la clase media —gente que se permite el lujo de elegir— es más posible que observemos con mayor claridad la forma en que pasan de una etapa a otra como variaciones sobre el tema de la evolución adulta, más que como reacciones a obstáculos externos o como consecuencia de una conducta de clase.

Las personas que aparecen en este libro tienen edades que oscilan entre los dieciocho y los cincuenta y cinco años. Entre los hombres hay abogados, médicos, ejecutivos y empresarios medianos, sacerdotes, profesores, políticos y estudiantes, como también artistas, profesionales de los medios de comunicación, de las ciencias, y otros que atienden sus negocios. Estudié a mujeres destadas y también seguí los pasos de muchas amas de casa y madres tradicionales.

Casi todas las personas que entrevisté solicitaron permanecer en el anonimato. En el intento de evitar toda posibilidad de que el lector pudiera reconocerlas, en un principio traté de alterar sus profesiones o de modificar su marco geográfico. Pero la ocupación que la gente escoge y el lugar en que vive se encuentran demasiado íntimamente ligados a la personalidad que los explica y a la estructura que los conforma. No existe un equivalente exacto. De modo que finalmente sólo modifiqué sus nombres y todas las citas son transcripción textual del magnetofón.

Aunque muchos de mis entrevistados crecieron en pequeñas ciudades, gravitaron hacia centros urbanos como Nueva York, Los Ángeles, Washington, San Francisco, Chicago, Detroit, Boston, New Haven y Dayton, en Ohio, ciudad que los encuestadores consideran cuna de la pareja americana media. Algunos se han trasladado a los suburbios y unos pocos a los bosques, a las Montañas Rocosas, a las playas de California. Más de la mitad han estado divorciados. Algunos no tienen hijos y un número de mujeres están al frente de su hogar. Resulta difícil hacer una estadística en el plano de la religión porque muchos abandonaron sus creencias de su infancia, o las han cambiado, o están buscando nuevas formas de espiritualidad. Alrededor de un tercio tienen antecedentes protestantes, y los dos tercios restantes se reparten aproximadamente entre hogares católicos y judíos.

Algunos de los sujetos que estudié eran deslumbrantes; otros, de un plumaje más pálido. Es posible hallar complejidad en la existencia más sencilla, del mismo modo que existe una huella de uniformidad en la más compleja. De la mayor parte de los contratiempos abrumadores, la gente extrae una dignidad de propósitos.

Espero un coro de disidentes. Las voces más potentes serán probablemente, las de aquellos que dirán: «Está tratando de sistematizar algo tan variable que no dice más que tonterías». No se puede refutar empíricamente esta afirmación. Quienes exploran la personalidad humana no tratan con la ciencia, sino con el arte, la observación, la intuición, la percepción. Cuando existan muchos estudios sobre la evolución adulta y suficientes exploradores de este campo, de modo que se haya llegado a una sistematización, contaremos con algo sobre lo que merecerá la pena discutir. Pasará mucho tiempo hasta que surjan dimensiones universales.

Esta obra también contiene algo que puede resultar ofensivo. Incluso a algunas de las personas a quienes se adapta exactamente una descripción, no les gustará, no la aceptarán, no les complacerá recibir un ejemplar por correo, con un párrafo subrayado por un ex compañero. Pero todo es para bien. Si usted lo lee en su totalidad y sigue sintiéndose satisfecho consigo mismo, esta obra será un fracaso. El material de nuestra vida cotidiana es un sujeto volátil y es natural que nuestras reacciones ante el mismo sean subjetivas. No obstante, debo reconocer que me desconcerté cuando los primeros comentarios que me proporcionaron amigos y colegas sobre las mismas biografías, fueron tan claramente inconsistentes: «Él me pareció maravilloso pero ella detestable» y «no logré comprender al tipo que era un fracasado en los negocios» y «los hombres que describes son todos infantiles» y —comentario de una ambiciosa escritora soltera de treinta años— «las mujeres carecen de iniciativa».

Después hablé con un amigo escritor que estudia explosivos temas contemporáneos, tomados de las historias clínicas de su práctica psiquiátrica. Cuando mostró su primer manuscrito a algunos de sus colegas, obtuvo respuestas totalmente dispares. Todos encontraron peros a historias diferentes y se entusiasmaron con otras. Después de escribir su segunda obra y recibir las mismas respuestas confusas e inconsistentes ante los mismos casos, todo quedó bien claro: no se trataba de comentarios sobre la validez de lo que había escrito sino de tests de Rorschach de la gente que lo leía.

Más aún, a veces resulta difícil simpatizar con personas que disfrutan de envidiables situaciones en la nación más opulenta del planeta. La mayor parte de la gente cuyas historias se reflejan en este libro tuvo la oportunidad, en algún momento de su vida, de utilizar su criterio y creatividad. Sus mentes están entrenadas; sus cuerpos relativamente sanos; en su trabajo casi no existe el embotamiento y la deshumanización que afecta al obrero, al operario de una fábrica, a la mujer que es un eslabón en una cadena de montaje. No obstante, se quejan. ¿Por qué?

Por una parte, cuando se le garantizó el anonimato, la gente entrevistada aprovechó la oportunidad de ir directamente al núcleo de sus dudas, esperanzas, conflictos, dificultades emocionales. No se vistieron con los ropajes de la persona pública. Algunas de las personas con las que hablé me dijeron: «Cuando terminemos, usted sabrá sobre mí más de lo que jamás le he revelado a nadie».

La última entrevista que llevé a cabo es un buen ejemplo. Buscaba yo a una mujer con educación universitaria que hubiese elegido ser esposa y madre y siguiera dichosa con su elección al llegar a la edad mediana. La encontré. Había redactado la siguiente síntesis biográfica para un periódico de graduados: «Cuatro hijos. Soy profesora de literatura. En mi tiempo libre (ja ja) toco el piano, juego al tenis, hago punto. He dejado de fumar. Mis años de estudiante fueron maravillosos. ¡Me gustaría volver y repetirlo todo! ¡Ahora mismo!».

Cuando nos sentamos a conversar durante ocho horas seguidas, descubrí que su marido la había abandonado el año anterior.

Dijo que él había madurado y ella no. Temía que ahora que había perdido a su esposo, quedaría anulada como persona. La aterrorizaba ingresar en el mundo de la competencia a los cuarenta años. Una noche su hija trató de convencer al electricista de que se quedara a pasar la noche porque «mami tiene una cama grande y está muy sola». El estimulante bosquejo biográfico para el boletín informativo de graduados había sido escrito (ja ja) en el peor momento de su vida.

Todos tienen dificultades a la hora de subir los peldaños del crecimiento interno, aun cuando los obstáculos externos parezcan fácilmente superables. Además, nuestra sociedad concede sus premios a los logros externos, no internos. Son escasos los trofeos adjudicados por conciliar todas las fuerzas que compiten para dirigir nuestra evolución, aunque la base fundamental de todo crecimiento de la personalidad consiste en trabajar hacia dicha reconciliación hora exigente a hora exigente, día triunfante a día triunfante, año arduo a año arduo. Actualmente cuento mi fortuna en vidas que se me abrieron con confianza. Viven en mí, resuenan en mi interior, me enseñan todos los días que ninguna edad ni acontecimiento puede, en sí mismo, impedir que el espíritu humano se extienda más allá de sus límites anteriores.

Todos sentimos aversión por las generalizaciones porque pensamos que violan lo que hay de singular en nosotros mismos. Pero cuanto más pasa el tiempo, más conciencia tenemos de lo corrientes que son nuestras vidas y de nuestra soledad esencial como navegantes de la travesía humana. Gradualmente, los fragmentos de vidas de personas sobre las que había escrito con anterioridad y los de aquéllas a las que estaba entrevistando comenzaron a encajar como partes de una composición coherente. La generalización dejó de asustarme. Releí una observación de Willa Cather con una mezcla de regocijo y sorprendido reconocimiento:

Sólo existen dos o tres historias humanas, que siguen repitiéndose con tanta intensidad como si nunca hubieran ocurrido.

Crisis previsibles de la edad adulta

No somos distintos a un crustáceo especialmente resistente. La langosta crece produciendo y desprendiéndose de una serie de duros caparazones protectores. Cada vez que se expande desde el interior, debe deshacerse de la capa que la limita. Queda expuesta y vulnerable hasta que, en su momento, crece un nuevo caparazón para reemplazar al anterior.

Con cada paso de un estadio de crecimiento humano al siguiente también nosotros nos vemos en la tesitura de deshacernos de una estructura protectora. Quedamos expuestos y vulnerables, pero también en fermento y en embrión, susceptibles de expandirnos en formas que antes desconocíamos. Dichos desprendimientos pueden llevar varios años. Al salir de cada paso, empero, ingresamos en un período más prolongado y más estable en el que podemos esperar una relativa tranquilidad y la recuperación del equilibrio.

Todo lo que nos ocurre —graduaciones, matrimonio, nacimiento de hijos, divorcio, conseguir o perder un trabajo— nos afecta. Estos *hechos demarcadores* son los acontecimientos concretos de nuestras vidas. Empero, una etapa evolutiva no se define en términos de acontecimientos demarcadores, sino por una serie de cambios que se inician en el interior. *El impulso subyacente hacia el cambio se encontrará allí al margen* de que se manifieste o no, o se vea potenciado por un hecho demarcador.[1]

La vida de una persona en cualquier momento dado incorpora tanto aspectos externos como internos. El sistema externo está compuesto por nuestra calidad de miembros de la cultura: nuestro trabajo, clase social, papel familiar y social, la forma en que nos presentamos a y participamos del mundo. El campo interior se refiere a los significados que dicha participación tiene para cada uno de nosotros. ¿Hasta qué punto se ven estimulados o burlados nuestros valores, metas y aspiraciones por nuestro actual sistema de vida? ¿Cuántas partes de nuestra personalidad podemos conservar y qué partes estamos suprimiendo? ¿Qué *sentimos* sobre nuestra forma de vida en el mundo en cualquier momento dado?

Los cambios cruciales del lecho de sustentación comienzan a desequilibrar a una persona en el campo interno, señalando la necesidad de cambio y del paso a un nuevo plano en la nueva etapa de desarrollo. Estos cambios cruciales se producen a lo largo de toda la vida, pero la gente se niega persistentemente a reconocer que posee un sistema de vida interno. Si se le pregunta a cualquier persona que parece deprimida por qué se siente así desplazará —la mayoría— el mensaje interior a un hecho demarcador: «Estoy así desde que nos cambiamos de casa, desde que cambié de trabajo, desde que mi mujer volvió a la Universidad y se convirtió en una maldita asistenta social vestida de arpillera» y así sucesivamente. Probablemente menos del diez por ciento dirá: «Existe en mi interior una perturbación cuyos términos exactos desconozco y que, aunque dolorosa, siento que debo asumirla y superarla». Un número aún menor de personas logrará explicar que la turbulencia que siente puede no tener ninguna causa externa. No obstante, es algo cuya resolución puede prolongarse *varios años*.

Durante cada uno de esos pasos, lo que sentimos acerca de nuestra forma de vida experimentará modificaciones sutiles en cuatro áreas de percepción. Una de ellas es el sentido interior del yo con relación a otros. La segunda son las proporciones de seguridad y peligro que sentimos en nuestras vidas. La tercera se refiere a nuestra percepción del tiempo: ¿disponemos de mucho tiempo o empezamos a sentir que éste se acaba? Por último, habrá un cambio en nuestro sentido de vitalidad o estancamiento. Éstas son las vagas sensaciones que componen el tono de fondo de vivir y conformar las decisiones sobre las que actuamos.

Vivir la vida adulta no es fácil. Al igual que en la infancia, cada paso no sólo representa nuevas tareas de desarrollo sino que exige dejar a un lado una serie de técnicas que funcionaban con anterioridad. En cada paso se debe abandonar alguna magia, se debe desprender alguna querida ilusión de seguridad y sentido cómodamente familiar del yo, para permitir la mayor expansión de nuestra propia singularidad.

Lo que quiero decir es que debemos estar dispuestos a cambiar de silla si deseamos madurar. No existe una compatibilidad permanente entre una silla y una persona. Tampoco existe una única silla adecuada. La que en una etapa es conveniente puede resultar restrictiva o demasiado blanda en otra. Durante el paso de un estadio a otro, nos encontraremos entre dos sillas. Tambaleantes, qué duda cabe, pero evolucionando. Si de algo llegué a convencerme en el curso de la recolección de las historias de vida que informan esta obra, fue esto: los momentos de crisis, de ruptura o de cambio constructivo, no sólo son previsibles sino deseables. Significan madurez.

Naturalmente, ésta no es la única alternativa. Si el funcionamiento de la vida adulta parece demasiado difícil, uno siempre tiene la posibilidad de instalarse en un «hogar permanente», de acomodar todo el sistema de vida alrededor de aquél: el trabajo, las escuelas para los hijos, las actividades sociales y todo lo demás. Después, cuando los redobles de una nueva etapa de desarrollo empiecen a sonar en nuestro interior, podemos manifestar la imposibilidad de alcanzar el cambio.

Cuando los reveses económicos obligan a una persona joven a abandonar los estudios y a empezar a trabajar, cuando el casamiento no se produce en el momento ansiado, cuando un niño nace excesivamente temprano o tarde, cuando la gente no parece, sencillamente, poder alcanzarse a sí misma y su realización profesional se retarda... se producen los que podríamos calificar como *hechos intempestivos*. Éstos perturban la secuencia y el ritmo del ciclo vital esperado. Las personas cuyas vidas se han visto singularmente conformadas por hechos intempestivos se aferran a algo para explicar lo que no previeron.

A menudo oímos decir «soy un brote tardío». También «ella se destacó prematuramente» o «él es un caso perdido», o «es una oportunista». Aunque el resultado sea favorable —el enano de Wall Street brota tardíamente como escultor o la novia veterana y su joven príncipe se ven transportados a un país de ensueño—, existe una importuna sensación de que algo está fuera de lugar. Por un lado, la sociedad ofrece muy poco apoyo a quienes zigzaguean fuera de la senda de desarrollo conocido. Las habladurías les marginan como extraños porque desafían la sensatez convencional y amenazan al resto de la manada. Aún más, como afirma la psicosocióloga Bernice L. Neugarten, hablamos mucho acerca de la identidad del rol sexual pero rara vez mencionamos la poderosa influencia de la «identidad del rol de la edad».[2]

¿Y al individuo comprometido cuya trayectoria extrema es aplaudida, también puede tendérsele la zancadilla? El niño tenaz totalmente resuelto a cumplir su objetivo, que ha dedicado muy poco tiempo a construir relaciones emocionales, puede ignorar durante sus años formativos la sensación de vacío interior. La sociedad lo aguijonea. O la aguijonea: piénsese en Dorothy Parker, en Marilyn Monroe y, en este sentido, en todas las estrellas cinematográficas. Después de dedicar todas sus energías a avanzar a la máxima velocidad por una vía estrecha, los superastros pueden sufrir una fuerte conmoción en el paso de la edad mediana, al descubrir que en realidad han quedado atrás. Por otro lado, la gente que se compromete a fondo con un objetivo y lo cumple satisfactoriamente, en oportunidades florece en la mitad de la vida, cuando se liberan sus emociones hasta entonces descuidadas, lo que para él puede significar una renovación.[3]

Existen otros acontecimientos que el individuo no puede prever: una guerra, una depresión económica, la muerte de uno de los padres, o de un hijo, o del cónyuge, o una amenaza real a la propia vida, como la que yo experimenté en Irlanda. Designo a estos hechos con el nombre de *accidentes vitales.*

Como el golpe de un accidente vital es más duro si coincide con un paso crítico del ciclo vital, puede forzarnos a resolver más eficazmente las cuestiones de ese paso.[4] Sin embargo, algunos de los hombres que sólo habían abandonado a medias el refugio de sus padres y tratando de aferrarse a un empleo cuando la Depresión de 1930 hizo temblar el suelo debajo de sus pies, se vieron permanentemente afectados por la inquietud de la seguridad en el trabajo.

Dos parejas, dos generaciones

Además de por la edad, la etapa y el género, el desarrollo de nuestra personalidad se ve influido por la generación y el cambio social. En un sentido general, nos apoyamos en el sencillo y obvio método de definir a la gente por la generación a la que pertenece: «Es un viejo radical de los años treinta», o «es una chica de los años sesenta». Yo pongo el énfasis en los cambios interiores más sutiles que son comunes a nuestra evolución cronológica. Considero que merecen atención, no porque sean necesariamente el factor más decisivo en nuestro desarrollo como adultos, sino porque generalmente los ignoramos.

En mi investigación conocí a una familia tradicional, soñadores del sueño americano, sin ninguna crisis manifiesta en su historia, y estudié a cada uno de sus miembros. Me referiré a ellos como a «los Babcock». No he modificado nada, salvo sus nombres. Resultó de gran utilidad comparar dos fotos del álbum de la familia Babcock. Una de ellas había sido tomada en 1947: la novia y el novio, Ken y Margaret. La otra, de 1974, corresponde a su hijo Donald y la novia de éste, Bonnie. Entre ambas parejas se extienden veinticinco años de historia y de sistemas de valores cambiantes. ¿Cuáles son las diferencias de sus sueños? ¿Qué visiones del matrimonio, qué objetivos para el futuro, qué visión general de sí mismos distingue a cada pareja cuando se hace a la vela en el mundo adulto?

Algunos dirán que las dos generaciones pueden ser fácilmente reconocibles. He aquí las palabras de los protagonistas:

PAREJA A

Refiriéndose a sí mismo a los veintidós años, el hombre dice: Muchas cosas provienen de mi padre. Él estimuló intensamente mi participación en deportes y competiciones. Mi padre había pertenecido al equipo de natación de Yale. Quería que yo hiciera lo mismo. Aunque me iba realmente bien en ciencias, me empujó a tomar clases suplementarias. «Siempre es bueno tener una carta más alta de la que se necesita», era el consejo que daba a todos sus hijos: un as en la manga para la seguridad económica.

¿Qué me decidió a casarme? Bueno, fue conocerla y enamorarme, saber que eso era lo que debíamos hacer: pasar el resto de nuestra vida juntos. Yo quería una familia muy unida. Quiero decir que los lazos de la mía no era tan fuertes como los de la familia de ella y eso me atrajo.

En cuanto a mi propio futuro, todo era cuestión de alcanzar una serie de metas. Quería ver en marcha algunas de mis ideas; era cuestión de trabajar mucho y ponerlas en práctica. En la Facultad me sentí muy excitado llevando a cabo mi propia investigación.

Pero cuando mis amigos me proponían que hiciéramos negocios, yo me daba cuenta que sólo la investigación no era suficiente.

Ella interviene con un comentario: es que la investigación no iba acompañada de una compensación económica.

Él: Consideré los negocios más que nada como un medio. Aprovechar el gran momento. En realidad, no me gusta tener que preocuparme por el dinero y deseo hacerla feliz.

El punto de vista de ella con respecto al sueño de él: De acuerdo, yo sabía que él amaba la investigación. Pero después de seis meses de trabajar en la puesta en marcha de su nueva empresa, me dijo: «Lo hago porque quiero poder darte todo lo que deseas», refiriéndose a cuestiones materiales. Yo le pregunté: «¿Pero tú realmente *quieres* hacerlo? Sé cuánto te gusta la investigación». En ese momento me di cuenta de que la aventura comercial era un gran desafío para él. Había llegado a tener afecto a las máquinas comerciales.

Él introduce una corrección: Bueno, un interés.

Ella: Un enorme interés.

Él: Lo consideraba una herramienta.

Ella: Eso es algo sobre lo que solíamos discutir. Le dije que se estaba desviando. Era sofocante.

Ella, refiriéndose a sus propios objetivos y ambiciones: Había una serie de actividades que realmente me interesaban. Especialmente la psicología. Pero no pude planificar mi futuro. En realidad, dependía de él. Por eso cambié tres veces de Facultad: su carrera estaba primero. A mí me gustaba mucho trabajar con niños con problemas, en realidad, con todos los niños. Mi idea consistía en trabajar hasta los treinta y después tener hijos hasta los cuarenta: una verdadera madre y ama de casa típica.

PAREJA B

Él, refiriéndose a su sueño a los veintiún años: Cuando era pequeño me enseñaron a perseguir el éxito económico. A ser un buen proveedor para mi familia. Planta los pies en la tierra y cumple. Esto es lo que me repitieron incansablemente desde que tenía corta edad y ésta es la meta que me fijé: tener hijos, mantener a mi esposa, poseer una hermosa casa, enviar a mis hijos a Yale, como hizo mi padre, y ser un éxito en los negocios.

¿Qué me llevó a casarme? Cuando nos conocimos, ambos éramos muy jóvenes e inmaduros. Mi padre pensaba que ella era maravillosa. Mi familia era menos pudiente que la de ella.

El punto de vista de ella: Yo me encontraba muy sola. Una de las razones por las que quería casarme con él era la de tener una gran familia. Él era muy dinámico. Pensaba que era capaz de hacer cualquier cosa.

Él protesta: Puedo.

Ella se corrige: Sí, creo que es mucho lo que él puede hacer. Pero uno nunca sabe a dónde le conducirá.

Las aspiraciones de ella: Pasé un año en la Universidad, especializándome en radio y televisión. Después renuncié a la idea de un trabajo que tuviera que ver con ese campo. sólo trabajé para ganar algo de dinero. Nada creativo. En realidad, no me entregaba a lo que hacía. Mi deseo era casarme y tener una gran familia.

La Pareja A está formada por el hijo, Donald, y su prometida, que actualmente tienen veintidós y veinte años respectivamente. La Pareja B la componen Margaret —cuarenta y seis años— y Ken, el padre, de 48. Si usted tuvo algún problema en diferenciar los sueños y los valores de los dos conjuntos generacionales, se encontró en la misma confusión que afecta a los Babcock.

Como señala el padre con orgullo, su hijo sigue exactamente sus propios pasos:

—Obtuve mi diploma en Yale y me casé a la semana siguiente. Donald está exactamente en la misma posición.

De igual modo que todos crecemos y envejecemos gradualmente, el sistema interior de vida tiene su propio reloj inquebrantable. Probablemente en algún momento de nuestra vida todos nos

sentimos como el hombre que aúlla, sin ser oído, en una historieta de Jules Feiffer (véase página de enfrente).[5]

No obstante, los acontecimientos que exigen una acción antes de que estemos preparados, a menudo tienen el benéfico efecto de lanzarnos a la siguiente etapa de evolución a pesar de nosotros mismos.

Como veremos más adelante, cada persona aborda los peldaños del desarrollo en su *estilo de avance*[6] característico. Algunas personas nunca llegan a completar toda la secuencia. Ninguno de nosotros «resuelve» en un paso —por ejemplo, saltando del hogar familiar a un trabajo o al matrimonio— los problemas que se derivan de la separación de quienes nos han cuidado en la infancia. Tampoco «alcanzamos» la autonomía de una vez para siempre al convertir nuestro sueños en metas concretas, incluso si las alcanzamos.[7] Las cuestiones o los objetivos centrales de un período nunca son plenamente completados, atados y dejados de lado. Pero cuando pierden su primacía y la estructura de vida de un momento dado ha cumplido su propósito, estamos preparados para pasar al período siguiente.

¿Cómo es posible alcanzar el propio nivel? Lo que a otros puede parecerles apatía, terquedad, una delirante negativa a afrontar una tarea obvia, puede ser para una persona el único desvío que posteriormente la llevará al otro lado. Los logros evolutivos alcanzados pueden perderse... y luego volver a ganarse. Es posible —aunque no puede demostrarse— que el dominio sobre un conjunto de cometidos nos fortifique para el próximo período y el siguiente conjunto de desafíos. Pero es importante no pensar demasiado mecánicamente. Las máquinas operan por unidades. La burocracia opera (supuestamente) paso a paso. Los seres humanos, gracias a Dios, poseen una dinámica interna individual que jamás puede ser codificada en forma exacta.

Aunque he señalado las edades en que es probable que los estadounidenses superen cada etapa, y las diferencias entre hombres y mujeres cuando son notables, no debe prestarse una atención desmesurada a la edad. Lo importante son las etapas y, especialmente, la secuencia.

A continuación presentamos un breve bosquejo de la escala evolutiva.

ARRANCAR RAÍCES

Antes de los dieciocho, la divisa es clara y contundente: «Tengo que alejarme de mis padres». Pero rara vez las palabras se relacionan con la acción. Por lo general, cuando todavía estamos dentro de la seguridad de nuestra familia, aunque estudiemos lejos, sentimos que nuestra autonomía se encuentra sometida a una constante erosión.

Después de los dieciocho empezamos a Arrancar Raíces con fruición. La Universidad, el servicio militar y los viajes cortos son los vehículos que habitualmente proporciona nuestra sociedad para los primeros viajes de ida y vuelta entre la familia y nuestra independencia. En el intento por separar nuestra visión del mundo de la de nuestra familia, a pesar de las violentas protestas en sentido contrario —«¡Sé exactamente lo que quiero!»— vamos detrás de cualquier creencia a la que podamos llamar propia. Y en el proceso de experimentación de esas creencias, a menudo nos sentimos atraídos por las novedades, preferentemente por aquéllas que son más misteriosas e inaccesibles para nuestros padres.

Cualesquiera sean las tentativas de adhesión que probemos en el mundo, nos acecha el temor de que en realidad somos chicos que no pueden cuidarse solos. Encubrimos ese temor con actos de desafío y fingida confianza. Nos volvemos a nuestros contemporáneos en busca de aliados que sustituyan a nuestros padres. Aquéllos se convierten en conspiradores y en tanto que su perspectiva engrana con la nuestra, sustituyen el santuario familiar. Pero esto no perdura demasiado tiempo. En cuanto se apartan de los poco sólidos ideales de «nuestro grupo», se les considera traidores. Es corriente

de dispensadores de cuidados, y muchas más. Dichas pautas influyen profundamente en los aspectos concretos planteados por cada persona durante cada paso, de modo que en el curso de esta obra esbozaremos las más comunes.

Animados por poderosas ilusiones y por la fe en el poder de la voluntad, por lo común en los veinte insistimos en que el camino que hemos escogido es el único auténtico de la vida. Nos encogemos de hombros frente a la más leve insinuación de que somos como nuestros padres, de que dos décadas de permanecer junto a ellos pueden reflejarse en nuestros actos y actitudes actuales.

—Yo no —es el lema—. Yo soy diferente.

ALCANZAR LOS TREINTA

Impacientes por dedicarnos a los «debo», a medida que nos aproximamos a los treinta surge desde el interior una nueva vitalidad. Tanto hombres como mujeres expresan que se sienten demasiado limitados y restringidos. De ello culpan a todo tipo de cosas, pero las restricciones se refieren a los efectos de la profesión y las elecciones personales de los veinte. Pueden haber sido elecciones perfectamente adecuadas para aquella etapa, pero ahora ya no encajan como antes. Algún aspecto interior que fue dejado de lado pretende hacer patente su existencia. Deben hacerse nuevas e importantes elecciones y alterarse o profundizarse compromisos. La tarea implica grandes cambios, torbellinos y a menudo crisis: una simultánea sensación de estar en el fondo y querer surgir.

Una respuesta habitual consiste en desbaratar la vida que nos hemos esforzado por consolidar entre los veinte y los treinta. Esto puede significar emprender un camino secundario hacia una nueva visión, o convertir el sueño de «presentarse para presidente» en una meta más realista. La persona soltera siente el impulso de encontrar un compañero. La mujer que antes se sentía contenta en su casa, con los hijos, ansía aventurarse en el mundo. La pareja sin hijos reconsidera la idea de tenerlos. Casi todos los que están casados —en especial aquellos que lo están desde hace siete años— se sienten insatisfechos.

Si el descontento no conduce al divorcio, exigirá —o debería exigir— una seria revisión del matrimonio y de las aspiraciones de cada miembro al Alcanzar los treinta. La esencia de esta condición fue expresada por un adjunto de un bufete jurídico de Wall Street, de 29 años de edad:

—Estoy pensando en dejar la empresa. Hace cuatro años que trabajo aquí y estoy en buena posición, pero no tengo clientes propios. Me siento débil. Si espero mucho más, será demasiado tarde, demasiado cerca del fatídico momento de tomar la decisión de asociarme o no. Yo estoy orientado hacia el éxito. Pero la idea de tener cincuenta y cinco años y estar atado a un trabajo monótono, me vuelve loco. Ya me está volviendo un poco loco. Yo diría que el ochenta y cinco por ciento del tiempo disfruto plenamente de mi trabajo. Pero cuando me cae en suerte un caso retorcido, salgo del juzgado preguntándome: «¿Qué estoy haciendo aquí?». Tengo la sensación *visceral* de estar perdiendo el tiempo. Ahora estoy tratando de encontrar alguna forma de hacer una contribución social o de asomar la cabeza en el gobierno municipal. Sigo diciéndome que tiene que haber algo más.

Además del impulso de ampliarse profesionalmente, siente el deseo de expandir su vida personal. Desea tener dos o tres hijos más.

—Para mí ha adquirido gran significación el concepto de hogar, de un lugar en el que apartarme de los problemas y descansar. Amo a mi hijo de una manera que no había imaginado. Nunca pude vivir solo.

Consumido por la tarea de tomar decisiones críticas, pone de manifiesto el cambio esencial que se produce a esta edad: la necesidad absoluta de ocuparse más de sí mismo. El yo tiene ahora un nuevo valor y su competencia ha quedado demostrada.

Su mujer lucha con sus propias prioridades de los treinta años.

Quiere estudiar pero desea tener más hijos. Si decide quedarse en su casa, quiere que él dedique más tiempo a la familia en lugar de ampliar los compromisos profesionales. A la vez, él manifiesta que lo que espera de su esposa es:

—Quisiera no ser molestado. Parece cruel, pero me gustaría no tener que preocuparme por lo que hará ella la semana que viene. Por tal razón le he dicho en diversas oportunidades que debería hacer algo. Por ejemplo, volver a estudiar y graduarse de asistenta social, o licenciarse en Geografía, o cualquier otra cosa. Algo que le permita realizarse para que yo no tenga que preocuparme por sus problemas. Quiero que tome decisiones con respecto a sí misma.

La dificultad del consejo que se le da a la esposa es que tiene como punto de origen la comodidad de *él* y no la evolución de *ella*. La mujer capta inmediatamente la falta de interés: está tratando de quitársela de encima. Al mismo tiempo, él le niega a ella la misma libertad de ser «egoísta» en la toma de una decisión independiente para ampliar sus propios horizontes. Ambos perciben la carencia de reciprocidad. Y esto es lo que significa para la pareja Alcanzar los treinta.

ARRAIGO Y EXPANSIÓN

A principios de los treinta la vida se vuelve menos provisional, más racional y ordenada. Empezamos a instalarnos en el pleno sentido de la palabra. La mayoría de nosotros empieza a echar raíces y a lanzar nuevos brotes. La gente compra casas y toma con mucha seriedad lo de escalar posiciones en su carrera. En especial los hombres se preocupan por «lograrlo». Por lo general la satisfacción matrimonial rueda cuesta abajo durante los treinta (en caso de quienes siguen juntos) comparada con la pareja de elevadas miras y valores de los veinte. Esto coincide con la reducida vida social de la pareja fuera de la familia y la atención de la crianza de los hijos.

LA DÉCADA TOPE

Mediados los treinta nos encontramos en un cruce de caminos. Hemos llegado a la mitad de nuestra ruta. Pero aunque nos estamos acercando a la flor de la vida, ya empezamos a ver que hay un lugar en el que ésta concluye. El tiempo empieza a atenazarnos.

La pérdida de la juventud, la pérdida del poder físico que siempre hemos dado por obvio, la marchita firmeza de roles estereotipados con los que hasta entonces nos hemos identificado, el dilema espiritual de no tener respuestas absolutas... cualquiera de estas situaciones pueden otorgar a este paso el carácter de crisis. Estos pensamientos se abren paso en la década que va de los treinta y cinco a los cuarenta y cinco a la que podemos designar Década Tope. Es una época de riesgos y oportunidades. Todos tenemos la posibilidad de reelaborar la estrecha identidad por la que nos definimos en la primera mitad de nuestra vida. Quienes son capaces de aprovechar al máximo esta oportunidad, sufrirán una verdadera crisis de autenticidad.

Para superar esta crisis de autenticidad, debemos volver a examinar nuestros objetivos y reflexionar sobre la forma de emplear nuestros recursos en lo sucesivo. «¿Por qué hago todo esto?», «¿En qué creo realmente?». No importa lo que hayamos estado haciendo, partes de nosotros que han sido suprimidas necesitarán encontrar expresión. Los «malos» sentimientos exigirán ser reconocidos junto a los buenos.

Aterroriza avanzar por el traicionero puente que conduce a la segunda mitad de la vida. No podemos llevarnos todo con nosotros en este viaje a través de la incertidumbre. En el camino descubrimos que estamos solos. Ya no tenemos que pedir permiso porque somos los proveedores de nuestra propia seguridad. Debemos aprender a darnos permiso a nosotros mismos. Tropezamos con aspectos femeninos y masculinos de nuestra naturaleza que por lo general hasta ese momento habían permanecido ocultos. Hay penas porque está agonizando un viejo yo. Asumiendo nuestras partes acalladas e incluso las no deseadas, nos preparamos a nivel interior para la reintegración de una identidad que es nuestra y sólo nuestra, no para una forma artificial compuesta con el fin de complacer a la cultura o a nuestros compañeros. Al principio el paso es oscuro. Pero si nos desmontamos podemos vislumbrar la luz y reunir todas nuestras partes en una renovación.

Las mujeres son conscientes de hallarse en ese cruce de caminos interior antes que los hombres. El aguijón del tiempo a menudo obliga a una mujer a detenerse y hacer un examen general a los 35 años. No importa cuáles sean las opciones que ya ha tomado, siente una urgencia de «última oportunidad» de revisar las posibilidades que ha dejado de lado y aquéllas que la edad y la biología suprimirán en un futuro *ahora previsible*. Con todos sus dilemas y confusiones acerca de dónde empezar a buscar un nuevo futuro, habitualmente disfruta de una sensación de alivio. La energía empieza a crecer. Tiene mucho que hacer.

También los hombres sienten el peso del tiempo a mediados de los treinta. La mayoría responde apretando más a fondo el acelerador de su carrera. Se trata de su «última oportunidad» de apartarse de la manada. Ya no resulta suficiente ser un leal segundo ejecutivo, un prometedor novelista joven, un abogado que realiza algún trabajo *pro bono* como tarea paralela. Cuando llega este momento quiere participar en la administración ejecutiva, ser reconocido como escritor, o como político activo con su propio programa legislativo. Descubre, con cierta desazón, que ha sido demasiado ansioso por complacer y demasiado vulnerable a la crítica. Ahora quiere poner a flote su propio barco.

Durante este período de intensa concentración en el progreso externo, es habitual que los hombres no tengan conciencia de los más espinosos problemas internos que les empujan hacia adelante. El análisis que se descuidó a los 35, se vuelve crucial a los cuarenta. No importa hasta dónde haya llegado, a los cuarenta el hombre normalmente se siente deteriorado, inquieto, agobiado y desvalorizado. se preocupa por su salud. Se pregunta: «¿Esto es todo?». Es posible que lleve a cabo el apartamiento de una serie de líneas básicas establecidas a lo largo de su vida, incluyendo el matrimonio. Son cada vez más los hombres que intentan una segunda carrera en la mitad de su vida. Algunos se vuelven autodestructivos. Muchos experimentan un importante cambio de dirección volcando todas sus energías en su propio progreso: entra en juego un aspecto sentimental más tierno. Se interesan por desarrollar un yo ético.

RENOVACIÓN O RESIGNACIÓN

En algún punto, mediados los cuarenta, se recupera el equilibrio, se alcanza una nueva estabilidad que puede resultar más o menos satisfactoria.

Si uno se ha negado a vivir la transición de la mitad de la vida, la sensación de deterioro se calcificará en resignación. Uno a uno se alejarán las seguridades y el apoyo de la persona que permanece quieta. Los padres se convertirán en hijos; los hijos se volverán extraños; un compañero evolucionará o se alejará; la carrera se transformará en un simple trabajo... y cada uno de estos acontecimientos se sentirá como un abandono. Es probable que vuelva a surgir la crisis alrededor de los 50, y aunque esta vez el golpe será más fuerte, la sacudida puede ser exactamente lo que necesita la persona resignada de edad madura para buscar la revitalización.

Por otro lado...

Si en el paso de la mediana edad nos hemos confrontado y hemos descubierto una renovación de objetivos alrededor de los cuales estamos ansiosos por construir una estructura vital más auténtica, éstos pueden ser los mejores años. La felicidad personal gira bruscamente en sentido ascendente para los compañeros que ahora son capaces de aceptar el siguiente hecho: «No puedo esperar que *nadie* me comprenda plenamente». Podemos perdonar a nuestros padres las dificultades de nuestra infancia. Podemos dejar ir a los hijos sin que nos provoquen un silencio mortal. A los cincuenta surge una nueva calidez y maduración. La amistad llega a ser más importante que nunca y lo mismo ocurre con la intimidad. Teniendo en cuenta qué es lo que más a menudo proclama la gente que ha sobrepasado la mitad de la vida, el lema de esta etapa podría ser: «Basta de tonterías».

Segunda Parte

Arrancar raíces

No importa que todo alrededor
sea peligro, pena y oscuridad,
si en nuestro pecho albergamos
un cielo brillante e inmaculado...

EMILY BRONTË

3
Del pecho
a la ruptura

Beber, jugar al sexo, participar en competiciones deportivas, una disciplina férrea, la participación en pandillas callejeras, alistarse en el ejército, unirse al Cuerpo de Paz, ingresar en hermandades y fraternidades, fumar marihuana, ingerir píldoras, recorrer Rajasthan con una mochila, la búsqueda religiosa, amotinarse, implicarse, perseguir el éxtasis de la conciencia: cada uno de estos experimentos satisfizo en algún momento una parte de la necesidad de los jóvenes por poner a prueba su capacidad y buscar su propia verdad. El contenido concreto de la historia varía según el momento en que cada uno de nosotros está dispuesto a dar el paso que le aleja de su hogar, pero el cambio interior que exige este paso sigue siendo el mismo.

Al apartarnos gradualmente de la familia, iniciamos la búsqueda de una identidad personal. Generalmente se considera que ésta es una crisis de la adolescencia. Pero la plena consecución de la identidad no consiste, meramente, en decidir quiénes somos y qué haremos en el mundo; estas decisiones están sujetas a modificaciones en el curso de la vida. Existe una dimensión de crecimiento más refinada que sólo se hace posible y adecuada después de que estamos en posesión del beneficio de años de experiencia vital. Jung designa a este fenómeno como *individuación*,[1] Maslow le da el nombre de *auto-realización* y otros el de *integración* o *autonomía*. Yo hablaré de *alcanzar nuestra autenticidad*. Con esta expresión aludo a la llegada del feliz estado de expansión interior en el que conocemos todas nuestras potencialidades y poseemos el autodominio necesario para digerir su plena expresión.

¿Cuánto tiempo lleva esto desde la amplia perspectiva del ciclo vital?

Somos niños hasta que llegamos a la pubertad. Somos adolescentes hasta que alcanzamos el momento, en nuestros veinte años, en que asumimos una identidad provisional. En algún momento la década que transcurre entre los treinta y cinco y los cuarenta y cinco, cuando alcanzamos la mitad de la vida, también tenemos la oportunidad de llegar al auténtico estado adulto, paso en el que procedemos a marchitarnos dentro de nuestro cascarón o a remodelarnos para el florecimiento de la autenticidad plena.

Si tú ya has salido del hogar paterno, probablemente mascullarás para tus adentros: «¿Qué significa toda esta tontería? ¡Yo *soy* un adulto!» «¿Acaso no me gano la vida?» «¿No me ocupo de mi propio hijo?» «¿No vivo mi vida como me viene en gana, al margen de lo que puedan pensar mis padres?» Resulta fácil señalar éstas y otras demostraciones externas de que se es adulto. Los complicados peldaños del crecimiento interno son algo muy distinto.

Cada niño llega al mundo como un proscrito. Se esfuerza por centrar el universo en torno a sí mismo y por transformarlo en lo que él quiere que sea: su propio círculo interno. Durante los primeros meses de vida, le resulta fácil. El bebé *es* el mundo y no existe la conciencia del «yo» como distinto del «otro».

Gradual y confusamente, este primer círculo incluye imágenes primitivas del dispensador de cuidados —el primer otro—, por lo general la madre. El bebé le llora a su dispensadora de cuidados, quien responde alimentándolo, acariciándolo y aliviando sus incomodidades. Naturalmente, la necesidad y la respuesta no siempre encajan a la perfección. Esto permite que el niño haga su primer reconocimiento grosero del equilibrio que debe esperar en la vida entre la satisfacción y el descontento. Con el descubrimiento de que con el tiempo podrá satisfacer la mayor parte de sus necesidades, el niño alcanza la base fundamental de la que procederá su evolución: un sentido de confianza básica.[2]

Dicha verdad se convierte en el soporte que permite un nuevo tipo de intercambio en el cual se reconocen tanto el yo como el otro, fenómeno al que los psicólogos denominan *reciprocidad*. Un primer ejemplo de reciprocidad se da cuando un bebé sonríe. La madre le devuelve la sonrisa, y en ese momento el niño la recompensa con una respuesta más entusiasta aún. La esencia de la reciprocidad consiste en que cada uno necesita del reconocimiento del otro. Así, el niño escribe la primera página de una larga historia de intercambios íntimos.

Nuestro Yo Fusionador y nuestro Yo Buscador

Con la aparición del primer sentido separado del yo, aproximadamente a los dos años, nos vemos en posesión de un don extraordinario: la construcción de nuestra propia individualidad. El precio del cultivo de esta semilla es la separación, el gradual y doloroso proceso de aislar la realidad interna de *mí* de las imágenes glorificadas del *ellos*. Ahí reside el problema. La glorificación de nuestros padres se ve potenciada por el hecho mismo de nuestra dependencia de ellos y por nuestra consecuente necesidad de hacer de ellos Personas Fuertes

Algo en nuestro interior anhela seguir siendo un niño fundido con la madre, prescindir de todo lo que es extraño y abandonarse sólo a nuestras apetencias de placer o poder. En oportunidades el impulso es tan fuerte que el niño está dispuesto a renunciar a sus propios imperativos internos y a disolver su singularidad naciente. ¿Por qué no? Mientras permanecemos sumergidos en nuestro círculo egocéntrico no tenemos problemas. Sólo tenemos conocimiento de ellos cuando las fuerzas de nuestra vida interior entran en oposición, lo que ocurre cuando el yo empieza a dividirse.[3]

Ayuda el pensar que estas fuerzas se encuentran bajo la dirección de dos aspectos distintos del yo, tan distintos como dos oradores que defienden posiciones opuestas ante un proyecto de ley en el Congreso. El impulso de uno de esos aspectos se inclina por la fusión. Podríamos designar a su director como *Yo Fusionador*. El impulso opuesto consiste en buscar nuestra individualidad; éste es nuestro *Yo Buscador*. Estos impulsos responden a deseos contradictorios que plantean el tira y afloja que subyace en todos los pasos de nuestro desarrollo.

Uno de ellos es el deseo universal de estar ligado a otro, de restablecer de algún modo la beatífica proximidad con la madre, porque en dicha fusión residiría la armonía perfecta, la seguridad absoluta, el tiempo infinito. El Yo Fusionador nace de la frustración que nos proporciona el temprano descubrimiento de que de hecho estamos separados y somos distintos de nuestro dispensador de cuidados. Así se dispara el deseo de incorporar totalmente al otro, a cualquier «otro» que se convierte en fuente de amor y placer. Este deseo, señala la psicoanalista Edith Jacobson, «probablemente nunca desaparece por completo de nuestra vida emocional».[4]

La identificación es una forma de imitar al otro. Caminamos majestuosamente con los tacones de mamá. Reproducimos fielmente el afeitado de papá con una navaja invisible. Detrás de muchas de estas imitaciones de nuestros padres que reproducimos en los primeros años de vida, subyace el deseo de conservar la máxima proximidad con nuestra fuente de amor original.

Desplegamos de modo conmovedor y transparente este anhelo

de estar ligado a otro a lo largo de toda la vida. Nunca estamos tan cerca de recuperar el sentimiento de fusión como en el éxtasis de la unión sexual. Hacer el amor no solo apacigua las iras potenciales surgidas de la evidencia cotidiana de nuestra diferenciación, sino que también nos permite entregarnos, aunque brevemente, a un estado de armonía atemporal que nos trae reminiscencias de aquel estado original en el que el yo y el otro parecían uno solo. La capacidad de llegar a otros y empatizar con ellos, de sentir igual que ellos sin permitir que nuestra propia realidad se imponga, también depende de que permitamos que se produzcan fusiones transitorias. Entonces el Yo Fusionador, en su constante esfuerzo por restablecer la proximidad, desea siempre un lazo firme y seguro.

El Yo Buscador es impulsado por el deseo opuesto: estar separado, ser independiente, explorar nuestras capacidades y llegar a ser amos de nuestro propio destino.* En la primera infancia este impulso se alimenta con el placer que sentimos al descubrir nuestro potencial de capacidad. En cuanto podemos caminar, deseamos hacerlo sin que nadie nos lleve de la mano, gatear escaleras arriba, gatear escaleras *abajo* a pesar de los portales especiales para bebés y de las solemnes advertencias respecto a nuestra inminente autodestrucción. El rebelde que llevamos dentro no sólo se opone a los «no» impuestos por nuestros padres, sino también a sus instrucciones implícitas sobre lo que significa ser bueno y ser malo. En este caso recurrimos también a identificarnos como atajos para aprender a comportarnos como si fuéramos mayores. A lo largo del camino internalizamos incontables imágenes de nosotros mismos como las «Personas Fuertes» a las que deseamos parecernos.

La mayoría de los teóricos contemporáneos coinciden en que la admisión de estas tempranas identificaciones se encuentra en la

---

* En esta obra me he mantenido apartado de los difíciles y agobiantes términos *ello, superyó* y *ego.* He empleado una formulación diferente (el Yo Fusionador y el Yo Buscador) para describir dos conjuntos de fuerzas que siempre están en pugna en nuestro interior en cuanto a la cuestión de hasta cuándo y a qué ritmo evolucionaremos. En modo alguno pretenden ser intercambiables con los conceptos freudianos.

base de nuestro desarrollo psicológico.[5] A todas las edades nuestra imagen de nosotros mismos nunca es absolutamente independiente de aquellas primeras imágenes de nuestros padres.

Si se da rienda suelta al Yo Fusionador demasiado pronto, puede conducirnos a una situación de no-riesgo, de no-crecimiento. Pero cuando estamos más allá de la sospecha o del temor de permitir que nuestra singularidad se pierda en la unión con otros, es nuestra parte fusionadora la que nos permite amar íntimamente, compartir generosamente, expresar ternura y experimentar simpatía.

Si el Yo Buscador se desenfrena, nos dirigiremos a una existencia centrada en el yo, en la que no pueden existir compromisos auténticos y en la que los esfuerzos por alcanzar la distinción individual son tan vigorosos que nos dejan emocionalmente empobrecidos.

Sólo si conseguimos que ambas fuerzas operen concertadamente alcanzaremos la capacidad de individuación y de reciprocidad. Pero no se trata, tan sólo, de una competencia intramuros.

El custodio interno

Tan pronto se vuelve claro que un segundo círculo —el mágico círculo de la familia— nos rodea y nos restringe, reconocemos a otra fuerza que intenta dirigir nuestro desarrollo. Cuando somos niños todos debemos aprender, por ejemplo, a que al cruzar la calle no nos atropelle un coche. El proceso se produce más o menos así: «¡Detente! ¡No bajes a la calzada!», grita la madre la primera vez que el niño curioso se le adelanta y corre hasta la esquina. Sorprendido por el tono de alarma de su madre, el niño se detiene. Después de una o dos excursiones más a la misma esquina, el niño se detiene en el bordillo y repite exactamente las palabras de la madre: «Yo detente, espera a mami». El niño no cruza la calle. Pero ahora el control ya no procede del exterior, sino de una presencia controladora interior: un padre fantasma. La orden del otro ha quedado parcialmente incorporada al yo.

Al asumir la prohibición de «no cruces la calle» y miles de otras formas de conducta a través de la identificación, todos terminamos con una compañía constante a la que podemos designar nuestro *custodio interno*. Coarta nuestra libertad y en tal sentido es un dictador. Pero en compensación, puede predecir el futuro («Si cruzas cuando la luz está roja te atropellará un coche») y de este modo protegernos del peligro; en consecuencia, también es un guardián.

El custodio interno cuenta con otros poderes además de los simplemente precautorios. Nuestros padres también nos dicen, en el transcurso de nuestra infancia: «Mírame a mí; sé como yo», o, en algunos casos: «No seas como yo». Directa o indirectamente, el padre puede transmitir el siguiente mensaje: «Si no estudias en la Facultad de Medicina y llegas a convertirte en médico, no serás respetado». Asimismo, la madre a quien le ha tocado en suerte ser ama de casa, puede martillar así el cerebro de su hija: «Estudia literatura, María. Lee. Aprende. ¿O quieres ser una sirvienta como yo cuando seas mayor?».

A partir de entonces y durante gran parte de la vida, incluso cuando todo marcha sobre ruedas exteriormente, nuestro mundo interno puede estar en estado de excitación como consecuencia de la actividad competitiva del Yo Buscador y el Yo Fusionador y también por el enfrentamiento con el custodio interno.*

* En términos psicoanalíticos, nos estamos refiriendo a los conceptos del yo y objeto que nacieron con Freud. En una primera exposición, tales conceptos son terriblemente abstractos. Empero, más allá de las palabras abstractas, su profundidad hace posible encajar la biografía de una persona en un marco teórico y observar la configuración subyacente de su desarrollo junto con algunas de las fuentes originales de nudos y lazos. He intentado presentar la teoría en términos menos abstractos, sustituyendo «objeto» por «custodio interno», y aplicarla a las etapas de la vida adulta para sumar una dimensión más profunda a los cometidos que enfrentamos en cada paso.

Como es natural, todos acabamos violando el tabú de «no cruces la calle». La transgresión es la única forma de llegar a poseer un juicio basado en nuestra propia experiencia. Sea peligroso o no, debemos descubrir si es posible cruzar la calle y evitar que nos atropellen los coches.

La primera vez que llegamos sanos y salvos al otro lado de la calle por nuestra cuenta, la autoridad sobre esa cuestión en particular empieza a pasar del custodio interno al yo. Imaginemos a nuestro compartimento del yo sobresaliendo algunos centímetros del compartimento controlado por nuestro padre fantasma. Cuando abordamos la experiencia personal aprendemos a observar a los coches que se acercan a toda velocidad y descubrimos qué debemos hacer si nos encontramos en medio de la calle cuando cambia la luz del semáforo. Hemos iniciado el camino de confiar en nuestros propios dictados y en nuestra capacidad de guardianes de nosotros mismos, lo cual indica que estamos preparados para ingresar en el gran tráfico del mundo. Ya no oímos la voz de mamá que nos dice que nos detengamos. Esto es lo que los psiquiatras denominan *identificación integrada.* Cada vez que confrontamos esa arcaica directriz con la verdad de nuestra propia experiencia, nos volvemos más libres de disfrutar de un paseo en bicicleta, de viajar solos en el autobús hasta la escuela, y alguno de nosotros hasta llega a intentar el esquí, el buceo o el pilotaje de un avión.

Aprender a cruzar la calle es comparativamente. fácil. Llegar a confiar en nuestro propio juicio en cuestiones variables como el sexo, la intimidad, la competencia, la elección de amigos, de amores, de carrera, de ideología y los valores por los que debemos luchar, significa un proceso mucho más prolongado y más exigente.

La ruptura con el Custodio Interno

Cuando llega el momento en que estamos preparados para dejar el hogar, ya hemos aprendido a administrar las protecciones del custodio interno y a marcarnos directrices a nosotros mismo... o eso creemos. Es esta protección internalizada la que nos proporciona una sensación de aislamiento contra la posibilidad de ser quemados por la vida, de ser intimidados por otro (e incluso en la mitad de la vida, de llegar a enfrentarnos con nuestra absoluta individualidad). La ilusión puede sernos muy útil mientras somos jóvenes, pero al mismo tiempo es tremendamente engañosa.

Este custodio interno es una imagen de dos rostros. A semejanza del yo, tiene dos lados distintos. Sentimos que el lado benévolo de nuestro padre internalizado es el *guardián* de nuestra seguridad. El lado *dictador* de nuestro padre internalizado presenta el rostro amenazante de un administrador de lo que se debe y no se debe hacer. Su influencia tiene carácter prohibitivo.

Piénsese en Jano, el antiguo dios de las entradas y salidas. Sus dos perfiles barbados, espalda contra espalda y mirando en direcciones opuestas, representan dos lados de la misma puerta. ¿Al otro lado de la puerta está la seguridad o la trampa? ¿De este lado de la puerta se encuentra la libertad o el peligro? He aquí un enigma con el que nos enfrentamos durante toda la vida, porque la respuesta es sí, no, ambas cosas, y no de forma tajante ninguna de las dos.

Especialmente en el paso de Arrancar Raíces —en el que estamos abandonando un antiguo sistema de vida familiar por vez primera y nos sentimos indefensos e inseguros— experimentamos la tentación de arrancar la forma de nuestro padre fantasma junto con todas sus debilidades. Nos engañamos a nosotros mismos insistiendo en que se trata exclusivamente de nuestra elección o en que en realidad somos absolutamente diferentes. Este puede ser un paso atrás en la vía hacia una solución progresiva, como veremos más adelante. Sin embargo, muchos que se permiten caer en esta forma y aceptar pasivamente la identidad expresada (directa o indirectamente) por la familia, acaban encerrados.

Ninguno de nosotros desea ir demasiado lejos ni demasiado deprisa al trasponer los límites del sistema de valores de nuestro custodio interno para convertirse en un individuo, porque en tal caso no podemos retroceder al santuario cuando el ascenso se vuelve realmente difícil. Este es el enigma de Arrancar Raíces en todas las décadas, hasta bien mediados los cincuenta.

El paso en el que nos encontramos decididamente en tránsito entre el círculo íntimo de la familia y el mundo adulto se extiende, de manera aproximativa, de los dieciocho a los veintidós años. Los cometidos, durante esa época, consisten en situarnos en un rol grupal de pares, en un rol sexual, en una ocupación, en una ideología o visión del mundo. Por lo general, en esta etapa empezamos reclamando el control de por lo menos un aspecto de nuestra vida que sea inaccesible a nuestros padres. Los padres pueden ofrecer lecciones, clubs, viajes en familia a Yosemite o al Caribe, pero de algún modo contaminan casi todo lo que dan porque se trata de una prolongación de sus reglas y valores.

Cada vez que acometemos una iniciativa que reemplaza la visión del mundo de nuestros padres, por nuestra propia perspectiva en evolución, avanzamos algunos centímetros más que nuestro custodio interno. Pero no es tan sencillo como una transferencia mutua. En la base de cada uno de estos cometidos, existe también el fundamental conflicto *de nuestro interior*: en tanto nuestro Yo Buscador nos insta a enfrentar lo desconocido y correr riesgos —empujando al joven a todo tipo de extremos—, nuestro Yo Fusionador quiere que retrocedamos a las comodidades de lo conocido y de la seguridad... lo que lleva implícita la posibilidad de cerrarnos prematuramente.[6]

Un primer vuelo a solas

En la antesala del paso de Arrancar Raíces, el universo familiar nos resulta rancio. Tenemos la convicción de que la vida *real* transcurre en algún otro lado, lejos de la familia y de la escuela, «esperando sucederme a mí». La gente joven que no puede esperar a poner un continente de distancia con respecto a sus padres y amigos de la infancia, se siente impelida por el deseo de derrotar el poder que la familia todavía pretende ejercer. En casos extremos, escogen grupos espirituales autoritarios que exigen lealtad total y la ruptura absoluta con las relaciones del pasado. Los atractivos que presentan son la promesa de la verdad absoluta, el repudio de los padres y un sustituto de la seguridad del hogar.

Donald Babcock, el joven que conocimos en el Capítulo 2 —y que estaba a punto de repetir el modelo de su padre—, constituye un ejemplo de la forma en que el Yo Fusionador puede vencer antes de que el Yo Buscador tenga la posibilidad de tomarle la delantera.

Donald se graduó en el Instituto Hotchkiss y después ingreso en Yale porque ese era el *destino familiar*. Si el padre es Joseph P. Kennedy, el destino familiar es que el hijo mayor sea presidente. Si la madre es Judy Garland, que la hija sea estrella. En muchos casos, el destino familiar no definirá una profesión específica, sino cierto valor por el cual esforzarse: el desarrollo intelectual, la independencia creativa, la contribución a la propia raza o, meramente, la confianza en uno mismo. A las puertas de los veinte, la persona joven deberá idear alguna forma de incorporar este mandato familiar a sus propios imperativos internos (o rechazarlo por el momento) si desea cultivar su propia singularidad en ciernes.

Cuando concluyó su primer año en Yale, el lema de Donald, era alto y claro: «Debo alejarme de mis padres». El vehículo de la separación fue el coche de sus padres. Donald no buscaba una familia autoritaria ni la elevación espiritual: intentaba, simplemente, la experiencia *real* de conducir a través del país para tomar un trabajo de verano en California. Como la mayoría de los americanos que están en edad de abandonar el hogar, Donald salió envuelto en la mágica protección que todos arrastramos con nosotros desde la infancia. A esa edad, casi todos nosotros creemos que tenemos tanta capacidad como la que suponemos poseen nuestros padres. También nosotros debemos ser capaces de predecir el futuro y de saber dónde reside la seguridad absoluta.

—No dejéis de cambiar de conductor —fueron las instrucciones finales de su padre—. De ese modo nadie se quedará dormido en el volante.

Cuando se salieron de la carretera iban a ciento cuarenta. El conductor acababa de cambiar: *No sé qué ocurrió Estaba dormido y me desperté colgando de un cinturón de seguridad y observando el rostro ensangrentado de mi amigo Traté de moverme pero no pude ni la espalda ni el cuello ni la cintura me lo permitieron estuvimos tendidos en el desierto durante dos horas.* Oía gritar a los otros desde la montaña de hierros retorcidos. Entonces no lo sabía, pero se había fracturado el cuello. También la espalda.

Con la ilusoria protección que lleva consigo el joven de diecinueve años en su primera excursión a solas, ni siquiera le es posible creer en esta parálisis temporal. A fin de cuentas, el héroe siempre sale caminando de entre los escombros, chorreando sangre pero sonriente y es una historia estupenda para contársela a una hermosa muchacha.

—El accidente representó un contratiempo en muchos sentidos. No pude hacerme cargo del trabajo que me esperaba en California. En realidad, no podía hacer prácticamente nada. Ese accidente puso fin a mi carrera deportiva. Perdí veinticinco kilos. Volví a un estado de dependencia, viviendo otra vez en mi casa y necesitado de muchos cuidados. Mi padre volvía de la oficina y poco después de llegar me afeitaba. Mi madre abandonaba su trabajo durante el día para venir a verme; mi abuela estaba siempre junto a mí. Fue algo bastante hermoso, ya que unió a toda la familia. Pero al cabo de unas semanas resultó sofocante. Yo estaba inmovilizado.

El supuesto de Donald de que era capaz de sustentarse en sus propios pies quedó demolido, aunque tal como él lo veía, sólo temporalmente. Significaba que durante un tiempo más debería contar con el apoyo de sus padres. Cuando empezó el semestre de otoño, no estaba lo suficientemente recuperado como para volver a sus estudios.

—Apareció mi padre con un trabajo para mí como guardia de seguridad de una hacienda-museo. Como miembro del comité republicano, tenía montones de trabajos para ofrecer. Esto iba contra mi idea de todo el asunto, pero lo acepté, a pesar de que debía usar un corsé. Mi trabajo consistía en mantener alejada a la gente. Nunca se presentaba nadie, salvo jinetes a caballo. Parecerá extraño, pero probablemente el accidente fue beneficioso. Me ofreció la oportunidad de conocer a Bonnie.

A Bonnie le encanta contar la historia de su encuentro en un bosque encantado.

—El lugar donde yo cabalgaba en la hacienda era el País de las Maravillas. Lo llamaba así porque todos los arbustos tenían formas de animales. Desmontaba de mi yegua y la dejaba pastar mientras yo paseaba bajo los gigantescos pinos y alrededor del pequeño estanque. Era un lugar ideal para dejar volar la fantasía. Para mí fue un auténtico flechazo. Vi a alguien, un muchacho, sentado con la espalda apoyada en un árbol, tocando la armónica. ¡Me pareció tan *pasivo*! Cuando me fui estaba segura de que no podría olvidar su rostro. Tuve que volver todos los días.

¿Qué cuento de hadas más perfecto que el de dar vida a un muchacho ligeramente disminuido?

Para Donald, desterrado al retiro de un bosque habitado únicamente por criaturas abandonadas y pequeñas aves inquietas, la aparición de Bonnie representó una imagen de fortaleza. Ella era la constatación de la juventud que él había perdido. ¡Con qué temeridad cabalgaba ella a pelo al acercarse a él! Pero al desmontar de la yegua resultaba inefablemente femenina, rubia, suavizante como la mantequilla sobre los dedos quemados.

—Era hermosa. Nos vimos en el bosque todos los días durante tres semanas. Después me hicieron una operación. Yo estaba tratando de cuidarme a mí mismo. Sin embargo, era todavía un tullido. Me sentía... impotente.

Bonnie no se enteró de la existencia del corsé hasta su primera cita en público. Le llevó a un parque de diversiones:

—Él trató de impresionarme montando en todas esas máquinas enloquecidas que tanto me gustan. De pronto me di cuenta que estaba sufriendo. Sabía que él no quería una madre... pero todavía ahora le digo que no tendría que dormir en un colchón de agua.

Para Donald todo fue muy extraño. Una sorprendente contradicción con el silogismo que había elaborado para su vida antes del accidente. En cuanto a no casarse hasta siete años después de haber terminado la carrera, había sido absolutamente terminante. Era un hombre moderno. Pero bruscamente volvió a convertirse en el chico que necesitaba cuidados. No quería recibirlos de sus padres. Aceptar semejante error significaría retroceder a la dependencia infantil. Transfiriéndole la necesidad a una chica de su edad, Donald hallaba un sustituto a las funciones que realizaba su familia. Todos hemos sido especialmente susceptibles a los contratos de «cuídame» de esa etapa. Donald, que ahora es la viva imagen de los veintidós años, ofrece una explicación mucho más simple: «El amor es una cosa extraña».

Parece que la necesidad de recuperar una sensación de seguridad condujo a Donald a renunciar a su propia concepción del modo en que debía abrirse camino en el mundo. Hasta poco tiempo antes de acabar la carrera, estaba inmerso en la investigación oceanográfica y decidido a ofrecer una contribución original al problema energético. Pero en lugar de cumplir con su plan de graduarse en la Universidad, decidió casarse con Bonnie una semana después de terminar los dos primeros años de estudios y dedicarse a los negocios... lo mismo que su padre. Aunque el padre aprobó calurosamente esta repetición de la pauta familiar, su madre se mostró perturbada. Intentó indagar en la mente de su hijo para saber cuál era el tipo de matrimonio que imaginaba. Donald se lo dijo:

—Puede sorprenderte, pero realmente me gustaría formar una pareja como la vuestra.

—Resulta halagador oírlo —reconoce su madre—, pero Donald no tiene la menor idea de lo que es un matrimonio como el nuestro. Sólo ha visto lo que quería ver. ¿Cómo puede saber mi hijo lo que es vivir sin que exista comunicación?

Pese a que Donald le dice que no ha abandonado del todo la idea de acabar su carrera aunque primero quiere «aprovechar el gran momento» y alcanzar una seguridad económica, su madre prevé para él una repetición de la senda estrecha y temerosa que recorrió el hombre con el que ella se casó.

Ken Babcock tampoco se atrevió a luchar con sus problemas de identidad cuando era joven. Hoy tiene el rostro inerte de un hombre que durante un cuarto de siglo ha formado parte del engranaje de los negocios americanos. Siempre contendiente pero jamás campeón, sin imaginar nunca qué sería decir lo que realmente sentía. Es en la edad madura cuando por primera vez Ken Babcock rompe el molde de debo-llegar-a-ser-presidente ordenado por *su* padre. A los cuarenta y ocho empieza, por primera vez, a sentirse cómodo viviendo a su propio nivel mientras busca, incierto, la confirmación de que es suficiente lo que ha logrado..

Así, cuando su hijo Donald también ha evitado toda perturbación temprana aceptando pasivamente el destino familiar *in toto*, no se trata más que de un consuelo temporal. Eludir una crisis de identidad en este paso inhibe la propia evolución. Los jóvenes que son capaces de aceptar la experiencia de una crisis en esta coyuntura decisiva, por lo general surgen de ella más fuertes y con mayor control de sus propios destinos.

4
Jugar
hasta reventar

Conozco a otro graduado de Hotchkiss. Desde que alcanza su memoria, su padre siempre le dijo que era un inservible cachorro negro. El padre arrastraba una escoba por ochenta y cuatro dólares semanales, y esto en su mejor momento; todo lo que el chico sabía de aquél era que tenía el aspecto de algo que ha sido rescatado después del hundimiento de una mina. Todos los valores básicos con los que el muchacho pudo contar provenían de una figura de fuerte impacto, de ciento veinte kilos de peso, que siempre impulsaba a sus hijos hacia alguna vaga meta de ascensión en la escala social, con la sutileza de un camionero. Nadie, *nadie,* intentaba meterse con la señora Watlington: era el terror del vecindario. Y eso es lo primero que el muchacho quiso copiar de la madre: su fortaleza física.

El mundo estaba compuesto por cuatro manzanas de bloques limpios, consecuencia de un nuevo proyecto de viviendas en East Harlem. Allí la gente bailaba, maldecía, bebía, besaba y mataba en público. El chico se crió con siete u ocho como él, pensando que la vida no-ahora-pero-1 algún-día-será algo hermoso. ¿Pero cómo? Estudió la pantalla del televisor en busca de claves. «Déjalo en mis manos» y otros programas en los que los padres abrían automáticamente grifos de agua tibia de comprensión eran una especie de mentira de la televisión: no se aplicaban en su caso.

Al joven Watlington nunca se le ocurrió pensar que eran pobres. En su pequeño y reducido mundo en el que todos tenían el mismo tipo de apartamento y el mismo mobiliario callejero —los patios de recreo, los bancos para sentarse a chismorrear, la piscina donde los cuerpos se amontonaban, los cubos de basura rebosantes de judías blancas y judías negras y de olorcillo a carne que sólo comían los domingos—, no tenía más idea de su posición social de la que puede concebir un chico acunado en el oropel artificial de Beverly Hills con respecto a una familia que carece de terapeuta.

Él no soñaba con ser rico, sino fresco. Descarado y fresco como los muchachos que fumaban con su hermano mayor.

—Aquellos tíos se quedaban sentados, moviendo la cabeza, rascándose y mostrándose pretensiosos con todas las chicas del barrio: jugando hasta reventar. Yo no podía esperar a que llegara el momento de ser como ellos.

La señora Watlington tenía otras ideas, que expresaba «azotando culos» con el cordón de la plancha. Le azotó hasta que su piel endureció, «hasta que te haces grande y tus padres no pueden hacer nada contigo», como dice él mismo, «y entonces te dedicas a ser lo que debías ser. Y a eso se redujo toda su influencia».

En la mayoría de los hogares, esta ruptura entre padres e hijos se produce mediada la adolescencia. El hijo de la señora Watlington tenía once años. Todo lo que pensaba entonces era:

—Somos infelices. Cualquier día de éstos nos marcharemos todos... como en las novelas de éxito. Pero a medida que transcurren los años, uno se da cuenta de que sus ocho amigos no irán a ningún lado, excepto a vivir de la seguridad social, o a la cárcel, o al campo de batalla.

Su nombre es Dennis,* su espíritu inquebrantable. En veintidós años, sus identidades reunidas han abarcado desde ser ejemplo del centro juvenil del vecindario a vendedor ambulante, a estrella de fútbol, a «experimento negro» de una Universidad de lujo. Otra vez holgazán. Después mensajero. De esto a consejero de guerra de una coalición de pandillas callejeras, construyó su camino como director del centro juvenil que anteriormente le había albergado. No hace mucho tiempo, su padre le estrechó la mano por primera vez.

Expongo la historia de Dennis para centrar la atención en denominadores comunes a todas las clases sociales y colores del paso de Arrancar Raíces. Él no pertenecía a una familia de clase media benigna, con padres atentos y amplias oportunidades para seguir el curso que se inspirara en su interior. Era un muchacho con un camino sembrado de grandes obstáculos. Pero, con todo, expuesto a todos los cometidos de la evolución que se han bosquejado en el capítulo anterior, los supera. ¿Por qué? La respuesta reside en la forma en que abordó los peldaños del crecimiento *interno.***

La voz enterrada más profundamente en los recuerdos infantiles de Dennis es aquélla que constantemente describía el incontestable fin de todo acto bueno como: «andar con los blancos». La señora Watlington lo agregaba a toda reprimenda. Ella y su conserje-marido no tenían instrucción y se habían cerrado demasiado pronto. En consecuencia, el destino familiar con que ella mar-

* Dennis Watlington me permitió utilizar su nombre real.

** Otra de las razones por las que escogí a Dennis como ilustración es el acceso inusitadamente íntimo que tuve al estado de sus sentimientos a lo largo de este paso, desde que tenía 17 años hasta que alcanzó los 22. En principio, yo tenía la intención de escribir un artículo sobre él, pero la investigación se transformó en amistad, amistad que se prolongó a través de los años, cuando todavía no estaba del todo claro cómo resultarían las cosas para Dennis. Le llevé a la Facultad y le fui a buscar docenas de veces. Cuando no me encontraba cerca, Dennis me enviaba cintas grabadas con sus impresiones. En algunas ocasiones le resulté útil y en otras él señaló algunos de mis absurdos intentos por no enfrentarme a las contradicciones de mi propia vida. También llegó el momento de separarse. Al fin de cuentas, yo también era «ellos», un adulto.

tilló a Dennis era la directiva de salir de allí. Estudiar era el medio para ser como los blancos, el sinónimo —según su punto de vista— de higiene, elegancia, inteligencia, seguridad y competencia. En su caso, el mensaje era: *No seas como nosotros; sé como ellos.*

Los padres de familias acomodadas invitan a la identificación consigo mismos. Ken Babcock, por ejemplo, se sintió muy complacido de que su hijo Donald siguiera sus pasos asistiendo a Yale, participando en el equipo de natación, casándose joven y abandonando la Universidad antes de haberse graduado para dedicarse a los negocios, con lo cual podría «ganar algún dinero y aprender a llevar el pan a su casa». Si se produce una identificación tan plena, el padre puede tener la seguridad de que su status será perpetuado por su hijo y le servirá como aprobación de su propia vida.

Las cosas son totalmente diferentes en familias perjudicadas por la clase a que pertenecen, por el color, o por ambas cosas. Donde el objetivo predominante consiste en empujar a la prole para que suba peldaños en la escala social, los padres pueden desalentar o incluso prohibir la identificación con ellos.[1] Impulsan, en cambio, a alcanzar modelos de mayores privilegios.

Cuando la señora Watlington ya no pudo controlar a Dennis con el cordón de la plancha, recurrió a echarlo de casa. Él dormía en escaleras, en el parque o en una iglesia. Las calles se convirtieron en el sustituto del círculo familiar hasta que un negro del barrio —que pesaba tanto como su madre y su padre juntos— le cogió del cuello, le arrastró por la acera y le dio una cama. Chuck Griffin era nuevo en cuestiones de centros juveniles. Su idea consistía en rescatar a los elementos más perturbadores antes de que cumplieran los doce años, volcar sus locas energías en campos de fútbol, y enseñarles a derrotar a los equipos de las escuelas de la costa del Noreste. Su método de iniciación consistía en zarandear a cada uno de los chicos para después darle amor. Un cartel de hule que cruzaba el centro de un lado a otro, expresaba cómo quería el instructor que sus muchachos se vieran a sí mismos: Hogar de los Charger-Número Uno del Planeta Tierra.

A juicio de Dennis, Chuck era el intelecto supremo y el único poder moral de su universo. También fue, y no es ningún secreto, el sustituto absoluto del padre. Sus planes en cuanto al destino de los muchachos coincidían con la opinión que sustentaba la señora Watlington. Pero él sabía cómo lograrlo, cómo atormentar a sus muchachos con el fin de que estudiaran para poder participar en los partidos en los que él exhibiría sus habilidades deportivas de un extremo al otro de Nueva Inglaterra, y cómo prepararlos para que obtuvieran becas en las universidades de los blancos. No era más que una variante reforzada del mensaje: no te comportes como *nosotros*, sino como *ellos*.

Antes de Dennis y su generación, los únicos muchachos que escapaban de East Harlem eran los que se alistaban en el ejército o los que hacían un viaje por su cuenta y, en casi todos los casos, descubrieron que se encontraban en un callejón sin salida. Naturalmente, no era así como el joven Dennis consideraba las drogas. El proveedor o pasador (junto con el alcahuete y el levantador de apuestas) era el rey del ghetto. Y allí es donde entró en competencia Chuck.

—El chico medio del ghetto ve al pasador en la esquina, con el traje hecho a la medida y su El Dorado aparcado en doble fila, y eso significa dinero —explica Dennis—. Cualquiera se da cuenta. De pronto, estudiar resulta una lata. Yo pasé drogas durante un tiempo, antes de consumirlas y creía estar en la cima del mundo. Ganaba más que *mi padre*. Doscientos, trescientos, cuatrocientos dólares a la semana.

Tenía catoce años.

Dennis siempre ha sido corpulento para su edad, uno de los muchachos más grandes y más negros del proyecto de viviendas. Parecía mucho mayor, lo que inspiraba un respeto espontáneo tanto a sus amigos como a sus enemigos. Tenía otras cualidades innatas. De chico era feo y vulgar, desventaja que consiguió superar desarrollando su aptitud para el arte dramático. Era inteligente, desbordaba vitalidad, tenía una mente rápida. Dennis era capaz de encandilar a un policía hasta el punto de hacer que le llamara «Señor» y nunca dejó de fomentar esta cualidad.

Es decir que desarrolló un estilo que atraía a los demás hacia él. ¿Pero a dónde conduciría Dennis a un puñado de muchachos tan enérgicos y despistados como él mismo? La cuestión era, al igual que para todos a esa edad, cuál de las identificaciones en competencia seleccionaría para orientar su propia conducta. ¿Cómo se las arregla uno para tomar una decisión sobre los sugerentes modelos conflictos y darle sentido a lo que se supone ha de llegar a ser?

Dennis necesitaba afirmar su valía y su fuerza convirtiéndose en líder. Una forma de ejercer ese liderazgo consistía en hacerse pasador de drogas. Otra —a la manera de Chuck—, la de alejarse del ghetto, mamar toda la educación posible y regresar para actuar como catalizador de otros muchachos como él. Emular a cualquiera de ambos héroes suponía dar un gran paso. Por eso los modelos tienen tanta importancia. Nos vemos empujados hacia una identificación cuando estamos preparados para ser disparados: algo en la conducta del modelo ayuda a canalizar nuestras capacidades y coincide con el impulso, haciéndonos dar el siguiente paso evolutivo.

Antes de que Dennis pudiera hacer esa selección buscó, como es habitual, el apoyo de sus amigos. Entre los chicos a los que frecuentaba, el más fuerte era Noel Velásquez. Noel era bajo pero tenía la estructura de un toro. Se trataba de un portorriqueño emocional, apasionado como Zapata, y éste es el sobrenombre que le dio Dennis. Imponía su autoridad en la calle con cualquier cosa que se moviera mientras esperaba su oportunidad en el negocio de los narcóticos, que era la única actividad en la que Noel podía arañar algo parecido a una identidad. Como él mismo decía: «Para los blancos, soy un negro. Para los hermanos, un mestizo. ¿A dónde ir? Yo puedo resolverlo a través de la droga: en ese mundo no existe el color».

Noel se convirtió en otro de los proyectos de rehabilitación de

Chuck. Cuando volcó su energía y su ira en el fútbol, empezó a disfrutar de la aceptación en el centro al destacar en una forma de lucha aprobada. Pero le quedaban peligrosos residuos de furia. Su padre le había marcado —con los puños y poniéndolo en ridículo— desde la infancia. Su madre lloriqueaba pero no se atrevía a intervenir. El muchacho no sabía lo que era confiar.

Chuck era penetrante. Aunque Noel era duro como una piedra y feroz como una bestia, también era una materia prima de gran calidad. Le sobraba orgullo. Y no abandonaría. Todas las noches, Chuck recorría los bloques, vociferando en los portales cada vez que veía un anillo de humo, o una aguja, o descubría a alguno de sus muchachos rompiendo las luces de los ascensores:

—No quiero ver a ningún chico en la calle después de las ocho y media, ¿entendido? El que fume recibirá cinco azotes. Beber se castigaba con diez. Mañana jugaremos con los Choate. Recordad que formáis parte de algo.

Todo era suspense. Pero en aquella época, la sociedad americana apoyaba al punto de vista de Chuck. Corría el año 1969 y en los agitados mares del movimiento de los derechos civiles, el sentimiento general todavía se mostraba partidario de la integración de la juventud negra en el mundo de la educación blanca.

Dennis alcanzó la última ola.

Chuck, ocho semanas después de apartar a Dennis y a Noel de la heroína, los empujó a los sacrosantos claustros de Hotchkiss. Ellos fueron los primeros «afro-americanos» —para emplear el término que entonces se puso en boga— del ghetto que ingresaron. La conciencia social había llegado a la Universidad de los Ford y de los DuPont.

Por un accidente de la historia cultural, entonces, el primer viaje de ida y vuelta al universo familiar llevó a Dennis Watlington a la misma Facultad a la que asistía Donald Babcock. Pero para Dennis, el terreno que se extendía entre la familia y el orden social era considerablemente más escarpado. El ángulo ascendente partía de las vibrantes calles de los bloques y alcanzaba las remotas colinas del Connecticut rural, donde las ventanas quedaban a oscuras a las diez y los alumnos se acostaban con un destino asegurado junto a sus posters de Huey Newton. La perspectiva era hermosa. Pero en esa atmósfera enrarecida, un chico del ghetto puede marearse, e incluso perder el equilibrio por completo.

Los chicos blancos rodeaban a Dennis como marionetas. Él era un sabio de la calle. Esto, unido a su repertorio de actor dotado, le permitió producir un enorme impacto.

—Allá mucha gente me tiene miedo y me deja en paz porque la mitad de ellos nunca han visto a nadie como yo —contó Dennis el primer de semana que volvió a su barrio—. Creen que Harlem no es más que bombas y droga, ametralladoras y tanques. Complacerles es muy fácil. Yo represento, soy un actor. Si algún gran personaje va a la Facultad, me ponen en primera fila. Yo sonrío y ellos dicen: «¿Veis qué feliz es?».

Muy pronto quedó atrapado en un vacío corredor social, entre dos grupos tan distintos como negros y blancos, entre dos sistemas de valores competitivos, entre dos visiones del mundo que ni remotamente se rozaban. Dennis Watlington deseaba adherirse a algo, pero en nada encajaba plenamente. El día que los Charger llegaron en autobús para jugar contra Hotchkiss, la repentina colisión de fuerzas estuvo a punto de destrozar su espíritu.

Él era zaguero del equipo de la Universidad. Noel cubría la delantera, pero la estrella era Dennis. Los chicos de Hotchkiss lo habían visto en acción por primera vez el año anterior, cuando creían que aplastarían la debilidad del desconocido equipo de Harlem. Viniendo de *allá*, era imposible que estos exóticos tuvieran disciplina o capacidad, y sólo contaban con la fuerza bruta. Los estudiantes no estaban preparados para todo lo contrario. Los cuerpos de los Charger aparecían llenos de pinchazos, y se encontraban en mala forma. Pero la voluntad y el espíritu de cuerpo que les habían insuflado las incesantes sesiones de Chuck produjeron resultados sorprendentes. Ganaron los Charger.

Este año todo era distinto. Los chicos de los bloques tenían

91

que habérselas con sus propias ex estrellas, ya que sus grandes esperanzas negras se habían trasladado al Norte, y casi llegaron a desear descubrir que sus héroes habían extendido las alas de Vulcano y Mercurio. A Dennis y Noel les correspondía la imposible tarea de plasmar esta idealización y simultáneamente demostrar que no podían, que jamás se convertirían (¡líbrenos el Señor!) en una despreciable variante de su raza.

Para colmo, apareció la chica de Dennis, altiva y desdeñosa. Dotada cantante que abrigaba la intención de casarse bien y obtener lo mejor del mundo, se empeñó en que Dennis se enterara de que Hotchkiss no representaba nada para ella y que los del equipo no eran tan «avispados» como los de Choate, por ejemplo.

Después que Hotchkiss ganó el partido y llegó el crepúsculo, cuando Chuck y sus Charger montaron en el autobús y Dennis y Noel quedaron afuera —literalmente afuera, extraños, sospechosos—, el dolor del aislamiento penetró hasta la última fibra de los dos muchachos. Dennis se quedó temblando en el jardín, con el rostro contorsionado en una sonrisa. Amontonados en la ventanilla trasera del autobús, sus antiguos amigos se despedían con la mano y observaban cómo su rostro se volvía pequeño, cada vez más pequeño, hasta desaparecer en medio de los árboles. Se habían ido. Ahora Dennis pertenecía a otro lugar, a algo que deseaba odiar y odiaba desear.

—Dicen que soy un éxito —me dijo casi gritando—. Tendré pilas de dinero, una hermosa casa, probablemente montones de fulanas. Pero para mí eso no significará nada, porque no estaré haciendo nada por los míos. ¿Dónde viviré? Los blancos no me aceptarán. Si vuelvo a Harlem cargado de billetes, tampoco me aceptarán los míos. De modo que cuanto más dinero gane, más aislado me encontraré.

En su intento de dar sentido a las conflictivas expectativas, adoptó a Chuck como modelo:

—Ganaré dinero, pero no cambiaré. No me verán con trajes de seda y un Cadillac. Tendré un coche sencillo, llevaré una vida sencilla, volveré a Harlem y trabajaré con la gente sencilla como yo... del mismo modo que Chuck lo hizo conmigo.

La soledad es compañera habitual del primer año que se es arrendatario de un círculo social. Casi todos nosotros pasamos ese primer año en la Facultad, en un trabajo o en el ejército. En el caso que nos ocupa, Dennis había sido colocado en una clase con dos años de retraso con respecto a su edad, hecho que se volvía dolorosamente evidente por el contraste existente entre su cuerpo y experiencia y los de los polluelos de su camada, que lo más lejos que habían llegado era a beber una cerveza. «Es un experto», decían al referirse a Dennis. La soledad de éste se intensificó por el terrible abismo existente entre el «puedo hacer cualquier cosa» que era cobertura de su representación, y sus verdaderos sentimientos interiores. Sabía que podía fracasar fácilmente.

Y fracasó... en el examen de Biología, inmediatamente antes de las vacaciones de Navidad. El resto de los estudiantes se precipitaba en dirección al aeropuerto o hacia los coches que los esperaban, con sus abultadas bolsas de la lavandería. Dennis se encerró en su habitación con discos de los Beatles y lloró. Grabó para mí un monótono mensaje de Navidad.

—Este es un lugar deprimente. Lo peor del fracaso es que uno hace lo que hace por los demás. Cuando vuelva a casa, todos me llenarán de «lo siento», «mala suerte» y «¿Qué ocurrió?». No quiero enfrentarlos. Todo lo que puedo hacer es trabajar más intensamente o abandonar. Estoy aquí sentado, intentando adoptar una decisión. Creo que cuando sea mayor podré ser igualmente útil aunque no posea la reputación que da una buena Universidad. El dinero no significa demasiado para mí. Todo lo que necesito para vivir es un lugar donde comer, un lugar donde dormir y un paquete de cigarrillos. No puedo lograr lo que deseo... pero sé que no deseo hacer esto. Estoy destrozado.

Pocos días más tarde, Dennis observaba su reflejo en la máquina tragaperras del Juicy Lucy's Roadside Rest.

—¿Tengo mejor aspecto? —me preguntó.

Había trabajado toda la semana con un peine cepillo, rastrillando su melena afro hasta convertirla en una especie de nube inflada, como preparativo para su regreso a Nueva York. Pero el reingreso en ese círculo familiar no fue lo que él esperaba.

De un lado al otro de East Harlem, sus amigos agonizaban. Allí es difícil encontrar a alguien que muera de muerte natural. Seis de sus camaradas se habían excedido en el consumo de drogas, en virtud de lo cual los únicos que quedaban de la pandilla eran él y Noel. De pronto se encontraron parados en el borde del infierno, mirando hacia abajo.

Este estallido de visiones del mundo sirvió para inocular a los dos muchachos una especie de vacuna contra la droga, pero también los privó de su antiguo santuario. En el espontáneo aplauso de otros tiempos faltaba un compás. Los muchachos del centro estaban resentidos con ellos o les consideraban ídolos. En todo caso, lo cierto era que no encajaban mejor aquí que en Hotchkiss. Debían seguir buscando, porque no había un lugar en el que pudieran integrarse. Cuando volvieron a la Universidad, se convirtieron en amigos inseparables. Según palabras de Dennis:

—Vivíamos el uno para el otro.

Después de ese primer año de intimidad, todo comenzó a salirles mal a los dos sobrevivientes. El fácil salto de cómplice a traidor, una experiencia normal a esa edad y en esa etapa, fue en el caso de ellos especialmente doloroso.

La dirección consideró que Dennis —que satisfacía a las multitudes— era el modelo que el rebelde Noel debía copiar. Dennis se sumergió descaradamente en este baño de aprecio recién descubierto. No pudo detenerse. Cuanto mejor era su representación, más fastuosos eran los elogios. Cuantas más comparaciones permitía a expensas de su hermano de color, más profunda se hacía la brecha fatal entre los dos.

Noel se replegó. Entumecido en una incapacidad de la que se

le obligaba a ser constantemente consciente, enfermo de apatía por los estudios y todo lo que éstos representaban, su devoción por Dennis se convirtió en venganza. El día que escapó de Hotchkiss Noel juró que se convertiría en el rey de las calles.

En parte para salvar la brecha antes de que llegara a ser demasiado diferente y con demasiada prontitud, y parcialmente como acto de contrición, Dennis abandonó la Universidad siguiéndole los pasos a Noel. Cuando llegó a Nueva York, se encontró en un misterioso limbo.

—Durante mucho tiempo me había ido bien mostrándome encantador, ingenioso y atlético. Pero cuando ya no estaba ahí la Facultad para ocuparse de mí, descubrí que no sabía cómo trabajar ni cómo mantenerme. Era un holgazán. Un holgazán más, sin trabajo.

Más o menos en este punto, Dennis empezó a buscar seriamente el sentido de la identidad, eso de lo que se habla tan a menudo pero que es tan difícil de localizar. Tendría que ordenar las contradictorias identificaciones con sus padres y su padre sustituto (incorporado como custodio interno), con Noel y los muchachos de Hotchkiss y de Harlem (que alternaban entre camaradas y traidores), y también las expectativas del mundo blanco y del mundo negro.

Después de algunos meses de holgazanería, se tragó la humillación y me envió una angustiosa señal. Le conseguí un trabajo para el verano, como recadero en una revista. En el equipo de béisbol de ésta, destacó por sus cualidades como bateador. Apenas veía a sus viejos amigos del barrio y empezó a salir con chicas blancas:

—Me rodeaba del tipo de gente que había conocido en Hotchkiss, andaba con los blancos. Y en verdad se aprovecharon de mí. Entonces creía conocer bien el juego, pero en realidad no se trataba más que de una nueva forma, sumamente moderna, del «baila, negro, baila».

Todos cumplimos el rol correspondiente a las expectativas de nuestro grupo. Allí estaba Dennis, siguiendo una vez más los dictados de su madre al «andar con los blancos» y cumplir con sus este-

95

reotipadas expectativas. Sabedor de que el acto que provocaba los aplausos era sólo eso, una representación, no una auténtica forma de ser, no por ello dejaba de sentirse limitado al tipo de comportamiento por el que el grupo lo reconocería. Él era el actor.

Hasta que logró reunir los fragmentos que faltaban en sus variadas y competitivas identificaciones, Dennis no pudo componer su propia identidad: una forma *coherente* de conducta y sentimientos que tuviera sentido tanto para él como para los que deseaban obtener lo mejor de él. Hasta entonces, oscilaría de un extremo a otro, como le ocurre a la mayor parte de las personas que se encuentran en el paso de Arrancar Raíces.

El reconocimiento que obtuvo Dennis en la revista no fue como mensajero sino como principiante universitario destinado a posiciones más encumbradas. Estimulado por esta realimentación, Dennis retornó, sin el apoyo de su conspirador Noel, a completar su último año en Hotchkiss. Se estaba abriendo a nuevas influencias.

En forma fortuita, un profesor lo tomó bajo su ala. El nombre del profesor sonaba a príncipe vikingo:

—Leif Thorn-Thompson... ¿cómo va a llevarse bien un vago de la calle con un tipo cuyo nombre se escribe con guiones?

Pero TT era un vigoroso individualista y joven leñador que también representaba una especie de espina clavada en la escuela. Le habían designado oficialmente tutor de Dennis. TT persuadió a las autoridades para que permitieran a Dennis ser estudiante diurno y vivir fuera del campus, con su familia, en el lugar al que se refería amorosamente como «el rancho». Juntos aserraban árboles y montaban en bicicleta; TT había sido corredor profesional. Por la noche estudiaban, bebían tequila y charlaban sobre la vida.

—TT se transformó en mi tutor, en mi mejor amigo. Es un hombre brillante. Con él me aconteció el auténtico cambio. TT fue la persona que me planteó la idea de abrirme camino por mí mismo, de descubrir qué era en las cosas que hacía.

Dennis llegó a adorar el barro de sus zapatos y el viento helado de los bosques invernales, una paz sólo quebrada por el enfrentamiento filosófico de hombre a hombre, en una atmósfera de total confianza. Por primera vez, un encaje firme y seguro. No llegó a convertirse en un monje. Hubo todavía algunas escaramuzas con la policía: pillerías, pero sin intención delictiva. Pero después de este bucólico intervalo, cuando llegó la graduación, Dennis tuvo que volver al cemento... y había olvidado su ingenio callejero.

—Entonces ocurrió lo asombroso. En el mismo instante en que bajé del taxi que me llevó desde Hotchkiss hasta la puerta del centro, Noel me arrastró al sótano. Me dijo: «Aquí hay mucha mierda. Tenemos a la pandilla de los Slumlords...». En ese momento entró corriendo un muchacho llamado Cheko con el siguiente mensaje: «En la Ciento Veinte y la Segunda hay ruido».

Noel le arrojó una pesada cadena de plomo al ahora desarraigado campesino. Dennis no había visto nada semejante desde que tenía 14 años. Los gladiadores empezaron a atarse las cadenas alrededor de las muñecas en un frío y lento ritual, mientras él los observaba sin tener la menor idea de qué sucedía. No podía preguntarlo. No había tiempo para un reingreso gradual. Repentinamente todos estaban en la calle, siguiendo los pasos a los Hermanos Prisioneros de West Harlem, vigilados por una falange de impacientes policías. Dennis intentaba conservar la cadena bajo la camisa, pero la maldita asomaba como una serpiente de circo.

—Menos de media hora después de llegar a la ciudad, me encontré en la calle, balanceando esa cadena. No hice más que seguirlos.

Ese mismo día Noel le designó consejero de guerra para el Tercer Mundo. Los Slumlords eran nada menos que el cuerpo centralizador de treinta pandillas y de ellos dependían siete mil muchachos. Noel era el presidente y Dennis era el encargado de tomar las decisiones sobre el momento y lugar en que se declararían las guerras: eran los mandamás.

Dennis sintió pánico. Pánico aquel primer día, pánico todos

los días del año que siguió. Y tenía buenas razones. Pronto comprendió: la estafa de la integración. Todos los que habían puesto dinero en el futuro de los jóvenes negros, que le habían dicho a Dennis que le habían elegido para avanzar, obtener una educación superior, volver y salvarlos a todos, le habían engañado. Ahora estaban en el poder negro. Sus acciones habían bajado a cero; de hecho, representaban un pasivo.

Aún más, Noel todavía tenía que saldar una antigua deuda con el universitario negro. Dennis había sido la estrella en un terreno en el que Noel había fracasado. Ahora el campo de juego era cemento y ahí Noel, fiel a su promesa, se había convertido en rey. Un momento de vacilación para pensar entre golpe y contragolpe, podía resultar fatal en ese escenario. Ése era el castigo de Dennis por los años de Hotchkiss. Ambos sabían que con eso Noel podía destruirlo.

—Me sentía como un idiota... no sabía por dónde empezar —confesó Dennis—. Lo que me aterrorizaba era recordar el lugar del que acababa de llegar, tan diferente sobre todo por lo que se refería a la seguridad. Allá nunca me había tenido que preocupar ni siquiera por una pelea a puñetazos. Aquí me encontraba con tipos que se morían por disparar sus rifles, rifles de verdad, y pistolas y navajas con iniciales. A eso llegué. A sentirme tan aterrorizado como para volver al insensato ghetto. Comprendí que sólo deseaba volver a pertenecer a ellos. Había estado ausente tanto tiempo que ya no era alguien especial. Comprendí que tenía 19 años y no era nada.

Diecinueve años y nada: ése era todo su sentido del yo. El dictado de su custodio interno (que formaban la señora Watlington y Chuck) de educarse como los blancos amenazaba con hacerle perder su pertenencia al grupo de iguales, a menos que renunciara a su academicismo y abrazara la doctrina de las bandas del poder negro. Este bumerang detuvo a Dennis en su camino. Allí permaneció paralizado durante un año.

—Recuerdo que traté de encontrar a alguien que me fotografiara subido a una enorme pila de basura. Lo quería porque así era como me sentía.

Todo impulso genera su propia revocación. Dennis se hallaba a un tiempo en la búsqueda de la proximidad con otros y en la huida de los demás. Estaba hambriento de compromisos, pero no podía comprometerse. Necesitaba una prórroga para reunir muchos fragmentos de su estructura antes de poder asentarse. Afortunadamente, lo consiguió.

Aunque las experiencias del paso Arrancar Raíces de Dennis Watlington no fueron convencionales, sus *reacciones* son típicas. En nuestra confusión sobre la forma de responder al «¿quién soy?» de este paso, es probable que lleguemos a ser excesivamente dependientes de un amigo o de un grupo de contemporáneos («Noel y yo vivíamos el uno para el otro», como reconoció el propio Dennis; al volver a sus compañeros de la calle: «sólo deseaba volver a pertenecer a ellos»). Podemos escapar (como hizo Dennis en un momento de sus estudios). Podemos prorrogar los compromisos en lugar de aceptar roles estereotipados (tanto el de «baila, negro, baila» como el de líder de pandillas del «insensato ghetto» repugnaban a Dennis). Asimismo, muchos experimentan en las fronteras de la delincuencia.[2]

Una de las sorpresas que proporciona un estudio acerca de hombres que obtienen grandes éxitos, consiste en que la mayoría de ellos atravesaron un período delictivo siendo jóvenes.[3]

Lo que con frecuencia nos gustaría gritar en este punto es: «¡Detengan el mundo, quiero bajarme!». Nuestros instintos tienen razón. Detenerse es, probablemente, lo mejor que podemos intentar hacer.

Cuando a los diecinueve años Dennis sentía que no era nada —un vago encima de una gran pila de basura—, de hecho estaba inmerso en un proceso constructivo. Al tomarse tiempo para ordenar las muchas y contradictorias influencias de su infancia y primera adolescencia, permaneció durante un año en la posición evolutiva que los psicólogos denominan *moratoria*. Se trata de un retardo de compromisos y cometidos. Una parada. Pero para Dennis resultó peligrosa.

La pretensión de fama de los Slumlords consistía en que tenían a cinco artistas del graffiti convictos en su pandilla de menores. Se reconocía su trabajo y su identidad; habían sido condenados, recibiendo en consecuencia el diploma de artistas. Cuando no estaban engalanando cinco coches del metro con sus *noms-de-rue*, se encontraban pintando las chaquetas libertarias de sus compañeros de pandilla. Cada una de éstas tenía su propio emblema, un nombre pintado con tonos lívidos y embellecido con adornos iridiscentes. Viajaban como pájaros de una especie que se mantiene unida por el color de sus alas. La expresión era: «Hacer volar nuestros colores».

Cuando empezaron a trabajar con más ahínco, Noel aprovechó todas las oportunidades que se le presentaron para pintar a Dennis de blanco brillante. De ese modo prentendía destacarlo ante el grupo como contaminado por el enemigo en la forma de hablar, de caminar, de pensar:

—En el lugar donde estuvo Dennis, ni siquiera pelean. Ni hablar de hacer la guerra.

En el momento en que los complots que tramaban tuvieron que ser bilingües para incluir a los miembros de lengua española, Noel no dejó de llamar la atención sobre Dennis y su cultura de clase alta:

—No olvidemos el francés. En la Universidad a la que asistió Dennis, dicen *s'il vous plaît* antes de tirarse un pedo.

Había otros aprendizajes que Dennis no podía ni quería olvidar. La forma de mover la aldaba de la puerta de una pista de tenis, por ejemplo. O la manera de llevar un portafolios a la burocracia de la City como «enlace» juvenil, lo cual hacía, volviendo con algunos miles de dólares para mantener el centro abierto como alternativa del terror de la banda. No comprendía qué sentido tenía jugar con cadenas y pistolas, y lo dijo:

Al igual que *El pájaro pintado* de Jerzy Kosinski, Dennis se convirtió en una de las inocentes víctimas que los de su propia especie soltaban todos los días para que fuera atacada porque presentaban una diferencia de coloración.[4] Era un cautivo de Noel, que trataba de arrojarlo con las alas manchadas de marcas extrañas, contra la suspicaz jauría del ghetto que ya no lo reconocería como uno de los suyos. Y más tarde o más temprano —posiblemente— lo destrozaría.

Dennis detestaba tanta ignorancia pero ocultaba sus sufrimientos. Chuck, su padre sustituto y antiguo epicentro de su universo, debía ser comparado ahora con TT, el consejero de Hotchkiss.

—Lo que ocurrió es que empecé a superar a Chuck. Pero no podía decírselo, ni siquiera entonces. Uno idealiza a alguien, le idealiza absolutamente pero después otras personas llevan tus pensamientos a un nivel aún más elevado. Es lo mismo que perder una ilusión para siempre. Nunca volveré a sentirme tan próximo a nadie y esa desilusión me estancó.

Ésta es una de las tareas dolorosas pero liberadoras de ese período: desidealizar al padre (o padre sustituto) para aprender a tener confianza en nuestro propio criterio.

—Yo había considerado a Chuck como el supremo poder moral. En aquel momento él y su esposa estaban en el trance de la separación y él rondaba por los alrededores como un adolescente. Empezó a hablar conmigo sobre temas que por lo general los adultos ocultan a los jóvenes.

En la reacción de Dennis observamos la repentina intolerancia puritana de que hacen gala los jóvenes cuando mamá y papá se les aparecen como seres humanos. Para complicar aún más las cosas, la crisis de mitad de la vida de mamá y papá coincide, generalmente, con la adolescencia de por lo menos uno de sus hijos.

En ese momento, un interludio: una proporción tan enorme de este paso de la vida de Dennis se había consumido en la búsqueda, que su Yo Fusionador estaba más que dispuesto a tomar las riendas por un tiempo. Una mujer mayor le ofreció a Dennis su amor y consuelo. Ésta, una profesional de la agencia para la que Dennis actuaba como enlace de la vecindad, le acomodaba las almohadas en las partes más escuálidas de su cuerpo y le hacía tenderse para una enternecedora sesión de pasividad.

—Era como ser mantenido —dice Dennis—. Yo podía asumir el rol femenino.

Este tipo de figuras de transición a menudo nos ayudan a superar un paso dificultoso.

Dennis resistió a la trampa tan seductora para muchos de sus contemporáneos, que son incapaces de esperar a que transcurra la moratoria. Se introdujo en la pandilla, pero la pandilla no se introdujo en él. Dado que nunca perdió el contacto con su interior, Dennis logró aferrarse a su libre albedrío y al hilo que lo conduciría a su definición personal. Cuando sus fragmentos se unieran, podría volcar toda su capacidad de liderazgo en una empresa que valiera la pena.

No fue el mismo el caso de Noel. Este permitió que el grupo le definiera demasiado pronto. Jugar con la identidad significa jugar con fuego. Con mucha frecuencia, jugar con fuegos artificiales se vuelve una empresa permanente.

El día que Noel murió, un presagio cubrió los bloques como un cielo oscuro cuando se aproxima la tormenta, sin que llegue, sin embargo, a estallar. Fue una cuestión puramente personal. Algo baladí, aparentemente por una chica; de hecho, un enfrentamiento entre dos líderes de pandillas que defienden su reputación. Noel creía que la grandiosidad de su nombre, sumada a la exhibición de una pequeña navaja, sería suficiente para atemorizar a su rival y aplacar las iras. Al rival le esperaban sus amigos: le reventaron a Noel el pulmón derecho con un arma de fuego.

—La muerte de Noel fue el fin de una era de nuestra vida —dice Dennis—. Me volví muy recto, muy trabajador, leal a mi mujer, buen proveedor, encontré un lugar para vivir, lo arreglé. En aquella época experimenté un importante crecimiento.

Actualmente tiene veintidós años, es director de un centro juvenil y estudia en una escuela afro-americana de arte dramático. Podemos ver cómo las piezas van encajando. A Dennis no se le escapan las ironías de su tránsito por el primer paso y habla de ellas con nostalgia:

—Cuando tenía diecinueve años, creía saberlo todo. Como usted puede ver, no sabía *nada*. También Noel habría alcanzado esta comprensión. Pero se lo impidieron. Lo que empieza a asustarme es que la vida sigue su curso. Hoy las cosas parecen ordenadas, seguras, definidas, pero no siempre serán así. Yo no soy el mismo que era entonces, y entonces, creía que lo sería para siempre.

5

«Si me retraso, empiecen la crisis sin mí»

El modelo de crisis de los jóvenes atrapados en un paso turbulento entre los últimos momentos de la adolescencia y principios de los veinte se ha llegado a equiparar al proceso normal del crecimiento. Todos reconocemos los síntomas de este estado sensible: chicos que son a la vez rebeldes, apáticos e inquietos. Chicos que sufren ataques de repentinos y virulentos cambios de humor. Cuando se sienten atenazados por la angustia, no pueden dormir ni trabajar. Es posible que se vean aquejados de misteriosas enfermedades y se adhieran a ideales inflexiblemente elevados. A menudo parecen dominados por un punto de vista negativo con respecto a sí mismos y por la hostilidad de la familia. Es probable que abandonen los estudios, el trabajo, el contacto con el sexo opuesto, o que no lo hagan y se muestren profundamente resentidos.

En síntesis, es como padecer una gripe de la personalidad. Dado que todos pensamos en la gripe como algo contra lo cual hay que vacunarse, se plantean una serie de preguntas obvias.

¿Este estrago psíquico es típico de la evolución durante el período de Arrancar Raíces? No.

En tal caso, *¿es esencial que se produzca una agitación en algún momento posterior si uno ha de alcanzar su identidad?* Probablemente sí.

¿No puede una persona pasar por la vida sin sufrir uno de estos bombardeos mentales? Sí, si está dispuesto a permitir que otros le definan y se ocupen de él... siempre y cuando haya alguien a quien le interese hacerlo.

Explicaré mis respuestas. En primer lugar, como la conducta de esos jóvenes de la última etapa de la adolescencia que se encuentran en estado de confusión es tan perturbadora para ellos y tan alarmante para sus padres, no puede dejar de llamarnos poderosamente la atención. Pero en general, en este grupo de edad, es muy poco frecuente, la crisis clásica de la identidad. Esta fue la conclusión de un conjunto de estudios recientes sobre el desarrollo adolescente, debido a Stanley H. King, un director de investigaciones de Harvard. En su análisis de los estudiantes de Harvard, King descubrió que la pauta más común es una formación de la identidad gradual y progresiva.[1]

El estudiante típico era un joven que, cuando se enfrentaba con problemas actuales, lo hacía en formas que habían resultado fructíferas en experiencias pasadas. Hacía amistades con facilidad y era capaz de compartir sus sentimientos con ellos, lo que le ayudaba a resolver las situaciones conflictivas en su relación con la familia. Padecía cambios de humor, pero no estaba a merced de ellos. A través de la dedicación a los deportes, al teatro, a escribir, a divertirse, o a reírse de sí mismo, descargaba sus sentimientos depresivos. Al aproximarse al momento de la graduación, muchas de sus dudas personales —al igual que la inflexible armadura que las cubría— habían empezado a desvanecerse.

Entonces ya sabía que era capaz de influir sobre personas y acontecimientos, y en consecuencia sentía una oleada de confianza, de competencia y de poder personal. Sus intereses, que no violaban sus valores, se habían profundizado. Adoptando la antigua y arrogante postura de «estoy absolutamente seguro», se había relajado lo suficiente como para disfrutar de la perspectiva de la libertad personal necesaria para modificar sus decisiones morales.

Pero no olvidemos que King sólo estudió a hombres jóvenes y, entre éstos, a los más privilegiados de la nación. Cuando estos estudiantes de Harvard llegan a *saber* que son capaces de influir sobre personas y acontecimientos y en consecuencia sienten una mayor autocomplacencia y una sensación de poder, son absolutamente correctos en su presunción. Para la mayoría de los estudiantes ajenos a los privilegiados pasillos de las facultades de la Ivy League e indudablemente para las personas jóvenes del sexo femenino, no existe la garantía de pasar a formar parte de la «vieja» red que en gran medida se extiende por todo el país. Y aquellos que no tienen un diploma universitario, deben realizar grandes esfuerzos para asomar simplemente un pie en el sistema, y no digamos para alcanzar la posibilidad de estructurar una identidad.

Si una crisis plena de la identidad es poco común durante este paso, y las pruebas de una formación de la identidad gradual y progresiva sólo provienen de los hombres de Harvard, ¿dónde nos hallamos situados la mayoría? J. E. Marcia, profesor adjunto de Psicología de la Universidad de British Columbia, hizo unas importantes precisiones a la obra de Erikson al distinguir cuatro posiciones «normales» en las que es probable que las personas se encuentren a sí mismas durante el proceso de formación de la identidad.[2]

Algunos de ellos se encontrarán en el grupo de la *moratoria*. Todavía no habrán contraído compromisos ni habrán volcado mucho de sí mismos en otros, y siguen siendo imprecisos con respecto a sus propios valores. Pero aunque retrasen sus compromisos, se esfuerzan activamente por encontrar los más correctos. Se encuentran en una crisis que todavía debe ser resuelta y están dispuestos a detenerse, como hizo Dennis.

El grupo de *identidad cerrada* se muestra muy seguro de lo que quiere ser, como en el caso de Donald Babcock (y probablemente en los casos de muchos de los estudiantes del último año de Harvard que participaron en el estudio de King). Han asumido compromisos sin experimentar una crisis, pero no como resultado de una búsqueda ardua. Han aceptado pasivamente la identidad que sus padres forjaron para ellos. El hijo de un banquero e inversor republicano, por ejemplo, empieza a operar en Wall Street y se adhiere a los jóvenes republicanos. O la hija de un ama de casa de un barrio elegante californiano y un diseñador de jardines se casa con un joven de la dirección de parques locales. Es previsible que la gente de identidad cerrada sea más autoritaria que la de cualquier otro grupo. Yo digo que estas personas están *encerradas*. Dentro de nuestro contexto cultural y hasta hace muy poco tiempo, ésta era la suerte que, casi con seguridad, les estaba reservada a la mayoría de las jóvenes.

El grupo de *identidad difusa* ha renunciado a la tarea de definir qué desea o cómo se siente. Padres, profesores o amigos esperan de ellos algo distinto a lo que pueden dar o desean ser. No son capaces de rebelarse contra sus padres (u otras figuras autoritarias) ni de esforzarse con ellos para resolver un conflicto. Desempeñan en forma bastante correcta su actividad estudiantil y sus roles sociales, pero siempre se sienten como inadaptados. A menudo —en el prematuro intento de definirse a sí mismos— se inmovilizan como consecuencia de sentimientos de inferioridad o de alienación. Pero a diferencia de los que se encuentran en moratoria, no parecen impulsados a hacer demasiado al respecto y no se encuentran en estado de crisis. Las jóvenes que tienen la oportunidad de asistir a la Universidad frecuentemente se encuentran, al llegar a la graduación, en un estado de identidad difusa.[3]

El grupo de *identidad lograda* ha estado en crisis y la ha superado. Sus miembros han alcanzado una postura personal definida en cuanto a sus propósitos y visión del mundo. También es probable que tengan bastante más edad.[4]

A medida que la gente joven trata de encajar en o de demostrar que está fuera de estas categorías, generalmente se planteará como mínimo dos cuestiones más.

Supongamos que tengo ante mí y acepto este período agitado. ¿No dificultará mi desarrollo posterior? Por el contrario. Probablemente lo facilitará. Los estudiantes que experimentan una clásica sacudida de la personalidad a esta edad, por lo general se recuperan rápidamente, antes de que concluya el último año de estudios, y es probable que se conviertan en adultos bien integrados.[5] El psiquiatra de Harvard, George Vaillant —que ha interpretado los resultados de un fascinante estudio de 268 hombres realizados a lo largo de treinta y cinco años— descubrió que una adolescencia tormentosa no significaba un problema, per se, para la progresión normal del ciclo de la vida adulta. En realidad, a menudo representaba un buen presagio.[6]

Si no sufro la crisis en el momento de la crisis de identidad, ¿surgirá en algún paso posterior? Si es usted afortunado. Parece que es necesaria una crisis antes de poder asumir plenamente una identidad.

En busca de una idea en la que creer.

En tanto existe la adolescencia, los que pertenecemos a sus legiones de cohibidos hemos enfrentado el problema de ocultar nuestro pequeño secreto horripilante (la inadecuación) mientras tratamos de aparecer como las personas atractivas y sociables que todos queremos ser. ¿Cómo resolvemos satisfactoriamente esta contradicción entre los 18 y los 22 años? Buscamos una idea en la que creer, héroes y heroínas a quienes imitar, y comenzamos a descartar lo que no queremos que sea nuestra vida.

La mayoría de los jóvenes buscan ávidamente una causa más noble que ellos mismos, a cuyo servicio tendrá sentido ser adulto. Los movimientos que aseguran predecir el futuro del universo son los más seductores, ya que una vez que se ha resuelto esta cuestión monumental, la persona que está a mitad de camino puede dedicar todas sus energías a ordenar los confusos detalles del crecimiento.

Durante los años cincuenta, la familia y la sociedad producían en Estados Unidos un impacto bastante integrado en el joven. Ambos reforzaban el ideal de fortalecer el destino familiar y de obtener credenciales de las instituciones correspondientes para ser admitido en el mundo adulto. La Generación Silenciosa se dedicó a las ideas de *calificarse* para el mundo real y buscar el *espíritu de familia* en el hogar. El hecho de beber e imponerse una disciplina férrea —que fueron los experimentos escogidos— eran obvios ensayos para heredar los privilegios de sus padres. Los jóvenes hacían lo que habían hecho sus padres, aunque algo más temerariamente. Si eran rebeldes, por lo general lo eran sin causa.

En 1960, la tradicional presión para que se siguieran los pasos de los padres se vio contrarrestada por un brillante presidente que tenía algo que ofrecer como dedicación a los jóvenes. En efecto, Kennedy los conminó: «Seguidme en una causa más noble que vosotros mismos». Esa causa se concretó en el igualitarismo en su doble significado: ecuanimidad e igualdad. O paz y libertad.

Apoyar la idea igualitaria significó una actitud que hizo posible un idealismo elevado y despertó las expectativas de todas las clases sociales, razas y sexos de una generación hasta un nivel sin parangón hasta entonces en el mundo. Los jóvenes educados esperaban que el trabajo resultara significativo, que las instituciones fueran cambiables, la liberación de todos alcanzable y la vida una serie de experiencias cumbre.

Pero estalló la aborrecida guerra de Vietnam. El dinero comenzó a escasear. Las causas se disolvieron. Los líderes murieron o resultaron decepcionantes. Cuando la guerra concluyó, el alivio se mezcló con el agotamiento. En los años setenta, los jóvenes se vieron inmersos en la apatía como consecuencia de los acontecimientos anteriores. No más utopías. Algunos observadores afirman que en la actualidad, y como resultado de sus reducidas esperanzas, los

109

estudiantes de los primeros años universitarios tienen un sentido del optimismo renovado.[7] Aún está por ver qué y a quién inventarán para depositar su fe.

La ideología actual parece ser una combinación de supervivencia personal, revitalización y cinismo. Una vez más y por encima de todo, se destaca lo pragmático: capacitarse como medio para alcanzar un trabajo bien remunerado.

Dennis, que montó en la última cresta de la ola igualitaria, fue atraído por la primera interpretación de aquella idea de la comunidad negra, por la creencia de que la mejor forma de suplir las desventajas del ghetto consistía en obtener una excelente educación blanca. Aunque esa idea ha sido abandonada por la del reforzamiento de una identidad negra separada, a Dennis le sirvió para hacer un esclarecedor viaje de ida y vuelta entre la familia y la sociedad.

Su triunfo consistió en negarse a sucumbir a una definición absoluta por parte de ningún grupo ni de la ideología de éste. En lugar de eso, permitió que comenzara el proceso interno mediante el cual sus fragmentos podían empezar a unirse. Apenas es necesario señalar que resulta difícil resistirse a la tentación de ser definidos por nuestros pares.

¿Cuándo un grupo de pares se convierte en un grupo par descarriado? La teoría sociológica predominante afirma que los individuos aprenden a cometer delitos cuando las personas cuya opinión más valoran y los grupos a los que pertenecen (pares, familiares o vecinales) consideran deseable la conducta criminal.[8] Esta premisa se ajusta perfectamente a nuestro concepto de los chicos del ghetto, pero, ¿acaso no hemos visto actuar el mismo principio entre los jóvenes más privilegiados de nuestra clase media y de nuestra clase alta? ¿O entre los reos de la «familia» de la Casa Blanca en la época de Watergate?

Cuando la fiebre revolucionaria atrapó la imaginación de una generación de estudiantes universitarios americanos, se hizo inmediatamente contagiosa. La sociedad adulta no sólo era considerada como un cuerpo extraño, sino también absolutamente corrompido. Hacia 1968, el grupo que clasificaba a sus miembros como revolucionarios radicales incluía a cerca de una octava parte de todos los estudiantes universitarios y cerca de una décima parte de los no universitarios.[9]

Los grupos afines que se formaban en los campus para cometer fechorías y poner bombas, y los Weathermen y los Panteras Negras, eran todos grupos de pares descarriados que se mantenían unidos, como las pandillas callejeras, por la creencia común de que era deseable una conducta ilícita. El objetivo puede variar —por ejemplo demostrar machismo en el caso de una pandilla o producir un impacto político por medios destructivos— pero la constante es la necesidad del grupo como amortiguador de los posibles golpes.

Erikson apoya decididamente el período de moratoria e incluso describe los efectos positivos de la delincuencia.

Cada sociedad y cada cultura institucionaliza cierta moratoria en beneficio de la mayoría de sus jóvenes... La moratoria puede ser un momento para partir en un caballo robado a la búsqueda de la clarividencia; un momento para la *Wanderschaft,*[*] o para «salir de Occidente», o para «ir a...»; un momento para dedicar a la «juventud perdida» o a la vida académica; un momento para el autosacrificio y las travesuras... y en nuestros tiempos, con mucha frecuencia, un momento para la condición de paciente (tratamiento psiquiátrico) o para la delincuencia. Porque gran parte de la delincuencia juvenil, especialmente en su forma organizada, debe considerarse como el intento de crear una moratoria psicosocial.[10]

Sin embargo, la afirmación de Erikson da por sentado que la sociedad, en su generosidad, concede a ambos sexos la posibilidad de alborotarse. ¿Chicas robando? ¿Chicas de las que cabe esperar que sean delincuentes? En la mayoría de las familias no es así. Tradicionalmente, el pródigo es el hijo varón.

* En alemán en el original. *Peregrinación (N. de la T.)*

111

Pensemos en la muchacha de un medio convencional que quiere comprometerse a fondo en una causa. Supongamos que, como Patty Hearst, está expuesta a la prolongada e intensiva proselitización de un grupo revolucionario, al que sus padres considerarían absolutamente despreciable. Imaginemos que el líder del grupo sea un Robin Hood herido, que le da un nombre nuevo, le provee un disfraz y le enseña a resistir. Un Robin Hood lo suficientemente implacable como para desafiar a sus padres en nombre *de ella*. Para el delicado puente que conduce de vuelta a la dulce sofocación de su familia, él usa el hacha. Entonces ella, suspendida en el vacío, ¿no saltará con un grito de placer hacia una identidad negativa?

Si el modelo que según sus padres y la sociedad había que alcanzar era auténticamente desagradable, posiblemente ocurra así. A menos que también existan profundos sentimientos positivos hacia los padres y hacia sí mismo, simultáneamente con las dudas, el o la joven pueden rebelarse transformándose en lo contrario de lo que se espera que sea. Como dice sucintamente Robert W. White en *The Enterprise of Living:* «Cuando uno no soporta ser una oveja blanca, es preferible ser una oveja negra a no ser nada».[11]

Con demasiada frecuencia, la joven se siente incapaz de polarizarse lo suficiente como para llevar a cabo la separación de su círculo familiar a no ser que sea estimulada y sostenida por una Persona Fuerte, ya sea el jefe guerrillero, el amigo drogadicto, un alcahuete o, sencillamente, el hombre idealizado como superior. La muchacha le glorifica como rival de sus padres y le autoriza a hablar por el yo «malo» que ella no se atreve a expresar. De esta forma, evade el doloroso proceso evolutivo que debería protagonizar En consecuencia, no tiene lugar internamente una transferencia de autoridad de otro hacia el propio yo. Se trata, meramente, de una transferencia externa del control de otro (los padres) a un tercero. Puede parecer una rebelión pero en realidad no es más que una nueva pérdida del yo en la vana esperanza de que algún otro la conduzca a la vida *real* y a la verdad absoluta.

Erikson se muestra optimista respecto a los resultados de un período de delincuencia: «...el joven individuo se siente profundamente comprometido y sólo más adelante puede comprender que aquello que tomó tan en serio no era más que un período de transición; muchos delincuentes 'rehabilitados' probablemente se sienten ajenos a la 'tontería' que es cosa del pasado».[12]

Soy escéptica en cuanto a la facilidad de recuperación cuando se ha formado parte de un grupo delincuente. Si el joven rebelde es lo bastante hábil como para mantenerse fuera de la cárcel o cuenta con padres cuya posición les permite reducir las consecuencias de su fechoría, es posible que salga ileso de esta transición. Pero cuando se ve prematuramente marcado por las autoridades como miembro de un grupo descarriado («promiscuo», «toxicómano», «perturbado»), la extraordinaria fuerza tensora de la identificación del grupo se ve reforzada. Incluso los más serios esfuerzos de los organismos por rehabilitar a jóvenes transgresores, por romper la cadena de actitudes eslabonadas por la amistad o la vecindad, por lo general han fracasado. James Q. Wilson, profesor miembro del Consejo director de Harvard, ofrece una explicación de esta resistencia: «Un grupo de pares descarriado —que alienta el delito o la perturbación social— puede considerar los esfuerzos de la sociedad por "reformarlo" como una confirmación de la hostilidad de la sociedad y también de la importancia del grupo».[13]

¿A qué modelo, héroe o heroína copiar?

A medida que se hace apremiante la necesidad de desmitificar a los padres, surge el impulso de reemplazarlos por héroes y heroínas. A juicio de Dennis, su consejero estudiantil era un «hombre brillante» que eclipsó a Chuck, su padre sustituto. Aunque la transferencia de idealización del padre al modelo puede ser dolorosa, es una parte importante del proceso mediante el cual puede evitarse una identidad cerrada. Los modelos que están al alcance de la mano y que suelen escogerse son un profesor estimulante o un instructor carismático, una tía libertaria o un tío excéntrico (del tipo de los que nunca se impresionan).

Pero cuanto más extremo es el nuevo modelo, más exótico el gurú o inexorable el revolucionario, tanto más fácil resulta identificarse con ellos. Por una parte, su estilo exagerado es fácil de imitar. Más importante aún, atraen al joven buscador a un foso, al menos en la imaginación, en el que pueden incendiarse los puentes que permitirán la vuelta al santuario familiar. Así, el joven puede verse tan fácilmente seducido por el llamativo hechizo de las estrellas deportivas o cinematográficas, de los artistas y de los magnates, como por la mugre o la excentricidad sexual de jóvenes astros; por el dinero y la audacia de gángsters y prostitutas; por el odio ardiente de los Robin Hood contemporáneos. También son vulnerables al carisma de un político que les invita a participar de una cruzada o de un charlatán que les ofrece la infancia eterna.

Es mucho más fácil identificarse con una persona que con una idea. Dado que en los adolescentes encontramos una sensibilidad moldeable, unas mentes no del todo desarrolladas todavía y el anhelo de hallar un ideal, no resulta difícil a los charlatanes con intereses comerciales explotar a los jóvenes prometiéndoles, simplemente, un nuevo destino ficticio o una forma de que las cosas ocurran de la noche a la mañana.

Los efectos de esta manipulación mental pueden salir al paso de la evolución juvenil más allá de la etapa exploratoria. Muchos de los que decidieron marginarse de la sociedad, tratando de seguir los pasos de sus ídolos, ya estaban acercándose a los treinta cuando se descubrió la falta de consistencia de algunos de sus líderes.

La fascinación de los ídolos no sólo afecta a los buscadores de rebeliones exóticas. Cuando el reverendo Sun Myung Moon llegó a Nueva York, la gente se preguntaba quiénes serían esos apuestos y elegantes muchachitos que repartían folletos en las esquinas de la ciudad.

«He venido a América por la voluntad de Dios. Tuve una revelación y debo "limpiarla" Cumpliré mi misión hasta la muerte.»[14] Estas son las primeras palabras del mensaje del reverendo Moon, pronunciado ante veinte mil jóvenes que ocuparon hasta los tejados del Madison Square Garden en septiembre de 1974. Al cabo de una hora de revelaciones, el reverendo empezó a perder a su congregación. Pero no a sus conversos. Aunque limitados en número, los suyos eran los rostros que sobresalían. Mortalmente solemnes, inexpresivos excepto por su desdeñoso encogimiento de hombros y un gesto de desconfianza en los labios, observaban a la multitud con ojos de detectives del Servicio Secreto desde el asiento situado junto al pasillo de cada fila. También éstos eran chicos americanos, entre los 16 y 22 años cabe suponer, pero por alguna razón todos parecían jóvenes camisas pardas.

Alguna vez pueden haberse unido al Cuerpo de la Paz o haber sido llevados a las salas donde se celebran las convenciones del Partido Republicano para corear «cuatro años más». Han escapado a la corriente actual de bi, homo, e incluso heterosexualidad para vivir en sitios segregados, protegidos por un voto de castidad (hasta cuarenta días después del matrimonio) de la temible libertad de explorar la carne. Sus roles sexuales, su ocupación y su ideología fueron absolutamente definidas por quien se proclamó redentor a sí mismo.

Todos ellos se han hecho miembros de la «familia» del reverendo Moon. Han abandonado a sus propias familias y, en muchos casos, sus ahorros, para aventurarse sin riesgos. Los conversos viajan por el mundo en «equipos» estrictamente estructurados y aprenden a difundir el evangelio mediante una función maquinal de relaciones públicas. También hay lugar para la agresividad. Los muchachos actúan como guardias de seguridad en los mitines de estimulación, donde todo disidente es calificado, por reflejo, como «diablo comunista» y silenciado por un procedimiento sumario.

115

Los acólitos de Moon han encontrado en su otro la autoridad que todavía no pueden otorgarse a sí mismos.

¿Qué haré con mi vida?

Durante este período de exploración la mayoría somos imprecisos —cuando no carecemos absolutamente de toda idea— en cuanto a qué deseamos hacer. Por lo general empezamos definiendo lo que *no* queremos hacer.

«No me verán con trajes de seda ni Cadillac», afirmaba Dennis con aplomo a los dieciocho años.

Otras personas dirán que sabían que no querían ser «un engranaje de una gran empresa» o «dentista como mi hermana mayor», o que no querían «pasar el resto de mi vida en Dyess, Arkansas».

Para los hijos de gente bien conocida, el proceso de eliminación comienza, habitualmente, por una declaración similar a la que hace el heredero de una familia de políticos sureños: «Todo lo que sabía era que *no quería* quedarme en el Sur y ser el hijo de John Dey Manning, el nieto de Jay Manning y el biznieto de... Había llegado el momento de irme a otro lado e intentar hacerme un nombre por mi cuenta».

La mayor parte de estas respuestas caen en uno de estos dos compartimientos: el de «todo lo que sabía era que quería irme» o el de «todo lo que sabía es que no quería ser como». Otro deseo generalizado consiste en prolongar un tiempo más la deliciosa irresponsabilidad de la juventud.

Percibimos el obsesionante presentimiento de una persona sumisa de mediana edad en la actual renuncia de los jóvenes a seleccionar otra opción que no sea aquélla que menos les incomodará. Tal como hemos oído de labios de un estudiante de la Columbia University a punto de acabar sus estudios: «Vivo al día. ¡No tengo un panorama del futuro y no quiero tenerlo!».

6

El deseo de fusión

Hasta hace muy poco tiempo, la búsqueda la protagonizaban fundamentalmente los muchachos y la fusión las chicas. Las jóvenes podían intentar el estudio en tanto no interfiriera con la popularidad. Estaba muy bien un trabajo de verano, pero no embarcarse en una carrera seria. Podían poner a prueba sus habilidades tomando lecciones de baile, en clubs de arte, en recitales de piano, en coros parroquiales, conjunto de tareas que les serían muy útiles para una vida grata. Salvo que —y este temor siempre acechaba en un rincón de la mente— resultaran estar bien dotadas. En ese caso se verían obligadas a hacer una elección dolorosa: el matrimonio o el dominio de su arte. La mayoría renunciaba a sus estudios.

Los muchachos adquieren las nociones básicas del trabajo en equipo y de la competencia en el campo de deportes, nociones que posteriormente les serán útiles en los negocios y en las organizaciones políticas. Se les habla de compañerismo en los vestuarios. En las actividades aprobadas para las chicas, ha habido muy poca práctica de la competencia e incluso menos oportunidades de cama-

117

radería. Las chicas rara vez se encontraban en situaciones comparables a la de un equipo de fútbol o del servicio militar, donde la aventura implica un riesgo suficiente como para exigir la interdependencia. Compartir un apartamento con una compañera era algo relativamente sencillo y por lo general perpetuaba la competencia por los amigos del sexo masculino.

Todo lo que se necesita es amor

La cultura masiva de canciones, jabones, poemas, pastas, películas, esencias, anuncios, arte y una miscelánea mucho más amplia, afirma que todo lo que la joven necesita es AMOR. Esto tiene un impacto mucho más intenso que el más exquisito pensamiento de cualquier científico social como, por ejemplo, Abraham Maslow.[1]

Según la teoría de la «jerarquía de necesidades», de este autor, el amor y el sentido de la pertenencia se encuentran inmediatamente después del alimento, la vivienda y la seguridad. Pero más allá del amor hay otros dos peldaños en la escala de las necesidades humanas. Una de ellas es la *estima,* el deseo de realización, maestría, eficacia y confianza, y también el respeto y el reconocimiento de los demás. Más allá aún se encuentra la necesidad de una final *auto-realización.*

La mayoría de los teóricos coinciden en que lo que más ayuda a una persona joven a resolver los conflictos de independencia y a establecer una identidad independiente es una experiencia profesional positiva.[2] Pero en tanto que los jóvenes han sido estimulados a iniciar la búsqueda de una actividad laboral como primera prioridad, siempre se ha esperado que las muchachas se contentaran con y se ajustaran a un sentido de la identidad que fuera un derivado de su rol sexual. El mensaje era: tú eres la esposa de y la madre de.

Es verdad que actualmente otros modelos para las chicas animan los libros infantiles, las revistas, las pantallas de televisión e incluso las audiencias del Congreso. Pero en la excitación provocada por las nuevas heroínas, resulta fácil pasar por alto un hecho tan sencillo como extraordinariamente trascendental: la primera imagen con que toda niña se identifica, su modelo en la primera y más penetrante etapa del desarrollo, es la madre: incuestionablemente, una mujer que tiene un hijo.

¿Cómo puede liberarse una joven de su fantasma y establecer su propia identidad si la única ocupación plenamente confirmada para ella es la de llegar a ser madre en su propio hogar? Por supuesto, y hasta hace muy poco tiempo, la respuesta era que la mayoría de las mujeres no se liberaban.

Antes de los años sesenta, apenas resultaba concebible que una chica pudiera embarcarse en la tarea de Ser Alguien antes de que su padre la escoltara al altar bajo un velo de ilusión. La puerta del estado adulto quedaría mágicamente abierta por el matrimonio, una unión siempre celebrada. Esta forma sigue siendo el camino más aplaudido hacia la identidad femenina: el *matrimonio «complétame»*.

Pero si sólo las madres, los padres y la sociedad empujan a las jóvenes al matrimonio, ¿cómo explicar a las hijas de padres más sensatos que les advierten que esperen aunque en vano? En las muchachas actúa una coerción aún más sutil: su propia timidez interior. * *Quieren* creer que un hombre las completará y que con él estarán a buen resguardo. El matrimonio es un paso a medias, una forma de abandonar el hogar sin perder el hogar. Con el matrimonio de alguna manera se materializarán espontáneamente un mundo sustituto, una casa de muñecas, amigos importantes, una gran excitación. Pero lo que verdaderamente produce un matrimonio de este

---

* Es necesario establecer una distinción entre temor —de peligros reales y observables (por ejemplo, las calles están resbaladizas por el hielo: ¿no será peligroso sacar el coche?)— y la timidez interior, que utilizo para referirme a la imagen interna que uno tiene de una situación y del significado que le asigna.

tipo es un encierro de la identidad. La joven contrae el compromiso de ser esposa antes de que se le permita —o de que ella se permita a sí misma— esforzarse por y escoger entre diversas alternativas de vida. La atracción siempre empuja hacia la seguridad y la uniformidad, algo sumamente seductor a finales de la adolescencia y principios de los veinte años.

El problema ha consistido en que la mayoría de las jóvenes no se atrevieron —o no se les permitió— a tener una crisis de identidad. Por eso, nunca crecieron.

El principio de apoyatura

A lo largo de toda la película *American Graffiti*, el héroe, alumno de una escuela secundaria vacila en alejarse de su chica estable y del cómodo universo que conoce, para marchar a la Universidad, que se encuentra a tres mil kilómetros de distancia. El esfuerzo es sobrehumano. El chico titubea y vuelve a caer en los brazos de su novia. En la banda sonora vibra una ilusoria canción que repite la lógica romántica:

«Sólo por ti recorro este camino,
ya que es así: tú eres mi *destino*.» ©

El deseo de fundirse con un amante es perfectamente natural en esta etapa (lo mismo que el impulso, al que antes nos hemos referido, de buscar una causa más noble que uno mismo, y gente e ideas en quienes depositar la fe). Pero especialmente en el caso de las jóvenes, este impulso natural se ha convertido en una premisa indispensable.

Esta premisa es: podemos apoyar nuestra evolución uniéndonos a una Persona Fuerte.

Serena era una muchacha de una pequeña ciudad que acudió a

la Universidad en Champaign, en Illinois. También ella quería creer en el principio de apoyatura. Durante su primer año de estudios anhelaba tener a su lado a Jim, el novio del que se había separado en su ciudad natal. En los pasillos de la biblioteca, a través del laberinto sexual y los sistemas de valores de gente procedente prácticamente de todas partes, Serena ya no era el gran pez líder de la escuela secundaria. No era más que una entre 36 mil pececillos que nadaban en la marea de una gran Universidad. «Yo deseaba desesperadamente tener conmigo a alguien para comprender lo que me estaba ocurriendo.»

Jim, aparentemente el fuerte e independiente, le escribió desde su Universidad distante: «No puedes seguir dependiendo de mí».

Serena contaba con una gran ventaja sobre las chicas que habían sido estimuladas a apoyarse. Era la hija mayor de su familia y por lo general las primogénitas se crían con privilegios y expectativas que no son distintos a los del hijo varón. Es muy probable que el padre, en estos casos, acentúe más las habilidades que el rol sexual de la hija, enseñándole deportes e incitándola a buscar un lugar de preeminencia. Le adjudica responsabilidades y con frecuencia espera que se abra su propio camino, como en el caso de Serena. A menudo el padre parece buscar en la primogénita la camaradería que no puede hallar en su esposa porque ésta siempre está preparando la cena. Un fenómeno que se reflejaba en algunas de las biografías que reuní, también apareció en un estudio de la Universidad de Michigan correspondiente a hombres, de éxito. En tanto esperaban, decididamente, que sus esposas no fueran competitivas ni triunfadoras, se enorgullecían de que una hija lo fuera, que en muchos casos era la predilecta porque, a diferencia de un hijo varón, podía ser el reflejo de su padre sin convertirse en rival.[3]

El acontecimiento sobresaliente del primer año de estudios de Serena fue el siguiente: vestida de pies a cabeza de un marrón profesional —incluso las medias y los zapatos de tacón alto—, Serena se dirigió al periódico de la Facultad para impresionar a su director. Este, que llevaba tejanos, lanzó una carcajada, pero le dio trabajo. Y ella cumplió satisfactoriamente, muy satisfactoriamente. Siguió echando de menos a Jim (pero no tanto).

Le escribía larguísimas cartas en cuartillas de la oficina.

A los 18 años, el amor es principalmente un intento por descubrir quiénes somos escuchando atentamente a nuestro propio eco en las palabras de otro. Oír decir cuán especiales y maravillosos somos resulta cautivante. Por esta razón los jóvenes amantes pueden conversar durante noches enteras o escribirse cartas larguísimas, aunque nunca parecen concluir correctamente una oración.

Entonces, el regreso. La vuelta al hogar después del primer año en la Facultad, la vuelta a los viejos lazos de la escuela secundaria: el verano indio de la infancia.

—Cuando Jim y yo nos encontramos aquel verano, nos arrojamos uno en brazos del otro pero no encajamos.

Se acostaron juntos por primera vez pero el sexo no sirvió para cerrar la brecha que se había abierto entre los dos. Serena y Jim evitaron caer víctimas del Principio de Apoyatura. El desfase producido como consecuencia de su evolución desigual era demasiado evidente.

En una nueva cafetería de la ciudad, por ejemplo, se produjo el siguiente diálogo:

—¿Por qué no usas tacones más bajos? —Serena era más alta que Jim, discrepancia que éste nunca había mencionado con anterioridad, pero que ahora parecía decidido a acortar.

—No hay más bajos que los que llevo puestos.

Como el resto de sus amigos, Jim ni siquiera sospechaba qué quería hacer. Serena era la excepción: lo sabía. Cuando atravesó la cafetería para entrevistar al gerente, Jim estalló:

—¿Por qué tienes que hacer una entrevista precisamente cuando estás conmigo?

—Porque soy —entonces las detestables palabras, la envidiable identidad— periodista.

Jim empezó a interesarse por otra chica. Se sentía evidentemente ofendido por la conversión que había sufrido Serena, de objeto dependiente a identidad y, que además se atrevía a superarle intelectualmente.

—De pronto sobrevino la ruptura —dice hoy Serena—. Las piezas del rompecabezas habían adquirido nuevas formas y ya no encajábamos. Comprendí que ambos necesitábamos más espacio.

Y con más espacio, ambos crecieron. Desde la perspectiva de sus veinticinco años, Serena puede decir:

—Probablemente Jim fue la primera persona que me ayudó a crecer.

Serena también reconoce que todas las chicas con las que ha tratado intentan ahogar su primer amor en la posesividad. ¡Cuántas lágrimas y rechazos le aguardan a la muchacha que atribuye a su primer y delicado amor fantasías de permanencia, con la esperanza de que él, en esa gelatinosa etapa, encaje con ella en un rompecabezas definitivamente armado para toda vida! Serena tuvo suerte.

El matrimonio como fuga de la cárcel

Aunque la razón más común por la que las mujeres se casan jóvenes es la de «completarse», son muchas las que aducen otro motivo: «Lo hice para separarme de mis padres». Especialmente en el caso de las chicas cuya educación y privilegios son limitados, lo habitual es un matrimonio como fuga de la cárcel. Lo que podría aparecer como un acto de rebelión, por lo general no es otra cosa que una transferencia de dependencia.

Condenada a cadena perpetua: así se sentía Simone a los diecisiete, como les ocurre con frecuencia a las chicas cuyos padres son autoritarios. Como la menor de seis hermanos, se vio atrapada en el nido que habían dejado vacío los demás. Se esperaba de ella que «mantuviera unida a la familia». Simone era el último campo en el que su madre podía jugar el rol materno y en el que su padre podía ejercer un dominio pleno. Esto significa despedirse de alcanzar una educación universitaria.

Aunque la familia no era pobre, Simone había luchado por su independencia ganando dinero desde los 14 años. Blandió su libreta de cheques: ¿Serían suficientes los dos mil dólares que había ahorrado para comprar su libertad?

—Queremos que estés en casa hasta los veintiuno.

Trabaja, insistió su padre. Pero el trabajo que consiguió entonces significó otro encierro. Ingresó en la fábrica de máquinas de tejer en la que trabajaba su padre, lo que significaba una ampliación del control ejercido por él. Simone se sometió durante un año, hasta que conoció a Franz. Una nulidad. Un húngaro egocéntrico perteneciente a la aristocracia inútil, un hombre que le resultaba completamente indiferente. Salvo por una cosa: le pidió que se casara con él. Franz sería el vehículo de la separación en su esquema de matrimonio como fuga de la cárcel:

—Decidí que la mejor forma de huir era casarme y divorciarme un año más tarde. Ése era mi programa.

La naturaleza, incontrolada, dio al traste con los planes de Simone. Nueve meses después de la luna de miel, se convirtió en madre. Se resignó y quedó embarazada por segunda vez a los veinte años.

Un día apareció su marido con una novedad, con el acontecimiento demarcador que le permitiría salir de la inacción: la empresa en la que trabajaba le había ofrecido un puesto en la ciudad de Nueva York.

—En ese mismo momento decidí que antes de un mes tendría el bebé, encontraría un abogado e iniciaría los trámites del divorcio.

Los cinco años siguientes le parecieron veinte. Necesitó de toda su voluntad y paciencia para derrotar a Franz, que no quería ni oír hablar de separarse, y también para ignorar el ostracismo de su familia.

A los veinticinco años de edad, al cumplirse el séptimo aniversario de su matrimonio como fuga de la cárcel (que se reveló demasiado tarde como otra trampa fatal), Simone logró, finalmente, escapar a sus padres. Cuando describe el día que se dictaminó su divorcio, Simone se expresa como tantísimas mujeres cuya identidad quedó diluida en el matrimonio:

—Me sentí como si me hubieran quitado diez toneladas de cadenas de la mente y del cuerpo: fue el día más estimulante de mi vida.

Aperturas

Partiendo de las múltiples actitudes revolucionarias de la última década, una activa tolerancia por la diversidad apoya actualmente más aperturas: peregrinaciones y comunas como forma de vida temporal, vivir juntos, permanecer solos, ser madre soltera, ser una pareja sin hijos, experimentar la bisexualidad o la homosexualidad. La gente que puede prolongar sus estudios o la que está capacitada para el estudio de una carrera interesante se casa más tarde, tiene hijos más tarde, tiene menos hijos o toma la decisión de no tener ninguno.

Bárbara, que actualmente tiene treinta y un años y es soltera, pertenece a la primera generación de mujeres que pudo relajarse más para apartarse del viejo molde. Contó con cinco tías testarudas y una historia familiar que apoyaba la idea de la excentricidad. Aunque su madre deseaba que Bárbara fuera «primorosa» y se casara con un hombre rico, su padre se complacía en explicarle temas complicados a la precoz niña.

—Creo que él quería que fuera chica el mayor tiempo posible y que nunca le pidiera dinero.

A muy temprana edad, Bárbara tuvo un importante presentimiento: «Lo grandioso acerca de ser chica es que una cuenta entonces con un largo aprendizaje... si se toma el trabajo de dedicarse a ello». A los dieciocho empezó a aprender a escribir temas de ficción por su cuenta. Sus historias eran horribles, naturalmente, pero eso no le importaba lo más mínimo. El oficio es todo, le había dicho un amigo de más edad que era escritor, y cuando adquiriera el oficio todo lo demás se le daría por añadidura.

Las ideas de Bárbara en cuanto a lo que no quería hacer, no podrían haber sido más rotundas:

—Yo no iba a terminar como los chicos que conocía en los barrios residenciales, malcriados e idiotizados, con padres cuyo sistema de valores era una imbecilidad.

Claro que era típicamente imprecisa en cuanto a cómo obtener lo que deseaba, «que era, supongo, un apartamento y un trabajo».

Así rompió con su familia, a los diecinueve años, abandonando los estudios y escapándose con un hombre mayor.

—Yo no deseaba especialmente vivir con él, aunque traté de convencerme de ello, pero sabía que no tenía otra alternativa. No tenía dinero, ni trabajo, ni estaba preparada, nada. Para obtener estas cosas por la vía normal, se asiste a la Universidad durante cuatro años. Yo consideraba que eso no era para mí.

Por supuesto, tenía una alternativa. Lo que ella vio fue un hombre mayor que sería el medio que la transportaría al mundo adulto; una vez allí, rompió con esta figura de transición y antes de un año encontró su primer apartamento oficial, una compañera para compartirlo y trabajo.

—Me fue bastante bien, aunque todavía hoy no me siento demasiado orgullosa de ello.

A los veinticinco, Bárbara conocía su oficio y sabía distinguir qué era publicable. Había vuelto a estudiar y estaba concluyendo la carrera. Tomó un trabajo de verano en una oficina y escribió mucho. Aquel otoño, *The New Yorker* le compró su primer cuento. Delirante de felicidad, se fue con otro hombre, pensando que este sí era «un amor abrasador» y empezó a sentirse más segura del terreno que pisaba. A los 29 comenzó a trasladar a su vida amorosa algo de la disciplina que siempre había caracterizado su vida de escritora. Había conocido a un hombre maravilloso.

—Estaba muy contenta por haberme tomado un año entero para llegar a conocerlo, un año en el que apareció mi primer libro y me enamoré.

En la actualidad, Bárbara y su amado están a punto de reunir sus posesiones. Lo que ella siente es terror: «No sé si sirvo para convivir aunque... ¿quién puede saberlo? Pero por primera vez siente que su vida emocional tiene un fundamento.

Pese a toda su iniciativa y persistencia, a Bárbara no le faltó ambivalencia en su instinto fusionador. Siempre se preguntó: «¿Por qué no habré sido el tipo de persona que se asienta y no le causa problemas a nadie, quiero decir que tiene un niño y todo lo demás? No lo deseaba pero sentía que tendría que haberlo deseado. En mis momentos más felices no habría cambiado mi vida por la de nadie. En los más desdichados me decía a mí misma que evidentemente estaba loca y que nadie querría estar conmigo. Pero siempre fui inteligente, fría, clara y nada complicada con respecto a mi obra. Adoro escribir. Quiero tenerlo todo. Y no veo por qué no puedo conseguirlo».

Entre los jóvenes de la generación de Bárbara es notable cómo se ha dejado de apoyar la actitud de encierro, en beneficio de la pauta como la que ella eligió. Una persona puede mantener abiertas sus opciones y pasar de un compromiso de tanteo a otro, buscando activamente gente, ideas y algo en que creer, aunque manteniendo una posición transitoria.

Pero aún hoy, los sociólogos afirman que muchas mujeres viven entre los 18 y los 24 años como si estuvieran suspendidas. No se deciden a comprometerse en una carrera ni en ningún otro tipo de plan a largo plazo hasta que saben con quién van a casarse.[4] Y comó dice Gary Wills, aunque actualmente existen muchos matrimonios de prueba, no existe nada semejante a un hijo de prueba.

La chica «complétame»

Cuando hacia el final de la adolescencia se vuelve imperioso demostrar que uno puede *hacer* algo, hacer que una cosa funcione gracias a uno mismo, el lugar más sencillo al que puede dirigirse una joven es su útero. La ocupación de hacedora de bebés siempre es accesible y le proporciona una clara identidad. La maternidad puede ser una ocupación muy satisfactoria, pero detrás de ella pueden ocultarse los temores de no estar a la altura del mundo.

Las teorías contemporáneas adelantadas para explicar el deseo de las mujeres de usar su anatomía, van desde el discutible concepto de Erikson sobre el «espacio interno» de la mujer (un perpetuo vacío que afirma su vaciedad hasta que es llenado) hasta un conjunto más variado de razones, propuesto por Edward H. Pohlman en *Psychology of Birth Planning*. La mujer puede desear tener un hijo para demostrar su eficacia, afirmar su sexo, competir con su madre, atrapar un marido, llamar la atención, llenar su tiempo, castigarse a sí misma o a otros, volverse inmortal.[5] Resulta sorprendente, en esta lista, la ausencia del deseo universal de unirse a otro.

Los grandes adelantos tecnológicos e ideológicos de los últimos quince años nos han traído a la nueva «mujer contraceptiva», así como un profundo feminismo, apoyado por libros anti-mamá e incluso por ritos contra la fertilidad. La rebelión contra la maternidad automática se ha extendido a todas las clases sociales. Según un estudio de Daniel Yankelovich del año 1973, sólo el 35 % de mujeres universitarias y un 50 % sorprendentemente bajo de no universitarias coincidió con el postulado de que «tener hijos es algo muy importante». ¿Pero cuántas de ellas se expresan únicamente con el cerebro? Los consejeros estudiantiles afirman que muchas jóvenes estudiantes de hoy pueden *saber* que la maternidad ya no es una carrera, pero que aún no lo sienten así.

La esclavitud de la maternidad ha disminuido en muy pequeña

escala entre las chicas de quince a diecinueve años. La tasa de nacimientos descendió en picado en una tercera parte de la década de los sesenta entre las muchachas entre los veinte y los veinticuatro años de edad. Empero, las adolescentes casadas continuaron fabricando bebés en una proporción asombrosa y casi consistente durante el mismo período. Además, casi la mitad de las novias de ese grupo de edad se acerca al altar a consecuencia de su estado.[6]

Las chicas de familias pobres no son las únicas a quienes preocupa su capacidad reproductora, aunque para ellas la compulsión es mucho más patética por la falta real de una alternativa para su vida. Cuando dejan la escuela secundaria, para ellas no hay trabajo, ni más educación, ni metas más elevadas, ni siquiera en su medio, que la de tener un hermoso hijo, preferiblemente de un marido.

Pero las cosas están cambiando, decididamente. Después de la amigdalotomía, el aborto es la operación que con más frecuencia se practica en Estados Unidos.

Graffiti obligado

¿Cuál es actualmente la historia de la Chica Americana Media? Es probable que concluya la escuela secundaria pero no los estudios universitarios. Buscará un trabajo de prueba y se convertirá en esposa a los veintiún años; muy poco después abandonará el trabajo para poner en marcha una familia. Se dedicará a su entorno doméstico hasta mediados los treinta. Lo que no se les explica es la historia que protagonizarán en la segunda mitad de su vida.

Es probable que la mujer americana media vuelva a trabajar a los treinta y cinco, momento en que su último hijo ingresa en la escuela. Entonces podrá pensar en su carrera o, lo que es más posible, en un trabajo de oficina para el próximo *cuarto de siglo*.[7] Este párrafo tendría que escribirse en todas las paredes de todos los lavabos de todas las escuelas secundarias.

Los hombres también sienten el impulso de fusionarse. Por cada identidad femenina encerrada en el matrimonio temprano y la maternidad, es probable que exista un joven atado a un destino profesional antes de que haya tenido tiempo de experimentar su talento latente. Un estudio de cinco mil graduados de la escuela secundaria evidenció que quienes pasaban directamente a trabajar o a la estructuración de un hogar estaban más limitados, sentían menos curiosidad intelectual y se mostraban menos interesados en nuevas experiencias.[8]

Al menos temporalmente, este tipo de jóvenes renuncia a la batalla de inventarse a sí mismo y adquiere la forma señalada por el padre, la madre, un profesor, un líder religioso, o el grupo. Se encuentran en la posición que califiqué de encerrada (y que corresponde al estado de «identidad cerrada» definido por Marcia). Comprensiblemente, una de las vías más habituales para salir de la situación de encierro es el divorcio. Los matrimonios de adolescentes tienen el doble de posibilidades de terminar en la disolución que los contraídos a edades más avanzadas.[9]

La mujer universitaria

Aunque parecía que la mejor posibilidad de búsqueda debía corresponder a aquéllas con más educación, este concepto liberalizado no se vio plasmado en el caso de muchas jóvenes estudiantes. Debió resultar un rudo golpe cuando las anteriores instrucciones de ser tan brillantes y trabajadoras como los chicos se vieron invertidas, al menos implícitamente, y pasaron a ser: sé complaciente y no competitiva; sé amada y no ambiciosa; encuentra un hombre, no una ocupación (salvo que fuera la enseñanza porque, se decía, siempre es posible compaginar la enseñanza con la atención de la familia).

¿Resulta extraño que la mayoría de las mujeres saliera de la Facultad con una identidad dispersa? Desalentadas por el mundo externo y debilitadas por sus temores internos, abandonaban la búsqueda de su propia formación y cometidos. No podían, en consecuencia, experimentar la crisis y la evolución que dicha búsqueda provoca. Después de graduarse, la mayoría de ellas buscaba un hombre y si tenía algún tipo de crisis, sólo era la que derivaba del interrogante: «¿Por qué sigo soltera?». En cuanto resolvían este problema, sus identidades quedaban habitualmente encerradas, al menos por el momento.

En el año 1969, un estudio comparativo de la evolución de las personalidades masculina y femenina en la Universidad rompió, finalmente, la barrera de las subvenciones (a un estudio previo de carácter semejante se le había retirado la asignación porque se consideró que los resultados eran perturbadores). Anne Constantinople realizó un estudio representativo de 952 estudiantes de la Universidad de Rochester, utilizando la escala de Erikson del desarrollo de la personalidad para puntuar a cada estudiante. He aquí las conclusiones de Anne Constantinople:

Aunque las mujeres parecían más maduras cuando ingresaban en la Facultad, sólo los varones avanzaban consistentemente hacia una resolución de sus identidades durante los cuatro años de estudios. El entorno académico apoyaba y halagaba al estudiante de sexo masculino para que decidiera su profesión y adquiriera seguridad. Las mismas presiones y oportunidades condujeron a muchas estudiantes a un prolongado sentido de dispersión de la identidad (quienes tienen una identidad dispersa —tal como los describe Marcia— son incapaces de rebelarse contra sus padres, profesores o amigos que esperan de ellos algo distinto a lo que quieren o a la forma en que sienten; de ahí que actúen con bastante eficacia pero sintiéndose siempre como inadaptados). Muchas de las jóvenes sentían que tenían que escoger entre una carrera y ser madres, elección que no se le impone a ningún joven del sexo masculino. En tanto las muchachas no llegaban a tomar esta decisión ni descartarla, eran incapaces de resolver sus identidades.[10]

Al encuentro de mi «verdadero yo»

¿Por qué no podemos apresurarnos y encontrar la verdad absoluta a los veintiún años?

La noción de un auténtico yo que abarque todas las virtudes es una ficción romántica. Ni siquiera los mejores padres pueden evitarnos los problemas de seguridad, aceptación, control, celos, rivalidad. Entre las estrategias que desarrollamos para vivir, algunas nos vuelven tiernos y amorosos, mientras otras nos incitan a ser competitivos y crueles, pero todas forman parte integral de nuestro carácter distintivo cuando concluye la infancia.

Para «conocerse a sí mismo» en el más amplio sentido, uno debe finalmente permitirse la relación con todos estos componentes. Ésta es la oportunidad que se nos presenta a medida que atravesamos una serie de pasos críticos. Pero aunque el escritor considera conveniente reunir una gran variedad de estudios y biografías en un concepto como el de paso, la persona que avanza poco a poco se ve absorbida por las ocupaciones evolutivas de cualquier período en que se encuentre. E incluso mientras una parte de nosotros busca la libertad para llegar a ser un individuo, otra parte siempre está buscando algo o alguien a quien entregarle esa libertad.

7

Los principios del encaje del rompecabezas de la pareja

El rostro casi perfecto de una mujer joven se vuelve a intervalos en la mañana californiana y sus párpados se cierran para proteger sus ojos brillantes. El mundo, resplandeciente y ultravioleta, se abre ante ella. Pero algo se entromete. Su promesa. Se había jurado a sí misma que el día de su cumpleaños despertaría con una orientación definitiva para su vida. Pero no, permanece inmóvil (una muchacha muy delgada, que rara vez ha llegado a los cincuenta kilos), sintiéndose gorda y fastidiada. Fuera de su apartamento, los fanáticos de la cultura física ya brincan hacia la arena y no hay lugar donde esconderse del despiadado optimismo del sol del sur de California. Pocos años atrás, todo esto coincidía exactamente con su actitud.

Aventura, emociones, intensidad, romance e inteligencia eran las palabras que Nita había empleado para describir su sueño. Podría decirse que también sintetizan el sueño de los veinte años. Pero aunque Nita tiene ahora veinticinco años, evolutivamente todavía se encuentra en el paso de Arrancar Raíces y aún no es capaz de abordar la empresa de los Penosos Veinte. Esto no es extraño.

Aunque hemos presentado aproximaciones cronológicas para cada período, los individuos varían en forma considerable. También en este caso, lo importante es la secuencia.

Ian despierta, se levanta e inmediatamente pasa a la acción. Ella observa la espalda de su marido. ¡Con cuánta precisión emprende él la rutina matinal, se pone la almidonada chaqueta de médico interno y guarda el electrocardiógrafo en el maletín! Nita le envidia su lado disciplinado pero lo que la excita profundamente es, no obstante, su lado temerario.

Fue Ian quien la introdujo en todo tipo de riesgos mediante el kayac, el surf, el montañismo, el esquí. A Nita le resultó asombroso descubrir lo que su cuerpo era capaz de hacer. Precedida de Ian se encontró cruzando rápidos, saltando de una roca a otra en una cuerda... ¡Cuánta emoción, cuánta efervescencia!

Bajo el aura de Ian ella siempre sentía brotar su energía. ¡Cuán extraño le resultaba este intercambio de electricidad: era casi como si absorbiera la potencialidad de Ian! El optimismo empezó a invadirla de nuevo.

Ian siempre tenía que llegar a la cumbre de la montaña o tomar la última curva del río. Llegar al final era su objetivo en todo cuanto hacía. Nita, que no tenía metas propias tan definidas, se acopló a las de él.

—Era una forma sustitutiva de sentirme bien con respecto a mí misma. Él estaba tan orgulloso de mí. Yo sentía que habíamos alcanzado una relación muy madura porque él no se parecía en nada a mi padre. Los objetivos de mi padre eran, no sé cómo decirlo... más civilizados. Ian me solicita en muchas formas adultas.

Pero nunca le dijo qué debía hacer con su vida.

Para comprender por qué Nita, que es muy seria, se siente tan bloqueada y atormentada, debemos medir la distancia que hay entre las instrucciones de su familia y la elevada imagen que ella se ha forjado para sí misma. Durante los primeros dieciocho años, las dimensiones de su universo fueron excesivamente limitadas. La familia era sólidamente católica, la ciudad californiana minúscula y provinciana, la escuela parroquial para niñas un refugio. Nadie podría decir por qué entre tantas posibilidades escogió la salida más radical. Podría haber empezado a arrancar raíces de forma menos drástica, haber pasado a una Universidad religiosa o a un campus más tradicional. Berkeley era lo más distante en espíritu que pudo encontrar.

Una ruptura importante no fue suficiente: se lanzó a otra. Le tocó en suerte una compañera de habitación sofisticada desde el punto de vista sexual y decidió prescindir de su propio código moral. En breve indujo a su amigo estable de la escuela secundaria a acostarse con ella. Meses después de ingresar en el nuevo reino, Nita empezó a tambalear. Se asustó de sí misma. Privada del fácil recurso del confesionario por haber renunciado a todo aquello, tuvo que retroceder aún más: «Quería que mi madre me dijera que todo estaba bien».

Siguió presionando, presentando un frente valiente con la gente que dormía en el Parque del Pueblo, enfrentando a la policía y llevando a cabo todos los actos de violencia posibles. Pero debajo de la postura superficial de «a la mierda con el sistema» —obligado en aquel momento y lugar— había una niña buena y pequeña, mortalmente asustada de que la descubrieran.

Aunque no lo hubiera admitido entonces, ahora reconoce que «Berkeley me dejaba sin aliento». El salto había sido demasiado grande. Necesitaba un retiro sereno, un período de hibernación para encontrarse a sí misma. Abandonó el trabajo de verano en San Francisco y volvió contenta a su hogar: «Lo que quería era ocultarme».

Como evasiva frente al futuro, presentó una solicitud de ingreso a la Universidad de Stanford, convencida de que no la aceptarían. Esto la daría la posibilidad de vagar durante un tiempo, tal vez de viajar. Evidentemente, Nita estaba tratando de crear una moratoria. Stanford no cooperó: la aceptaron.

El ambiente era tan mojigato —¡Dios Santo, las chicas asistían a clase con medias de nylon!— que Nita adquirió, por definición de los demás, patente de hippie, sin siquiera habérselo propuesto. Decidió representar el papel. Unida a otra joven aparentemente de vanguardia, la sofisticada Jessica de Nueva York, anunció a sus maravilladas compañeras de habitación: «Esta noche saldremos a romper ventanas». De hecho, aparecieron en todos los lugares inconvenientes con tanto empeño como si estuvieran invitando a un té de la hermandad de estudiantes. Pero no molestaron, no maldijeron, no rompieron nada. Tampoco se hicieron detener, ya que eso habría significado renunciar al apoyo de los padres.

En el verano de su primer año de estudios, Nita aceptó dar otro salto, esta vez a lo largo de todo el país, con Jessica, en la difusión de un grupo de teatro para niños. En el último momento, Nita frenó sus botas de siete leguas. a finales de agosto, ansiosa por remendar el jirón provocado en su relación con su amiga, Nita cruzó el continente y la visitó en Boston. Jessica la ignoró.

Con cierto asombro, en su último año de estudios Nita confesó: «Todavía no me siento independiente».

Cada uno de nosotros tiene su propio *estilo de avance,* entendiendo por esta expresión la forma característica en que abordamos la empresa de nuestro desarrollo y reaccionamos ante los esfuerzos que acometemos.[1]

Algunos dan una serie de pasos cautos hacia adelante, retroceden uno o dos y después dan una gran zancada hacia un nivel superior. Hay quienes se sitúan en situaciones en las que es necesario nadar o hundirse: «No sé arreglármelas si el límite no es bien definido», o «Cuando estoy entre la espada y la pared siempre logro superar el problema». Otros, cuando se encuentran cara a cara con cada cometido, lo esquivan por un tiempo enfrascándose en un frenesí de actividades ajenas a él.

El estilo de avance de Nita consiste en dar un salto gigantesco y después retroceder. En cuanto empieza a recuperarse y olvida sus agitaciones, necesita de otra ampliación y se siente desdichada si no puede efectuarla. Ya la hemos visto actuar con arreglo a este modelo (se entrega a Berkeley y a su amigo de la escuela secundaria, corre al hogar para protegerse y acepta refugio en Stanford; se compromete en el ambicioso plan de Jessica, renuncia a él y posteriormente trata de remendarlo). Resulta engañosa porque parece que avanza. Al hacer un segundo análisis, uno se pregunta si no será una artista de la evasión.

Hacia su último año de estudios, Nita había hecho muchos progresos en la comprobación de su propio código moral. Dar forma a sus aspiraciones era algo mucho más intimidante. Su especialidad era la zoología. Como perspectiva de carrera segura, dejaba bastante que desear. Entonces ingresó en su vida una figura influyente (casi un arquetipo), un profesor de literatura. Después de leer un trabajo de calidad excepcional que había hecho Nita, la buscó para invitarla a que asistiera a su clase especial.

—Me colocó bajo sus alas. Pensaba que yo era una buena escritora, lo que me resultó muy atractivo.

Aunque tenía aptitudes para escribir, Nita estaba segura de que siempre que escribía algo bueno era de chiripa.

—En realidad, nunca sabía si algo era bueno hasta que alguien le ponía un sobresaliente. No creía en mi talento y además no sabía qué hacer con él. Mi indecisión pareció poner al profesor en una situación incómoda —entonces Nita repite el estribillo—: Él no me dijo qué debía hacer con mi vida.

—Podrías intentar publicar —insinuó por fin su profesor en una oportunidad.

Frío glacial.

Desde ese momento y hasta el fin del curso, la joven que sólo se habría sentido capaz si de la noche a la mañana se hubiera convertido en una Lessing o en una Vonnegut, no pudo escribir una sola línea más para su clase.

—Temía que él descubriera que en realidad yo no poseía la capacidad que él me atribuía.

Utilizando como escudo todas las proclamas del feminismo, en ese campo seguía luchando contra la temible oposición de ambos padres fantasmas. Nita desea expresar sus ambiciones, tener una carrera y abrirse su propio camino en el mundo. Pero la agresividad de este tipo no cuenta con antecedentes para las mujeres en la familia de Nita. Tiene un padre autoritario que cree que las chicas buenas no siguen una carrera y una madre tradicional que nunca deja de decirle a Nita que debería querer ser una buena esposa.

¿Y si ella violara descaradamente sus instrucciones sobre lo que significa ser «buena»? ¿Y si consiguiera llegar a ser absolutamente distinta a su madre? Como una poetisa excéntrica de reconocidas facciones, digamos, que viviera en una casa flotante de color verde claro, de un pequeño subsidio aportado por la sociedad artística local. ¿Querría alguien a una criatura tan poseída, a una mujer tan estrepitosamente capaz... por sus propios méritos? Indudablemente ningún hombre, dice Nita, con las cualidades necesarias para «reemplazar» a su padre.

Por otro lado, si apostara ciegamente a favor de su talento, creyendo que con la fuerza del éxito posteriormente podría reclamar su recompensa en amor (como hacen los hombres), ¿qué ocurriría si, a pocos pasos de alcanzar el dominio de su arte, resultara ser una jugadora de segunda categoría? ¿Qué les ocurre a las mujeres con aspiraciones que fracasan? Quedan sepultadas en un limbo que se extiende entre ser una esposa dependiente y una triunfadora independiente, desvalorizada en ambos campos, sin hijos como excusa, sin hombre que la cuide, sin los encantos que se tienen en los veinte años: un destino demasiado severo como para pensar en aceptarlo.

Una gran parte de los esfuerzos de muchas mujeres universitarias están encaminadas a evitar cualquiera de estos dos destinos. La opción más sencilla y la que parece más segura —aunque no lo sea— es aquélla en la que se vio inmersa Nita. Para no correr el riesgo de fracasar a lo grande, renunció al intento y fracasó en pequeño.

Cerca del fin de su último año de estudios, Nita sentía que «tenía todo el mundo abierto ante mí. Entonces empecé a asustarme.

Nunca salté al mundo. Tenía ideas grandiosas acerca de lo que podía hacer pero me faltaba la decisión, el valor, la energía emocional necesarios para ponerlas en práctica».

¿Quién le diría cómo debía hacerlo?

Conoció a Ian en Palo Alto, poco después de graduarse. No sólo se sintió atraída hacia él impulsivamente: conocía su leyenda. Ian era el Lochinvar de su ciudad natal, un muchacho cinco años mayor que ella y de reputación superlativa. No es que Nita estuviera buscando a un hombre para el cual vivir. Hacer una cosa así en los años setenta habría sido una herejía. En aquella época, Nita era una feminista cien por cien. Ian era el primer hombre al que conocía que comprendía cuanto podía ganar con una mujer liberada.

—Yo quería ser yo misma pero también deseaba irme con él. Pensé que él me *obligaría* a ser independiente.

Además de este confuso razonamiento, hubo otras contradicciones en el pençamiento de Nita. La aventura, las emociones, la intensidad, el romance y la inteligencia —los términos que ella había empleado para describir su sueño— fueron exactamente las cualidades que encontró en Ian, *que ya estaba asentado*. El joven era un ejemplar viviente de todo aquello y esa misma semana partía para cumplir un período de internado médico. A Nita le parecía que él había tocado en ella alguna fibra que ponía en movimiento hasta su última neurona. Y más aún, estaba segura de que le perdería si no le seguía.

Le siguió. Su madre dio su aprobación. De hecho, la primera cita de los dos había sido arreglada por ambas madres. Así estimulada, Nita reunió el valor necesario para vivir pero no para casarse con este casi extraño. Poco tiempo después empezó la campaña de los padres.

—Apelaron a mis peores instintos. Racionalmente, yo no admitía esa tontería de que si me amara se casaría conmigo, lo que demostraría que yo era una buena chica. Pero emocionalmente el argumento me atrapó. Yo quería y no quería al mismo tiempo, de modo que me casé con grandes reservas.

Ian tampoco pensaba casarse pero como los padres de ella insistieron... y el entusiasmo de su compañera resultó contagioso, lo hizo. Ian consideraba a Nita capaz de hacer cualquier cosa que se propusiera.

En el dulce y suave período del primer verano que pasaron juntos, Nita se dedicó a disfrutar del ocio. La culpa sólo comenzó a acecharle cuando se reanudaron las actividades académicas. ¿Tendría que conseguir un trabajo o permanecer a disposición de Ian? Decidió esto último e inscribirse en algunas clases. La idea misma de atarse al mundo del trabajo durante cincuenta semanas anuales la aterrorizaba. Asimismo, le parecía una trampa. Lo que tenía que hacer era volver a estudiar.

—Sé que quiero conseguir el doctorado —repetía una y otra vez los domingos, cuando conversaba con Ian—. Pero, ¿en qué?

—Eres tú quien debe decidirlo, cariño.

—Me gusta la biología marina y también la literatura —siempre apelaba a su autoridad—: ¿Qué te parece mejor?

En momentos de debilidad, Ian decía:

—Si te gusta escribir, ¿por qué no escribes?

—Fracasaría. Soy demasiado normal.

Podía ser —claro que *no debía* serlo—, ictiólogo, dramaturgo, cirujano de cerebro, concertista de tímpanos.

Otro de los nuevos «debo» que Nita había adoptado de su generación era el referente a los hijos.

—No puedo imaginarme teniendo un hijo hasta que no pueda mantenerlo por mí misma. Nadie tendría que seguir casado a causa de los hijos. Si yo tuviera una carrera, una forma de ser responsable, creo que probablemente me gustaría ser madre.

En lugar de intentar salvar las diferencias entre su yo y su custodio interno, Nita apelaba a su marido para que éste resolviera el problema.

—Yo no puedo decirte lo que debes hacer con tu vida —respondía Ian habitualmente.

Nita sabía que él tenía razón, ¡pero maldita sea su neutralidad!

Transcurrió un año; finalmente, dejó que tomara la decisión un consejero estudiantil. Nita comenzó a estudiar la carrera de Pedagogía de la Primera Infancia. Le resultó detestable.

—En cuanto me matriculé como aspirante al doctorado, me sentí segura, pero un año más tarde me sentí incompetente, a veces inferior y al minuto siguiente superior. No era racional.

Durante todo ese verano su mente fue un verdadero hervidero mientras trataba de encontrar la carrera perfecta que satisfaría todas sus necesidades. Debía cumplir requisitos tales como armonizar con los horarios de Ian, despertar su respeto, liberarla de las tareas domésticas... ¡Eureka! Un día que bajaba por Santa Mónica Boulevard se vio asaltada por una idea atenazante: «¡Lo que realmente quiero es ser médico!».

Recuerda lo que pensó, en su propio e inimitable estilo de avance:

—Quería lanzarme a toda velocidad y aprobar inmediatamente todos los cursos previos a la carrera de Medicina.

Tres semanas después de dar el gran salto al cumplimiento de su nuevo programa, Nita se estremeció y tuvo la certeza de que fracasaría. Su madre reforzó el sentimiento de culpa y los temores:

—En lugar de querer ser cocinera de primera y tener el mejor jardín del vecindario, quieres ir a la Facultad de Medicina. No me parece nada adecuado para ti.

Nita dice que las palabras de su madre la sacudieron violentamente.

No te adaptarás —opinó Ian—. Careces del empuje necesario para ello.

A Ian no le pareció mal que Nita abandonara el proyecto.

—Me sentí mal cuando Ian dijo eso, pero realmente no estaba en condiciones de negarlo.

Tambaleante, volvió a la pedagogía.

En tanto sus quejas fueron de tipo teórico y centradas en la traición de la familia y de la sociedad, su marido se mostró comprensivo.

—Los padres crían a las hijas para la servidumbre con el fin de liberarse de la responsabilidad de mantenerlas económicamente —rumiaba Nita—. Cuando se es mantenida resulta muy fácil caer en un rol dependiente. Una se convierte en una cosa sin capacidad ni motivaciones. Yo me enfurezco, ¿pero quién lo comprende?

Ian insistía en que él lo comprendía.

A medida que las polémicas fueron menos convincentes, Nita empezó a culpar a Ian de su situación.

—Estoy celosa. Para asistir a la Facultad de Medicina es necesario contar con el apoyo de todos. Me gustaría que alguien te dijera a ti lo que mi madre me dice a mí: «Él trabaja tanto que merece tener la casa limpia y una esposa que le prepara la cena» —indignada, agregaba—: Quisiera contar con el mismo tipo de comprensión que recibes tú. ¿Por qué no me ayudas más?

Ian no logró comprenderla:

—¿Qué derecho tienes a volver las cosas más difíciles para nosotros? Yo trabajo todo lo que puedo. ¿Por qué no puedes tú facilitar algo las cosas?

Ian tiene razón, ha empezado a pensar Nita. Disgustada por sus propias vacilaciones, confundida en cuanto a los motivos que las provocan, se siente cada vez más desesperada.

—Me estoy comportando de una forma que no me gusta y que no puede gustarle a nadie. Esto va a destruir todas mis relaciones. Debo recuperarme rápidamente o me hundiré.

También le gustaría ser la brillante anfitriona que no descubre una hora antes de la fiesta —mientras concluye un trabajo sobre Piaget— que ya no quedan velas en casa y que se olvidó de preparar los cubitos de hielo. A veces ve a sus amigas casadas y felizmente desocupadas como los incipientes espantajos que ella nunca llegará a ser. En otros momentos no está del todo convencida de que los sistemas de valores de aquéllas sean totalmente negativos. En realidad, «detesto no ser capaz de ofrecer buenas cenas».

Nita no deja sitio al semifracaso ni a algo inferior a un éxito rotundo. Como tantas mujeres jóvenes, siente que con el fin de justificar el ser distinta y tener ambiciones, debe poder hacer cualquier cosa brillantemente. Todo o nada. Intimidada y paralizada en la inacción a causa de las voces de su custodio interno, sólo percibe la forma de escapar en términos mágicos: de alguna manera se transformará en una persona de tal éxito y seguridad que el custodio interno acabará definitivamente silenciado.

Podría haber dicho: «De acuerdo, paso a paso. obtendré mi diploma de pedagoga de la primera infancia, y me sentiré segura en la escuela para graduados mientras aprendo a tratar a los niños pequeños, como hizo mi madre. Pero también me obligaré a escribir sobre lo que conozco y lo presentaré a revistas y periódicos. Cuando adquiera confianza en mi talento podré dejar la seguridad de la pedagogía y dedicarme de lleno a ser escritora.

Pero en cambio, lo que le dice a su custodio interno, es: *Seré emancipada, liberada, sexualmente libre, estaré orientada en una carrera y no tendré hijos... Seré todo lo contrario de ti.* Su custodio interno responde negándole el permiso: *Intenta ser diferente y lo pagarás, fracasarás, quedarás desamparada y sola.*

Una de las formas más habituales de deformar una relación íntima consiste en invitar a nuestro compañero o compañera a que ocupe el lugar de nuestro padre fantasma y nos diga qué debemos hacer. O qué no debemos hacer, especialmente cuando se trata de algo que de todos modos queremos evitar mediante una excusa. Tanto hombres como mujeres caen en este error.

Cualquiera sea la respuesta del compañero, puede utilizarse en su contra: «Fracasé por tu culpa; tendrías que haber sabido que no estaba preparada», o «¿Por qué no me dejaste hacerlo cuando tuve la oportunidad?». No es un compañero o compañera quien debe permitir. La forma de crecer consiste en permitirnos a nosotros mismos.

Es una suerte tener a un compañero que se resiste a ocupar el rol de la autoridad (como hace Ian). A otros se los manipula más ácilmente. El compañero de buenas intenciones puede ser totalmente maniobrado. Y la esposa tirana o el marido autoritario pueden ser impulsados a convertirse en monstruos.

—Hasta ahora no había pensado que fracasaría, que carecía de objetivos y de dirección —dice Nita.

Ahora mira incluso a Ian con resentimiento. Siempre le ve la espalda. Él va adelante, seguro, fuerte, ágil, describiendo parábolas en la nieve, montando en la cresta de una ola sobre una tabla de surf y la tensión atlética de sus hombros apunta a la cima; sí, incluso sus distraídas despedidas en el hospital: «Estoy contento de que hayas venido, cariño, pero debo hacer una punción lumbar antes de la ronda»... Otra vez la espalda mientras desaparece por el pasillo.

A Nita no se le escapa el peso negativo de esta situación.

Pese a que se había comprometido a sí misma que al cumplir veinticinco años estaría orientada en una dirección en la que avanzaría constantemente, lo que en realidad hace Nita es retroceder. Ha abandonado su trabajo para la escuela de graduados. Incluso ha dejado de avanzar al trotecito lento.

En la superficie, podría parecer que Nita es una joven que lucha entre la carrera y el matrimonio. Pero nada más fácil para ella que tener ambas cosas. De hecho, la división es más profunda. A diferencia de Dennis Watlington, el muchacho de Harlem, a Nita no le falta nada en el mundo exterior. Se enfurece con su marido pero no logra que él le dé la solución. Le implora que le dé permiso para ser independiente, pero no es él quien le quita la independencia. Frustrada en sus débiles intentos de responsabilizar a Ian, se aferra a cualquier otra clave exterior que pueda iluminarle el sendero.

Este es el principal argumento de Ian: siempre estoy buscando una llave que abra la cerradura. Si encuentro la especialidad adecuada, o el psiquiatra adecuado, o cualquier cosa adecuada, el mundo entero quedará repentinamente iluminado.

Es típico de los americanos pensar que todos los problemas tienen solución si uno sabe apretar el botón adecuado. ¿Se siente insatisfecho? Cambie de especialidad, cambie de trabajo, cambie de amores, cambie de hábitos sexuales, trasládese de la mugrienta ciudad a un barrio residencial de las afueras, vuelva a trasladarse de ese lugar aburrido a la vibrante ciudad. Pero a menudo nos encontramos otra vez ante el viejo problema en cuanto ha pasado el efecto producido al pulsar el botón adecuado.

La causa de la parálisis de Nita no es la especialidad inadecuada ni el compañero inadecuado y en el fondo de sí ella lo sabe. Cuando se agotaron todos los falsos «otros» como chivos emisarios, empieza a caer sobre el verdadero villano:

—Me divido en contra de mí misma.

Aunque en este momento está atascada, es posible que Nita vaya más tarde hacia adelante. Al menos no se ha resignado a poseer una identidad cerrada; sigue decidida a encontrar su propia configuración. Pero también puede llegar a cansarse del esfuerzo y permitir que prevalezca su lado escapista. En ese caso, dentro de cinco años probablemente encontraremos a una mujer frustrada que intenta que sean otros los que paguen sus propios fallos. A todos nos gustaría conocer el final de su historia, pero no hay final. De hecho, Nita se encuentra prácticamente en el principio.

Tercera Parte

Los penosos veinte

¿Qué puede conocerse? Lo Desconocido.
Mi verdadero yo corre hacia una montaña
¡Más, cada vez más visible!

THEODORE ROETHKE

8

El despegue hacia
una salida lanzada

Los Penosos Veinte nos enfrentan con el problema de cómo aprehender el mundo adulto. Pletóricos de energía, superada la familia
y la imprecisión de nuestros años de transición, estamos impacientes por volcarnos en la forma exactamente adecuada: nuestra propia forma de vivir en el mundo. O, mientras la buscamos, queremos
intentar alguna forma transitoria. Porque ahora no sólo tratamos
de demostrarnos a nosotros mismos que somos competentes en la
sociedad más amplia sino que somos intensamente conscientes de
estar a prueba.

Por distintas que sean las formas que podamos adoptar durante los Penosos Veinte nuestra concentración se centra en el
dominio de lo que sentimos que *se supone* que haremos. Es necesario distinguir entre la transición anterior, el paso Arrancar Raíces,
en el que sabíamos lo que *no queríamos* hacer, y la transición siguiente, hasta los treinta, que nos empujará a hacer lo que *queremos*
hacer.

Estudiar una carrera superior es una forma segura y habitual para aquéllos que pueden permitírselo, Trabajar para obtener un diploma es algo que los jóvenes ya saben cómo hacer. Y posterga el momento de tener que probarse a uno mismo en la arena más extensa e intimidante. Muy pocos americanos tenían ese privilegio antes de la Segunda Guerra Mundial; llegaban al punto de despegue a la tierna edad de dieciséis, dieciocho o veinte años y se veían obligados a actuar rápidamente. Pero hoy, a menudo transcurren veinticinco años antes que se espere de un individuo —o que éste espere de sí mismo— que fije el curso de su vida.[1] O más de veinticinco años. Dada la permisividad para experimentar, los prolongados estudios entre los que se puede escoger y la moratoria que se permite, no es extraño que el experimentador esté próximo a los treinta cuando toma decididamente un camino.

En la actualidad, el período de siete años de esta etapa parece extenderse, por lo general, entre los veintidós y los veintiocho años.[2]

Los objetivos de este período son tan grandiosos como estimulantes: dar forma a un sueño, esa visión de las propias posibilidades en el mundo, que generará energía, vitalidad y esperanza: prepararse para una vida de trabajo; si es posible, encontrar un mentor, y conformar la capacidad para la intimidad sin perder, en el proceso, ninguna estructura del yo que hasta ese momento hayamos logrado plasmar. Debemos erigir la primera estructura de prueba alrededor de la vida que elegimos intentar.

Un joven con vagas aspiraciones de poseer su propia empresa creativa, por ejemplo, no estaba seguro sobre si su elección recaería en la fotografía, la ebanistería o la arquitectura. No tenía padrinos que pudieran ayudarle: sus padres trabajaban para la compañía telefónica. Ingresó en ella. Se casó y de acuerdo con su esposa decidió postergar indefinidamente la llegada de los hijos. Cuando la estructura estuviera conformada, dedicaría todas sus energías y su tiempo libre a experimentarla. Todos los fines de semana podía encontrársele detrás de una cámara fotográfica, o construyendo bibliotecas para los amigos, probando vigorosamente las diversas actividades creativas que podían conducirle a una satisfactoria vida de trabajo.

La soltería también puede ser una estructura de vida de los veinte años. La hija de un padre fomentador del ego, a la que había enseñado a probar todo lo que deseara siempre que no retrocediera antes de llegar a la cumbre, decidió dedicarse a la promoción turística. Esto significaba libertad de trasladarse de una ciudad a otra a medida que aparecieren mejores trabajos. La estructura que mejor se adaptaba a sus propósitos consistía en no atarse a nadie. Compartió apartamentos y vivió en hoteles para mujeres, pasándolo maravillosamente bien, hasta que a los veintisiete años encontró el trabajo de sus sueños.

—No me sentía desarraigada porque siempre que me trasladaba era para alcanzar un status superior o más dinero. En todas las ciudades donde estuve entré en contacto con mis antiguas amistades de la Universidad. Esto significó una influencia estabilizadora.

A los treinta... ¡zas! Súbitamente, esta misma mujer se casó y quedó embarazada de gemelos. Rodeada de una estructura vital absolutamente nueva e imprevista, se vio agradablemente sorprendida al encontrarse contenta.

—Supongo que estaba preparada para tener una familia y no lo sabía.

Los Penosos Veinte es uno de los períodos más largos y estables, estables en comparación con el escarpado paso anterior y el poco firme posterior. Aunque cada clavo ajustado en nuestra primera estructura de vida externa es provisional y de prueba, una vez que hemos contraído nuestros compromisos llegamos al convencimiento de que son los correctos. Generalmente, el ímpetu de explorar dentro de la estructura nos lleva por la veintena sin interrupciones destacadas.

Tengo que...

Tengo que adquirir mi experiencia, en primer lugar, en una gran empresa.

Tengo que cambiar el sistema.

Tengo que casarme ahora.

Tengo que esperar a casarme después de haber logrado algo.

Tengo que ayudar a mi pueblo.

Tengo que aspirar a la presidencia; para eso me prepararon en Harvard.

Este es el momento en que tengo que ser libre de probarlo todo.

Los «tengo que» son definidos por el destino familiar, la prensa de la cultura y/o los prejuicios de nuestros padres. Naturalmente, las instrucciones culturales son variables. Cuando la revolución de actitudes alcanzó su cumbre en la última década, muchos jóvenes de ambos sexos cambiaron los «tengo que». Durante un tiempo, los americanos jóvenes se apartaron de todos los ideales e instituciones de su sociedad. El enemigo era conocido: la gran empresa, la gran potencia, la gran mentira de Vietnam. Mientras los jóvenes de la contracultura aprendían a rechazar el machismo del teniente Calley y a resistir al antiguo modelo triunfador americano, muchas de sus contemporáneas femeninas salían a la luz para ocupar los puestos vacantes. La oportunidad estaba al alcance de la mano y ellas sentían que debían aprovecharla. En el actual clima social, las jóvenes parecen sentir que deben encontrar su lugar en el Congreso, en tanto que muchos hombres jóvenes buscan «relaciones significativas». Y la pareja contraceptiva, conscientemente criada, cree que la gente primero tendría que convivir, sin casarse ni tener hijos.

Uno de los aspectos terribles de los veinte años es la convicción de que las elecciones que hacemos son irrevocables. Si escogemos una carrera o ingresamos en una empresa, si nos casamos o no, si nos vamos a vivir fuera de la ciudad o proyectamos viajar al exterior, si decidimos no tener hijos o no seguir una carrera superior, interiormente nos asusta que tengamos que vivir para siempre de acuerdo con esa elección. Este es un miedo fundamentalmente falso. No sólo es posible que se produzcan cambios sino que es, hasta cierto punto inevitable que tenga lugar alguna alteración de nuestras elecciones originales. Pero dado que durante los veinte somos neófitos en esto de hacer importantes elecciones vitales, no podemos imaginar que más adelante se nos presentarán posibilidades de una mejor integración, cuando haya tenido lugar algún crecimiento interior.

Como es habitual, durante este período actúan dos impulsos.

Uno de ellos es el de edificar una estructura firme y segura para el futuro contrayendo fuertes compromisos que nos lleven a asentarnos. Esta es la forma de serle fiel a nuestro cauto Yo Fusionador. Pero quien se adapta a una forma ya confeccionada, sin un profundo examen de sí mismo, tiene todas las probabilidades de encontrarse siguiendo una pauta de encierro.

El otro impulso consiste en explorar y experimentar haciendo que toda estructura sea provisional y, por lo tanto, fácilmente reversible. De esta forma satisfacemos los anhelos de nuestro Yo Buscador. Llevado al extremo por la gente que durante la década de los veinte salta de un trabajo de prueba a otro y de un encuentro personal limitado a otro, ésta se convierte en la pauta del transeúnte.

El mayor o menor equilibrio entre estos dos impulsos es el que marca las diferencias entre las formas en que la gente atraviesa este período de adultez provisional y determina, fundamentalmente, el modo en que sentimos acerca de nosotros mismos cuando concluye.

El poder de las ilusiones

Por amplia que sea nuestra visión a principios de la década de los veinte, se encuentra lejos de ser completa. Incluso cuando nos sentimos deleitados ante la perspectiva de desplegar nuestras nuevas capacidades, persiste el secreto temor de que no lograremos salir bien librados: alguien descubrirá la impostura.

Quien hubiera visto a la vivaz ejecutiva de veinticinco años trabajando en una importante empresa de San Francisco dedicada a las relaciones públicas, probablemente no habría adivinado las inquietudes que yacían bajo la superficie:

—Me di cuenta de que no había crecido y me sorprendía lo bien que funcionaba en el trabajo. Cuando los clientes me trataban de igual a igual, yo pensaba que todo me estaba saliendo bien, pero lo que en el fondo sentía era el terror de que en última instancia descubrieran que yo no era más que una criatura. Sencillamente, no estaba preparada. El resto del tiempo sentía una enorme confianza y arrogancia por ser quien era: una persona capaz de conseguirlo todo y que a los ojos de los demás era estupenda. Me sentía como si fuera dos personas distintas.

La mayor parte de nosotros no es consciente de estos temores. Ponemos a contribución el coraje superficial necesario para engañar a los que conocemos, que nos permite engañar también a nosotros mismos. Pero la consciencia de una falta de forma plenamente alcanzada nunca queda demasiado enterrada. De modo que nos apresuramos a probarnos uniformes y posibles compañeros de vida en la búsqueda del ajuste perfecto.

«Perfecta» es la persona a la que imbuimos la capacidad de animar y apoyar nuestra visión del mundo o la persona en la que creemos y a la que queremos ayudar. Hace dos siglos, un joven poeta alemán, desgarrado por su pasión imposible hacia la mujer «perfecta», bebió un vaso de vino, levantó la pistola y se voló la tapa de los sesos. El disparo se oyó en el mundo entero. El enfermo de amor que apretó el gatillo fue el héroe de *Las cuitas del joven Werther,* novela de Goethe, que contribuyó al movimiento romántico que hasta la actualidad tiñe nuestras expectativas amorosas. Goethe era un poeta de veinticinco años cuando escribió esa historia. Al igual que el Werther de la ficción, estaba enamorado de una mujer casada, una mujer inalcanzable cuyo misterio estimulaba sus fantasías de perfección. El héroe de Goethe produjo tal impacto en los jóvenes de toda Europa que después de la publicación de la obra se produjo una ola de suicidios.

Hoy, como entonces, resulta esclarecedor indagar hasta qué grado puede un joven crear su versión romántica de la mujer amada. Ésta puede ser vista como un mágico camaleón que será una madre cuando él la necesite y al instante siguiente la criatura que necesita de su protección, y asimismo la seductora que confirma su potencia sexual, la apaciguadora de sus angustias (obviamente, ella no las tiene), la garantía de su inmortalidad a través de la fructificación de su simiente. ¿Y en qué medida inventa la joven al hombre con quien se casa? A menudo ve en él posibilidades que nadie más que ella reconoce y se imagina a sí misma dentro del sueño de él, como la única persona que lo comprende de verdad. Estas ilusiones son las que nutren la década de los veinte.[3]

Habitualmente se considera que la «ilusión» es algo peyorativo, algo de lo que debemos librarnos si sospechamos que lo poseemos. Empero, las ilusiones de los veinte años pueden resultar esenciales para infundir excitación o intensidad a nuestros primeros compromisos y sustentarnos en ellos el tiempo suficiente para obtener alguna experiencia de la vida.

Las tareas que nos esperan son excitantes, conflictivas y a veces sobrecogedoras, pero cuando estamos en la década de los veinte la mayoría de nosotros está segura de algo: la fuerza de voluntad bastará para superarlo todo.

El dinero puede ser escaso, las deudas interminables. La ropa sucia puede formar montañas. El acoso del demonio del abandono puede tentar al médico, al escritor, al asistente social en perspectiva. Pero evidentemente —o así parece— sólo tenemos que aplicar nuestro cerebro y nuestra tenaz voluntad a la rueda de la vida para que tarde o temprano el destino quede bajo nuestro control.

¿El engaño de uno mismo? En gran medida, sí. Pero también un utilísimo *modus operandi* en esta etapa. Porque si no creyéramos en la fuerza omnipotente de nuestra inteligencia, si no estuviéramos convencidos de que podemos llegar a ser el tipo de personas que queremos ser, no tendría sentido intentarlo. Las dudas paralizan. Creernos lo bastante independientes y competentes como para dominar las empresas externas, nos fortalece constantemente en nuestros intentos.

Sólo posteriormente descubrimos que la lógica no puede penetrar la soledad del alma humana.

El *auténtico camino en la vida*

Cuando sentimos que nos hemos hecho amigos del mundo real y estamos a punto de fijar nuestro camino, un tono de optimismo y vitalidad nos empuja hacia adelante a grandes pasos. Nunca nos sentimos más desbordantes de vitalidad que cuando estamos cerca de alcanzar una forma sólida.[4] Este estado es aplicable a todo el curso de la vida y a las diferentes formas que podemos adoptar. Pero cuando alcanzamos nuestra primera forma independiente podemos suponer que es definitiva y aferrarnos a ella obstinadamente.

Por tal razón quienes están viviendo en la década de los veinte insisten, generalmente, en que están andando por el único camino auténtico de la vida.[5] Cualquier sugerencia de que somos semejantes a nuestros padres nos encoleriza. La introspección es algo peligroso. No desaparece, por supuesto, pero no constituye un aspecto característico de este período. Una excesiva introspección interferiría la acción. ¿Y si llegáramos a descubrir la verdad? ¿La realidad de que las figuras parentales —ignoradamente internalizadas como guardianes— nos proporcionan los sentimientos de seguridad que nos permiten atrevernos a emprender tan grandiosas empresas? Y son, al mismo tiempo, los dictadores internos que nos retienen.

Esta afirmación hará proferir rotundas negativas a la mayoría de los jóvenes de 25 años. Ésta es precisamente la realidad interior con la que todos tratamos de romper en esta etapa. Estamos absolutamente convencidos de que todas nuestras ideas brotan, como por arte de magia, de nuestro yo único y singular.

Por el momento, cualquier parte de nuestra personalidad que pueda interferir con «el auténtico camino en la vida» que hemos escogido debe ser enterrada, a cualquier precio. No podemos atrevernos a ignorar cuán intensamente influidos estamos por las profundas rémoras del pasado: por las identificaciones con nuestros padres y los mecanismos de defensa que adquirimos en la infancia. Y ciertamente, si hay algún fallo en nuestra conducta o algo perturbador en la del ser que amamos, ésta es la edad en la que estamos seguros de que todo lo que se necesita es señalarlo.

«Si hay algo en mí que no te gusta, dímelo», dice el recién casado ansioso de complacer. «Lo modificaré.» Si él o ella no adelantan este ofrecimiento, el otro está decidido a modificarlo por su cónyuge. «Es posible que él beba demasiado», le confiesa la novia a su amiga, «pero yo lo reformaré».

El examen de las fuerzas internas que actúan sobre nosotros se reanudará en la década de los treinta, cuando ya estaremos más estabilizados externamente. Bien entrados en los cuarenta, seguiremos profundizando en aquellas partes suprimidas que ahora nos esforzamos por ignorar.

157

9

La verdadera pareja

Estos son los años en que la pareja se encuentra en un columpio. Los movimientos de ascenso son vertiginosos y extasiados estallidos de «¡Podemos!». Los de descenso resultan sorpresivos. Tratamos de negarlos y descartarlos porque lo último que deseamos reconocer en la cima de nuestras ilusiones es que existen algunas cosas que «no podemos». El optimismo vuela tan alto como nuestras expectativas. Esta *será* una época feliz, pero hasta que no hemos superado la década de los veinte ignoramos si lo fue o no.

Dado el desconocimiento de nuestra propia vida interior y la de nuestro compañero o compañera, en esta etapa nos vemos guiados principalmente por fuerzas externas. Como el mundo adulto no se encuentra del lado de la salud mental, rara vez se le presentan a la joven pareja las oportunidades que sirven tanto para la disposición de cada uno a individualizarse como para la necesidad de sentirse seguros. En ocasiones existirá el acuerdo perfecto pero más frecuentemente los progresos de la evolución serán desiguales. Cuando él asciende, es probable que ella sienta que se desliza;

cuando ella se sienta preparada para remontarse, él puede hundirse en los abismos del desaliento. El período transcurre tratando de alcanzar la estabilidad.

El enfoque de la evolución paralela del amor es todo lo contrario y presenta, como modelo, compañeros que evolucionan juntos. Hemos padecido a causa de esta idealización, permanentemente presente entre los consejeros matrimoniales, los sociólogos, las revistas femeninas y numerosos cursos de psicología.

Crecer en tándem es prácticamente imposible en una sociedad patriarcal como ha sido la nuestra. Sólo una mitad de la pareja cuenta con ese notable sistema de apoyo que se conoce como esposa. Junto al determinante básico del tempo se encuentra el ritmo del cambio social. Incluso en una sociedad relativamente estancada, las posibilidades que tiene la pareja de disfrutar de una evolución coincidente son mínimas. Abundando en ese punto de vista, Alvin Toffler señala en su obra *Future Shock* que las posibilidades se reducen prácticamente a cero cuando el ritmo del cambio social se acelera marcadamente, como está ocurriendo en Estados Unidos: «En una sociedad que avanza rápidamente y en la que muchas cosas cambian no una sino repetidas veces, en la que el marido recorre una variedad de escalas económicas y sociales, en la que la familia se separa en varias ocasiones del lugar de procedencia y de la comunidad, en la que los individuos se apartan cada vez más de la religión de origen y más aún de los valores tradicionales, representa casi un milagro que dos personas evolucionen siguiendo un ritmo siquiera semejante».[1]

El factor crucial en nuestra consternación ante el crecimiento desigual, considerado evolutivamente, es el concepto de que no deberíamos sufrir ninguna confusión interior. Cuando tal confusión existe demuestra nuestra equivocación o —suposición mucho más atractiva— de la culpa de nuestro cónyuge.

En líneas generales, en el primer año de matrimonio se alcanza el punto más alto de felicidad. Generalmente, en algún momento del segundo año, la satisfacción empieza a deslizarse por una curva descendente en forma de U, que alcanza su punto más bajo a fines de la década de los treinta. Si la pareja se divorcia antes, lo más probable es que la separación se produzca siete años después de la unión, durante el paso Alcanzar los Treinta.

Tales probabilidades, basadas en un resumen de estudios y estadísticas, no concuerdan con el estado de bienaventuranza continua que casi todos nos prometemos a los 22 años.[2]

Lo que podemos aprender, si tenemos el interés suficiente, es algún modo de alcanzar el acto de equilibrio más delicado y enigmático de todos: el arte de dar a otro y seguir, al tiempo manteniendo un vivo sentido del yo o, dicho de otro modo, la capacidad de mantener una relación íntima.

Para hallarse en condiciones de dar y aceptar la verdadera intimidad, es necesario haber conseguido un razonable sentido de la identidad personal. El matrimonio temprano a menudo interrumpe la tarea de los jóvenes sobre sí mismos a medida que se ven inmersos en una red de obligaciones para actuar como cónyuges y padres. * Cuando Erikson postuló que la tarea central a desarrollar durante las décadas de los veinte y los treinta era el desarrollo de la capacidad de intimar, corría el año 1950. Pero en aquella época, el sistema de valores subyacentes en el psicoanálisis describía vagamente a la «auténtica intimidad» como una desinteresada devoción por el otro. El yo era un concepto difuso. Ahora que el eje ha pasado a ser la autonomía, las parejas contemporáneas que se encuentran en la década de los veinte deben idear las formas de equilibrar por sí mismos el columpio, tarea que están seguros —ya que están en la edad de la certeza— de poder cumplimentar.

Serena Carter (la joven que presentamos en el Capítulo 6) me aseguró que ella y su marido eran una pareja a prueba de crisis. Re-

* Últimamente la edad promedio en que se casan las mujeres se ha elevado a veintiún años; la de los hombres a veintitrés. Pero aparte de este amplio promedio nacional, hay evidencias de que un número cada vez mayor de jóvenes que estudian esperan unos años más a completar su educación o a iniciar una carrera superior antes de prometerse en matrimonio.[3]

cibí una carta en la que se mostraba en desacuerdo con un artículo en el que yo había descrito las dificultades que enfrenta la pareja a los 30 años. Serena no estaba de acuerdo con este postulado:

Sus hombres son personas infantiles, poco realistas e inseguras, que culpan a sus esposas de todo lo malo que les ocurre y consideran que todo lo bueno deriva de su criterio superior... No puedo imaginarme a mi marido acercándose cautelosamente cuando yo cumpla los treinta, con un título universitario en la mano y sin hijos, palmeándome la espalda y diciéndome: «Eh, cariño, vuélvete culta».

Su carta poseía el inconfundible matiz de una persona en la década de los veinte, segura de que el curso actual de su vida es el único correcto y que los esfuerzos racionales pueden lograrlo todo.

Respondí a su carta: «Presiento que usted y su marido serían los representantes ideales del punto de vista que se tiene cuando se está en la década de los veinte ¿Puedo solicitarles que participen en mi libro?».

Aceptaron entusiasmados. Ambos tenían veinticuatro años. eran curiosos y acababan de trasplantarse del singularismo del Medio Oeste protestante a la tumultuosa y multilingüe vida callejera del Upper West Side de Manhattan. Serena me abrió la puerta aplomada y erguida. Jeb, su rubio y tímido esposo, estaba reparando una mecedora. Ambos me aseguraron con las mismas palabras que no existía ningún problema para el cual no pudieran encontrar como solución un «dichoso término medio, mutuamente beneficioso». Pero hacia el final de nuestra última sesión, Serena me observó con el ceño fruncido y murmuró algo que no podría ser un lema de esta etapa:

—¿Por qué parece que yo dudo constantemente si en realidad estoy muy segura de mí misma?

Bajo la cobertura de optimismo, así es como se siente la mayoría de los que están en la década de los veinte. La verdad es que ni Serena ni Jeb Carter habían escapado a las crisis previsibles del crecimiento. La buena nueva consiste en que fueron capaces de ayudarse mutuamente en el último paso sin saberlo. Alternando entre la independencia y la dependencia, actualmente cada uno de ellos ayuda al otro a estabilizarse en un nuevo equilibrio.

Cuando Jeb Carter estaba en lo más profundo de su confusión, no se le podría haber dicho que era un verdadero don tener definida la crisis a los veintiún años. Hasta aquel momento, la intimidad era una extravagancia que el muchacho no podía permitirse. No después de haber visto al padre con aquella fulana en la Autopista 17 de Illinois y de observar en qué forma su madre perdía el color y se sofocaba, como si la puerta del garage se hubiera cerrado de un golpe dejando del otro lado veinticinco años de matrimonio. Pero el chico ya vivía su propia vida, como dice él, refiriéndose a que residía en la Universidad: sobreviviría.

Cuando volvió a su casa desde la importante Universidad del Norte, el mundo de su infancia le chocó por su pequeñez. La población seguía siendo de 750 habitantes. La única carretera que llegaba a la población todavía terminaba en un punto muerto en el Mississippi. Nada había cambiado. A sus ojos —tentados por visiones de otras formas de vida— el lugar se transformó, súbitamente, en un barco de juguete encerrado en una botella de vidrio. Una parte de él anhelaba introducirse en el interior. Otro fragmento temía encogerse y dejar de respirar y encontrarse dentro. Aparte de tomar unas copas en el bar del restaurante River Vu, allí no había nada que hacer salvo trabajar en la esclusa y las represas o seguir caminando hasta ahogarse. El acontecimiento ciudadano de más trascendencia en 1965 había sido la inauguración de una lavandería automática.

El muchacho no sabe decir en qué medida aquella monotonía pudo provocar el alcoholismo de su padre. El hombre poseía un feroz orgullo que no gustaba de exponer a la corrosión de la realidad. Sangraba en silencio. El chico le había conocido siempre de un modo parco y nunca jamás le había oído expresar un pensamiento personal.

Su padre trabajaba en el Cuerpo de Ingenieros del Ejército, empujando barcas a través de la esclusa. Trabajaba principalmente en el turno nocturno y rara vez volvía a su casa a cambiarse de ropa antes de recorrer las tabernas de veinte kilómetros a la redonda. Contaba con la compañía de los hombres corpulentos y abiertos con los que trabajaba y con una amante: la cerveza. Aunque una serie de accidentes automovilísticos de escasa importancia le ponían los nervios de punta a su mujer cada vez que estaba fuera de la casa toda la noche, ésta jamás había salido a buscarlo. Por eso una noche en que Jeb estaba de vacaciones en el hogar, le extrañó que su madre insistiera en ir a buscarlo.

Jeb esperó en el coche mientras su madre entró a la cervecería y vio con sus propios ojos a su última competidora, esta vez una mujer. Cuando llegaron a casa, el padre asumió la postura del inocente ofendido. El matrimonio peleó. Pero todo el mundo pelea. Ya se les pasaría, pensó y rogó Jeb.

Por la mañana, desde la cama, oyó a su padre expresarse por primera vez: «Quiero divorciarme. Eso es lo que quiero».

Impacto. Un aguijón de ira contra el padre, seguido de parálisis; el resto se apaga hasta la próxima visita de Jeb a su casa. Su madre había logrado que la compañía alimenticia para la que trabajaba la trasladara y estaba a punto de transportar el remolque familiar a otra ciudad.

—Escúchame bien, Jeb Carter —le dijo a su hijo—, no empieces a llorar por mí. Estoy muy bien.

Las simpatías de Jeb, como de costumbre, recayeron sobre su madre. Era el menor de cuatro hermanos y el más menudo; un metro cincuenta, lo mismo que su madre, hasta que terminó la escuela secundaria. Cuando estaba con ella lloraba con tranquilidad. Ella no se reía. Delante de los demás se contenía.

Temía que descubrieran que un pulgarcito como él soñara que podía llegar a ser presidente. De modo que salvo en las ocasiones en que podía mostrar sus sentimientos ante la madre, adoptaba la misma máscara que el padre.

—Nunca mostré mi yo interior a la gente. De ese modo, si se reían, sabía que no era por mí.

La máscara fue eficaz hasta que Jeb Carter dobló la esquina del último año del primer ciclo universitario y empezó a pensar que estaba en el fondo del abismo. Por razones que no podía imaginar, Jeb había seguido una mezcla de cursos de ingeniería y derecho. Su consejero le había dicho: «La ingeniería es un error para ti, los resultados de tus tests de Kuder indican que te gusta la gente y a los ingenieros les gustan las máquinas» Jeb le agradeció el consejo y como si fuera sordo se preparó durante cuatro años en la misma profesión que llevaba a cabo su padre («uno piensa que todo se resolverá al final»).

Verano tras verano preparó informes para la planta de John Deere en Moline, señalando que los agujeros de los botes de pintura no quedaban a un centímetro de distancia como mostraban los diseños de los ingenieros. Pero en el verano siguiente a su último año de estudios, la cuestión había dejado de importarle. «El operador tenía resaca», escribió en su informe, disfrutando por primera vez del potencial destructivo de su independencia. Cuando Jeb descartó la ingeniería como meta, el problema consistía en que no tenía otro sueño que pudiera sustituirla.

Ni el menor interés en salir adelante, en aspirar a la dirección de una empresa, en anidar en un barrio elegante: nada.

Estaba alejado de su padre. La madre cuya sonrisa era la única fuente de seguridad, estaba haciendo todo lo posible por reconstruirse en un pequeño remolque. Jeb fue a vivir con su hermano, que acababa de divorciarse de una maravillosa chica de Missouri y de lo único que hablaba era de que repentinamente no sentía nada por sus tres hijos. Aquel fue un verano silencioso y sofocante. El fondo del abismo.

Por más que estuviera seguro de que la identificación con su padre no existía, persistía en él una poderosa atracción hacia el antiguo santuario familiar. Un amigo le ofreció un puesto en el Cuerpo de Ingenieros del Ejército. Se sintió tentado y empezó a retroceder. Sólo había seguido los cursos de Derecho porque eso era lo que se esperaba de él. Habría caído al suelo si alguien le hubiera soplado cuando se enteró que tenía las notas más altas de toda la clase. El decano no vaciló un segundo en escribir para él una carta de recomendación.

—Pero ése no soy yo —le dijo Jeb al decano—. La Facultad de Derecho y la astuta imagen de Walt Street se apartan demasiado de todo aquello para lo que he sido criado.

Una acertada declaración de lo que le contrariaba: una clara crisis de identidad.

En el tira y afloja de los impulsos buscador y fusionador Jeb se encontraba ante varias opciones. Podía volver a la Autopista 17 de Illinois, junto al Mississippi y convertirse en un asalariado del Gobierno, lo mismo que su padre. O podía romper dramáticamente con esa forma familiar y, preparado o no, zambullirse en una Facultad de Derecho elitista. También podía permanecer donde estaba hasta encontrarse a sí mismo. Abandonado a sus propios recursos juveniles, la psiquis de Jeb inventó una terapia especial para salir de la crisis:

—Por alguna razón que ignoro, sentí la necesidad de trabajar en una gasolinera.

Trabajo muscular, al aire libre. La nevera siempre estaba llena de cerveza y bebía con los muchachos lenta pero constantemente durante todo el día. Descubrió que le gustaba beber y sin que llegara a descubrir la relación obvia, empezó a vivir como un facsímil de su padre. En ese momento, aproximadamente, Jeb empezó a vivir su primera relación íntima.

—Fue la primera mujer ante la que me sentí capaz de abrirme. Nunca se rió.

Jeb opina que fue Serena quien le hizo cambiar. Curiosamente, Serena está absolutamente segura de que ella no tuvo nada que ver con este cambio. Incluso actualmente, cuando se plantea la cuestión de quién era la Persona Fuerte, la respuesta surge con claridad ante los ojos del observador.

—Cuando conocí a Jeb —explica Serena— salía de una desastrosa historia amorosa. Empecé a pasar de cama en cama y a tener ataques de llanto entre una y otra. Esto no era nada bueno porque yo siempre me había sentido razonablemente estable —tenía 20 años—. Dos personas me ayudaron a superarme. Mi compañera de cuarto... que era una madre sustituta. Yo me sentaba a su lado y le decía que me estaba volviendo loca. Ella siempre respondía: «No digas tonterías, eres la misma de ayer». La otra persona fue Jeb. Lloré sobre su hombro.

La reacción inicial de Jeb fue:

—Me gustaba Serena pero no el rol de figura fuerte.

Interviene Serena:

—Jeb es el único hombre que conozco que me da la posibilidad de disentir sin sentirse insultado y amenazado. Yo soy enérgica y necesito a alguien que pueda razonar con energía.

Jeb parpadea, atónito:

—Yo no me considero una persona fuerte.

—Considero que eres mucho más fuerte que otros hombres —insiste su esposa.

—Todavía hoy Serena no tiene idea de la confusión en que me encontraba cuando nos conocimos.

—Él buscaba algo y yo me limité a estar allí.

—Si Serena no hubiera estado allí, yo habría arrojado la toalla.

Y así sucesivamente. Lo hermoso de todo esto es que ambos tienen razón. Lo que realmente ocurrió con Serena y Jeb es que cada uno de ellos tuvo la capacidad de ser fuerte en un campo en que el otro necesitaba apoyo.

En cuanto a orientación profesional, Serena superaba claramente a sus compañeras de Facultad. Ya trabajaba en la prensa, no como recolectora de cotilleos para el periódico de la escuela sino como redactora de titulares para un director de la ciudad. En Champaign, Illinois, era un pez gordo. Todo lo que había entre ella y el sueño de saltar al remolino de los acontecimientos mundiales como periodista era, pensaba, un año más de estudios. En el terreno romántico, no obstante la misma efervescencia natural había dejado a Serena bastante herida.

Tenía la costumbre de caer en los brazos de jóvenes que proclamaban que querían una mujer liberal y después resultaba que tenían remilgadas jovencitas esperándolos. El último de estos cerdos la había dejado en la duda de si estaba embarazada, afortunadamente una falsa alarma. Cuando más adelante habló con el muchacho sobre sus solitarias vigilias, él le dijo que eso le ocurría por dispensar sus favores con demasiada liberalidad. Cuando conoció a Jeb se sentía peor que una prostituta. Necesitaba, sobre todo, un período de revirginación. Jeb era virgen.

¿Qué podía saber él sobre el sexo si provenía de un enclave metodista de las praderas del Medio Oeste, donde lo más atrevido, mundano y pecaminoso que enseñaban en la escuela era la obra de Shakespeare?

—Yo no diría que para mí fue fácil, pero con Serena me sentí seguro. Al principio ella vaciló...

Aquella primavera sólo fueron camaradas.

—Yo no quería que él fuera, de rebote, quien me cuidara.

Serena decidió mantener las distancias. Cuando llegó el mes de junio se separaron. Jeb fue a pasar el verano en el fondo del abismo y Serena volvió a su casa, a proseguir el período de revirginación jugando a la casta Susana con un retrógrado sureño.

Todo quedó en su lugar una noche del otoño siguiente. Serena llegó a la gasolinera sin ningún tipo de ambigüedades y llena de entusiasmo y le echó los brazos al cuello al bajo y tímido muchacho vestido con uniforme de la Standard Oil. Poco tiempo después Jeb se trasladó al apartamento de Serena. Disfrutó como un refugiado en el sentimiento de la unidad recuperada con otro. En breve le declaró su amor.

Uno podría preguntarse, desde una perspectiva «realista», cómo es posible que resulte el matrimonio entre una ambiciosa periodista y un vacilante empleado de gasolinera.

—Había encontrado una persona con la que me sentía libre de

expresarme —dice Jeb— y no quería perderla. Creo que eso es amor.

Por su parte, Serena declara:

—Estaba harta de relaciones carentes de sentido. Decidí que haría casi cualquier cosa para que ésta funcionara. Me parecía que existía lo suficiente como para que yo dijera: «Hagamos algo, no nos limitemos a convivir, casémonos».

Con una recaída en la introspección tan característica de la década de los veinte, Jeb añade:

—Eso era lo que había que hacer. El que yo quisiera o no casarme con Serena era independiente de a dónde iba y qué decidía hacer con mi vida.

Casi como idea secundaria, la pareja recuerda que antes de casarse, Jeb presentó su solicitud en la Facultad de Derecho y fue rechazado. Resultó que el decano de ingeniería había pasado un informe desfavorable. Este fue el contratiempo ideal para ambos.

—De ese modo Serena pudo concluir sus estudios donde estaba y conservar su trabajo en el periódico —explica Jeb—. A mí no me desagradaba continuar trabajando un año más en la gasolinera.

Le gustaban sus compañeros de trabajo, especialmente el muy resistente jefe, que era capaz de beber hasta dejarle a él tumbado abajo de la mesa. Jeb se pasó al turno de noche, y también le gustó el nuevo horario. No volvía a su casa ni siquiera para cambiarse el mono antes de recorrer las tabernas hasta la hora del cierre. Siempre le acompañaba Serena, su esposa, que aquel año también disfrutó mucho.

Cuando alguien se está desembarazando de una estructura de vida familiar, se siente expuesto y temeroso, se ve tentado de adoptar la forma del padre fantasma, incluidas todas sus debilidades. Esto es exactamente lo que hizo Jeb. Pero al retroceder transitoriamente hacia la forma de su padre —trabajaba con las manos y bebía tanto como aquél lo había hecho— logró sobrevivir a las partes «malas» de su identificación parental y conservar las «buenas». Aprendió a beber sin convertirse en un alcohólico, a disfrutar del trabajo físico sin sentir el deseo de ser ingeniero, a expresar sus sentimientos sin mostrarse cruel con su esposa. Él, Jeb, tenía validez por sí mismo.

Esta moratoria personal fue lo que permitió a Jeb dar un paso hacia adelante el año siguiente. Cuando reunió el valor de sus propios instintos, se sintió preparado para arriesgarse a convertirse en algo distinto de aquello para lo que había sido criado. El gran sueño. abogado criminalista. Nada le importaba que alguien pudiera reír. Ahora tenía a Serena, que creía en él.

—Antes de que concluyera el año sabía a dónde iría. Ingresaría en una prestigiosa Facultad de Derecho. Y lo hice... esta vez me aceptaron en Columbia, Nueva York. Empezó a producirme gran emoción la idea del campesino que iría a la gran ciudad.

La perfecta parada de Jeb se había sincronizado perfectamente con las necesidades de Serena. Ella necesitaba encontrar un hombre que valorara su amistad antes de insistir en ser su amante. También logró concluir sus estudios en un lugar donde se sentía importante.

El único error que la Verdadera Pareja podía cometer entonces era esperar que continuara esta dichosa sincronía.

Cambios en la Verdadera Pareja

No existen dos personas que puedan coordinar todas sus crisis evolutivas. La sincronización de las oportunidades exteriores casi nunca será la misma. Pero, y más importante aún, cada uno de nosotros tiene una estructura vital interna con su propia idiosincrasia. Según lo que haya vivido antes, cada uno de nosotros alternará de manera diferente las épocas en que se siente pleno de certeza, esperanzas y potenciales, con momentos en que se siente vulnerable, descentrado y asustado.

Éste es el dilema actual de los Carter. Dos personas que creían ser una pareja a prueba de crisis, se encuentran por primera vez en una situación que puede *no* responder a la perfecta solución de un «dichoso término medio, mutuamente beneficioso»... Y detestan reconocerlo.

—Serena temía trasladarse a Nueva York —dice Jeb con tono culpable— y que esto nos hiciera cambiar.

Afortunadamente, es lo que ocurrió.

—Hasta entonces yo siempre me había sentido dispuesta a correr un riesgo —dice Serena a la defensiva—. Dispuesta a ir a la academia, a la escuela secundaria, a la Universidad. Pero no estaba preparada para venir a Nueva York. Supongo que tenía miedo. Me sentía como un pez fuera del agua. Pensé que moriría. Además, Jeb dependía de mí.

Serena no murió. Desde entonces Jeb aprendió a depender de sí mismo. El equilibrio de su relación íntima cambia ante sus propios ojos. Cuando tenían veintiún años y se encontraban cómodamente instalados en una conocida ciudad universitaria, Serena hizo posible que Jeb fuera dependiente mientras encontraba su propio camino. En este momento, el columpio está arriba del lado de Jeb. Su sentido del yo se ha vuelto más consistente en la Facultad de Derecho. Ahora no sólo ve con claridad lo que debe ser su vida profesional sino que busca, dentro de ésta, situarse en la forma que le dé más prestigio. Con creciente confianza, Jeb está tentado de quedarse en Nueva York y solicitar un puesto en la Fiscalía.

En la actualidad, la persona insegura es Serena. Aunque parece una joven profesional muy decidida, como la hemos visto hasta ahora a través de la mirada de su marido, el actual estilo de avance de Serena es otra cosa. Es audaz, competente y competitiva... hasta que llega al punto álgido del vaivén, simbólicamente hablando. Entonces inventa una comparación imposible con el modelo más extraordinario (No soy una Jean-Claude Killy, de modo que no soy lo bastante buena) y retrocede.

—Cuando tenía doce años me ofrecieron una beca de la escuela de arte. En aquel momento tuve que preguntarme a mí misma si tenía talento —comienza a hablar de sus catorce años—: Mi profesora

170

de danza quería que ingresara en un cuerpo de baile. La respuesta de mi madre fue su falta de respuesta . De modo que tuve que decidirlo yo. En ambas oportunidades llegué a la conclusión de que no era lo bastante buena. Nunca llegaría a ser como una Margot Fonteyn.

Pero el deseo de éxito siguió siendo fuerte, como ocurre habitualmente con la primogénita de una familia compuesta de muchachas. El padre de Serena nunca la había tratado en forma distinta a como habría tratado a un varón. De ella se esperaba que reparara la lancha a motor, que limpiara el patio y el jardín, que remendara paredes y se destacara en la pista de hockey y en la de baloncesto. Antes de terminar la escuela secundaria se había fijado el periodismo como meta. A pesar de su firme progreso al pasar del periódico de la Facultad al de una ciudad, y de su decisión de que ningún hombre la inmolaría en el altar del sacrificio, Serena resultó ser la que promovió el casamiento. Emocionalmente era virgen. Sexualmente se encontraba desilusionada e injustamente etiquetada como promiscua. Entonces, incluso su fachada como brillante profesional fue puesta en duda. «Esa es la primera señal de un mal periodista», le espetó su director cuando se vio demasiado implicada en un artículo racial como para escribirlo. La crítica podría haber despertado en otros una reacción de «le demostraré quién soy». Dado el estilo de avance de Serena, las palabras del director bastaron para echar por tierra toda su confianza.

—Fue la primera vez que comprendí que no era una buena periodista. Antes de poder tomar una decisión con respecto al matrimonio, tuve que volver a decidir si servía o no para esa profesión. Si era buena en el sentido en que fue bueno Mozart, o Tallchief, o Fonteyn, o Nureyev.

Una vez más, la comparación imposible como salida. Si se casaba con este joven por el que también sentía amor, no tendría que tomar ninguna decisión. No tendría que intentar ser extraordinaria, arriesgarse a ser mediocre, decepcionar a su padre, asustar a los hombres con su competitividad. Por el momento, evitaría tanto el

171

fracaso como el éxito. Serena acudió a una racionalización sencilla para aplazar su sueño:

—Para ser realmente bueno en algo, es necesario no estar casado. En este sentido opino lo mismo que Katharine Hepburn. Pero creí que esta relación sería para mí más importante que cualquier triunfo.

Cuatro años más tarde, Serena Carter está atada a un trabajo poco importante, en una gran ciudad, intentando desesperadamente convencerse a sí misma de que una vez más, junto con Jeb, alcanzarán la solución perfecta. Lo que deben decidir es si se trasladarán a una ciudad más pequeña en la que Serena pueda dedicarse al periodismo o si permanecerán en Nueva York para que Jeb pueda intentar encontrar el puesto de sus sueños en la Fiscalía.

Casi siempre Serena se muestra optimista.

—Siempre podemos hablar en términos de «si». Si a Jeb le ofrecen ese cargo, lo estudiaremos muy concienzudamente y haremos lo que sea mejor para los dos.

En las noches en que vuelve hastiada de su trabajo en «comunicaciones» (que en el mundo empresarial significa que cada vez que alguien estornuda hay que hacer copias en Xerox), Serena tiene que exhibir ciertos atisbos de descontento.

—Yo había previsto que al venir a Nueva York perdería mi identidad pero entonces intenté engañarme a mí misma diciéndome que no ocurriría así. Sentí que la oportunidad que se le presentaba a Jeb era superior a cualquier inconveniente temporal por el que yo tuviera que pasar —la palabra temporal le queda atravesada en la garganta—. La gente siempre habla de cosas temporales que terminan siendo permanentes —hace dos años que Serena ocupa el mismo puesto de trabajo—. Me gustaría volver al periodismo. Pero me he dicho a mí misma que es mejor sentarme a observar que comenzar a luchar.

Sólo cuando se la presiona sobre la cuestión, Serena se atreve a escarbar por debajo de la estructura perfectamente ordenada de su vida con Jeb. Tras sus palabras hay algo amorfo que Serena no logra extraer con los alicates de su fuerza de voluntad y que puede ser, en consecuencia, destructivo.

—No puedo imaginar que nada se interponga en nuestro camino... a no ser que tuviera que dedicarme más intensamente a mi carrera. Lo cual es una posibilidad. Entonces tendría que sacrificar todo lo demás.

Los demonios se esfuman cuando llega Jeb, apartándose un mechón de pelo de los ojos, dulce y pálido, con sus pantalones de pana con remiendos de color naranja.

Jeb aspira a la pauta integradora. Está tratando de equilibrar su compromiso con la mujer que ama y la meta que pretende alcanzar. Al igual que todos los integradores, no quiere ser absorbido por su trabajo y poner en peligro la intimidad con su mujer; por otro lado, no desea que le consideren incompetente y puedan dejarle atrás en la pirámide.

Encontraremos integradores masculinos y femeninos en otros puntos críticos del ciclo vital, pero su punto de vista cuando se está en la década de los veinte, es generalmente, el mismo de Jeb:

—En cierto nivel, quisiera ser el próximo Edward Bennett Williams. Pero en otro, no siento la necesidad de triunfar hasta el punto de tener que agotarme para lograrlo. Por encima de todo, me preocupa mi relación con Serena a cualquier nivel. Al mismo tiempo, estoy seguro de que no quiero ser un abogado incompetente.

Hasta un pasado inmediato, los integradores solían tener hijos, lo que hacía que el equilibrio entre lo personal y lo profesional constituyera una prueba aún más acrobática. Los Carter sienten pánico ante la idea de tener hijos. Dado el sueño de Jeb de abrir su propio bufete de abogado a los treinta y la decisión de Serena de que en ese entonces ella será periodista del *New York Post,* han cerrado la puerta de este tema tempestuoso, fingiendo que no existe.

—No me veo con hijos —dice Serena.

—Yo tampoco —afirma Jeb.

—En absoluto. Nunca.

—Le he dicho que me siento lo suficientemente liberado como para colaborar en todas las tareas domésticas, pero por lo que respecta a los niños, no estoy dispuesto a perder un minuto en ellos.

—Me considero afortunada al saber que Jeb no me pedirá que tenga hijos si no los deseo.

Cuando haya traspasado el umbral de los 30, lo más probable es que quiera tener hijos. Entonces sus posiciones, serán mucho más existenciales porque la exigencia no provendrá del otro sino de su misterioso e imprevisible yo interior que hasta aquel momento había permanecido oculto.

Sobre la cuestión de cuál de los dos alcanzará la posición de priviligeo en el columpio de la actividad profesional, Jeb empieza a sentirse menos seguro de que esté al alcance de los dos.

—Ese es un problema que todavía no hemos resuelto —reconoce cuando no puede escucharle su esposa—. Francamente, todavía no hemos alcanzado un dichoso término medio.

Los Carter son un ejemplo del columpio en funcionamiento, que se balanceó muy satisfactoriamente para ellos en el paso previo. Puede equilibrarse en el futuro... si llegan a reconocer que cada uno de ellos experimentará períodos de confusión interior y que ello no demostrará el error de uno o la culpa del otro.

Serena, que hasta el momento del traslado era quien contaba con una orientación más precisa en este momento se encuentra vacilante, profesionalmente. Pero también se está estabilizando emocionalmente y, sin duda, necesitaba de esa estabilidad antes de poder dar el paso siguiente.

El hecho de resolver los problemas de un paso no significa que se haya alcanzado una solución permanente. Ante nosotros surgirán más canales difíciles y es al atravesarlos como vamos aprendiendo. Si fingimos que no existen las crisis evolutivas, éstas no sólo se presentarán posteriormente y nos golpearán con más fuerza, sino que entretanto no creceremos. Somos cautivos. Si la operación de crecer se ha llevado a cabo en las tareas evolutivas de un paso, nos ayudarán a enfrentar los desafíos del siguiente.

Hasta que lleguen al paso de los treinta años, los Carter no sentirán que hay otras fuerzas en la vida, fuerzas-fantasmas, inexplicables pasiones y temores que saldrán a la luz. El hecho de que Jeb reconozca actualmente que no todo se resolverá en una evolución perfectamente sincronizada es, con toda probabilidad, la mejor posibilidad que tienen de seguir siendo la Verdadera Pareja.

10

¿Por qué se casan los hombres?

Desde que el romanticismo desplazó al matrimonio de conveniencia, se supone que la gente se casa por amor. Esto es, fundamentalmente, un mito.

Todo matrimonio puede evolucionar hacia el amor mutuo de verse vivir recíprocamente. Pero a menudo los primeros matrimonios significan una expresión de los «debo» de la década de los veinte. Hasta muy recientemente, eran muy pocas las personas que se sentían libres de *no* casarse a esa edad. Mis conclusiones se basan en una síntesis de 115 entrevistas. A mi pregunta «¿Por qué se casó?», las respuestas de hombres que lo hicieron en la década de los veinte fueron coincidentes (las edades actuales oscilan entre los treinta y los cincuenta y cinco años).

—Tomé una decisión cerebral —me explicó un escritor—. Ése era el momento. De hecho, no sentía un profundo deseo de casarme, pero pensaba que debía hacerlo. Era lo que Doris esperaba —este hombre se encuentra actualmente en la mediana edad y está divorciado.

Un abogado que reconoció automáticamente la misma respuesta se sintió incómodo al quebrar sus ilusiones románticas: sólo tiene treinta años:

—Durante los seis meses anteriores o posteriores a la graduación en la Facultad de Derecho, se casaron todos mis amigos menos uno. No creo posible que, por coincidencia, todos encontraran en aquel momento a la chica adecuada. Tiene que existir algún elemento que indique que aquel era el momento correcto. No separarme de Jeanie...

Cada uno de los hombres entrevistados pensaba que los «debo» eran específicos de su religión, de su región de procedencia o de sus antecedentes de clase.

—Casarse era lo que debía hacer un protestante anglosajón de la clase media alta en Cooperstown.

—Si uno procede del Este, ha recibido una buena educación católica y pertenece a la clase media profesional, se espera de él que se case y tenga hijos.

—Casarse era lo más natural cuando uno vivía en Filadelfia, pertenecía a la clase media y era judío.

En un sentido general, otras fuerzas reales que urgen a los jóvenes a casarse son las siguientes: la necesidad de seguridad, la necesidad de llenar alguna carencia interior, la necesidad de alejarse del hogar paterno, la necesidad de prestigio o de conseguir algo práctico.

La necesidad de seguridad

Repetidas veces, tan a menudo por parte de los hombres como de las mujeres, se oye el siguiente estribillo: «Quería que alguien se ocupara de mí». Obviamente, la serie de deseos contenida en esa expresión deriva en forma directa de la infancia. Los que hemos crecido en el hogar americano de clase media centrado en los niños, sentimos un apetito de atención tan devorador que apenas oímos lo que decimos. Todo lo que intensifica la soledad y el sentido de la seguridad perdida que acompaña al hecho de dejar a la familia (concluir la escuela secundaria, ingresar en el servicio militar, enfermar, encontrarnos en un lugar extraño, ver cómo se disuelve el matrimonio de nuestros padres) incrementa la necesidad de recuperar la seguridad absoluta del hogar.

Pero nuestros problemas de dependencia son aún de mayor magnitud. Con la opulencia de los últimos veinticinco años, la dependencia se convirtió en una enfermedad sistemática en Estados Unidos. En todas las clases sociales surgió la idea de que uno tiene derecho a que se ocupen de él durante toda la vida . Empezando por la subvención gubernamental al soldado o la beca que permitirá costear la educación, y el préstamo de la Administración Federal para la Vivienda que pagará la hipoteca de una casa, además deberían ocuparse de uno por el sindicato, la empresa, la burocracia (como parte del vasto ejército de empleados del Gobierno) hasta que llegara el momento de extraer los beneficios de la seguridad social y cobrar la pensión.

Caer dentro del matrimonio como en una red segura no es, en modo alguno, exclusivo de las mujeres. Tan atado está Jeb a su Serena, tan totalmente la ha imbuido de las propiedades mágicas que ya no puede adjudicar confiadamente a sus padres, que ahora no imagina que pueda ocurrirle ningún revés que no consiga superar si la tiene a su lado. Pero dejemos a Serena...

—¿Cree que puede afrontar cualquier obstáculo que se presente a partir de ahora? —le pregunté al concluir todas nuestras entrevistas.

—Creo que sí —respondió. Mientras hablábamos Serena preparaba la cena.

—Supongamos que no lo aprueban en la Facultad.

—Le rompería la crisma al profesor —rió.

—Imaginemos que entran ladrones a su casa o que asaltan a Serena.

—Si nos robaran, acudiría a mi póliza de seguros y no me preocuparía. Cuando surge una emergencia y no tenemos dinero para enfrentarla, decimos: «Ya se resolverá». Ahora bien, en cuanto a que asalten a Serena... dio unos golpecitos con el zapato—. Supongo que estaría mejor preparado emocionalmente si me ocurriera a mí.

—¿Y si muriera su padre?

—Seguiría adelante —replicó Jeb implacablemente, pero la pregunta puso en marcha una introspección auténticamente peligrosa en su base de seguridad—. Claro que si muriera Serena —permaneció un instante en silencio, con la bayoneta clavada en la mente; repentinamente tambaleó su optimismo—. Eso es algo para lo que no estoy preparado, para seguir adelante sin ella.

Finalmente, si Jeb ha de construir su propia seguridad interior, tendrá que reconocer la fuente original de su protección imaginaria: su madre. Pero no está preparado para desafiar a su custodio interno en la cuestión de la seguridad. Muy pocos lo están en la década de los veinte. A él le resulta más fácil creer que toda la protección emana de su compañera. En tanto Serena sea sana y capaz de conservar un fuerte sentido de *su* yo, puede mantenerle la ilusión.

Si el manto mágico de Persona Fuerte pasa en la pareja de uno a otro, como ocurre en el caso de Jeb y Serena, progresarán tanto compartiendo como actuando independientemente. La combinación es lo que permite que florezca la auténtica intimidad. Pero quien firma un contrato para que se ocupen de él puede no llegar tan lejos. La dinámica puede ser ésta: Pánico. Matrimonio por razones de seguridad. Tiro por la culata.

Consideremos el caso de un hombre de veintitrés años. Graduado del primer ciclo de una Universidad mediocre, Al está mal preparado para su borroso sueño de ser profesor.

—Tenía miedo de tropezar. Me aterrorizaba enfrentar la idea de tener que ser algo. De modo que me casé con una chica brillante y ambiciosa porque era pragmática. Ella sabía cómo enfrentar la vida. Yo sabía que juntos sobreviviríamos y que por mí mismo no lo lograría. Un año después ella sufrió una crisis nerviosa. Me había casado con una madre y terminé con una hija.

Afortunadamente, con frecuencia el tiro por la culata no es tan brutal. Pero de todos modos, cuando somos jóvenes, la mayoría descartamos la idea de que esto pueda ocurrirnos. Nos estimulan testimonios tales como el que presentaré a continuación, ofrecido por Bernard Berkowitz y Mildred Newman, autores del best-sellers *How to Be Your Own Best Friend:*

> BERNIE: ¿Te molestaría que le contáramos a todo el mundo la sencilla pero maravillosa decisión que tomamos cuando nos casamos? Decidimos que nos *atenderíamos* [la cursiva es mía] mutuamente. No conozco razón de más peso para casarse.
> MILFRED: Es mucho lo que representa atenderse el uno al otro. Todos necesitamos ser bebés en ocasiones.[1]

Y eso hacemos. Pero existen muchos riesgos en aceptar esta sensatez convencional. Estimula la inclinación de la década de los veinte a valorar al cónyuge según la eficacia con que ocupe el lugar de un padre. Esto puede resultar decepcionante y en última instancia peligroso. Nos alienta a seguir siendo niños que piden permiso, y buscan excusas («él no me deja» o «si no fuera por ella») y que esperan que la protección provenga de otro y no del propio desarrollo.

La expectativa de que un compañero sustituya a los padres no contribuye a romper el poder del custodio interno. Es algo que se limita a llenarnos de demonios, que es la designación que da Roger Gould al conjunto de identificaciones no integradas encerradas en el comportamiento poseído por el otro: demonios relacionados con el sexo, las relaciones íntimas, la competencia, los valores correctos y demás cuestiones sobre las que todavía no hemos establecido nuestra propia autoridad. Y demonios seguirán siendo en tanto respetemos la advertencia del tirano interno, como señala Gould: «*Si no rompes mis tabúes y permaneces donde estás y no te entrometes en este territorio que yo poseo como objeto [otro], estarás seguro y serás atendido y creerás en ilusiones y todo saldrá bien».*[2]

Y es posible que así sea, siempre que contemos con un compañero en el que podamos proyectar esos demonios. Y en tanto no se produzca en su vida alguna perturbación que le impida atendernos.

El deseo de que el cónyuge desempeñe las funciones de tranquilizadores que antes desempeñaban los padres no desaparece con el paso a la década de los treinta. Ciertamente, esta es una de las cuestiones por las que la gente está más furiosa y angustiada cuando sobrepasa el umbral de los cuarenta. Cada uno de los cónyuges se queja de depender de un padre sustituto y, al mismo tiempo, teme a la evidencia de que de hecho se encuentra solo.

Demos un salto hacia adelante y escuchemos la patética confesión de un artista de 43 años. Ser el director de su propia empresa e incluso un precoz estudioso de la evolución potencial del ser humano no le evitó las ataduras de la pareja. Pero cuando se halla en el caos del paso de la edad mediana logra comprender este tipo de unión por primera vez.

—Michele siempre ha contado con mis cualidades parentales, mi apoyo, mi fortaleza, el sentimiento de que yo sabía lo que hacía y a dónde iba. Cualquier manifestación de debilidad por mi parte resultaba muy destructiva para nuestra relación. Si yo estaba inseguro, débil o temeroso, el miedo de Michele en cuanto a ser dependiente *de mí* se transformaba en pánico. Eso, naturalmente, hacía que mi angustia aumentara. Este tipo de atadura ha sido muy peligrosa para nosotros. La debilidad de mi parte reforzaba la sensación de peligro por parte de Michele. Éste es un sistema que tiende a destruir.

Constituye un duro golpe en la edad mediana el que el padre-marido ya no quiera desempeñar el rol de protector omnipotente o que la esposa-niña crezca y se rebele. O la inversa, que repentinamente él no quiera seguir teniendo una madre o ella no desee ser la mamá. Cualquiera de éstos puede ser un paso saludable en dirección al pleno desarrollo adulto, pero el compañero que sigue fijado al antiguo contrato se siente traicionado.

En ese caso, la respuesta tácita puede ser *ocúpate de mí, de lo contrario:* «No cuentes conmigo en la cama»; «Cortaré la asignación para gastos»; «Te mutilaré lentamente con observaciones cortantes en público, y nadie te verá sangrar».

La irracionalidad inherente a nuestros románticos contratos de «ocúpate de mí» llevan al teórico social Philip Slater a una devastadora predicción de los resultados:

> En relación a las mujeres, los hombres han adoptado la postura asumida por el guerrero-aristócrata con respecto al campesino: «Si tú me alimentas, yo te protegeré». Por supuesto, y antes de mucho tiempo, todo contrato de protección se convierte en una trampa de protección: «Dame lo que quiero y te protegeré contra mí».[3]

La necesidad de llenar alguna carencia interior

El presupuesto que subyace en este motivo para casarse es el de que las cualidades personales son transferibles. Cásate con su benevolencia y evitarás tu angustia (¿Pero quién aliviará las angustias de ella?).

—Yo decía que ella era un hogar-chimenea que estaba encendido todo el año —recuerda melancólico el ex marido—, la Dama de Blanco que siempre atendía los sueños, las necesidades y las heridas de los demás.

Quince años más tarde este hombre estaba preparado para dar un salto audaz y crear su propia empresa. Su esposa se había estancado. Después de estar tantos años en el rol de Dama de Blanco —lo que hizo posible la expansión de la personalidad de su marido— se sentía llena de inseguridades. El matrimonio se disolvió.

Cásate con su vitalidad y sus baterías te harán vibrar.

—Yo había llegado a cierta edad [25] y a cierta disposición a cambiar los términos y condiciones de mi vida —explicó un frustrado artista que finalmente logró establecer su pequeña empresa propia—. Ella vibraba, estar a su lado era como calentarse las manos sobre una llama. Yo soy un tanto flemático —la placidez de la vida de casados en los suburbios pronto redujo la llama vibrante de su esposa a un suave hervor a fuego lento—. Algo ocurre con las mujeres que se quedan en el hogar —descubrió—. Uno vuelve de la oficina y siente que es ella la que se enchufa como un acumulador de batería.

Pero en la edad mediana su esposa recuperó tal animación que le insufló a él un nuevo vigor para vivir. Se decidió a iniciar una profesión después de veinte años de estar en su casa. Con su estímulo, el frustrado artista vendió su pequeña empresa y esperó a que su mirada interior lo guiara.

—Si fracaso, paciencia, pero ahora no estoy obligado a sentir que la castigo. Ahora ella confía en sí misma.

La necesidad de alejarse del hogar

Aunque los matrimonios como fuga de la cárcel por lo común tienen por protagonistas a las mujeres, también existía entre los hombres este motivo.

—¿Que por qué me casé? ¡Para alejarme de mi casa! Yo era un muchacho tímido e inseguro. Encontré una chica a la que le gusté. Me zambullí.

Según él mismo reconoce este hombre era un prisionero de su madre judía. Pero a menudo dan la misma respuesta los hijos de la «Señora Forsyth» o de la «Señora O'Leary».

La necesidad de prestigio
o de alcanzar algo práctico

El compañero o compañera conferirá un status superior o contribuirá en alguna forma concreta a fomentar las ambiciones del otro. Una buena inversión.

—Yo estaba tratando de demostrarme que podía llegar a ser presidente de la empresa —explica un hombre que no había seguido estudios universitarios y era dolorosamente consciente de esa desventaja—. Un amigo me presentó a una muchacha muy rica y atractiva. He pasado miles de horas (después del divorcio) tratando de averiguar en qué medida me sentí influido por el hecho de que ella heredaría una cuantiosa suma de dinero.

—El matrimonio —dice el médico que necesitaba un empujoncito en la Facultad de Medicina— fue una cuestión práctica. La gente siempre parece volver a ella como respuesta final, lo mismo que a la democracia.

Shaw dijo en cierta ocasión: «Cuando dos personas se encuentran bajo la influencia de la más violenta, insensata, engañosa y pasajera de las pasiones, se les exige que juren que permanecerán continuamente en ese estado excitado, anormal y agotador, hasta que la muerte los separe».

Ninguno de los hombres de más de treinta años que entrevisté mencionó que estaba enamorado de su esposa cuando se casó. Tampoco sugirió ninguno de ellos que fuera el sexo lo que les indujo a casarse. El factor amnésico para recordar emociones pasadas lo explica, en parte, pero en estas respuestas también se ven reflejados los profundos cambios que se producen en las percepciones interiores a medida que se pasa a etapas más intrincadas.

Excepto por la ausencia del sexo como motivación recordada, mi muestreo concordó con las conclusiones extraídas por el psiquiatra Don D. Jackson y el escritor William J. Lederer en su relevante obra, utilizando el concepto de sistemas con centenares de parejas casadas. En *The Mirages of Marriage* estos autores señalaron que a la gente «le gusta pensar que está enamorada; pero en gran medida la emoción que interpretan como amor es, en realidad, alguna otra... a menudo un fuerte impulso sexual, el temor, o la necesidad de aprobación».[4]

Esto no significa que no se desarrolle el amor. Muchos de mis entrevistados afirman que ahora aman a su cónyuge, a diez, veinte o treinta años en el camino de su evolución personal. En cuanto el mito del matrimonio como solución a todos los problemas cae por su propia carga de dependencias, a la pareja le resulta posible gozar mutuamente de la compañía del otro como ser humano. O se produce una segunda unión con menos preocupaciones por los convencionalismos y mucha más intimidad. Uno de los convencionalismos que a menudo se desdeña es, precisamente, el casamiento. A mucha gente le resulta más cómodo convivir cuando el compromiso se renueva voluntariamente.

Los compañeros experimentados ponen menos atención en los roles que en reforzar las cualidades específicas y las idiosincrasias que les llevaron a vivir juntos. No se produce el caos si él se niega a visitar a los detestables familiares de ella, si tiene amigas interesantes, si esquía mal, si le gusta pasar el sábado en el garage haciendo algo que designa escultura, si algunas mañanas hace el amor apasionadamente y algunas noches se queda dormido. Tampoco se viene abajo el mundo si ella alcanza una promoción, si sale sola en una excursión de esquí, si vuelve seriamente a sus estudios de arte, si se sienta a leer el periódico mientras él retira los platos de la mesa o si se pasa la noche del sábado tocando el oboe en su cuarto privado.

Pero no es así como se ven las cosas en la década de los veinte. Los jóvenes constantemente hablan de sus vidas como rompecabezas. Recordemos a la joven que describió la ruptura con el amigo estable de su ciudad natal después de empezar a trabajar en el periódico de la Universidad: «Caímos el uno en brazos del otro pero no encajamos. Las piezas del rompecabezas habían adquirido nuevas formas y ya no encajábamos».

Lo reconfortante acerca del encaje de las piezas de un rompecabezas es su lógica inexorable. No existe más que una opción: la correcta. Con paciencia suficiente, el rompecabezas puede componerse de una vez para siempre.

En la vida, sin embargo, las piezas cambian de forma constantemente o se nos deslizan de las manos. No acabamos de pensar que hemos organizado una vida confortable y ya descubrimos piezas de nosotros mismos que no encuentran su lugar. O la estructura de apoyo se inclina, nos deslizamos lejos de nuestro compañero, nuestros hijos se expanden y necesitan más espacio, nuestros padres empiezan a arrugarse y nos recuerdan que dejarán un gran espacio vacío. En ocasiones nos vemos obligados a iniciar todo de nuevo.

La regla fundamental consiste en que debemos estar dispuestos a superar aquello que ya no encaja y a permitir que los demás hagan lo mismo. Con el tiempo, esta elasticidad se verá recompensada. Los hombres y mujeres que no dejan de crecer, finalmente lograrán recoger las partes de su personalidad que con anterioridad habían suprimido.

Algunas de esas partes reprimidas guardan relación con los roles sexuales. Los «debo» de los Penosos Veinte son muy distintos para hombres y mujeres, lo que tiene mucho que ver con el lugar en que se encontrarán en la década de los cuarenta. En un esfuerzo por esclarecer estas distinciones críticas, en los Capítulos 11 y 12 presentaremos un enfoque más amplio del ciclo vital.

11

¿Por qué no puede la mujer parecerse más a un hombre, y el hombre menos a un caballo de carreras?

Los hombres deben. Las mujeres no tienen que.

El hombre en la década de los veinte debe canalizar sus energías para abrirse un camino independiente en el mundo; de lo contrario queda en ridículo. Debe continuar este curso a expensas de una ilusión tras otra. Todos los postes indicadores le señalan que

187

la década de los veinte y de los treinta son los años que se le conceden para que alcance la maestría, el momento de adquirir las credenciales que le garantizarán la aprobación de los demás y las recompensas de la sociedad. Si también arde en deseos de obtener el reconocimiento, el hombre debe ser fiel e infinitamente atento con la auténtica amada: su profesión. Todas nuestras tradiciones e instituciones contribuyen a pavimentar el camino recomendado, aplaudiendo e impulsando a los hombres para que sigan ese curso.

La mujer no tiene que encontrar una forma independiente en la década de los veinte. Siempre existe una puerta trasera por la que salir: puede unirse a una Persona Más Fuerte. Puede transformarse en hacedora de bebés y amasadora de panecillos, en portadora del sueño de su marido. Si se resiste a este modelo, se ve inmersa en la contradicción entre los permisos de evolución que se otorgan a hombres y mujeres. La mujer de éxito siempre ha estado expuesta a la intimidación de la misma amenaza que se cierne sobre el joven varón que no ha triunfado: *nadie querrá casarse contigo. Tendrás sesenta años y estarás solo.*[1]

¿Cómo se adquiere la confianza necesaria para abordar los numerosos cometidos de los Penosos Veinte?

La confianza se edifica gradualmente a lo largo de este período, sobre los éxitos alcanzados gracias a nuestra eficacia. Los hombres —y en menor número las mujeres— que están decididos a ganar un lugar en el mundo adulto exterior, se adhieren con firmeza a la estructura laboral escogida —pasando, por ejemplo, de la Facultad de Derecho a secretario de un bufete, o de dactilógrafo a redactor publicitario— y esta adhesión facilita su estabilización.

La huella que deja la gente y la experiencia en quienes a los 20 años, trabajan para expandirse, es sumamente distinta a la huella limitada y repetitiva que queda sobre quienes se quedan en su hogar o permanecen en la escuela. Entusiastas en el mundo del trabajo, siempre dispuestos a ofrecer ideas nuevas, reciben el primer golpe cuando alguien les dice: «Aléjate, muchacho, me molestas». En ese momento se hunde la esperanza de que la propia capacidad será jus-

188

tamente reconocida. Un graduado de una escuela de fotografía, admirador del profesor comprometido con el arte y que se encuentra por encima de las seducciones del mero comercialismo, está condicionado para considerar enemigos a los directores y jefes de las agencias. Después de algunos años de trabajar realmente en contacto con esta gente, el joven fotógrafo puede mirar al mismo profesor jactancioso como un hombre que nunca ha salido del vientre del perpetuo academicismo («Nunca ha fotografiado una escena bélica, jamás trabajó») y anular la ilusión del antiguo héroe.

Cuando el hombre (o la mujer realizada) llega a los veintiocho o los veintinueve años, una serie de sacudidas semejantes le ha apartado de muchas de las ilusiones que antes necesitaba. Al trabajar en su sueño, ha dejado de ser un simple soñador. Pronto estará preparado para el importante paso de convertir un sueño en metas concretas, o de redefinirlo.

Tal como señaló Levinson cuando le entrevisté, el programa de una carrera define por sí mismo una serie de etapas e indica el tiempo adecuado que uno debe emplear para trasladarse de una de ellas a la siguiente. Representa una fuente de orden y da forma al curso de vida del individuo.

La mujer que se casa a principios de la década de los veinte con el único cometido de ser esposa y madre se encuentra en una posición más nebulosa. Debe improvisar un programa según las necesidades de otros. Si está casada, tiene un hijo pequeño y además intenta seguir una actividad aparte, rara vez puede serle fiel a una carrera en la misma forma que el hombre. Todavía no tiene la práctica ni la confianza suficiente en ningún área como para integrar todas sus prioridades en competencia. La carrera que asegura la estabilidad de su marido puede lanzarla a un pandemonio.

Cuando Levinson introdujo el «Sueño» como un elemento crucial en el desarrollo de los jóvenes, también se refirió a dos relaciones clave para el hombre que se encuentra en la década de los veinte: el mentor y la mujer amada. «La mujer amada puede servir a las funciones evolutivas de manera similar a la del mentor. Puede ayudar a definir y a cumplir el Sueño, a crear una vida en la que el Sueño tenga lugar.» Agrega algo además: «Naturalmente, la relación será duradera y únicamente fomentará, la evolución de él si también fomenta la de ella».[2]

Sin duda alguna, éste es uno de los grandes «naturalmente» de la evolución de la humanidad. Si las mujeres contaran con esposas que les atendieran la casa, que se quedaran en el hogar con los niños que vomitan, que llevaran a reparar el coche, que discutieran con los pintores, que fueran corriendo al supermercado, que hicieran coincidir los gastos con la cuenta bancaria, que escucharan los problemas de todos, que preparan fiestas y todas las noches elevaran el espíritu, imaginemos las posibilidades de expansión que tendrían: el número de libros que se escribirían, las empresas que se crearían, las cátedras que estarían cubiertas, los cargos políticos que ocuparían. Y, ciertamente, la mayoría de las mujeres que han alcanzado altas cotas contaron con costosas amas de llaves que tomaban a su cargo gran parte de estas tareas domésticas.

En los últimos años la gente joven ha introducido importantes variaciones en los antiguos roles sexuales. Hay mujeres que permanecen solteras hasta que están establecidas en su profesión, y maridos que comparten en gran medida el cambio de pañales y otras tareas del hogar. Existe a veces una total inversión del rol: el marido-artista que trabaja en la casa y atiende los hijos, y cuya esposa llama desde la oficina para decirle que llevará a alguien a cenar.

Las instrucciones que una cultura transmite a cualquier generación tienen mucho que ver con las partes de la personalidad que una persona deja sin desarrollar durante los primeros años. Con demasiada frecuencia estas áreas de la personalidad se relacionan con prejuicios acerca de las diferencias entre la masculinidad y la feminidad.[3] Incluso los términos activo y pasivo parecen llevar una carga sociológica.

Encontramos una distinción más prscisa entre la conducta que es *iniciadora* —en la que uno toma la iniciativa, abre las negociaciones, intenta llevar a la práctica sus propios deseos— y la conducta que *responde* a las necesidades y deseos de otro. Ninguna de estas características es exclusiva de uno de los sexos. Que las dos continúen estando presentes con variaciones en cada individuo demuestra, sencillamente, la continua· tensión existente entre el Yo Buscador y el Yo Fusionador. Pero indudablemente es cierto que nuestra cultura acentúa la conducta iniciadora a expensas de la conducta de respuesta en los jóvenes, aplicándose para las mujeres el fenómeno inverso.

Por el momento centrémonos en las mujeres y hombres que tomaron sus decisiones de la década de los veinte antes de la revolución sexual. En especial, en la gente que estaba próxima a la edad de votar al comenzar la Segunda Guerra Mundial y que actualmente se encuentran en la edad mediana.

Los malos viejos tiempos

Los jóvenes ingresaban en el mundo adulto del trabajo. Sólo entonces empezaban el largo proceso de hacer coincidir sus habilidades y de ajustar sus expectativas con la experiencia real. Gradualmente, a medida que aumentaban y mostraban competencia, recibían confirmación de diversas fuentes: de los hombres mayores que los ascendían, de los contemporáneos que competían con ellos y de las esposas que dependían de ellos. Cuando llegaban a los 30, por lo general la mayor parte confiaba en que se encontraba en buen camino en el mundo del éxito.

Casi todas las mujeres seguían una vía diferente. Después de un par de años de trabajar para pagar los manteles y demás objetos del hogar —o de asistir a la Universidad si eran lo bastante insólitas*—, la mujer se casaba y se retiraba del mundo adulto exte-

* El noventa por ciento de las mujeres que en 1972 se encontraban entre los treinta y los cuarenta y cuatro años, no poseían título universitario (Departamento de Comercio de Estados Unidos, 1973).

rior para criar a un hombre y a 2,9 hijos. También ella estaba ocupada demostrando su competencia: aprendía a acallar los gritos y a educar los intestinos de un bebé indefenso, a llevar a cabo la hazaña organizativa de ofrecer su primera cena del Día de Acción de Gracias, a vivir de la asignación para los gastos de la casa, y cientos de otras tareas que le resultaban nuevas y temibles. Durante cierto tiempo le resultaba satisfactorio llegar a dominar, simplemente, la capacidad de dispensadora de cuidados. Pero la joven casada estaba aislada y contaba con muy pocas fuentes de reconocimiento y autoestima, en tanto su marido se probaba a sí mismo en un campo vasto y remoto que finalmente ni siquiera podía explicárselo a ella.

La evidencia de la forma en que experiencias tan dispares en el paso de la década de los veinte conformaron el desarrollo de la personalidad de hombres y mujeres, queda de manifiesto en un importante estudio longitudinal llevado a cabo por el Instituto de Desarrollo Humano de la Universidad de California, en Berkeley. Dicho estudio se centró en una selección realizada al azar de 171 hombres y mujeres de la zona de la Bahía de San Francisco y que resultaron tener una movilidad ascendente superior a la común para aquel momento histórico en Estados Unidos. Se siguieron sus historias de vida desde el nacimiento y durante un período de treinta a cuarenta años.[4]

Las únicas tendencias descubiertas en los hombres fueron las siguientes: en los años transcurridos desde principios de la escuela secundaria hasta los treinta, su confianza personal aumentó uniformemente. Avanzaron a zancadas hacia un mayor control y seguridad social. Se volvieron (según palabras del estudio) más serios, productivos y enérgicos, valorando cada vez más su independencia y descubriéndose capaces de aconsejar a sus colegas. Hacia los 30, eran conscientes de su capacidad social y sexual y se sentían satisfechos consigo mismos. Al mismo tiempo, habían alcanzado su control mediante la pérdida de una parte de la ternura y la expresividad.

Por contraste, las mujeres en los treinta se mostraban *menos* seguras de sí mismas que cuando eran adolescentes, momento en que se encontraban mucho más adelantadas que los varones en este sentido. Se habían vuelto «sumisas, temerosas, excesivamente controlada y hostiles». Sus únicos logros evolutivos eran los relacionados con sus tareas de esposa y madre: más protectoras, introspectivas y comprensivas. Pero incluso estos logros iban acompañados de pérdidas recíprocas. Su placer sexual había declinado. Habían perdido la seguridad juvenil de que eran excitantes y atractivas como mujeres y sólo se sentían seguras en un rol: eran madres.

Los buenos tiempos nuevos

Pero, ¿no es esta la generación unisex? ¿No les resulta mucho más fácil a los hombres de hoy ser tiernos y expresivos? Y la gente dice, con mucha frecuencia: «Hoy también debe resultar mucho más fácil ser una mujer joven».

Indudablemente es diferente. Pero, ¿más fácil? Todo depende de si uno se refiere a los obstáculos externos, muchos de los cuales se encuentran en proceso de desaparición, o a la batalla que la persona joven debe librar con su custodio interno, que puede ser realmente feroz.

Debajo de los más firmes objetivos retóricos de la joven mujer contemporánea perduran todavía las arenas movedizas del antiguo mensaje: «no tienes que». Aun cuando tiene consciencia de que la puerta trasera (que la aleja de los peligros de la individuación) puede ser una trampa, por lo general en su preparación infantil hay muy poco que la estimule a resistirse a esta tentación.

Podríamos remontarnos al primer período edípico para rastrear los orígenes de este conflicto evolutivo. Pero con el propósito de sintetizar, partiremos del punto en que una luz piloto enciende en nuestro cuerpo la conciencia de nosotros mismos como seres sexuales.

Los teóricos de la conducta aceptan comúnmente que tanto en los chicos como en las chicas la primera adhesión es hacia la madre. Ambos sexos tienen actitudes masculinas y femeninas, lo mismo que complejos de Edipo masculinos y femeninos. Y ambos desean restablecer la adhesión original con la madre. En la pubertad, cuando este deseo primitivo adquiere un matiz activamente sexual, se impide a los varones tanto como a las mujeres que cumplan sus deseos, pero existe una notable diferencia en las razones por las que debe ser así y en las compensaciones que se les ofrecen.

Para el varón se trata de un tabú cultural que dice que el incesto no está permitido por muy buenas razones que no tienen nada que ver con su capacidad. Puede, pero no debe. Cuando interviene su padre y rival encuentra una compensación implícita que amortigua el golpe. El muchacho tendrá que esperar a tener a su propia esposa, a la que entonces podrá poseer en la forma que ahora desea poseer a su madre. Pero mucho antes podrá sustituirla inconscientemente mediante la iniciación sexual en los brazos de una mujer adulta. Si no se ve realmente iniciado en los placeres carnales por una prostituta o por Mrs. Robinson (de la película *El graduado*), puede fantasear a la manera del chico encendido de amor de *Primer amor* de Ivan Turgenev. Estimulado de este modo, cuando el chico supera finalmente el amor sexual por su madre, su complejo de Edipo queda destruido. Se identifica con su padre y sigue heredando las prerrogativas del hombre en un mundo de hombres. La secuencia es progresiva: madre, padre, virilidad.

Para la jovencita, la historia edípica es un circuito cerrado. Si ha de concluir identificándose con su propio sexo, según corresponde a una evolución psicológica sana, debe saltar de la madre al padre y volver a la madre. Esto plantea la discutible cuestión de la envidia del pene, discutible principalmente porque los términos de Freud hacen que parezca que todo el alboroto se crea por un apéndice y no por un conjunto de privilegios.

El tema del pene surgió en una oportunidad a la hora del baño, con mi hija de diez años.

—¿Alguna vez has deseado tenerlo? —le pregunté, tratando de extraer de esta confiable fuente cualquier evidencia de las fantasías de mutilación que aparecen en los libros de texto.

—No —respondió alegremente. Reflexionó un instante y agregó—: Pero tiene algunas ventajas. En verano se puede mear fuera de la casa sin mojarse las piernas.

Declaración perfectamente racional, aunque mi hija todavía no ha hecho la relación con los diferentes poderes y privilegios concedidos a hombres y mujeres. La joven se decepciona al enterarse de que no puede plasmar en algo concreto el amor por su madre, por una razón que no está del todo clara cuando la pubertad plantea una oleada de sensaciones clitorianas. Puede intentarlo, dándole a su madre apasionados besos y abrazos cinematográficos, pero mamá no se inmuta, salvo quizá para apartarla, incómoda. La psicoanalista Juliet Mitchell ha ampliado esta interpretación en un ensayo que induce a la reflexión, sobre la teoría freudiana de la distinción entre ambos sexos:

> Ninguna prohibición impide su amor por la madre, pero sabe que no posee el instrumento con qué implementarlo. Un sentido de su inferioridad... la instala en el camino de la feminidad. El complejo de Edipo positivo (amor por el padre) sólo aparece por defecto; no es tan fuerte como el complejo edípico del chico ni existe ninguna razón para renunciar totalmente a él; por el contrario... ella descubre su lugar cultural en una sociedad patriarcal cuando finalmente logra alcanzar su amor edípico por el padre.[5]

El padre no deja de mostrarse dispuesto a colaborar en mantener vivo este romance ficticio: es justo decir que la devoción de una joven inocente es irresistible.

Tal vez la lucha filial, tan común entre madre e hija durante la adolescencia de esta última, no sólo surge porque aprende a tener celos de la madre como rival, sino también porque se siente desconcertada en cuanto a dónde la llevará esta situación. Como las desventajas que le afectan para iniciar el cumplimiento de estos deseos son las mismas que las de su madre, de algún modo ésta es implícitamente culpable de las mismas. Tampoco la madre puede compensar plenamente a su hija: más adelante no tendrá una esposa.

En algún punto de este circuito edípico, la niña puede confundirse en cuanto a la transferencia de afectos. No existen buenas razones para renunciar al amor por el padre, excepto que éste tiende a hacer de ella una niña pequeña para toda la vida. Si el estilo cultural es antipatriarcal, volver a la madre tradicional como modelo tampoco resulta atractivo. La gente ya le ha advertido que ese es un callejón sin salida. El proceso de saltar de la madre al padre y volver a la madre puede paralizarla llenándola de dudas.

¿A quién se asemejará?

La madre que ha desarrollado un fuerte control de su sentido del yo puede ofrecerle a la niña un modelo vigoroso y provocativo. Y cada vez hay más madres así. Perspectivas poco alentadoras esperan a las hijas de madres resignadas que tienen muy poca identidad. La joven que desea fervientemente rechazar la forma de su madre debe darse prisa antes de que esa reconfortante voz interior la empuje hacia el viejo santuario familiar. La forma más veloz para salir de esta zona de peligro consiste en adquirir la forma de otra persona. ¿Y dónde está el modelo más próximo? En la sala, leyendo el periódico.

¡Eureka! Seré como él. *Él* lo tiene todo. Si me convierto en su réplica, también yo lo tendré. Me meteré dentro de él y absorberé toda su sustancia. Entonces tendré confianza y seré respetada.

Prestemos atención a las mujeres que declaran que repentinamente han encontrado el modo de completarse a sí mismas. A menudo oímos que las esposas de abogados están consumidas por la necesidad de ir a la Facultad de Derecho, no necesariamente para ejercer la profesión, sino para completar... tanto los estudios como a sí mismas. Las mujeres de intelectuales dirán que anhelan obtener su propio diploma, las esposas de comerciantes hablarán de abrir su propia boutique o una agencia inmobiliaria. Con frecuencia las esposas de médicos (como Nita, en el Capítulo 7) también quieren diplomarse en Medicina, aunque esta profesión no se adapte a sus aptitudes.

Como muchas jóvenes que actualmente están en la década de los veinte, Nita se compara con su compañero y dice: si él puede, ¿por qué no yo? El plato que no tiene en cuenta es que su marido es un hombre que hace lo que los hombres *deben* hacer según el consenso general. Su padre, su madre, sus amigos, los profesores y la sociedad toda son aliados que le estimulan a seguir en esa dirección. Para él la realidad es un apoyo. Pero las mismas realidades que en la actualidad le dan permiso a una chica como Nita para que siga una carrera —el profesor y el marido que opinan que eso está muy bien—le exigen que rompa sus lazos con la madre y que abandone el amor de niña pequeña por su padre. La realidad es en muchas formas su enemigo exactamente en el momento en que resulta imperativo tener por aliado a la realidad.

El miedo al éxito

El miedo al éxito en las mujeres fue demostrado por primera vez en el año 1968, por Matina Horner. Como alumna del doctorado en la Universidad de Michigan, demostró que el motor para alcanzar el éxito en las mujeres universitarias se veía complicado por la ambivalencia. Destacarse en la actividad académica, especialmente en condiciones competitivas —y más especialmente cuando la competencia es con hombres— puede tener como resultado la pérdida del amor y de la popularidad. Cuanto más eficaz es la mujer, mayor es su conflicto para realizarse.[6]

Pero hay algo más que la preocupación de que nadie querrá casarse con una mujer demasiado exitosa e independiente. Debemos recordar que los sujetos de Horner eran alumnos del primer año del primer ciclo universitario. Las evidencias presentadas por las biografías aquí reunidas señalan que el temor combinado al éxito y al fracaso puede continuar abrumando a la mujer incluso después de encontrar a un compañero estimulante (como le ocurrió a Nita) y a menudo continúa inhibiendo a la mujer que ha estado casada —feliz o desdichadamente- durante una o dos décadas.

El dilema psicológico más profundo radica en el desafío al custodio interno. La mujer a la que sus padres le enseñaron que su rol correcto es el de complacer a un hombre, corre grandes riesgos si se vuelve demasiado independiente. Precisamente cuando se encuentra a punto de tomar las riendas de su propio destino, el custodio interno, frustrado por su desobediencia, puede mostrarse violento. Puede mostrar su desagradable aspecto tiránico y hacer de ella una tonta. O castigarla provocando su fracaso: *Te lo había advertido.* En sus fantasías más negras puede sentirse desamparada, perdida, sola.

El miedo a la blandura

También los varones son invitados a reprimir algunos aspectos de sus personalidades, en especial cualquier cosa que pueda interferir la acción y comprometer su despliegue de virilidad. Además de la exigencia de que renuncie a la primaria adhesión a la madre, sabe que para complacer al padre tradicional y/o obtener la aprobación del mundo, debe cauterizar muchas de sus emociones. Los hombres deben ser fuertes y no débiles.

Una de las defensas más utiles del yo es la negación. Cuando los muchachos sienten debilidad, o temor, o están a punto de llorar, se les enseña a negar estas emociones proyectándolas en un obstáculo exterior, externalizándolas.[7] Cuando los muchachos participan por primera vez en una gresca en el campo de fútbol, no se les insta a admitir ninguna duda acerca del daño que pueden hacerse a sí mismos ni a simpatizar con los jugadores rivales a los que dejan cargados de dolor. Sin duda alguna, ningún piloto al mando de un B-52 en Vietnam estimuló a aquellos jóvenes a pensar en la invisible devastación qus producían. Hasta la fecha, el B-52 puede ser la máxima expresión tecnológica del continuo rechazo del hombre militarista a ser humano.

Aunque la negativa y la externalización son mecanismos de defensa inmaduros, sirven a la necesidad que tiene el joven de marginar y silenciar sus dudas internas mientras corre los primeros riesgos externos importantes. La acción es más posible cuando no se encuentra obstaculizada por un exceso de introspección o de comprensión, aunque esto signifique bloquear la afluencia de las emociones, al menos en la juventud.

Ver más allá de nuestras narices

Si nuestras personalidades y el curso de nuestra vida estuvieran fijados de forma definitiva a finales de la década de los veinte, nuestra existencia sería muy monótona. Hombres jóvenes y brillantes podrían pasar el resto de su vida siendo víctimas de su propio éxito externo y seguirían corriendo como caballos alrededor de una pista sin fin y poseyendo aproximadamente la misma capacidad de profundidad emocional. Las mujeres que se casaron jóvenes y tuvieron hijos, si permanecieron encerradas, muy probablemente quedarían convencidas de su incapacidad y engordarían de tanto detestarse a sí mismas. Esto ocurre, pero únicamente a quienes no se arriesgan a seguir creciendo, lo que en cualquier caso resulta difícil evitar aunque sólo sea para sobrevivir a los accidentes de la vida.

Demos un salto hacia adelante.

La mayoría de los jóvenes que se encuentran en los veinte todavía tienen que escribir una fantástica historia de misterio durante las dos décadas siguientes. Es una historia llena de excitación y riesgos, nos engaña con falsos malvados, nos desvía de los males reales que son las excisiones de nuestro propio interior, nos asalta con cambios por sorpresa en nuestra perspectiva y nos conduce por pasadizos secretos a la búsqueda de las partes que nos faltan en nuestra personalidad. Ni siquiera al final estamos totalmente seguros de haber llegado.

De alguna manera, la fuente de nuestra identidad se traslada del exterior al interior y este movimiento psicológico en la dirección del yo es la clave del misterio: da por resultado que muchos hombres y mujeres pasen de los polos opuestos de los veinte a un conjunto de opuestos diferentes en los cuarenta.

Este giro queda sorprendentemente de manifiesto por la forma en que hombres y mujeres relatan sus historias de vida. Los hombres hablan de las acciones que habían iniciado. Las mujeres acerca de las personas a las que habían respondido.

Es decir, que los hombres reconstruyen sus huellas según la línea de la carrera profesional que han seguido. A cada paso se miden a sí mismos con el programa aprobado para su sueño profesional específico. El amor entra como accesorio de su auténtica relación amorosa que no es otra que la de cortejar el sueño del éxito y buscar la identidad a través del trabajo. Los hombres hablan de sus esposas e hijos principalmente en términos de la medida en que estos han apoyado u obstaculizado su sueño pero muy rara vez se refieren —a no ser que se les induzca a ello— a las necesidades o al apoyo de los seres humanos que han tenido al lado. Estas conexiones humanas muy pocas veces convergen con lo que el hombre consideró como senda principal del desarrollo hasta que alcanzara los cuarenta.

Las mujeres, por contraste, destejen sus historias en torno a sus uniones y desuniones con respecto a otros: padres, amantes, maridos, hijos. El hilo central que atravesó sus jóvenes vidas fue la situación de aquellas conexiones humanas. La búsqueda de un sueño individual es en la mayoría de los casos, algo que se recoge, se deja caer y quizá vuelve a recogerse. Son lo que hicieron antes de casarse, entre un parto y otro, o después de divorciarse. Las mujeres cuyas vidas incluyen una carrera por lo general describen aquello como la elección que tuvieron que hacer, la profesión que han seguido tenazmente en lugar de casarse con Peter, o la vía de escape después de Paul, o el desvío de sus compromisos familiares por el cual temen tener que pagar peaje en algún momento. Tiempo prestado. Es raro encontrar a una mujer menor de treinta y cinco años, incluso talentosa y triunfadora, que se sienta completa sin un hombre.

En nuestra cultura y hasta hace muy poco tiempo, la mayoría de los hombres y las mujeres pasaban una buena parte de los veinte y los treinta animadas por una de estas dos ilusiones: que el éxito en su carrera los volvería inmortales, o que un compañero los completaría (incluso en la actualidad estas ilusiones todavía subsisten en muchos casos). Hombres y mujeres iban por vías separadas. La profesión como objetivo único en la vida resultaba ser una visión defectuosa, un callejón sin salida emocional. ¿Pero acaso atarse a un hombre y a unos hijos demostró ser menos incompleto como fin último de la vida?

Cada sexo parecía tener la mitad de la naranja y sentirse incómodo en cuanto a la otra mitad. ¿Pero pertenecían siquiera las mitades a la misma naranja? Los hombres contaban con las armas necesarias para alcanzar la evolución exterior. Las mujeres tenían la perspicacia de decir: «¿Qué tiene de bueno que llegues a presidente si pierdes el contacto con tu familia y tus sentimientos?»

La mujer estaba celosa de las credenciales que podía exhibir el hombre. El hombre estaba perturbado por la verdad que encerraban las palabras de la mujer.

A medida que hombres y mujeres avanzan en la edad mediana, el cuadro empieza a cambiar. Muchos hombres a los que entrevisté habían descubierto que deseaban aprender a responder. La mayoría de las mujeres mostraba un atisbo de conducta iniciadora. ¿Qué ocurre?

Daremos un breve anticipo.

12
Breve anticipo:
Hombres y mujeres
en crecimiento

En el interior de la mujer casada de treinta y cinco años se encuentra una jovencita que recuerda lo que era ganar en el juego de las adivinanzas, u obtener las calificaciones más altas de la clase, dominar un caballo fogoso, dar veinte vueltas alrededor del estadio con las ampollas aplastadas contra la dureza de la punta del zapato, pero esto no importaba porque todos aplaudían. Una chica que tenía confianza y sueños, y que escribía en su diario: «Cuando sea mayor seré Sonja Henie» (o Esther Williams, o Lois Lane o Elizabeth Taylor) y que probablemente se convirtió en una madre cuya hija dice: «Les guste o no les guste cuando crezca seré Billie Jean King».

¿Cómo es posible que esta mujer se encuentre ahora en la mitad de los treinta y siga pidiéndole a un hombre dinero para los gastos? ¿Qué hace él con los pimpollitos de la oficina, ya que siempre que vuelve a casa dice: «Esta noche estoy muy cansado, cariño»? ¿No sabe él que bajo las marcas de la fatiga los deseos sexuales de ella son más fuertes que nunca? ¿Por qué debe matar el aburrimiento todos los días? Matar el tiempo es un acto suicida. El tiempo que mata es todo el que le queda por vivir.

En esta mujer convencional que se encuentra a mitad de la vida exigen ser reconocidas sus partes malas («Ya ni sé en qué creo» o «Ni siquiera estoy segura de que me gusten mis propios hijos») y su lado enérgico, el tipo de conducta iniciadora que le permitirá dirigir un poco más su propia vida (y le exigirá una mayor responsabilidad). Las palabras varían de una mujer a otra pero en su significado más profundo son muchas las similitudes en los anhelos subyacentes: «¡Déjenme entrar en el mundo! Quiero ser inteligente e importante y que también mi tiempo y mi talento vean que se les reconoce un valor. ¿Será posible reanudar el aprendizaje donde lo abandoné? ¿Los hombres todavía me encuentran atractiva? Ojalá alguien me tomara en serio. Quiero que alguien me ayude a dejar de tener miedo».

En el interior del hombre seco y duro de 40 años al que se identifica principalmente por su trabajo, hay un muchacho que trata de no gritar: «¡El tiempo pasa!», un muchacho que a menudo quiere decir: «Lamento algunas de las cosas que tengo que hacer, por ejemplo humillarme ante el mandamás y coartar el talento de los jóvenes, depositar informes sobre mi escritorio y lanzar al mercado productos superfluos cuando preferiría ser el mejor amigo de alguien (de mis hijos, por ejemplo) o aportar al mundo algo de auténtico valor. Pero el tiempo corre. Si no me apresuro a ser gerente, o a escribir el best-seller, seré un fracasado. Un perdedor que espera a convertirse en un trasto viejo. Tampoco me enorgullezco de lanzar miradas lascivas a todos los pimpollos que entran en el ascensor cuando mi esposa daría cualquier cosa porque la mirara de ese modo. Pero lo único que sé hacer es ponerme encima y ya ni siquiera puedo contar con mi gastada máquina de joder. Me deja mal parado cuando más la necesito».

Las voces que exigen ser admitidas, reconocidas, absorbidas de alguna manera por este hombre que se encuentra en la mitad de la vida son aquéllas que con anterioridad él no podía permitirse. Su

203

capacidad de respuesta, su vulnerabilidad y también su lado oscuro. «Ojalá alguien me permitiera ser lo que soy, a veces tierno y también dependiente, pero al mismo tiempo presumido, avaro, celoso y competitivo. Ojalá alguien aceptara que no siempre soy el más fuerte. Ojalá alguien pudiera liberarme de mi pánico.»

La única persona que puede hacerlo, tanto en el caso de los hombres como de las mujeres que están en la mitad de la vida, es uno mismo. Permitir que vayan sobre otros las fantasías proyectadas no es fácil en etapas anteriores del ciclo vital, en que elementos esenciales de nuestro sentido del yo están ligados a los padres, a los iguales, a los compañeros, a los hijos o a los mentores. En el momento que iniciamos la segunda mitad de nuestro viaje, ya hemos sufrido repetidas separaciones y pérdidas de nuestras adhesiones a esos otros. Descubrimos que adhesiones que otrora consideramos vitales para mantener nuestro ser, ya no lo son y con ese descubrimiento se vuelve no sólo posible sino compulsivo intentar una honrada unidad con nosotros mismos.

Carl Jung fue el primer pensador analítico importante que consideró la mitad de la vida como el momento de máximo potencial del desarrollo de la personalidad. En ese momento anhelamos la indivisibilidad del yo de la que siempre hemos carecido. A medida que se desvanece la esperanza de encontrar la seguridad en otro, ocupa el primer plano este conflicto. En consecuencia, pueden manifestarse muchas de las imágenes arquetípicas de «feminismo» y «masculino», imágenes que inconscientemente proyectamos en un compañero. Jung se refiere a la necesidad de «enfrentarnos a nuestro propio aspecto contrasexual» e integrarlo, lo que hace posible un extraordinario enriquecimiento de toda la experiencia.[1]

Se trata, como mínimo, de un proceso perturbador. «No es difícil imaginar lo que ocurrirá cuando el marido descubra sus sentimientos tiernos y la esposa su agudeza mental», afirma Jung. Prosigue advirtiendo que el momento en que los hombres de edad mediana se vuelven delicados y las mujeres beligerantes, indicativo de que dichas personas no han conseguido otorgar el debido reconocimiento a su vida interior.[2] Levinson también cita la aceptación del lado femenino que uno posee como uno de los más importantes cometidos del hombre en la transición de la edad mediana.[3]

Muchos hombres descubren sentimientos anteriormente sofocados que se abren paso a través de su estrecha persona externa cuando pasan la edad mediana. La década de los cuarenta es el momento de descubrir las partes emotivas de uno mismo que no encajaban en la postura del joven fuerte, dinámico y racional que se suponía que era a los veinticinco años. Muchas de esas partes fueron transitoriamente desplazadas a la mujer de su vida, a la que así podían amar, temer u odiar por poseer tales cualidades.

Federico Fellini logró articular sensiblemente este proceso después de alcanzar la edad mediana, cuando hizo la nostálgica película *Amarcord* relativa a su infancia, que se considera la más completa dentro de su filmografía.

—El hombre —dice Fellini— ha estado acostumbrado a considerar a la mujer como un misterio en el que él proyecta su fantasía, sea ella madre, esposa o prostituta, la Beatrice del Dante o la musa. A través de los tiempos el hombre ha cubierto el rostro de la mujer con máscaras que probablemente representaban para su subconsciente las partes desconocidas de sí mismo.[4]

Entonces, para el hombre en la edad mediana significa un paso crítico poder mirar más allá de las máscaras y reconocer las partes desconocidas que ve. Esto, por sí mismo, indica cierta fortaleza. Una tarde conocí a un hombre que se encontraba exactamente en ese punto de su vida.

El hombre receptivo

Millones de americanos le escuchan y le ven todas las noches cuando resume todo lo ocurrido en el mundo. Es una estrella, un locutor del telediario, un rostro más conocido que la mayoría de los miembros del gabinete. Puede permitirse el lujo de broncearse en el Caribe con unos ingresos aproximadamente diez veces superiores a los más altos que su padre ganó en la vida (éste en contadísimas oportunidades tuvo los recursos suficientes para pasar más allá de la escalera de entrada de su casa). Puede teñirse las canas y entonar sus músculos en los gimnasios más exquisitamente ingeniosos de Manhattan, llevar a cenar al mejor restaurante a la mujer que le venga en gana y borrar cualquier indicio de incomodidad psíquica con un psiquiatra en Park Avenue. El día que nos cruzamos, le habían pedido que posara para un retrato que colgaría, con otros semejantes de poco más de veinte hombres y mujeres en una exposición de miembros destacados de su profesión. El retrato es un testimonio más por medio del cual el mundo le dice que a sus 46 años está situado cerca de la cima de la montaña.

Pero no es suficiente.

—Estoy cerca de la cima de la montaña que vislumbré de joven, pero no es de nieve sino, principalmente, de sal —espetó.

La mayoría de los hombres de éxito —sea lo que fuere el éxito— con los que hablé, abandonaron su vida personal. Dejaron de crecer a los 12 o los 14 años, cuando les sobrecogió la estridente ambición de hacer algo. Profesionalmente son fantásticos pero su vida personal es un *desastre*. Tendrían que haber evolucionado simultáneamente pero no ocurrió así. Ahora la idea consiste en unir ambas partes de sus vidas, en integrarlas. *Esa* es la verdadera lucha.

—Como ve, ahora me estoy preparando para el día en que me aparten de una patada de esa montaña cubierta de sal. Toda mi vida estuvo dedicada a *llegar allí*. Ahora quiero tener un objetivo y alguien con quien compartirlo, alguien que me aliente en el camino de descenso —se esforzó por reír con una mueca a lo Bogart— porque voy a necesitar un poco de ayuda.

Este hombre luchaba con problemas que se oyen repetidas veces a los hombres de su edad. Para el locutor del telediario, el significado de su pertenencia al club del éxito cambió por entero en el paso de la mitad de la vida. Su matrimonio de hacía veintiún años, y que él esperaba que durara cincuenta, se derrumbó. Comprendió que nunca había puesto en él demasiado de sí mismo.

—Cuando me casé todavía estudiaba en la Facultad. Ella era una buena chica pero yo era un estúpido, lo mismo que ella. Mi síndrome consistía en que yo siempre tenía que marcar las distancias. Me acercaba un poco y después retrocedía. Cuando ella estaba enloquecida porque la distancia era excesiva, yo echaba abajo la pared y volvía a acercarme, ¿comprende? Entonces me sentía otra vez como un buen chico. Luego me asustaba y la apartaba. Era como jugar al yo-yo. No se le puede hacer eso a un ser humano.

Le dije que el síndrome del yo-yo era mucho más corriente de lo que él creía.

—¿Por qué demonios tenemos tantos problemas con el sexo opuesto? —estalló—. Lo más importante para un hombre después de su trabajo e incluso antes si está dispuesto a reconocerlo —hizo una pausa: estaba en la edad en que podía reconocerlo— es la relación personal con su mujer. ¿Por qué es precisamente en este campo en el que me va peor?

—Los hombres no reciben recompensas ni ascensos por su valor en la intimidad —comenté.

—Esto me enfurece —se levantó, olvidando el retrato, olvidándolo todo salvo la urgencia de poner en evidencia un lado descuidado de sí mismo—. Nos acusan de ser poco tiernos y amables pero no lo somos —insistió—. Lo que sucede es que una parte nuestra nunca tuvo la posibilidad de crecer. Sólo nos hablaron de energía, de éxito, de trabajo.

Por la ilustración que ofreció quedó claro que a los 46 años estaba intentado sentirse a gusto dando rienda suelta a esos nuevos sentimientos.

—Puedo salir a una calle de la ciudad y gritar con toda la fuerza de mis pulmones: «¡Te odio, hija de puta!». Nadie se inmutará. Pero si salgo y grito: «¡Te amo!», por lo menos quince personas se detendrán como si acabara de asaltar un banco —golpeó la mano cerrada contra la palma de la otra—. ¡Eso no está bien!

Cabe señalar que la cuestión de cómo expresar el amor y la ternura absorbe toda la atención de las mujeres en la década de los veinte. Esos son los opuestos que antes se han mencionado.

El sentido de sí mismo de este hombre se vio sacudido simultáneamente en todos los aspectos a los 40 años. Se vio sumergido en esa cámara de desilusión de la que muy pocos hombres escapan sin enfrentarse al abismo que existe entre la visión de sí mismos en los veinte y la realidad de sí mismos a los 40 años. Aun cuando el hombre no haya fracasado *objetivamente* en su meta, puede que tenga que luchar con incoherentes sentimientos de inutilidad. Observemos a este hombre, que había alcanzado la cumbre de la montaña cuando consiguió la presentación de un noticiario de la televisión.

—Uno está descontento y ni siquiera sabe de qué —el locutor recuerda las primeras señales—. Es esa mortificante sensación de que uno no está obteniendo de la vida todo lo que debiera.

Se pregunta si *no hay nada más*, temiendo que, no importa cuál sea la respuesta, ya es demasiado tarde para cambiar. *No* es demasiado tarde, pero algunos de los cambios podrían haberse efectuado con anterioridad. En la vida del locutor, a los cuarenta años era demasiado tarde para corregir el compulsivo mariposeo que había llevado a su esposa a la desesperación en la solitaria celda de un barrio residencial. Toda la estructura se tambaleó. Se desprendió de una esposa incomprensiva y se prendió a un psicoanalista comprensivo.

Actualmente vive con una triunfante profesional de su misma edad que le enorgullece pero no le invade. Hace tres años que están juntos, exactamente desde que él cumplió cuarenta y tres y salió del pánico de la transición de mitad de la vida. Ella conoce sus hábitos destructivos. A la primera insinuación de renuncia en la voz de él, ella se limita a sonreír y a decir: «Hoy estás muy gracioso».

—Y la ayuda más importante —el locutor se contiene un

instante como si dudara en seguir revelando algo más—... esto es muy íntimo, ¿pero por qué no decirlo? Uno está haciendo el amor y repentinamente se siente cansado, pierde el interés y dice: ¿Por qué no nos dormimos? ¡Y le es posible decirlo sin tener que sentir que comete un crimen!

El pintor y yo aplaudimos.

—Pero si la gente que está en la calle mirando supiera todo eso, ¿qué pensaría?

—No están mirando —le recordé—. La intimidad no es una actuación televisiva.

Resultó alentador ver a un hombre tan excitado por el descubrimiento del acceso a sus sentimientos bloqueados. Con una estructura vital recientemente estabilizada y una mujer avispada que poseía sentido del humor, este hombre parece estar ampliando su capacidad de sentimiento.

La confusión que dejó detrás no era tan prometedora. Poco tiempo después de que yo hubiera publicado un breve relato del dilema del locutor, recibí una llamada de su esposa. Quería verme y darme su versión de la historia.

—Ésta es una de las pequeñas venganzas que me tomé cuando me dejó —dijo mientras se quitaba el abrigo—. Hice reformar mi visón.

Tenía el rostro de una portadora de alegría, aunque ahora levemente arrugado y cosméticamente florido. Su cuerpo ostenta curvas generosas: es una mujer bonita. Pero habla como si estuviera anestesiada, excepto cuando describe algunas de las trasgresiones más rimbombantes de su marido. Entonces parpadea y sus ojos parecen focos. Es graciosa y animada, pero sólo cuando habla del pasado.

Le pregunté por su situación actual. Ignoró el relato de los cuatro años transcurridos desde que la dejara el marido y empezó a describir el último año que pasaron juntos. El tiempo se detenía allí. Ella se detuvo allí y todavía sigue colocando piedras en su camino hacia la individuación. Muchas de las piedras son reales: cuatro hijos y una mujer inactiva abandonada en la ola de la crisis de la edad mediana de un hombre. Pero ella se sujeta a las piedras de tal forma que impide que una curva conduzca a otra y finalmente a la fuga de su «prisión», que es como califica el sueño de la casita elegante después de pasar veinte años allí:

—¡Nuestro matrimonio consistía en una hora semanal de conversación acerca del césped o de la próxima mudanza!

No era así como suponía que sería cuando se relacionaron en su aburrida ciudad industrial y ella trabajaba en la compañía telefónica y perdió la chaveta por un revoltoso «alto, fuerte y hermoso» que iba a la Universidad.

—Yo habría hecho cualquier cosa para llamar su atención. Tenía también mi propio sueño de trasladarme a Nueva York y tener una profesión propia. Pero resultaba imposible. Mi padre era obrero de una fábrica: éramos pobres.

Finalmente le conoció en una parada de autobús el día que cumplió 18 años. Cuando entraron en los veinte todo estaba envuelto en las ilusiones corrientes y atado con las cintas del estereotipo: él era el ambicioso y ella la dispensadora de cuidados que enterraba su propio sueño.

—Me impresionó como un hombre de ambiciones que llegaría a la meta y yo podía ayudarle. Había sido directora del periódico de la escuela secundaria y el periodismo era mi sueño dorado. Me pareció un buen acuerdo. Él era pésimo en gramática. Fui muy paciente en la corrección de sus errores. Su sueño consistía en emular a Edward R. Murrow y también ser millonario a los cuarenta años. Fue muy romántico conmigo hasta que nos casamos En cuanto llegué a ser la mujer de su casa, me convertí en madre para su cerebro. Y su madre era la persona que siempre decía que no.

En este sentido, tenía toda la razón. Yo ya se lo había oído decir a su marido, que sólo en los últimos tiempos había logrado descubrir esa atadura.

—El terror empieza con las madres —había dicho el locutor—. Para mí, es el miedo de ser ahogado. Las madres quieren pero estrangulan. No permiten que uno se caiga y se lastime. Yo veo a las mujeres en términos de madres, como a personas que siempre van a preguntar dónde he estado, con quién y por qué. Uno tiene miedo a que le hagan sentir que es un chico malo. Más adelante uno teme que la esposa le haga sentir lo mismo, como si hubiera fracasado en hacerla total y constantemente feliz.

Al trasladar a su esposa a la posición de madre, consiguió una conveniente cabeza de turco a la que culpar de sus propios temores y limitaciones. La excusa de «ella no me deja», que otrora había adjudicado a la madre para explicar por qué no pudo ser un profesional, pasó entonces a la esposa. Ella no le dejó ser un astro cinematográfico. Ella nunca se interesó por sus actividades. Cuando su esposa intentó salvar ese abismo, él comenzó a jugar al yo-yo.

—¿A dónde vas? —le preguntó al encontrarla en el coche.

—Pensaba acompañarte y verte actuar.

—Las esposas de los demás no van.

—A mí me gustaría.

—¿No quieres sentarte en mi regazo mientras dure el programa?

Como la mayoría de nosotros, el locutor se convirtió en un maestro en el arte de manejar las herramientas necesarias para mantener la relación tal como la había creado. Asumía el papel de delincuente y le contaba a su esposa cada vez que había sido «malo», lo que le permitía mantenerla a una distancia de madre.

—Ligué a esa chica en la puerta de la biblioteca...

—¡¿De qué estás hablando?!

—Ya lo sabes, todos hacen lo mismo; son tonterías.

—Si son tonterías, ¿por qué malgastas tanto tiempo en eso?

La ira de la mujer, diluida por la debilidad y la dependencia, se apaciguaba fácilmente. A él, la confesión le permitía volver a sentir que era un buen chico.

Pero no era capaz de tocar a su esposa. Ni con ternura ni con afecto.

—No me di cuenta que me estaba evadiendo y hundiendo —me

211

había dicho—. En lo más profundo de mí me esforzaba por quererla y tocarla tiernamente, pero a los hombres nos asusta darle eso a nuestras esposas por temor a que nos ahoguen.

El riesgo se evita fácilmente expresando la intimidad fuera del círculo más inmediato, con el rostro a media luz en una habitación de hotel, o con las esposas de otros hombres, mujeres más seguras. Su esposa recuerda:

—Era casi lo mismo que si me dijera: «Aquí tienes mi conciencia; tú te quedas encargada de cuidarla mientras yo salgo a jugar».

Todo un conjunto de secretos encargos semejantes se levantan entre cualquier marido y su esposa: «Mi esposa es muy sociable. Yo dejo que se ocupe de nuestro calendario social». O: «Yo soy una persona creativa, gracias a Dios estoy casado con una organizadora». En la mayoría de los casos uno le asigna al otro aquello que detesta hacer, lo que puede estar muy bien. El proceso se vuelve destructivo cuando alguno de los dos delega en el otro una función *necesaria* del ego. Si el locutor hubiese asumido la responsabilidad de su propia conciencia, habría tenido que abandonar los flirteos mediante los cuales se apartaba de la intimidad. Al delegar la responsabilidad en su esposa, pudo permitirse continuar siendo el chico malcriado y delincuente. En cuanto confesaba una pillería volvía a embarcarse en una cadena de relaciones repetitivas, que rompía con la misma falta de cuidado con que las había iniciado.

Para mantener la distancia con sus amantes tenía otro mecanismo. Le buscaba cinco pies al gato.

—Una vez me relacioné con una encantadora australiana, que era una estupenda persona, —me había explicado el locutor—. Sus pantorrillas eran un poco fuertes. Durante un año esto no me molestó en absoluto. Pero empezó el ciclo destructivo. Sus piernas eran cada vez más grandes, de modo que llegó un momento en que eso era lo único que veía. A otras mujeres las dejaba por el pelo o por la forma de vestirse. Durante seis meses o un año yo era el mejor dador del mundo, hasta que mi puntillosidad me llevaba a decir: «Esto no es para mí». Me volvía duro, distante, frío. Inconscientemente dotaba a la mujer de las cualidades que tenía mi madre o mi hermana, lo cual, desde luego, me alejaba de ella. No ella misma. No algo que hiciera. Era yo quien buscaba una razón para apartarme.

En su casa, su esposa era, naturalmente, la víctima ideal. Ya fuera una virtud o un defecto, siempre lograba encontrarle algo negativo. Sus faldas eran demasiado cortas; sus pechos demasiado grandes. No era lo bastante seductora o se estaba volviendo demasiado fuerte, lo cual le reducía a la impotencia. Se negó a permitir que el empleo de contraceptivos interfiriera en la «espontaneidad» de ella y después la amenazó con dejarla si no se ocupaba de no quedar embarazada. Así anduvo el yo-yo hasta que ella abortó por segunda vez a los treinta y dos años.

—Creo que entonces comprendí que todo se estaba derrumbando —dice hoy su esposa.

Pero permaneció así durante todo el paso de los treinta, creyendo que el marido representaba su seguridad. Sus intentos de expansión se limitaron a aprender a conducir y a aceptar un trabajo en un banco. Empezó a adquirir una cierta confianza cuando descubrió que aprendía rápidamente y que hacía amistades con facilidad. Entonces volvieron a cambiarse de casa.

—Yo siempre planificaba que en cuanto me sintiera cómoda intentaría alcanzar mi propia realización —dice.

Más correctamente, la declaración habría sido: *Estaba postergando mi realización en virtud de mi propia timidez interior.*

En el período de asentamiento de los treinta, instó a su marido a comprar la casa colonial en un barrio residencial que sería el ancla de su seguridad.

—Como su trabajo lo mantenía cada vez más alejado de la casa, no protagonizábamos enfrentamientos. Todo era pacífico. Y como yo había sido pobre disfrutaba de la abundancia económica. Ahora podía jugar al tenis de mesa y salir a almorzar con mis amistades. Me serené. La distancia se hizo cada vez mayor a medida que él se acercó a los cuarenta. Para mí se convirtió en crisis después de dos años de distanciamiento. Ni siquiera me tomaba de la mano. Le dije: «Dios mío, se nos está pasando la juventud. ¿No podemos hablar, no podemos conmovernos? ¿Qué ocurre, has matado a alguien?».

Confesó, a los cuarenta y tres años, que se trataba de otra aventura amorosa. Esta vez su esposa gritó, chilló, maldijo y le arañó. Al día siguiente él se fue. Los cuatro chicos se agruparon alrededor de su esposa como formando guardia. Desde la puerta trasera, él gritó: «¡No te sorporto a ti, a los niños, ni a esta basura de casa!».

Existen otras formas de romper una pareja encerrada, pero como gran parte de nuestra educación por lo que respecta a las relaciones adultas proviene del cine y de la televisión, uno de los métodos que surge naturalmente es el de atravesar la puerta al estilo Charles Bronson. A menudo no se muestran los episodios que siguen a una salida tan dramática, porque en la vida real se refieren a las reacciones corporales ante la angustia y a la capacidad de degradación humana.

Todos los días él telefoneaba y pedía permiso para volver:

—Estoy enfermo. Tengo que retirarme de las reuniones a cada rato. Estoy con diarrea.

Ella aceptó su regreso poniendo como condición que visitara a un psiquiatra y se sentó en la sala, esperando el momento culminante de su vida. Él se disculparía, rogaría, por fin reconocería la significación de su existencia.

—¿Dónde está la correspondencia? —fue la frase inicial—. ¿Qué hay para comer?

Fue como si nunca se hubiera ido y jamás se hubiera producido la crisis. Más aún, en las dos semanas que estuvo sola ella hizo un descubrimiento sorprendente. El marido no representaba su seguridad. Nada había cambiado con la retirada de su cuerpo, que no había hecho más que formalizar la ausencia emocional permanente.

—Él siguió teniendo su vida; yo seguí teniendo aquella casa elegante y los chicos. Nada había cambiado y esto me resultó impresionante. ¡Cuánto lloré! Pero lo más terrible fue comprender qué tipo de vida habíamos estado viviendo. No me quedaba más remedio que enfrentarme a ello.

Aquel año, él se fue cinco veces.

El alivio de ella no surgió de aprovechar al máximo su libertad para expandirse —siguió un curso de agente inmobiliario y después no hizo nada con el título—, sino de la institucionalización de su martirio:

—Cada vez que él se iba yo embellecía mi prisión.

Visitaron juntos a un consejero matrimonial, pero en realidad él pensaba en un consejero para la defensa, en una autoridad que decretara que él era la víctima y ella el villano. «¿Por qué no me permitiste...?» Así comenzaban la mayoría de las sesiones, en que el locutor hablaba señalando a su esposa. No obstante, como él había sugerido una internación que recibe el nombre de «terapia», su esposa se aferró a ella como a una señal de esperanza. El terapeuta dijo: «Nunca deja de sorprenderme el tiempo que son capaces de esperar algunas mujeres».

Cuando el último mueble estuvo en su lugar y las ventanas de la prisión quedaron pintadas de un nuevo color, ella decidió dar una fiesta: su primera fiesta. Él acostumbraba a buscar la diversión y los contactos únicamente en la vida pública. Nunca quiso tener el tipo de amigos que se invita a casa: demasiada intimidad. Este desafío por parte de su esposa significó un buen augurio para el crecimiento de ella:

—Yo empezaba a sentirme más fuerte y a perder la pasividad de todos aquellos años. Él no sabía cómo tratarme.

No se preocupó por el permiso del marido. Invitó a cincuenta personas, contrató a un proveedor y se lanzó al importante festejo de sus cuarenta y un años. Él asistió, sumiso. Pero resultó un esfuerzo demasiado tenso para el yo-yo. Se fue y no volvió.

—Cuando mi marido desertó... —la repetición de esta frase constituye para ella una fuente de placer—. Cuando mi marido desertó yo no lo sabía pero ya estaba viviendo con esa otra mujer

—sigue un cúmulo de quejas que pasan por cuestiones de dinero, el accidente automovilístico de una hija y el aborto de otra, de todo lo cual culpa directamente al hombre que hace cuatro años está ausente—. La compañía telefónica llama periódicamente para desconectar nuestro teléfono; mi abogado llama a su abogado, que llama a su administrador. Así es mi vida desde entonces.

Cabe preguntarse qué sentido tiene malgastar más años agitando apáticamente bombas de una guerra que ha concluido. ¿Por qué no puede ella emprender su propia expansión? Con frecuencia, por la misma razón: si deja de ser el enemigo al que culpar de todos sus problemas, debe aceptar que el enemigo está *en su interior*. Mientras no llegue a aceptar eso, continuará luchando con un villano fantasma.

La mujer que acabo de describir es una dispensadora de cuidados. Esta es la pauta elegida por las mujeres que no tienen la intención de cumplir un sueño propio. Deciden ser auxiliares de la carrera de su marido y criadoras de hijos, a cambio de la seguridad económica. Son muchas las mujeres que escogen este modelo y posteriormente descubren que es posible expandirse hacia una definición más amplia sin desintegrar el matrimonio. También existen otras que logran salvar el paso de la edad mediana sin sufrir ninguna crisis de autenticidad. No controlan su propia identidad y no quieren hacerlo. Siempre es posible seguir dejando que otros las definan y se hagan cargo de ellas mientras haya quien esté dispuesto a hacerlo.

Cuando no lo hay, lo más probable es que se oiga, en los años de la mitad de la vida, la queja de una de ellas como la esposa del locutor:

—Me encantaba ser madre y me encantaba ser ama de casa. Sólo necesitaba ser querida. Nunca me sentí querida.

La mujer iniciadora

Pero esta es sólo la mitad de la historia. ¿Qué hay de las mujeres de más de treinta y cinco años que se deciden a correr el riesgo de reconocer su parte enérgica? Aquéllas con quienes hablé habían descubierto todo tipo de habilidades y expansiones más allá de su dedicación a hombres e hijos. Algunas se dedicaron a pintar, otras a escribir, a fotografiar, tareas creativas de todo tipo. Algunas volvieron a estudiar o a dedicarse a la enseñanza con un más vigoroso compromiso. Otras habían elevado su capacidad administrativa familiar a una esfera más amplia en organismos públicos o habían iniciado sus propios negocios; también estaban las que se dedicaban a la compra-venta de bienes raíces o aspiraban a la obtención de un cargo público. En comparación con las desteñidas orquídeas de señoras que se habían «casado bien» pero dormían en el interior de sus abrigadas casas, estas resistentes begonias surgidas en un segundo florecimiento eran más hermosas, más misteriosas y más excitantes de lo que se habían sentido desde la primera floración de su juventud.

Mia es una de esas mujeres. La penúltima vez que la vi, había dejado de creer en su inutilidad. Lo supe en el momento en que la vi cruzar la sala. Nos encontrábamos en una reunión convocada para planificar un acontecimiento para el festival femenino de arte internacional. Muchas de las demás mujeres eran esposas ricas deseosas de adquirir importancia apadrinando el acto. Mia era diferente: una artista por derecho propio.

—¿Qué ha ocurrido? —le pregunté.

—¡Todo! Todo al mismo tiempo. Esta semana entra en prensa un libro con mi producción fotográfica. ¡El editor vino a buscarme! El mes que viene haré una exposición individual y *Camera 35* dedica la mitad de un número a mi obra. Todo esto me parece un sueño.

Siguió hablando apresuradamente, con una exuberancia tan directa que debí obligarme a recordar el trayecto que Mia había tenido que recorrer para llegar a donde estaba. Se trataba de una mujer que durante treinta y cinco años había hecho un intento de escapatoria tras otro en un esfuerzo por evitar afirmar su propia autoridad. En la edad mediana se dedicó a arriesgar la desintegración de todo lo que le habían enseñado que garantizaba su seguridad y enriquecimiento. Abandonó al marido —un hombre idealizado por otros— y soportó años de separación de sus hijos. Recientemente, me dijo, se había liberado del mentor que puso por primera vez una cámara en sus manos. Al descubrir que su talento era superior al de él, se volvió ofensivo.

—Tengo un amante que vive en el otro extremo del país —dijo ahora—. Nos conocimos en un taller creativo. Es uno de los profesores más venerados en este campo y respeta mi trabajo. Ya no tengo que fingirme inferior a lo que soy realmente. Él no me distrae de mi obra, yo no le presiono. Cuando estamos juntos es lo mismo que nadar desnudos por primera vez. Mis hijos han vuelto a acercarse a mí y ni siquiera me importa que mis pechos pierdan su turgencia. Tengo cuarenta y un años y siento que vuelo. ¡Me descubrí riendo sola en la calle!

La necesidad de remontar el vuelo ya existía en ella a los treinta, pero también estaba allí la red de seguridad de su propia construcción. Como tantas mujeres, Mia quedó atrapada y atascada en la telaraña. No podía avanzar y evolucionar en una forma progresiva porque todavía le faltaba dar muchos de los pasos preliminares. De modo que sufrió un desequilibrio nervioso creciente.

No tenía sentido que estuviera en Puerto Rico aquel verano. Ningún sentido, con tres criaturas arrastrándose en pañales en un apartamento de dos habitaciones más allá de la playa, donde se vaciaban las alcantarillas de San Juan. Ningún sentido cuando su marido estaba alojado a horas de distancia en un campamento del lluvioso bosque. Pero era típico de él ofrecerse voluntariamente a estar donde podía ayudar mejor a la humanidad en su conjunto: era un pastor activista. Una vez por semana el reverendo bajaba a visitar a su familia. Mia sólo le veía a la hora de cenar. El resto del tiempo él estaba en la playa, en el agua mejor dicho, perfeccionando su «flota del Cuerpo de Paz».

El calor de agosto era agobiante. Las cucarachas se multiplicaban formando una arrugada alfombra y Mia tenía fuertes dolores de espalda. Durante toda la semana gritaba a sus hijos. Cuando aparecía el reverendo los domingos, ella arrojaba objetos contundentes contra el espejo. Él dejó de quedarse a pasar la noche. En uno de sus días de visita, ella estalló:

—¡Si tengo que inclinarme una sola vez más para levantar al niño, me partiré en dos! —chilló—. ¡O lo aplastaré contra la pared! —no obtuvo respuesta—. Ni siquiera me hablas. ¡Por favor! Me estoy asustando. Estoy a punto de derrumbarme.

Sus advertencias ni siquiera hicieron pestañar al reverendo. Por entonces ella ya sabía algo de él: era una de esas personas que sólo podían sentir compasión desde una cierta distancia. Para la multitud de estudiantes universitarios que se sentaban frente a su estrado y permanecían pendientes de los filosóficos frutos que brotaban de su fértil mente, era el hombre que tenía todas las respuestas. Podía consolar a los padres de estudiantes suicidas, inspirar a los jóvenes para sus grandes causas, mitigar el dolor de los moribundos. Pero en cuanto a las penas y necesidades de su círculo inmediato, el reverendo carecía de paciencia. No veía. No oía. Alrededor de sus emociones personales había un muro de acero.

Las personas de este tipo a menudo ejercen un sacerdocio, la política, la psiquiatría, u otras profesiones que les permiten ayudar a otros desde una posición de gurú imparcial, y que les protege de los peligros de la intimidad con otra persona.

Si Mia se hubiese dejado llevar por su intuición jamás se habría casado con el reverendo. Pero a los 22, ella no buscaba la apertura ni la intimidad, sino la autoridad. Una voz autoritaria que hiciera lo que ella no haría, que no era otra cosa que hacer frente a su padre. Éste era un famoso músico que actuaba en todas las capitales del mundo y sin esfuerzo dominaba a todos los que le rodeaban. Su ego era devorador. resultaba fácil complacerlo: todo lo que Mia tenía que hacer era decir sí.

Sí, quería actuar en un escenario. Después de murmurar estas palabras a los cinco años de edad la enviaron a estudiar danza y a partir de los once continuó su preparación sin asistir siquiera a la escuela secundaria. Muchas veces Mia se preguntaba de qué hablarían en la escuela. Ella se sentía llena de soledad. Mia atravesó sola los recovecos de la pubertad y le llevó bastante tiempo alcanzar a sus pares. Muchos años después volvía a la dulce adolescencia para llenar la parte de diversión que lamentaba haber perdido.

La fisiología salvó a Mia de la vida de bailarina que su padre había pensado. Desarrolló pechos abultados; sus caderas se inflaron como rosquillas y sus muslos estaban separados por almohadillas de carne. Salió de la pubertad magníficamente conformada para el abrazo de un amante pero con una figura que jamás se aproximaría a la de Markova. El destino familiar experimentó una remodelación: sería actriz.

—También quería complacer a mi madre —puede decir a los 41 años— pero sólo *ahora* puedo reconocerlo. Ella era la que decía: «Deja de morderte las uñas, nadie se casará contigo. Deja de leer, nadie se casará contigo».

A los veintidós años, Mia estaba viviendo su sueño oficial como actriz de reparto de Broadway y se sentía mortalmente aburrida. En ese momento entró en su vida el reverendo con sus confiados amigos profesores, su Proust y su Dostoievski, sus relatos de los tormentos de la guerra y la pobreza en un mundo que a ella le era totalmente ajeno. Pero el reverendo tenía algo más que la fascinó.

Un día oyó una discusión entre el joven reverendo y su padre. En lugar de rezumar deferencia, como todos los hijos serviles, planteó sus opiniones impecablemente y sin temor. Mia se sintió como Rapunzel.

—¡Salvaría mi vida! Era una *contra*-autoridad respetable, aceptable, sólida y oficialmente reconocible. Me pondría a salvo. Le diría a mi padre todos los no que yo no le decía. En el último momento, mi instinto me advirtió que había algo irreal en nuestro matrimonio. Yo no quería hacerlo, pero creía que debía. Posteriormente me enteré de que él alimentaba idénticas reservas pero no me lo dijo hasta veinte años después.

Mia pasó la década de los veinte tratando de sustituirse a sí misma, a aquel sueño remoto que sólo había existido en la mente de su padre y que se había extinguido con el matrimonio. Manipuló a su marido para que la dejara embarazada.

—Me sentía desesperada por el deseo de tener algo que me confirmara que era un ser real.

Tuvo un hijo y dos más en rápida sucesión. Asustada entonces por la inutilidad de tener una prole, instaló un comedor gratuito y llenó la casa con los discípulos de su marido. Esto era divertido y mantenía vivo el lugar; lo que la atemorizaba era que todos se volvían a sus casas.

—Hay algo de lo que debemos hablar —le decía amablemente el pastor cuando quedaban solos.

Un destello de pánico en los ojos de él. Luego, como si las palabras de ella fueran una inyección de morfina, caía en un sueño profundo.

—¿No podemos tener una discusión normal al respecto? —rogaba Mia a veces.

—Cada uno vale tanto como aquello que lo enloquece —era la respuesta.

A él lo enloquecía el racismo, Vietnam, el hambre en Pakistán, pero no la lenta inaniciación de una mujer cuya carne ardía todas las noches a su lado... no, permitirle a ella un mundo de caos privado le habría obligado a él a abrir su reducto interior.

—Al cabo de siete años me sentí atraída hacia otra gente —recuerda Mia—. Estaba vacía: no podía darle nada a él. Había apuntalado las quince causas a las que se entregó, pero para mí eran quince amantes. Ocupaban todo su tiempo, sus energías, su pasión, su valor. No quedaba nada.

Si uno no se atreve a la expansión que es un deseo universal en el paso a la treintena, las exigencias interiores deben desviarse en la actividad compulsiva o encontrar desviaciones secundarias, o hacer un viaje regresivo hacia una etapa anterior. La confrontación con el custodio interno puede postergarse en cualquiera de estas formas. Mia las probó todas.

Antes de quedar destrozada en Puerto Rico, Mia hizo su equipaje y volvió a su casa, encubriendo la ruptura mediante la grabación de discos para ciegos, la preparación de discursos para el Cuerpo de Paz y vigilando a sus hijos de una forma opresiva.

—Lo más importante era mantenerme ocupada. Pensé que cuando él volviera en noviembre vería que yo había hecho un gran esfuerzo de reestructuración y empezaríamos de nuevo.

La idea de que nuestras personalidades pueden modificarse a voluntad suele darse en los veinte. Mia estaba creciendo demasiado para albergar semejantes ilusiones. En la víspera de Año Nuevo inició una apática aventura inocente con uno de los colegas de su marido, cuya situación era semejante a la de ella: amaban al mismo hombre y aceptaban con resentimiento los fragmentos de su vida personal mientras el reverendo recogía todo tipo de reconocimiento profesional. Se encontraban secretamente en automóviles, fingiendo que su alianza conspiradora era un romance. El hecho es que Mia tampoco logró introducir el sexo en su vida con esta relación. Para el placer que obtenía de su carne en sazón, pensó, más le habría valido ser una desdichada bailarina de pechos planos.

El día anterior a la Pascua, cuando concluía la temporada de penitencia de Cuaresma, Mia percibió un extraño silencio en la casa. El reverendo le pidió que subiera al dormitorio. Era la primera vez que se dirigía a ella de una forma tan íntima.

—He llegado a la conclusión de que para ti la vida sólo es soportable porque te encuentras con... —dijo—. Lo sé, pero no quiero que te sientas culpable. Yo tuve una aventura en Puerto Rico.

Su confesión no solicitaba la absolución por parte de la esposa y tampoco mitigó la culpa de ésta, ya que no la sentía.

222

—No podía irme por los chicos —explica ella—. Eran demasiado pequeños. De alguna manera debí comprender que era una cuestión de tiempo.

Durante este paso, la conducta de Mia pasó de la regresión a la autodegradación. Se dedicó a ir de tiendas. Todos los días podía verse a una mujer de anchas caderas y rostro inexpresivo deambular por el centro, mirando los escaparates como una adolescente que no tiene que hacer nada más importante que elegir un par de zapatos. Todos los días su coche era remolcado. Sus hijos la esperaban en la escuela, olvidados. Por la noche, con suficiente alcohol en el cerebro como para perder toda capacidad de discriminación, se ofrecía al profesorado de la Facultad. Todos los encuentros eran iguales: rápidos, fríos, anónimos. La única forma que tenía de conocer el nombre del último hombre con que se había acostado consistía en buscarlo en el listín... en el caso que le hubiera importado conocerlo.

—Era un tormento a todos los niveles. Entonces, a los treinta y un años, me anamoré. Un amor total, completo e irrepetible. Comprendí cuántas carencias había en mi vida anterior. Era una situación imposible: él era un estudiante de diecinueve años. Pero me comprendía como nadie lo había hecho jamás, incluyendo mi madre. Veía mis debilidades y sabía cómo manejar mi sentimiento de culpa. Mientras mi marido estaba arriba escribiendo sus sermones, tomábamos té y hablábamos siete horas seguidas en la cocina. De pronto descubrí que era capaz de ver y decir cosas sobre mí misma. La relación con mis hijos mejoró porque me llenaba con otra persona. Durante tres años viví una doble vida.

No era más que un tobogán que la deslizaba nuevamente hacia el amor adolescente, que se nutre principalmente de conversación. En esta alianza de a dos, exploratoria y narcisista —de la que había carecido de joven—, no complicada por las exigencias del matrimonio, logró empezar a definirse a sí misma mediante la retroalimentación que le proporcionaba otra persona.

Sus treinta y cinco años marcaron la línea divisoria. Empezó a sentir la culpa de vivir siendo abastecida por un joven y entró en su vida un tipo totalmente nuevo como medio de la autoexpresión. Un medio artístico. Una forma independiente de buscar la realización, el dominio, la confianza y el reconocimiento de otros. Como estaba absolutamente acostumbrada a buscar una expansión semejante a través de los hombres y de los hijos, se refiere a este nuevo objeto de amor con las mismas palabras con que se describe a un amante:

—Me sedujo la fotografía.

Existían buenas razones para la confusa asociación de ideas. Fue un hombre quien le puso una cámara en las manos por vez primera y quien le enseñó a usarla, un mentor que también se convirtió en su amante.

Todos los estudios coinciden en que la presencia o ausencia de una figura semejante tiene una enorme influencia en el desarrollo individual. Para un hombre de la década de los veinte, el mentor —el guía que le considera un adulto más joven pero no un muchacho ni un hijo— es quien apuntala su sueño y le ayuda a llevarlo a cabo en el mundo. Es un modelo de rol profesional no parental. También es un crítico que ayuda al joven a superar la polaridad padre-hijo. Levinson ha llegado a la conclusión de que la falta de mentores constituye una gran desventaja evolutiva. Empero, existe otra desventaja evolutiva que no afecta a los hombres. Para ellos, el mentor y el ser amado (la otra figura clave) son, generalmente, dos personas distintas.

Para las mujeres hay muchos menos mentores. Ciertamente, cuando planteé esta cuestión de los mentores a algunas mujeres, la mayoría de éstas no sabía a qué me refería. Los mentores del sexo femenino han sido especialmente escasos. Y cuando un hombre se interesa por guiar y aconsejar a una mujer más joven, habitualmente existe en forma paralela una atracción erótica. De esto se desprenden diversas combinaciones fácilmente reconocibles: productor y estrella, profesor y discípula graduada, médico y enfermera, director y actriz, y así sucesivamente. La cuestión es que la relación de guía y Yo Buscador se mezcla con un confuso contrato sexual.

Frecuentemente teme a lo que podría ocurrir si ella llegara a adquirir la suficiente confianza oomo para arreglarse sin él. Puede dominar cierta válvula de control criticando el desempeño de su discípula o recortándole su apoyo emocional. A la mujer puede resultarle difícil encontrar su propio equilibrio en razón de que su aliento profesional, emocional y sexual proviene de la misma fuente. Y, finalmente, esta persona se parece mucho más a un padre en la evolución de ella.

Por otro lado, las mujeres con una realidad profesional que no han tenido un mentor lo echan de menos, aunque no sepan designarlo con este nombre. Aproximadamente el 80 por ciento de las tareas afines que ellas podrían desempeñar permanecen ocultas en un mercado de trabajo que no es público y sólo se llegan a conocer a través de los medios de comunicación clandestinos o del sistema de mentor.[5] Casi sin excepción, las mujeres que estudié y que alcanzaron el reconocimiento en su labor profesional, se vieron en algún momento apoyadas por un mentor.

En su tesis para el doctorado de Harvard (1970), un estudio sobre veinticinco ejecutivas de alto nivel, Margaret Hennig llegó a la misma conclusión.[6] Al principio de su carrera *todas* habían estado fuertemente ligadas a un jefe soltero. Una vez que se encontraban bajo la custodia protectora de este mentor, subordinaban a él el resto de sus relaciones. El mentor ayudaba a estas mujeres a creer en su capacidad y también actuaba como amortiguador ante los clientes y ante otros miembros de la empresa que se sentían amenazados ante una mujer capaz.

El romance mixto de Mia con un mentor y una cámara desencadenó una crisis de crecimiento que se extendió y la puso a prueba durante los cinco años siguientes en todas las formas en que eso puede suceder en el paso de la mediana edad. Todo empezó con una alegre válvula de apertura, según se desprende de una carta de su mentor:

225

Te enseñé la sencilla alquimia de la luz, la plata y algunos elementos químicos. Pero tenías que buscar por ti misma tu camino en la fotografía. Quería que ésta te diera a ti lo que me había dado a mí. Quería que tú, en medio de la intensa y agotadora idea de no ir a ningún sitio, tuvieras en tus manos algo acabado, algo que tú hubieras visto y plasmado... (todo este tiempo, y también años atrás, algo ha estado creciendo en ti). Era el tipo de tensión que puede conducir al alcoholismo, al suicidio o, en ocasiones, al arte. Felizmente, en tu caso empezó a abrirse camino a través de la fotografía.

Para Mia la fotografía empezó como algo que podía hacer para complacer a su amante. En el plazo de un año se convirtió en su propio sostén. Comprendió que era lo único que la separaba del colapso emocional absoluto ya que entonces apenas estaba activa en ninguna otra faceta de su vida. Se sentía atormentada porque no sabía qué hacer con respecto a sus hijos. Hay mujeres que pueden protagonizar la ruptura de matrimonios estériles y encontrar la energía necesaria para dirigir una casa con hijos mientras se preparan en una nueva profesión, dijo Mia para sus adentros, pero de inmediato reconoció: «Yo no soy una de ellas». En la situación en que se hallaba, sabía que sólo podía ser destructiva con sus hijos. Para solventar ese dilema tomó una decisión que a casi todo el mundo le resultaba impensable: dejó sus hijos al cuidado del marido. Intentó darles una explicación: «Ya sabéis que papá y yo discutimos mucho. No está bien gritaros a vosotros cuando en realidad los problemas surgen entre él y yo». El varón más pequeño, que tenía nueve años, empezó a pedir que lo vistieran como a su hermana mayor. Ella era la predilecta: si él la imitaba lograría convencer a su madre de que se quedara en casa.

El día que se fue todos la saludaron con la mano desde la puerta de la casa de la Facultad donde vivían. A Mia le ardían los ojos y sintió que su sangre bullía cuando se alejó conduciendo directamente de cara al sol. Se sentía como una vagabunda. Encontró una habitación en un elevado edificio de Manhattan, donde dejó sus libros y sus cámaras. Instaló un cuarto oscuro. Salvo para asistir a clase o para tomar fotografías, no veía a nadie y no salía nunca.

—Tenía que llenar una cartera y si eso era lo que debía hacer, estaba decidida a hacerlo cuanto antes. Estaba entusiasmada pero al mismo tiempo asustada.

Aquí vuelven a oírse los sonidos producidos por los antagonismos. La suya podría ser la voz del hombre de 25 años que busca su lugar en el mundo adulto y que subordina todo lo demás a una meta profesional.

Pero para Mia también existían los escabrosos días en que sus hijos iban a visitarla a la ciudad. Ella se preguntaba si alguna vez la perdonarían por haberles abandonado. Su mentor no apareció hasta que estuvo instalada.

—Nos encontramos en ese extraño estado —recuerda— en que cabe preguntarse por qué las cosas no son lo que estamos suponiendo que son.

Sus fotografías eran cada vez mejores y por esta razón empeoró su vida amorosa. Sus ojos, cuando trabajaba, despedían el azul sulfuroso del fósforo encendido. Mia era su propio descubrimiento. Pero para su mentor, aquellos mismos ojos representaban la traición. La originalidad de su visión había superado su propia influencia. Él era un buen fotógrafo, pero Mia poseía el don de la fotografía.

Más adelante él le escribió: «¿Cómo lo haces? Te he preguntado lo mismo muchas veces y cuando la formulo sé que es una pregunta idiota. Tú pareces armonizar, sencillamente, con lo que te rodea... Es lo mismo que tratar de analizar un poema japonés: no es posible».

No podían salir de excursión porque ella encontraría en los árboles algo notable que él había dejado de lado como un lugar común. En las fiestas a ella le aterraba que alguien pudiera alabar su obra y él oyera el elogio. Cuando volvían a casa él se indignaba, bebía y detestaba esos ojos que percibían lo que él no veía. El mo-

227

mento crítico se planteó cuando ya ni siquiera pudieron caminar juntos por la calle.

Tarde o temprano, todo aprendiz debe rechazar el poder absoluto del mentor si quiere erigirse en dueño de su propia autoridad. Levinson afirma que ningún hombre puede tener un mentor después de los cuarenta años. Las mujeres de negocios que superan a sus guías tienen todas las probabilidades de llegar a los puestos más altos de la dirección. Quienes continúan siendo dependientes no pueden avanzar a la posición más encumbrada y es posible que se conviertan en una carga para sus mentores, que por lo general acaban dejándolos de lado.[7]

Mantener la ficción de que no era superior a su maestro representó una tortura para Mia, pero la prolongada dependencia de él era parte de un problema mucho más amplio cuya solución tuvo que abordar en la edad mediana. No pudo romper con su mentor hasta que se atrevió a desafiar a su dictador interior.

Hubo de pasar cuarenta años de vida en esta tierra antes de decirle no a su padre. Una noche, Mia dio un puñetazo sobre la mesa del comedor y gritó:

—¿Crees que eres Dios?

—Sí —respondió su famoso padre.

—Bien, no lo eres —replicó.

Los increíbles poderes mágicos que el hombre ejercía sobre ella se disolvieron.

En la actualidad, Mia despierta la admiración de otras mujeres por lo que se atreve a ser, por su pasión, por la intensidad y el orgullo de su yo, por su fuerte mentalidad, por su realidad. Pero sería negligente de mi parte permitir que el lector crea que Mia ha encontrado la armonía eterna entre el amor y el trabajo.

Su autenticidad, que ha podido alcanzar al terrible precio del tormento, aterra a los hombres. Incluso a hombres como el profesor. Cuando se conocieron en el taller creativo, parecía que por fin había encontrado a un hombre lo bastante seguro de sí mismo como para alegrarse genuinamente por el talento de Mia. Lo que a él le atrajo en primer lugar fue su fogosidad, pero poco tiempo después esto mismo empezó a sobresaltarle, incluso a repelerle. En ataques de algo parecido a la venganza, ahora él intenta quebrantar la confianza laboriosamente adquirida que Mia ha alcanzado con respecto a su obra. Busca un reaseguro en sus estúpidas discípulas: «Se desmayan cuando él entra».

Hace poco tiempo Mia y yo almorzamos juntas. Se la veía cansada pero resuelta con sus tejanos, sus botas, sus gafas. Extrajo de la cartera la brillante monografía recién publicada, el reconocimiento público de su realización artística. Este es el momento del dulce triunfo. Me contó que estaba ocupadísima enmarcando las fotografías de su primera exposición individual pero una nube cubría la efervescencia de sus palabras. El profesor estaba en la ciudad. Ignorando deliberadamente estos grandes acontecimientos en la vida de Mia, él esperaba que ella estuviera pendiente de una llamada telefónica para compartir su itinerario. Ella se puso furiosa. ¿Por qué tiene que comportarse así?

—Bebe y fuma demasiado. Conduce por las carreteras de Los Angeles con un brillo mortal en los ojos —Mia continuó recitando las señales de peligro de un hombre que se encuentra en la cima destructiva de su propia crisis de mitad de la vida, como si intentara forzarla a prestarle atención—. Ahora lo veo a través de su trabajo. Es un artista y su obra es un perfecto reflejo de la forma en que ve la vida. Sus figuras aparecen hacinadas una sobre otra, como desintegrándose. Son crueles y obscenas. Yo le doy miedo porque no me gusta su obra, que es deshumanizada. Y en las pocas ocasiones en que se lo digo, siente pánico.

El famoso profesor, como el renombrado reverendo antes que él y el padre de Mia con anterioridad, me parecen dioses-niños. He conocido a varios hombres semejantes, cuyo extraordinario éxito público les había apartado del sentido de su propia humanidad. A un hombre así, sus subordinados le dicen constantemente, con diversas palabras, que es un dios. No le exigen una entrega emocional. No le causan penas ni le plantean problemas domésticos. En última instancia todos los que lo rodean son sus subordinados. En cuanto un germen de depresión o angustia amenaza con invadirle vuelve a trabajar, actividad en la que todos le aseguran que es un empresario «gigante», un «magnate» cinematográfico, un «genio» creativo. La depresión se aleja. Poco a poco se opera en él una regresión hasta que llega a creer que *es* un niño-dios que puede obtener todo lo que quiere. Y cada vez sentirá menos deseos de volver a su casa, con su esposa, porque ésta le exigirá que sea humano.

El profesor está casado. Tiene cuarenta y tres años. En un período de la vida en que todos debemos enfrentarnos a problemas terribles, él tendría que buscar, naturalmente, una seguridad. Pero dada la situación particularmente precaria de un dios-niño, con toda probabilidad le resulta mucho más perturbador reconocer la independencia de Mia. Le telefonea a las cinco de la mañana como para mostrarle cuál es su lugar de subordinada.

—Soy yo.

—Ya sé quién eres. ¿Qué quieres?

En la cabeza de Mia resuena una alarma. El instinto le dice que más allá del obvio atractivo del profesor como compañero artístico y sexual, acechan peligros que tratan de atacarle por sus puntos débiles.

—Para mí, estar a su lado es lo mismo que estar parada al borde de un acantilado *deseando* saltar, aun sabiendo que eso me destruiría. Pero no voy a permitir que me ocurra.

En el pasado, a Mia le habría resultado muy fácil seguir riendo como una niñita, atraída al borde del precipicio por un hombre tan dominante y egocéntrico que finalmente la sostendría, la aferraría de los pies. Con un grito infantil de placer, Mia se sentiría subyugada, saltaría, empezaría a caer en el vacío y con un alarido de reconocimiento de su locura, comprendería demasiado tarde que él no estaba allí para sostenerla. Peor aún... que nunca, jamás, ella volvería a estar de pie sobre sus dos pies.

Aunque Mia todavía no ha encontrado al compañero ideal (la vida, al fin de cuentas, no nos brinda compañeros equitativamente

230

para que todos acabemos formando parejas evolutivamente armoniosas), se ha encontrado a sí misma. Ahora confía en su propio instinto para preservar su yo.

—Me llevó demasiado tiempo y demasiado esfuerzo psíquico llegar al punto en que me encuentro emocional y profesionalmente. No voy a permitir que nadie atente contra esto. La vida es demasiado breve. De modo que estaré sola durante un tiempo. Hay cosas peores que estar sola.

Ésta es una perspectiva absolutamente nueva sobre la vida, el tiempo y la comprensión de uno mismo, una perspectiva inimaginable para la persona de 25 años que cree que la vida continuará eternamente y que no ser amado es lo peor que a uno puede ocurrirle. Es una perspectiva que sólo puede vislumbrarse cuando uno se asoma al abismo desde el borde del precario paso a la edad mediana.

La vida tiene fin. Hay poco tiempo. Cada uno la atraviesa a solas. No existe otro que pueda mantenernos siempre a buen recaudo. Y hay ciertos aspectos de nuestras personalidades que no podemos cambiar o ignorar, aunque el precio sea la separación o la pérdida, si es que estamos dispuestos a alcanzar la unidad dentro de nosotros mismos.

Cuarta Parte

El paso
a los treinta

Se sumergió en el centro
y descubrió que era inmenso.

CONRAD AIKEN

13
Alcanzar los treinta

«¿Qué *quiero* de esta vida ahora que estoy haciendo lo que debía hacer?».

A medida que nos aproximamos a los 30 aparece en nosotros una inquieta vitalidad. Casi todo el mundo desea provocar alguna alteración. Si ha estado actuando debidamente en su destino profesional, el hombre puede sentirse repentinamente demasiado limitado y restringido. Si ha estudiado una carrera prolongada, como la medicina, en esta etapa de su vida puede preguntarse si sólo hay tiempo para el trabajo y nada para la diversión. Si ella ha permanecido en el hogar, con los hijos, ansía ampliar sus horizontes. Si ha seguido una carrera, siente que necesita una complementación emocional. El impulso a la expansión a menudo nos conduce a la acción aun antes de que podamos darnos cuenta de qué es lo que echamos de menos.

Las restricciones que sentimos al acercarnos a los 30 son las secuelas de las elecciones de los veinte, elecciones que pueden haber sido perfectamente convenientes para aquella etapa. Ahora el ajuste es diferente. Tomamos conciencia de algún aspecto interior que habíamos dejado fuera. Y éste puede dejarse sentir súbita y enfáticamente. Con frecuencia empieza mediante un lento redoble, una sensación vaga y persistente de *querer ser algo más.*

Tanto la vaguedad como la persistencia, la inconfundible voz del hombre en el paso de los treinta, impregna el cuento *«The Death of the Russian Novel»,* de George Blecher: [1]

> A veces me siento conmigo mismo y digo: «Tienes treinta años. En el mejor de los casos, te quedan cincuenta. ¿Pero qué harás en esos años? Te arrastras de día en día, pasas la mayor parte del tiempo deseando, deseando, pero lo que tienes nunca es bueno y aquello de que careces es maravilloso. ¿Por qué no te comes tu chuleta de una buena vez, hombre? Cómela con placer y gozo. Ama a tu esposa. Haz hijos. Ama a tus amigos y ten el valor de decir a quienes intentan debilitarte que son demonios y no quieres tener nada que ver con ellos. ¡Valor, hombre, valor y apetito!».

Durante este paso, que habitualmente se extiende entre los veintiocho y los treinta y dos años, deben hacerse nuevas e importantes elecciones y alterarse o profundizar compromisos. Esto implica grandes cambios, confusión y, generalmente, crisis: la sensación de estar en el fondo y simultáneamente la urgencia de salir de él. Esta transición desemboca en el período más estable y asentado de Arraigo y Expansión.

Una reacción común a la transición hacia los treinta es la de destruir la vida que se construyó durante la mayor parte de los veinte. Puede representar un esfuerzo por penetrar en un camino secundario, hacia una nueva perspectiva. A menudo significa el divorcio o al menos una seria revisión del matrimonio. Personas que han contado los placeres de la soltería o del matrimonio sin hijos se sorprenden a menudo al descubrir que anhelan un matrimonio a la manera clásica o que están ansiosos por quedarse en casa a jugar con su hijo.

Años más tarde nos preguntamos por qué sentimos tantas dudas y confusiones para introducir cambios que, en una mirada retrospectiva, parecen obvios. Ello se debe a que en esta transición está implícito mucho más que la modificación de las circunstancias externas. Nuestras voces interiores se vuelven más insistentes. Y en la década de los treinta empezamos a bajar la guardia. La puerta de hierro que intentamos cerrar contra los rostros de Jano del custodio interno cuando estábamos resueltos a probar que nuestra identidad provenía plenamente de la propia inspiración, puede ahora presentar una grieta. De este lado, estamos un poco más seguros de nosotros mismos. El otro lado, a su vez, empieza a perder parte de su amenaza como dictador y parte de su seducción como guardián. Podemos empezar a ver y oír su influencia y, poco a poco, reconocerla.

Así comienza una valiente —aunque a menudo torpe— lucha con los dones y las cargas de nuestra herencia. El desafío consiste en separar las cualidades que queremos retener de nuestros modelos infantiles, en combinarlas con las cualidades y capacidades que nos diferencian como individuos y en reajustar todo ese material en un conjunto más amplio. La ampliación y la apertura de nuestras fronteras internas nos permite empezar a integrar aspectos de nosotros mismos que antes estaban ocultos.

Los testimonios procedentes de muchas entrevistas, estudios y estadísticas sugieren que el proceso de apertura se inicia a fines de los veinte y culmina en una re-estabilización y proceso de cierre cuyo punto de partida hay que situarlo en el umbral de los cuarenta. Cuando Else-Frenkel-Brunswik bosquejó por primera vez esta fase, la caracterizó como el momento más fructífero en trabajo profesional y creativo. Es mucho lo que ocurre en sus inicios (en las proximidades de los 30), de modo que su entrada queda bien definida, generalmente, por la elección de vocación última y definitiva. Aunque antes de esta época se adquieren muchas relaciones personales, Frenkel-Brunswik observó que suelen ser transitorias. La transición a los treinta es el momento en que la mayor parte de la gente selecciona un vínculo personal definitivo y se decide a establecer un hogar. [2]

Pero no antes de llevar a cabo un replanteamiento.

Casi todos los que están casados pondrán en tela de juicio su matrimonio. En algunos casos la cuestión real consiste en saber si uno desea o no estar casado, sea con quien fuere. Como mínimo, es necesario revisar el contrato para permitir que en él entren ciertas cosas que ahora sabemos sobre nosotros mismos. O que no queremos saber, porque nuestras ilusiones tardan en morir.

De cualquier forma, el paso a los treinta estimula un sutil giro psicológico en todos los frentes. «Yo» está empezando a adquirir tanto valor como «otros». La necesidad de expandirse empieza a superar la necesidad de seguridad. Desde el interior brota una nueva vitalidad. ¿Y qué decir del cambio producido en nuestro sentido del tiempo? Volvamos a Blecher:

> El temor a la muerte me empuja hacia la acera... Pero no me hace vivir mejor. [3]

Esto se debe a que en dicha etapa la muerte sigue siendo un temor abstracto. Todavía queda tiempo para hacerlo todo. Nuevos continentes de experiencia esperan a ser descubiertos. Sentimos impaciencia, sí, pero no urgencia.

Otra sorpresa nos espera a todos a medida que los Penosos Veinte se acercan a su fin. La fuerza de voluntad y el intelecto no pueden superar todas las dificultades, como creíamos. Esto mismo debió pensar Bertrand Russell cuando contaba veintisiete años de edad. Entonces ya estaba adelantado en los progresos analíticos que finalmente produjeron sus *Principios de matemáticas*. Él y su esposa vivían entonces con Alfred North Whitehead. Según describe el propio Russell en su autobiografía, «todos los días eran cálidos y soleados», y sus discusiones nocturnas con un hombre mayor y más sensato resultaban embriagadoras. En el otoño de su vigésimo séptimo año sintió que se encontraba «intelectualmente en el punto más elevado de mi vida». Un día, aquel invierno, todo cambió y una misteriosa dimensión nueva traspasó el control de su capacidad mental. Al regresar a su casa encontró a la señora Whitehead agonizante, a causa de una dolencia cardíaca recurrente. Durante cinco minutos, estremecido hasta la médula, Russell sintió la impenetrable soledad del alma humana. [4]

Al cabo de esos cinco minutos yo era otra persona... Después de años preocupado por la exactitud y el análisis, me encontré lleno de sentimientos semi-místicos acerca de la belleza, con un intenso interés en los niños y un deseo casi tan profundo como el de Buda de descubrir alguna filosofía que hiciera más soportable la vida humana.

Las palabras de un extraordinario escritor dan cuerpo al aséptico estudio. Frenkel-Brunswik descubrió que el paso a los 30 es el «período culminante de las experiencias subjetivas», y basado en su estudio Gould llegó a la conclusión de que una «marcada experiencia subjetiva» nos revela que la vida es mucho más difícil y dolorosa de lo que pensaba a los veinte. [5]

Sin duda, la vida se vuelve más complicada, pero precisamente en esta complejidad vislumbramos la posibilidad de una nueva riqueza. Russell se sintió más estimulado que deprimido por su nueva comprensión.

Me poseyó una extraña excitación que rezumaba un intenso dolor pero también algún elemento de triunfo procedente de la convicción de que podía dominarlo y transformarlo en una puerta de ingreso a la sabiduría. La penetración mística que entonces imaginé poseer se ha desdibujado en gran medida, al tiempo que se ha reafirmado el hábito del análisis. Pero algo de lo que creí ver en aquel momento ha permanecido siempre conmigo. [6]

ALCANZAR LOS TREINTA
Y LA PAREJA

Si los individuos parecen desconcertados en esta coyuntura, el desconcierto es aún mayor por lo que respecta a la pareja. Se hace claramente perceptible en la desintegración de los matrimonios. Durante los últimos cincuenta años, los americanos han sido más proclives a disolver su matrimonio cuando el hombre tiene treinta años y la vujer veintiocho, aproximadamente. [7]

¿Qué es esto, este remolino de incoherencias que parece afectar a tantas personas? Yo lo llamo Alcanzar los Treinta.

Los hombres y mujeres que presentaremos en este capítulo se casaron a principios de los veinte, sobre la base de que ella permanecería apartada de todo salvo de una participación periférica en el mundo adulto y reproduciría un universo familiar para él. Unos siete años más tarde, él se siente un hombre competente, un adulto reconocido, aunque joven. La presión del mundo exterior le ha enseñado a maniobrar en torno a sus ilusiones profesionales. Ahora sabe, por ejemplo, que un vívido despliegue de la inteligencia no es tan apreciado como la lealtad, porque muchos hombres mayores temen a los más jóvenes. Pero a principios de los veinte, cuando no estaba seguro con respecto a aquellas ilusiones profesionales, no se atrevía a comunicárselo a su esposa. Si lo hubiera hecho, habría puesto en peligro la seguridad que ambos necesitaban creer que él aportaría.

Ahora, alentado por su confianza recién descubierta, cuando ya no siente la constante necesidad de que llenen su soledad y empieza a aburrirse de una madre sustituta, modifica las instrucciones pasadas a su esposa: ahora tú también debes ser algo más. Una compañera, en lugar de una niña y una madre. Debes atender a una realización, al igual que yo.

«¿Por qué no sigues algunos cursos?», es la frase que surge normalmente, ya que él no quiere que ella deje de atenderlo (a él y

240

a los hijos, si los tienen o piensan tenerlos). Pero lo que *él* considera estimulante para su esposa, para *ella* supone una amenaza, el deseo de quitársela de encima para a su vez liberarse de ella.

Ella está en guerra con sus propios demonios internos de los 30, se siente limitada e impaciente, aunque probablemente no esté preparada para ser algo más. Como parte de su contrato original, a ella se le dijo que *no tenía que* salir al mundo en un sentido amplio. Mientras no haga ningún esfuerzo tenaz por individualizarse, puede participar de aquellas ilusiones que tomó de su madre y que la hacían sentir segura. Aquel que le señale el otro camino la estará empujando hacia el peligro. De modo que *él*, el marido que repentinamente cambia la consigna de «tienes que», es, sin duda, el villano.

Entonces ella pasa a la experiencia de la traición. La están echando de su propia casa. Vuelve a tener 18 años y está llena de todas las angustias que siente una persona de 18 años al dejar el hogar. Algunas clases de arte culinario y creativo no conducen a ningún lado, excepto al fin del curso y nuevamente a la casa. Esto no es ser algo más. Es ser desviada a algo más. Sigue sin tener ningún impacto sobre personas y acontecimientos en el dominio más amplio, ningún acceso a las jerarquías del éxito, ningún *foco*. Su confianza se ha deteriorado. ¿Qué tiene ella para ofrecer al mundo? E incluso si existe la posibilidad de que el mundo la tome en serio, ¿merece la pena abandonar la seguridad del hogar?

Éste es un punto importante: la capacidad de riesgo se basa en una historia de realizaciones.

El espacio de su atención se acorta a medida que se intensifica la agitación interior. Las amigas pueden ser un consuelo (en tanto tampoco estén logrando demasiadas cosas fuera del hogar). Quizás un amante sea la cura de su dolencia (al mismo tiempo le servirá para castigar al marido). Pensar en la posibilidad de los negocios es lo mismo que frotar sal en las heridas. Cuando los hombres hablan en su estilo sabihondo de la forma de dirigir mejor las cosas —el país, la empresa, el sindicato, la Universidad— ella siente que no tiene nada que agregar por su propia experiencia. El desvío de sus problemas reales —el que tiene al alcance de la mano y el más fácil—, consiste en volcar toda su vitalidad hostil en dirigir en casa un buque de pequeño calado, porque teme intentar dirigir algo en otro sitio.

En lo profundo de sí mismo, su marido sabe que no podría tolerar su estilo de vida no productivo. «Me preocupaba que Didi, que tenía un cerebro excelente y trabajaba en el Museo Guggenheim cuando nos casamos, no *hiciera* nada», recuerda un marido. Otro hombre de negocios, cuya esposa había acogido con beneplácito el matrimonio como excusa para dejar de atender llamadas telefónicas acordadas, recuerda un cambio en su propia actitud seis o siete años después: «En aquel período yo quería que mi esposa adquiriera un sentido de su propia contribución a nuestra unión». Pero por lo general el hombre desea que esa contribución se produzca sin tener que dar nada a cambio. Al hombre de 30 años le resulta difícil imaginarse contribuyendo seriamente a que su esposa se prepare seriamente como abogado, diseñadora, profesora, actriz, ejecutiva. Peor aún, ¿qué ocurriría si ella se preocupara tanto como él por su trabajo y llegara a ser igualmente competente?

La contradicción entre lo que él desea y lo que teme le hace sentirse culpable. Ahora gira en el remolino la envidia de ella, lo bastante opresiva como para que prácticamente la mencionaran todos los hombres casados con dispensadoras de cuidados. «A los 30 empecé a ver un futuro para mí en el mundo académico, en un puesto de responsabilidad», es la forma en que lo describe un administrador en ciernes. «Creo que mi esposa debió sentir cierta envidia porque yo tenía una visión de mí mismo. Dejó de apoyarme. Siguió participando, pero sin demostrar mucho entusiasmo por las responsabilidades de ser mi esposa, por ejemplo la de recibir en casa. Ella todavía no tenía nada propio. Estaba poniéndose frenética».

Él quiere alejar los problemas que le distraen de sus propios dilemas de los treinta años. Después de haber cumplido con todas sus tareas de aprendiz, se siente impaciente por ampliar su campo de responsabilidades.

En primer lugar, debe empezar a transformar su sueño en metas definitivas, o descartarlo y cambiarlo por otro distinto, o ampliarlo, o diversificarlo. No importa cuál sea la dirección que ha elegido, requiere la toma de importantes decisiones. Y a menudo exige un cambio transcendental: sencillamente, no queda tiempo suficiente para jugar al sistema social con la esposa que se ha quedado atrás. Mejor dicho, no tiene suficiente interés en encontrar el tiempo. Recurre al pretexto de la necesidad: «Estoy demasiado ocupado tratando de construir un futuro como para intentar resolver también tus problemas».

Más adelante (generalmente después del divorcio) los maridos insistirán: «Yo la estimulé», y se quejarán de que ella nunca fue consecuente.

—A los treinta yo hacía grandes esfuerzos por salir adelante —recuerda un hombre que ocupó la vicepresidencia de una empresa estadounidense de primera línea a la tierna edad de treinta y cinco años—. Mientras los chicos estuvieron atendidos yo era feliz; no quería verles en mi camino. De pronto uno gana un premio y tiene una sensación tan hermosa, piensa: ¡Jesús, la gente me conoce!

—Yo pensaba que mi esposa debía hacer algo. Estar más estructurada. Ella había estudiado pero estaba resultando no ser otra cosa que una aburrida ama de casa. Una muchacha brillante que nunca se puso a la altura de su capacidad, en tanto yo siempre me esforzaba más allá de la mía. Es una gran tapicera, una gran dibujante, una gran cocinera, ¡pero nunca termina nada! Inicia un proyecto, lo abandona durante seis meses y empieza otra cosa distinta. «Ahora me dedicaré a preparar pan.» Durante meses enteros comemos todo tipo de pan hasta que se le pasa la manía. ¡Me vuelve loco! Consideramos la idea de que buscara trabajo o estudiara. Creo que interpretó que lo que yo deseaba era que ganara dinero. Mi idea era que llegara a ser más interesante, más productiva.

—Por otro lado, yo debo haber sido uno de los peores padres

que se conocen. Incluso cuando estaba en casa, me dedicaba a trabajar horas extraordinarias. Recuerdo que una vez describí mi vida como una historieta cómica. «Estoy haciendo esta historieta cómica y debo prepararla con anterioridad a la publicación. Cuando estoy en casa, me encierro en mi habitación, que está amueblada como un estudio y trabajo en lo que voy a hacer la semana siguiente o el mes siguiente para que continúe la historieta.»

—Mi esposa y mis hijos no eran tan interesantes. Le dije que para mí lo más importante era mi trabajo. No lo tomó a mal. Es una mujer amable y plácida y nunca me presionó para que ganara más dinero.

—¿Un sueño de ella? Si lo tiene, yo lo ignoro. Sospecho que el sueño de ella era pensar que sería hermoso tener un marido estupendo.

El hombre al que en el mundo mercantil consideran «un tipo de oro» puso de manifiesto la misma ciega exasperación. De origen pobre, se casó con una modelo y fueron a vivir a una zona residencial. Cuando se hallaba en torno a los 30, él había llegado a ser presidente de una importante empresa procesadora de alimentos.

—La senda de mi esposa estuvo sembrada de cursos iniciados y abandonados. Y de grupos de hospitales, grupos parroquiales... ¡para colmo todo sugerido por mí! Claro que la critiqué: «No empieces algo que no vas a continuar. Pero lo importante, la razón por la que deberías hacerlo es la expansión de tus intereses. ¡Estás desperdiciando tu vida!».

Cuando el mismo hombre, varias presidencias y veinte años más tarde retrotrae la mirada a lo que realmente quería de su esposa a los treinta, los motivos aparecen más claros. Y mucho menos altruistas:

—Supongo que le dije que siguiera cursos para comprar mi paz. Ahora es fácil decir qué me habría gustado.

¿Le habría gustado que su esposa evolucionara entonces como un auténtico ser igual, que hubiera encontrado en el mundo un objetivo totalmente independiente de su compromiso con él?

—Me gustaría responder que sí a esa pregunta. Pero honradamente, creo que entonces no habría sabido comportarme de acuerdo con las necesidades.

¿Quería realmente él una mujer que fuese un apoyo total sin que interfiriera en su camino ni se volviera aburrida?

—Sí, exactamente.

Si la mujer no actúa por impulso propio para expandirse durante este paso, las ataduras se duplican. Al percibir que si da rienda suelta a cualquier sólida ambición —dedicándole el tiempo, el amor y la disciplina necesarios para que fructifique despertará una reacción celosa del marido, la mujer se retira a la seguridad de su situación de persona no evolucionada. Y trata de retenerle a su lado: «¿Por qué no estás más tiempo en casa?». Él piensa que es una tonta. Lo que antes consideraba seguridad, ahora lo presiente como peligro. Ahora todo el esfuerzo de ella se centra en atarse al acuerdo primitivo y en detestarle.

¿Quién tiene razón? Ambos. El clásico paso de Alcanzar los treinta.

La mujer testimonio

Aquí ingresa una tercera figura que puede ofrecerle al hombre un conveniente estímulo: la Mujer Testimonio. En virtud de que la transición de los veinte a los treinta presencia a menudo las primeras infidelidades, aquélla no es difícil de encontrar. Está detrás del escritorio de su secretaria, en el equipo de redactores, en el laboratorio de al lado. La raíz de la palabra *testimonio* es *testis* (plural *testes*). En algún lado he leído que cuando el hombre aborigen conocía a otro, ahuecaba las manos para contener las partes sexuales a modo de saludo. Este era un «testimonio de virilidad» y es el origen del actual apretón de manos. Sea o no verdad, la Mujer Testimonio presta el mismo servicio: fortalece su masculinidad.

La esposa, en cambio, da testimonio del embrión que él era. Aunque no se enfrente a él, busca en su mente que es un banco de memorias y recuerda sus defectos, sus fracasos, sus temores. La nueva mujer da testimonio de lo que él ha llegado a ser y le ve como si siempre hubiera sido la misma persona. Por lo general se trata de una mujer más joven que ocupa un cargo subordinado pero tiene ante ella un futuro prometedor. Él puede llegar a asumir el rol de maestro. De este modo ella se le parece cada día más, lo que le confirma en la convicción de que es admirable y digno de ser emulado.

La esposa tradicional, que está en la casa atendiendo a los hijos y depende de su marido, no puede permitirse el lujo —literalmente— de darse por enterada de lo que sabe a medias. Son los prolegómenos de una situación atroz.

He aquí una clásica descripción de la Mujer Testimonio, debida a un ejecutivo de publicidad que tenía treinta y seis años de edad:

—A los veintinueve años, el gran cambio de mi vida consistió en que dejé de serle fiel a mi esposa. Me ocurrió todo al mismo tiempo. Descubrí que era capaz de redactar y que lo hacía muy bien. En el plazo de un año mi salario aumentó de diez mil a veinticuatro mil dólares. Con la capacidad viene el poder y cuanto más poder se tiene, más atractivo se es para las mujeres. Me lancé indiscriminadamente a una serie de aventuras. Era fantástico. En casa tenía una esposa que sólo se preocupaba por los niños. Después me ocurrió algo verdaderamente significativo. Conocí a una muchacha, que me hizo comprender que no seguiría casado, aunque ella cortó nuestra relación de forma brutal. Dos años después de haberla conocido, la muchacha volvió, respondiendo a un anuncio; la contraté como secretaria. Empleé todos los trucos que existen en el ejercicio del poder. «Ve a cobrar el cheque de mi sueldo.» Le enseñé a escribir. La inicié.

—Lo que me destrozaba era ver lo que le estaba haciendo a mi esposa. La hacía desdichada sin explicarle nada. La culpaba por no haber hecho nada de su vida. Ya sabe usted lo que se dice en estos casos: «¿Cuántas veces te pedí que siguieras estudiando?».

¿Qué decía la esposa ante sus exhortaciones?

—Ella respondía: «Mi vida está dedicada a los niños».

Le pregunté si habría sido capaz de aceptar que su esposa *cambiara* repentinamente su estilo de vida.

—No puedo responderle —manifestó con seriedad—, en razón de las cosas que ahora sé acerca de mí mismo. Además, desde que nos divorciamos, *ha cambiado*.

Después de oír repetidas veces este mismo comentario en boca de los hombres, empecé a preguntarme si el divorcio no sería un *rito de paso*. ¿Es indispensable este ritual para que alguien, sobre todo ella misma, asuma seriamente la necesidad de expansión de una mujer? La Mujer Cambiada después del divorcio se convirtió en una figura que aparecía constantemente en las biografías, una figura dinámica que por lo general resultaba considerablemente atractiva para su sorprendido ex marido.

¿Qué es esto? Ha adelgazado, se ha cortado el pelo, ha abierto una tienda y según he oído decir frecuenta a todo tipo de hombres. ¡No logro comprenderlo! ¡Ni siquiera tiene la intención de volver a casarse! Dice que no quiere atarse.

Cualquiera creería —y esto es lo que se supone habitualmente— que él había superado a su esposa y tuvieron que divorciarse porque ella era una carga demasiado pesada. Pero la Mujer Cambiada es cualquier cosa menos aburrida. Posee misterio. De hecho, él se sorprende al comprobar, varios años después del divorcio, la dimensión que ella ha alcanzado en su expansión. La causa aparente de la ruptura rara vez persiste una vez que él ha aprendido más acerca de sí mismo: fuera cual fuese la causa, tenía muy poco que ver con lo que era su esposa.

En el caso del ejecutivo de publicidad, se trata de una definida batalla con la madre poderosa de la que se permitió ser económicamente dependiente hasta los veintisiete años. No sería sorprendente que el publicista tuviera problemas similares con la mujer por la que

247

dejó a su esposa. Después de vivir con su Mujer Testimonio durante cuatros años, dice:

—Tampoco puedo prometerle a ella que seré fiel.

Su sueño actual, mientras trabaja febrilmente para instalar su propia agencia, consiste en haber amasado una fortuna de un millón de dólares a los 45 años. Resulta significativo que él considere los 45 años como límite para ver cumplido el sueño. Tal vez hasta ese momento no sea capaz de una reciprocidad profunda con una mujer. Muy probablemente hasta entonces no habrá elaborado su propia autonomía. Pero no por las razones que prevé e indican que mediados los cuarenta será tan rico que ya no dependerá de su madre. La causa será, cuando haga frente a esa dependencia emocional, que empezará a comprenderse a sí mismo.

Sólo si uno toma conciencia de sus propias complejidades, puede ver a su compañero o compañera como algo más que un objeto personal de gratificación. Sólo entonces puede comenzar a entender que cualquier compañero es también una persona distinta y complicada, que tiene una historia, un ciclo vital que cumplir.

No obstante, el divorcio no es una panacea para el previsible desequilibrio de este paso, como concluiremos del examen de diversas biografías.

El trabajo de las esposas

Cuando el paso de los treinta agita en una mujer casada el impulso interior de expandirse, se inicia una lucha de grandes proporciones. Muchas son las fuerzas que se oponen a su expansión. Por un lado, las necesidades reales y el desenfrenado afán de posesión de los niños pequeños. Por otro, los celos apenas ocultos de otras mujeres que son demasiado dependientes para atreverse a actuar del mismo modo. A menudo es la propia madre quien muestra la desaprobación más cruel.

—Mi madre está prácticamente avergonzada de mí —se lamentó una mujer de treinta años que se sentía preparada para ejercer su profesión—. Piensa que soy una mala madre porque quiero practicar la medicina y tener un ama de llaves que me ayude con los niños.

Además está todo el bagaje de trucos, en parte reales y en parte imaginarios o proyectados, de la oposición del marido. Algunos de los mensajes dobles que emiten los maridos no son diferentes de los contradictorios deseos que comunican los padres a sus hijos adolescentes: *Asume la responsabilidad de ti mismo pero... no permitas que nada te aleje de mí.* Los maridos, como los padres, gozan de una irreemplazable confirmación de su ego al ser idealizados por los seres que dependen de ellos. En efecto, si una mujer le dice a un hombre: «Dejaré de pensar que tú siempre tienes las respuestas correctas; voy a poner a prueba mi propia capacidad y te desafiaré», está quitándole al hombre la posibilidad de sentirse importante.

Pero así es exactamente como deben comenzar casi todas las mujeres. Cuando el marido se ha convertido en heredero de la soberanía parental, la esposa —como el adolescente que lucha por encontrar su sentido del yo— tendrá que buscar su propia visión del mundo, sus amistades, su idea de un camino significativo a seguir, en competencia con los presupuestos del hombre al que ha otorgado la característica de Persona Fuerte. Se trata de un insustituible preámbulo de su independencia y hay que considerarlo como necesario. Muchas mujeres, al negar la necesidad de este paso evolutivo, terminan por arruinar el matrimonio que con tanta fuerza están tratando de preservar.

¿Y si actúa dejándose guiar por su agitación interior? ¿Si declara su necesidad de un destino individual y se esfuerza por encontrarlo? Puede quedar atónita al descubrir que su compañero se siente aliviado. A menudo, el hombre se siente encantado de no tener a una esposa esperándolo en su casa a que él le lleve un mundo de placeres accesibles y dinero. Pero es posible que durante la transición, él vea mala intención donde no la hay. En los primeros y torpes intentos de la mujer por descubrir y declarar su individualidad con suficiente fuerza como para creerlo ella misma, él puede creer que es despreciado. La mayor parte de los hombres opera sobre la fantasía —o al menos el deseo— de que sus esposas quieren lo que quieren ellos: *Ella quería ocuparse de mí y de los niños porque eso era lo que yo deseaba de ella.*

Existe una sola forma de describir en qué medida el marido es realmente el impedimento y hasta qué punto lo es su propia desconfianza de lo que la espera al otro lado de la situación actual: correr el riesgo. Hacer algo serio pensando en cómo expandirse y no en cómo adelgazar o divertirse con un amante. Como dice el psicoanalista Allen Wheelis, no hay duda de que el mundo se inclinará ante una psiquis comprometida. Pero el compromiso tiene que llevar el sello de la realidad.

Si una mujer no desea, en realidad, expandirse, es otra cuestión. Su salida es fácil. Puede retroceder al primer gruñido de disgusto de su marido, o al primer tropiezo en sus esfuerzos por concluir un poema, o completar su carrera, o llevar a cabo un boicot. Puede ponerse el manto de víctima. Una montaña de libros, películas y artículos de revistas la apoyarán. Y en tanto logre culpar convincentemente a los hombres del tedio que empaña su vida, no tiene por qué cambiar.

La enfermedad de la díada cerrada

Otros problemas acosan a la pareja que rueda por el valle de la díada cerrada: el conjunto marido-esposa, mamá-papá vuelto hacia adentro de la familia americana idealizada. La pareja cerrada está bien para el éxito rápido y el ascenso social, pero tiende a obstaculizar la edificación de la comunidad. Lo que obtienen estas parejas a cambio de su movilidad ascendente es una pérdida de apoyos laterales (amigos auténticos, vecinos, una familia amplia). Y sin el apoyo del resto de la comunidad, la pareja cerrada puede convertirse en una *folie à deux.*

El antropólogo Ray L. Birdwhistell —pionero en el estudio de la comunicación no verbal entre hombres y mujeres— ha pasado muchos miles de horas estudiando la conducta dentro de la díada cerrada. Él considera que su aspecto cerrado es precisamente lo que la convierte en una forma social enferma. La intensidad que caracteriza el primer período de una relación, lo que cierra la díada, queda naturalmente reducida cuando dos personas consideran la posibilidad de la apertura. Pero los conjuntos cerrados consideran ilegítimo tener fuertes sentimientos emocionales hacia *cualquiera* que no pertenezca a la familia. [8] ¿No lo hemos oído decir de cien maneras distintas?

ÉL: Siempre estás hablando por teléfono con tus amigas.

ELLA: ¿Otro viaje de negocios? Nunca estás con tu familia.

ÉL: No soporto otro Día de Acción de Gracias con tu madre.

ELLA: ¿Por qué tienes que ir a cenar con gente a la que ves todo el día en la oficina?.

Los individuos sólo tratan de encontrar apoyos laterales en la amistad y apoyos verticales en la familia. Pero si tales apoyos se consideran baladíes o desleales, la pareja sólo cuenta consigo misma y con «colegas» o «contactos», lo que no es otra cosa que relaciones asépticas. Circunstancia fatal pero conocida.

La defensa habitual consiste en justificar todos los apoyos exteriores en términos de lo que harán por la familia. Deben significar dinero, o prestigio, o posibles oportunidades de promoción.

MARIDO: Necesito los contactos que hago en la cancha de golf. Tú no lo comprendes pero es parte de mi trabajo.

ESPOSA: Volveré a trabajar únicamente porque quiero que Jennifer vaya a una escuela privada. Estoy segura de que así seré mejor madre.

A menudo la mujer renuncia a sus amistades cuando forma una familia. Aunque la hermandad cultivada por los movimientos feministas no sólo ha vuelto posible sino preciosa la amistad entre mujeres, las antiguas convenciones indicaban que había que considerar a las amigas como suplentes durante el tiempo en que no hubiera un hombre en su vida. Aún hoy es frecuente la renuncia a la relación cálida, no sexual y de camaradería con un amigo del sexo masculino porque bien, claro, el marido no lo comprendería.

Negaciones, justificaciones: la triste verdad es que la gente teme reconocer la satisfacción que le producen esas relaciones con el mundo exterior.

ARRAIGO Y EXPANSIÓN

Sólo a principios de los treinta empezamos a asentarnos en el pleno sentido de la palabra. La vida se vuelve menos provisional, más racional y ordenada. Ya se esperan logros de nuestra parte. Como dijo una actriz: «Después de los treinta ya no se puede esperar obtener ventajas del simple hecho de ser más joven que otra gente».

Así, la mayoría de nosotros empieza a echar raíces y sacar nuevos brotes. Se hacen importantes inversiones en una casa, inversiones tanto económicas como emocionales, y se considera con toda seriedad la necesidad de ascender en la escala profesional. Una importante parte del proceso de asentamiento implica convertir el sueño en metas concretas, suponiendo que no haya sido afortunado y las tribulaciones de los veinte hayan agregado sustancia al sueño.

Un artesano que había pasado seis años «luchando realmente» para poner a flote su empresa propia describe «cómo eso empezó a cambiar a principios de los treinta. Entonces, la empresa era bastante sólida, no porque reportara grandes cantidades de dinero sino ingresos decentes, y había sido aceptada. Mi esposa y yo encontramos el apartamento en el que estamos desde hace quince años. En aquel período todo parecía coherente y racional. Todas las piezas parecían tener algún sentido. Las amistades eran buenas. Íbamos a muchas reuniones y teníamos una sensación de comunidad. También muchas aspiraciones, pero con metas alcanzables. Probablemente aquel período fue el más cercano al sueño de toda mi vida».

El artesano tuvo la suerte de poder profundizar sus conocimientos en el paso a los treinta. Era su propio jefe; su pequeña empresa no había fracasado, ni estaba insatisfecho con la dirección que había tomado en los veinte. Había esperado tener 29 años para elegir esposa. Durante el período de Arraigo y Expansión, el matrimonio se convirtió para él en una nueva ampliación, y los amigos ocuparon el lugar de los hijos que no deseaban tener.

Para muchos hombres, el principio de los treinta es el período del traje azul. Se trazan un programa para alcanzar sus metas. Se convierte en algo vital llegar a ser reconocido como miembro joven de la comunidad profesional. Los hombres que continúan estrechamente centrados en sus metas externas pueden ser, más que en ningún otro momento de su vida, pesados y aburridos.

En la vida empresarial, los americanos sufren un conflicto particularmente mezquino durante el período Arraigo y Expansión. Asentarse es directamente contrario al desarraigo que se exige de los nómadas empresariales. El hombre pasa tantas horas en aviones que ya no sabe cómo se come sin acomodar una bandeja abatible. No hace amigos sino contactos. La esposa, que se mueve en su circuito de recién llegada, no cuenta con un despacho en el que haría nuevas relaciones a través del trabajo. Las vecinas cuya relación intenta cultivar resueltamente, desaparecen en el mundo de los traslados. Y antes de que haya tenido ocasión de colgar las cortinas de la casa nueva, se encuentra en otra ciudad, en otras escuelas para sus hijos, en otro Club de Recién Llegados. El único lugar del mundo donde su nombre aparece frecuentemente es en las listas de transferencias de propiedades.

Pero la gente encontrará formas de arraigo que son instintivas. Es saludable arraigarse. Los que sienten la necesidad de hacer trizas la estructura creada en la década de los veinte son especialmente entusiastas en la construcción de una base sólida. Una divorciada de 34 años que está reacondicionando su apartamento, dice: «Deseo sentir que soy una persona muy estable».

Otra mujer que se divorció durante el paso de los treinta y estaba empezando a disfrutar del asentamiento en su primer apartamento decente, con una habitación para su hijo que daba a la calle, descubrió cuán profunda es la necesidad de arraigo durante este período. Tenía treinta y dos años, pero el hombre de su vida acababa de superar los cuarenta. «Por favor, tienes que venirte conmigo», insistió él repentinamente. «Hay tiempo para eso» respondió ella desde la serenidad de su período estabilizado. «¡Pero mañana podríamos estar muertos!» exclamó él, aterrorizado por el pánico de su crisis de mitad de la vida. Percibiendo su tremenda urgencia, aunque con vagos recelos, se fue con él. Una semana más tarde se sentía como una carta que habían deslizado por debajo de la puerta del apartamento de él, sin remitente.

También es insensato ignorar el paso de los treinta e intentar pasar directamente de los Penosos Veinte al período de Arraigo y Expansión. Quienes lo hacen, a menudo encerrados en sus matrimonios «seguros», demasiado temerosos para ampliarse, pueden sentir una falta de heroísmo en sus vidas cotidianas y quejarse de que ya no les aguarda ninguna sorpresa. Pero en lugar de asumir el impulso interior de expandirse, entierran el mensaje llevando a cabo cambios exteriores: ha llegado la hora de reacomodar el mobiliario de sus vidas. De modo que se trasladan de un apartamento a la zona residencial, o construyen una casa, o renuevan las paredes, creyendo que esto, por sí solo les proporcionará un objetivo definido en la vida. Mientras los maridos se concentran en «lograrlo», las esposas son inducidas a lo que Galbraith denomina «un despliegue competitivo de capacidad administrativa».[9]

Del mismo modo que es posible encontrar muchas rutas en el bullicio de Alcanzar los Treinta, hay varias formas de salir: unas pocas formas ruidosas pero eficaces de afrontar de cara el problema, y las técnicas de congelación más comunes, que lo ocultan mientras continúa la fermentación.

14

El vínculo bipersonal, la soltería, el rebote

El vínculo bipersonal

Ahora tienen treinta años. Él, un gallardo abogado de Wall Street que se consume en deseos de trabajar para el bien público. Ella, un caso desviado, amante de la política y veterana de algunas campañas, pero madre, coleccionista de anuncios de empleos de dedicación parcial. Se habían casado a los veinticinco. Durante varios años parecieron ser gente típicamente entusiasta que disfruta de las nuevas experiencias de un matrimonio típico dentro de la clase profesional.* Los conocí como amigos, pero ignoraba todo acerca de

---

* Esforzándome por encontrar una simetría en la estructura vital exterior de los sujetos que ilustran la situación de la pareja escogí, entre todas las biografías, a tres parejas pertenecientes a la misma «familia» profesional. Al no variar la profesión, podremos observar con mayor claridad la línea de evolución interior. Los hombres son todos abogados: un estudiante con aspiraciones (Jeb) en los Penosos Veinte; un socio adjunto en el paso a los treinta, y un hombre que abandona la práctica privada para aspirar a un cargo público en el paso a la edad mediana.

la cualidad de los lazos que los unían como pareja. Salvo la sensación de que entonces tenían sus problemas, como el resto de los seres humanos.

Debían soportar algunos momentos, pero nada importante. Rick sentado a la mesa en la casa de verano de sus padres, debidamente callado mientras su famoso padre explicaba cómo se ganaba un juicio. En ocasiones, éste decía: «Rick levantó esa citación para mí». El resto del tiempo, Rick hacía dobleces en su servilleta. Ginny se hallaba en el extremo de la mesa, donde las cabezas apenas llegaban a la altura de los platos, el lugar de los niños, el parque de chatarra de las conversaciones. Por momentos parecía una viejecita.

Pero más tarde serían una joven pareja que retoza en la playa, personas diferentes. Ginny con su pelo de duende al viento y sus esbeltas piernas cortando la arena como tijeras, jugando, expresando su infancia. Rick montaba a su pequeño hijo en los hombros y se enorgullecía de la alegría de llevar el mundo en su cabeza.

De tanto en tanto algún comentario sugería el vasto espacio interior de su matrimonio, los puntos desconectados de sus sueños, las sombras de sus distintos demonios.

«La idea de llegar a los cincuenta y cinco años y estar atado a un trabajo monótono me vuelve loco», decía Rick, «no tanto por el dinero sino por la *claustrofobia*». Si la esposa de otro expresaba el deseo de ingresar en la Facultad de Derecho, Rick opinaba: «Es una gran idea, aquellos fueron los mejores años de mi vida». Atendía el deseo de la mujer que así se expresaba y la alentaba con consejos, contactos, con todo el peso de su aprobación.

«Todas las esposas pueden ir a la Facultad de Derecho menos la tuya.» Ginny dejaba caer esta observación y aparentemente le complacía sacar a la luz una contradicción.

Atrapado, Rick intentaba una broma: «La forma que tiene Ginny de expresarse es organizar una pelea».

Primero hablé con Rick Brainard. La idea de ser abogado le había acompañado desde los trece años. Sus padres le regalaron una acción de un importante equipo de béisbol de la liga y al recibir su primer derecho de accionista, se acercó al campo de juego y le explicó al entrenador cómo debía dirigir su equipo. Los periódicos entrevistaron al pequeño reformista independiente. Rick causó gracia por su hazaña de robar por un día el tipo de publicidad que por lo general se centraba en su padre, un abogado que nunca había sucumbido a la tentación de ocupar un cargo público y en consecuencia mantenía su condición de destacado reformista independiente en su ciudad. Como único hijo varón entre varias hermanas, Rick tenía un modelo poderoso con el que competir.

Después de graduarse en el primer ciclo de la Universidad con calificaciones mediocres y una especialización en ciencias políticas que consideraba inútil, Rick dedicó un tiempo a viajar por el extranjero, experiencia de aprendizaje que le resultó interesante. No obstante, incluso antes de entrar en la Facultad de Derecho para hacer el doctorado, su dirección quedó más decidida aún por un profesor que no vacilaba en adoptar una postura impopular pero exigía la perfección de la expresión escrita. El profesor era un maestro en el empleo del lenguaje creativo para sustentar su punto de vista. Rick agregó esta característica a sus aspiraciones.

—Siempre he tenido tres objetivos: me gusta el poder. Me gustaría tener dinero. No creo que ninguno de ellos excluya al tercero, que consiste en que quiero estar en situación de trabajar por el bien público.

Le pregunté si se veía a sí mismo, conscientemente, como «candidato a presidente».

—Antes pensaba que quería hacer carrera como político. Pero nunca fue una meta; sólo un sueño que he abandonado. Mi objetivo actual consiste en ocupar un puesto desde el que pueda llamar al alcalde y decirle: «Le recomiendo que...». En el bufete tengo a un mentor que actúa así y me fascina.

Aparte de sus objetivos profesionales, en la vida de Rick hay, a los 30 años, redobles internos que no podía prever. Por un lado, está ansioso por aumentar su familia.

—Para mí se ha vuelto muy significativo el concepto de hogar. Amo a mi hijo de una manera que no había imaginado. Deseo tener más hijos. Nunca pude vivir solo.

Otro de los cambios es la tensión que está apareciendo entre él y su esposa.

—No creo que Ginny hubiera previsto la preocupación que tiene acerca de su rol. Ni el tiempo que yo empleo en mi trabajo. Le he dicho que me gustaría estar mejor atendido. Ella siente, e intelectualmente coincido con ella, que yo debería ayudarla más con nuestro hijo. Pero emocionalmente me gustaría estar al margen de todo.

Más perturbador aún resulta para Rick la transformación de la sensación de que tenía tiempo para hacerlo todo en la sensación de que le queda poco tiempo. Asumir un caso y ser considerado competente era suficiente en la década de los veinte. Ahora está impaciente por expandirse.

—Yo diría que el ochenta y cinco por ciento del tiempo disfruto plenamente de mi trabajo. Pero cuando me cae en suerte un caso retorcido, salgo del Tribunal preguntándome: «¿Qué estoy haciendo aquí?». Tengo la sensación *visceral* de que estoy perdiendo el tiempo. Sigo diciéndome que tiene que haber algo más. Y temo que no tendré la oportunidad de descubrir qué es a menos que lo logre.

Está pensando en abandonar el despacho de abogados. Si espera mucho más se encontrará demasiado cerca del fatídico momento de tomar la decisión de asociarse o no.

—Y eso sería lo mismo que casarme con la empresa.

Le pregunté si había hablado con Ginny acerca de esos cambios viscerales.

—No he hablado con ella de las operaciones internas de mi mente en este sentido porque Ginny no está pasando por esto y creo que no podría soportarlo. La idea tendrá que provenir de otras personas.

¿Qué es lo que más le gustaría de su esposa en este momento?

—Quisiera no ser molestado. Parece cruel, pero me gustaría no tener que ocuparme por lo que hará ella la semana que viene. Por tal razón le he dicho en diversas oportunidades que debería volver a estudiar y graduarse como asistenta social, o licenciarse en geografía, o cualquier otra cosa. Algo que le permita realizarse para que yo no tenga que preocuparme por sus problemas. Quiero que tome decisiones con respecto a sí misma.

La infancia de Ginny fue mucho menos complaciente. Durante sus primeros once años fue hija única y entonces sus padres empezaron a edificar una segunda familia.

—La primera vez que vi borracha a mi madre fue inmediatamente después de tener el primero de cuatro hijos más. Con cada nacimiento se volvía peor. Su inclinación se tornó más evidente y difícil... mamá siempre salía con el pretexto de las compras; papá la arrastraba, literalmente, desde el interior de los bares. Yo siempre que estaba en casa tenía que trabajar, ocuparme de los pañales, pasar la aspiradora, cocinar, ser la segunda madre de mis hermanos y hermanas. Se produjo un terrible enfrentamiento entre mi madre y yo porque yo era más paciente e inteligente para manejar a los pequeños. Ella chillaba.

Ginny se sentía autosuficiente pero siempre culpable; había reemplazado a su madre en un rol en el que ésta había fracasado. Sin embargo, siguió asumiendo las situaciones difíciles y parecía estar en camino de convertirse en una persona fuerte.

Lo destacable era que tenía una inteligencia rápida y un excelente curriculum académico, que su padre estimulaba ávidamente. Cuando la tarea diaria estaba cumplida, él se quedaba levantado hasta tarde con Ginny y la ayudaba a preparar los exámenes. Ella estaba especialmente dotada para las matemáticas y su padre era ingeniero. Se estableció entre ellos una especie de complicidad intelectual. Pero él no se sentía satisfecho si ella volvía a casa con un promedio inferior al cien por ciento en los exámenes de matemáticas. A los 17, Ginny anhelaba liberarse de sus tediosas responsabilidades familiares, pero no se le permitía llegar más lejos del patio trasero de su propia casa. Su padre insistió en que asistiera a la Universidad local, donde él trabajaba.

—Yo tenía mucho miedo de especializarme en matemáticas. Eso era para chicos. Todas las chicas de mi grupo social estudiaban historia. Pero en mi primer curso de matemáticas me fue tan bien que empecé a dar clases a algunos compañeros. No sé qué ocurrió después pero me hundí en el examen final —el profesor insinuó que había logrado engañarlo en el primer curso y que la aprobaría si le prometía no estudiar matemáticas al año siguiente.

—El fracaso en el examen de matemáticas fue un terrible golpe porque siempre me había ido muy bien. Saqué la conclusión de que no era tan inteligente como creía. Me dediqué a la historia y obtuve calificaciones decentes. A mi padre ya no le importaba. Le había fallado. Eso significó el fin de algo.

Una noche, cuando se estaba peinando para salir, su padre le dijo que le parecía que asistía a la Universidad para divertirse y encontrar marido.

—¿Cómo puedes decir eso? —protestó Ginny.

Pero su padre no cambió de idea. Lo que Ginny registró en su mente fue: «Supongo que no soy tan inteligente como él pensaba». Cuando llegó el momento de deliberar acerca de la forma de obtener una beca en una escuela para graduados, la caprichosa recomendación de su padre fue: «Hazte azafata».

Con escasas posibilidadss de encontrar trabajo y sin apoyo económico, lo único que Ginny pensó fue: «Ocurra lo que ocurra, iré a Nueva York». Recorrió las agencias de empleo y siempre recibió la misma respuesta: «Eres demasiado culta pero no sabes escribir a máquina». Ingresó en un programa de enseñanza como maestra con lo que escasamente logró cubrir sus deficiencias económicas. Pero esto la llevó a un trabajo que le resultó absorbente. Trabajó junto a una maestra negra en una escuela de Harlem, y formaron un equipo que se convirtió en un modelo de dedicación a la sociedad a través de la educación de la primera infancia.

Un año más tarde conoció a Rick:

—El dilema que se me planteó fue elegir entre Rick y el trabajo. Y lo que quería era estar con Rick.

Abandonó la enseñanza sintiéndose culpable y empezó a inquietarse después del primer excitante año de casada. Decidió presentar su solicitud a algunas Facultades de Derecho. Rick le dijo:

—Inténtalo, si logras pasar el primer año tal vez encuentres la forma de hacerlo dedicando sólo una parte del día.

—Su única condición —recuerda Ginny—, e ignoro si estoy o no de acuerdo con ella, fue que sólo podía presentarme a Columbia, a Fordham y a la New York University. Me dijo: «Si no puedes ingresar en una de esas tres, sin duda tu destino no es ser abogado». Yo pensaba que había otras aceptables pero me estaban vedadas. El hecho de que yo quisiera ser abogado era mínimamente importante para lo que él hacía, en cuanto al impacto sobre su vida y su éxito. Lo que le importaba era el tiempo que me quedaría para dedicarle a él. Estudié intensamente. Por primera vez todo adquiría coherencia: mi continuo interés por la política, mi mente analítica, mi inclinación por servir a la sociedad. La Facultad de Derecho me parecía que era lo más acertado. Sentí que tenía un objetivo, una meta.

Ginny recuerda vívidamente el siguiente episodio de su vida, incluso los diálogos intercambiados. Un mes antes de recibir los resultados de sus exámenes, visitó al médico plena de síntomas misteriosos. Le telefoneó a Rick a la empresa:

—Estoy embarazada.

—¡Gin, eso es sensacional!

—Pero puede que no sea el momento oportuno. Creo que tendríamos que hablar sobre ello.

—¿Hablar... qué? —a Rick le tembló la voz.

Aquella noche volvió a su casa bien preparado para la defensa.

—Serás una madre estupenda, Gin. No te dejes dominar por el pánico. Tus dudas sólo se basan en sentimientos de inadecuación. Créeme que yo no tengo ninguna duda...

Ginny le interrumpió airada, llorando:

—¡No estoy preparada para tener un niño! ¡Tú me has hecho esto! Me estás obligando a hacer una elección.

—¿De qué hablas?

—Me dejaste embarazada para eliminar toda posibilidad de que asista a la Universidad.

—Eso es injusto —Rick argumentó la causa con el talento legalista que permite destacar todos los aspectos excepto el que verdaderamente importa—. ¿No es verdad que todavía no te han aceptado? No es lo mismo que si yo hubiera descubierto que Columbia te había abierto las puertas y hubiera hecho algo para impedirlo. Los problemas por los que estás angustiada todavía no se han planteado.

—Podría abortar —aventuró ella.

El rostro de Rick perdió toda expresión. Con despersonalización casi clínica fijó la vista en su esposa, portadora de su simiente.

—Podríamos intentarlo más adelante —agregó Ginny.

Él la condujo al sofá de la sala y le habló con voz firme:

—Me parece una pésima idea. En este momento estás un poco perturbada y asustada.

Ella sollozó sobre su hombro, consciente de que la negativa de él a discutir significaba que había sido derrotada. No fue a la Facultad de Derecho.

Después de reconstruir sus historias por separado, acordamos que sería esclarecedor conversar los tres juntos acerca de los puntos centrales del conflicto de su matrimonio.* Había varios aspectos sobre los que cada uno de ellos me había presentado una interpretación dramáticamente distinta: los hijos, el trabajo, el tiempo.

* Algo especialmente revelador de la forma en que maniobramos hacia las ataduras evolutivas y después trabajamos para mantenerlas es el diálogo entre las parejas. Por tal razón, he reproducido en toda su extensión el diálogo entre Rick y Ginny (nombres ficticios). Como la mayoría de la gente, ambos tienen una memoria selectiva y oyen lo que quieren oír.

¿Quién desea realmente tener hijos en esta familia? ¿En qué medida? ¿A qué estáis dispuestos a renunciar?

RICK: Quiero como mínimo tres, si no cuatro. Lo deseo intensamente. No es sólo por satisfacción personal sino debido a la forma en que me crié. Por haber sido el único varón Brainard de mi generación, me siento presionado a tenerlos. Me gustaría tener dos niños y una o dos niñas. No sé a qué estoy dispuesto a renunciar. Cuando era chico no veía mucho a mi padre. En una oportunidad planteé este tema y tuve un enfrentamiento con él. Le dije que sólo le veía setenta y dos horas por año. Él empezó a llevarme fuera de la ciudad a pasar un fin de semana los dos solos, todos los años. Imagino algo semejante para mis hijos... e hijas. Pero no estoy dispuesto a renunciar al tipo de compromiso que tengo con mi profesión. Obviamente, en algún momento es necesario renunciar a algo.

GINNY: Yo tengo muchas más reservas en cuanto al compromiso de tener hijos. Soy sincera conmigo misma y con Rick cuando digo que quiero ver cómo reacciono ante el nacimiento de cada uno antes de tener otro. Si todo anda bien, estoy dispuesta a tener cuatro. Pero siento una profunda prevención con respecto a la forma en que puede deteriorarse la vida familiar si se tienen más hijos de los que se pueden cuidar de la forma adecuada.

RICK: Precisamente en este momento hemos encontrado un acuerdo satisfactorio con respecto a los horarios de nuestro hijo. Yo trato de verle media hora por la mañana y media hora por las noches.

GINNY: Yo considero absolutamente inaceptable que tu relación con tu padre o con tu hijo se estructure en horas prefijadas. Eso es lo mismo que decir: «Ésta es tu oportunidad y si no la aprovechas, peor para ti». Pienso que los padres deben estar presentes cuando se les necesita.

263

¿Quién planteó por primera vez el tema de los hijos?

GINNY: Tú, ¿verdad?

RICK: Lo único que recuerdo es que Ginny y su compañera de habitación en la Facultad dijeron que querían tener once hijos cada una y formar equipos de fútbol rivales.

GINNY: Eso era algo más que una broma. Supongo que en ello tenía mucho que ver el deseo de jactarnos de nuestra capacidad de reproductoras. Pero Rick dice que pensaba que yo mantendría mi palabra, de lo que he renegado.

¿Quién quiso que Ginny abandonara el trabajo que tenía antes de casarse?

RICK: Yo consideré que el trabajo de Virginia la absorbía más de lo que me absorbía a mí la práctica del Derecho. Estaba absolutamente comprometida. Me parecía que en cierta medida eso era incongruente con el matrimonio y la crianza de los hijos.

¿Tú te sentiste atraído por el tipo de trabajo que ella realizaba debido a que se dedicaba a los niños?

RICK: No, lo que me atrajo fue la mujer independiente que tenía planteado un compromiso. Estoy a favor de ella.

GINNY: Rick todavía no percibe la contradicción.

RICK: Bueno, yo entendí que Ginny lo abandonaba porque debía ocuparse de muchos detalles prematrimoniales. También era la primera vez que disfrutaba de un desahogo económico y debió encontrar placer en ello.

GINNY: Encontraba placer en estar contigo el mayor tiempo posible. De modo que elegí entre estar menos contigo o abandonar la enseñanza. También tú te preocupaste de decirme que no creías posible que lograra compaginar ambas ocupaciones.

RICK: Sinceramente, no lo recuerdo. Pero no me sorprendería que así fuera.

¿Qué sentiste, Ginny, al ser libre de divertirte por primera vez?

GINNY: Me gustó. Muchísimo.

En lo profundo, ¿algún fragmento de tu persona recibió alborozada la posibilidad de liberarse de la responsabilidad de ser una madre de tus alumnos, como lo habías sido con respecto a tus hermanos y hermanas?

GINNY: Es posible. Pero a nivel racional despreciaba profundamente a la mujer que no hacía nada. Después de la luna de miel Rick y yo coincidimos en que no había nada de admirable en una mujer que vegeta. Él esperaba tener una esposa interesante implicada en trabajos voluntarios o en algún tipo de trabajo de dedicación parcial. Uno de los conflictos principales consiste en que Rick no comprende que yo necesito que me paguen por mi trabajo. No obtengo mucha satisfacción del trabajo voluntario.

¿Cómo veía cada uno de vosotros el futuro de Rick cuando os casasteis? ¿Qué papel desempeñaría cada uno con respecto al mismo?

RICK: Sé que le dije a Ginny que me veía trabajando muchas horas y llegando a ser —eso esperaba— famoso. También pensaba en hacer cosas para hacer de Nueva York una ciudad mejor... no necesariamente como político sino actuando en la periferia de la política.

GINNY: ¡En la periferia no! Cuando nos casamos, nuestra vida social giraba alrededor de reuniones electorales. La gente siempre me hablaba de tu futuro político. Y tú mismo comentaste conmigo la posibilidad de ingresar en el Departamento de Justicia. Éste era el tipo de vida que representaba estar contigo.

RICK: Por lo que oigo, la vida de Ginny consistía fundamentalmente en asistir a reuniones y participar en discusiones políticas. Yo no creo que mi proyecto consistiera en ser el próximo senador Kennedy.

GINNY: Estabas acostumbrado a que la gente te viera como alguien que maduraría y produciría impacto, lo cual me fascinaba.

RICK: Es verdad que algunos de los amigos de mis padres me había transferido su deseo de que mi padre se presentara a algún cargo público, para estimularme.

GINNY: Sí, y empezaron a incluirme en el proyecto que habían elaborado para ti. De pronto todo se corvirtió en «¿cuál es tu futuro y el de Rick en la política? Me veía participando en la campaña, en las decisiones, en la resolución de problemas. Tendría algo que decir y sería escuchada.

RICK: ¡Esto me sorprende! No entiendo cómo se le ocurrió a Ginny semejante cosa. Yo veía su participación de una forma totalmente diferente. La imaginaba más en el papel de anfitriona. Mi meta era bastante semejante a la vida que hago... excepto que no me quedaba tiempo suficiente para realizar toda la contribución a la sociedad que yo desearía.

He aquí un buen ejemplo de la forma dispar en que dos personas ven lo que parece ser el mismo sueño. Ginny se veía dedicada a la política a través de su marido. Más que el hecho de sobresalir o actuar por su cuenta, el matrimonio parecía una forma más cómoda de satisfacer sus deseos de contribución a la sociedad y de ser escuchada en el mundo. En consecuencia, entre los temas que rodeaban a Rick seleccionó la imagen de su marido-como-candidato. Rick, por su parte, se sintió atraído por una mujer que demostraba independencia y encarnaba el tipo de sólido compromiso con las buenas obras que él mismo quería asumir. Pero parecería que lo que realmente deseaba en aquel momento era una esposa que se contentara con perpetuar su dinastía familiar y le proporcionara el sistema de apoyo que le permitiría alcanzar el éxito, ser reconocido y rico. De modo que entre los temas sobre los que había oído hablar a Ginny eligió la broma que confirmaba que no le molestaría tener once hijos.

¿Por qué no asiste Ginny a la Facultad de Derecho? ¿Quién «no se lo permite»? ¿O a qué teme?

RICK: Supongo que se dirá que le he dicho a Virginia que sólo debía presentarse a tres universidades de primera categoría.

GINNY: ¿No recuerdas haber dado la impresión de que ir a cualquier otra habría sido degradante?

RICK: No lo niego pero no lo recuerdo.

¿Y si Ginny volviera a contemplar ahora la idea de ir a la Facultad de Derecho?

RICK: A mí me encantaría pero para ser sincero debo decir que no creo que llegara a ser un buen abogado. Recuerdo que esto sí se lo dije. Yo no la recomendaría como miembro de la profesión.

¿En qué crees que sería realmente buena? ¿En oposición a lo que sería conveniente que hiciera?

RICK: He descubierto que hace muy bien dos cosas: sabe tratar muy bien a los niños y estoy seguro de que es una excelente maestra; también parece tener facilidad para la administración y la organización. La razón por la que no sería un buen abogado es que no está dotaba para escribir.

Tú hablaste, Rick, acerca del profesor cuyo modelo seguiste. El te inculcó la idea de que la excelencia de las leyes va de la mano con la excelencia en la expresión escrita. ¿No existen otros tipos de abogados útiles?

RICK: Los mejores abogados de mi empresa pueden convertir un párrafo de un gato en una liebre.

¿Te resultó amenazante que Ginny deseara llegar a ser lo que ya eres tú?

RICK: No puedo afirmar que no hubiese en ello una amenaza subconsciente. Creo que ella piensa que la había.

GINNY: En un momento dado él dijo que fracasar podía destrozarme, de modo que no debía intentarlo. También me aseguró que tres años de esfuerzo muy intenso no serían compatibles con mi función de esposa.

RICK: Permíteme interrumpirte. Estoy seguro de que le dije que mi experiencia en la Universidad había sido de plena dedicación, lo mismo que la enseñanza para ella.

GINNY: En este punto nuestras posiciones están casi institucionalizadas. Yo soy ahora esposa y madre, de modo que mis expectativas se centran en defender mi hogar. En defender la cantidad de tiempo que Rick le dedica a nuestro hijo y a mí. En consecuencia, tengo derecho a ser su conciencia en este terreno. Sí, y también a defender su salud.

RICK: No es así como yo veía nuestras diferencias de opinión. Mi actitud responde al hecho de que deseo tener éxito tanto económicamente como en términos de mi propia imagen. No veo nada de malo en la cantidad de horas que trabajo. Son muchas pero están dentro de las normas de nuestra empresa.

GINNY: No permitiré que evadas así la cuestión. El segundo año que trabajaste como abogado fuiste, *con mucho,* el que mayor número de horas trabajaste. Tanto es así que uno de los socios tuvo que decirte que te lo tomaras con calma. Tú jamás me habrías contado esto porque entonces yo te habría dicho que estaba en lo cierto, que tu horario de trabajo no era normal. Puedes tener éxito sin necesidad de matarte.

¿Quieres decir que puede tener éxito sin alejarse de ti?

GINNY: Sí.

RICK: Ginny y yo no pasamos tanto tiempo juntos como si yo fuera maestro; pero existen compensaciones. Nos podemos permitir realizar viajes; Ginny puede hacer que alguien venga a limpiar la casa. Nuestro hijo podrá asistir a una buena escuela. Sin contar con la satisfacción personal de saber que puedo dedicarme a resolver casos más interesantes. Opino que cuantas más horas se dedican, mejor resulta el trabajo.

Quizás lo que Ginny percibe es la última parte, que la principal razón por la que trabajas más tiempo no es para proporcionarle lujos sino para ascender hasta la posición en la que puedes resolver casos más interesantes.

RICK: Absolutamente cierto. Si no me dedico a resolver casos interesantes ahora, existe la posibilidad de que cuando sea más viejo me encuentre estancado y no posea la experiencia ni la oportunidad.

GINNY: Para mí, esto también puede interpretarse así: «Disfruto más trabajando que estando en casa».

¿Consideras que esta cuestión de que Ginny asista o no a la Facultad de Derecho, o realice una cierta expansión, es crucial con respecto al constante conflicto acerca del tiempo que espera que tú pases en el hogar?

RICK: No. Sencillamente, no creo que Ginny fuera un buen abogado.

Supongamos que llegara a ser un buen abogado de segunda fila o una paraprofesional y disfruta de ello.

RICK: Yo no la ayudaré a salir por la puerta sin protestar. Pero tampoco voy a obstaculizar su camino. No creo que dejarla embarazada haya sido mi forma de evitar que fuera a la Facultad de Derecho.

GINNY: Yo recuerdo con toda exactitud la forma en que lo concebimos. ¿Y tú?

RICK: Aquella noche, más temprano, te habías negado a hacer el amor.

GINNY: Así es. Y la forma en que finalmente ocurrió aumentó mi sensación de que se trataba de una coerción. Rick tenía un interés subconsciente en provocar la situación. Pero él no cree en las motivaciones psicológicas.

RICK: La motivación era muy sencilla. Yo estaba...

GINNY: ¡Interesado en hacer el amor en ese preciso momento! No a lo largo de todo el mes sino exactamente en ese momento específico. No interrumpimos para que yo me pusiera el diafragma, lo que era bastante extraño. Y quedé embarazada. De un solo disparo.

RICK: Así es.

GINNY: Muy potente, ¿verdad? ¿Recuerdas la discusión que tuvimos después, cuando me enteré que estaba embarazada? Te acusé de haberlo hecho para que no tuviéramos que afrontar el problema de que yo fuera a la Universidad.

RICK: No me sorprende.

GINNY: ¿No recuerdas que te sentaste en el diván? Me abrazaste y yo lloraba.

RICK: Me acuerdo vagamente. Todo lo que recuerdo es que después salimos a cenar para celebrarlo.

GINNY: ¡Increíble! Yo no recuerdo en absoluto la cena de celebración.

Se produce un incómodo silencio.

¿En qué medida lo que tú sientes, Ginny, es envidia de que Rick tenga en su trabajo una actividad comprometida y excitante?

GINNY: En gran medida es envidia. Especialmente si vuelve a casa orgulloso por haber ganado. Yo, como madre, puedo estar orgullosa de mi hijo pero en ese caso se me puede acusar de emocionarme a través de lo que hace un tercero. ¿Por qué voy a recibir los honores de la evolución de otro ser humano? Sin embargo, Rick siempre aconseja a *otras* esposas que se dediquen a la abogacía.

RICK: No lo hago con todo el mundo. Jamás estimularía a alguien a que lo hiciera si yo no pensara que puede hacerlo.

GINNY: ¿Estás insinuando que son más inteligentes que yo?

RICK: Tú eres quien adjudica los términos «inteligente» y «admirable» al hecho de ser abogado. Para mí, un abogado, una maestra, una ama de casa... son igualmente buenos.

El eco obvio que percibe Ginny en las palabras de Rick es el juicio del padre de ella: «No tan inteligente». Intenta resolver la cuestión que quedó pendiente con su padre replanteando la discusión con su marido: ¿Por qué defraudó la fe de su padre en su capacidad intelectual? ¿Fue por culpa de aquel desagradable profesor? ¿Quería ella fracasar con el fin de no ser una desterrada social? ¿O, realmente, no era «tan inteligente»? Si sólo se tratara de un problema externo, podría resolverlo fácilmente. No tiene por qué ser el tipo de abogado que es su marido, el cuidadoso escritor de alegatos jurídicos. Y podría desempeñar un papel más activo dentro de la profesión. Rick tiene razón cuando dice que no sólo ser abogado resulta inteligente y admirable. Ese es el estilo de él, que ella idealiza. Ginny también es ambivalente con respecto al papel de madre, por razones obvias. Ahora que su hijo existe, lo ama, pero le causa pánico que esperen que produzca una dinastía para Rick. Teniendo en cuenta el modelo de su propia madre, en ese camino existe una posible destrucción.

Rick está sobrecargado con las decisiones que debe tomar sobre sí mismo. Y tal como reconoce, le gustaría no tener nada que ver con los problemas de su esposa y su hijo. Recurre a diversas estratagemas para crear tal situación. Neutraliza los argumentos de Ginny con maniobras legalistas y se niega a ser incitado a una confrontación. Refuerza las aprensiones de Ginny en el sentido de que sólo sirve para producir hijos. Y juega con su temor de volver a fallar como ya le falló a su padre. Pero de tanto en tanto también señala que no es tan inflexible como le presenta Ginny.

Al invitar constantemente a su marido a erigirse en la autoridad, Ginny conspira con él en la desautorización de sí misma. Hacia el fin de nuestra reunión, llegaron a reconocerlo.

GINNY: Se puede interpretar este conflicto entre nosotros dos de la siguiente forma: sin la sanción de Rick a mí me sería imposible seguir una carrera; en consecuencia, él ha asumido la autoridad de tomar esa decisión.

RICK: Tú cooperaste. Tú decidiste que querías tener el niño.

¿Comprendes, Rick, que lo que tú haces es absorbente, te ofrece objetivos sólidos y un sentido de dominio, lo que vuelve celosa a Ginny puesto que ella no puede encontrar nada semejante en trabajos voluntarios o de dedicación parcial para elevar su autovaloración? ¿Y que en tanto ella tenga que quedarse atrás, hará todo lo que esté en sus manos para ocupar tu tiempo y tu atención?

RICK: Yo no pienso en esos términos. Cualquiera sea la motivación, el efecto es el mismo. ¿Quieres saber cuál es mi razonamiento? Ginny defiende esos roles, el de esposa, madre y protectora de la vida familiar, porque son roles *deseables*. Y no se lo reprocho. Se producen tensiones pero eso es natural.

GINNY: Yo también he llegado a considerarlo como una tensión permanente. Trataré de obtener lo máximo que puedo de él y él tratará de valorar la autenticidad de mis quejas.

Si Ginny ha de ser como su madre y tener más hijos de los que puede verdaderamente controlar, y despreciarse a sí misma porque «no hace nada» en el mundo, entonces cree que tiene derecho a quejarse, como lo hacía su madre. Rick parece estar de acuerdo en que a ese precio merece la pena ser libre de hacer exactamente lo que desea.

¿Cómo os veis a vosotros mismos a los treinta y cinco?

GINNY: No creo que se me ofrezca la posibilidad de trabajar en el futuro inmediato. Me veo resignada a algo dado y no empezar todo de nuevo. Siento que no tengo la oportunidad de cambiar. Rick, por su parte, está ampliando sus objetivos.

RICK: Existen buenas posibilidades de que acabe convirtiéndome en socio de la empresa. Y de que no aporte tanto a la sociedad como me gustaría.

¿Entonces ambos os veis, dentro de cinco años, inmersos todavía en los conflictos que tenéis planteados actualmente?

RICK: Yo no creo que nunca los resolvamos plenamente.

GINNY: Yo creo que los míos podrán tener una solución... cuando los niños empiecen a crecer.

Ésta es una de las respuestas de Alcanzar los Treinta para la pareja: permanecer en el matrimonio, resistir al cambio, adoptar posiciones rígidas que finalmente se apretarán en un nudo hasta que, como profetiza Rick, «obviamente, en algún momento algo tiene que ceder».

La soltería

¿Pero qué pasa con la persona que permanece soltera durante los veinte? La próxima biografía corresponde a una mujer de 35 años a la que llamaremos Blair.

—Aparecería en la cubierta del *Time* pero también tendría cuatro hijos.

Ahora Blair es consciente de lo que se llama una visión conflictiva. Es mayor. Esta comprensión no se apoderó de ella durante los primeros años, cuando corría hacia la cumbre. En 1954 tenía dieciséis años y acababa de terminar la escuela secundaria. Se enamoró, no de un hombre, sino de la idea de llegar a alcanzar el éxito.

—Soñaba en mí misma como en un ser extraordinario.

A los 16 años, no tenía tiempo de asistir a la Universidad ni sus padres la estimularon a que lo hiciera. Entró a trabajar como ayudante de un vendedor de automóviles. Pocos años después, Blair estaba preparada para dirigir la General Motors. Organizó su propia empresa automovilística con otra mujer. Inmediatamente obtuvo las respuestas que deseaba, que eran aproximadamente las mismas de que había disfrutado en su hogar, por parte del padre. Ella lo idealizaba como intelectual, como político radical y, sobre todo, como hombre de éxito. El rasgo característico del padre consistía en dominar el ingenio de su adversario y llegar primero a todos los sitios. Se sintió especialmente encantado cuando Blair adelantó dos cursos en la escuela. Esto la llevó al primer plano: había comenzado como la primogénita de la familia.

Después de algunos años en el negocio de los automóviles, decidió escalar una de las más resbaladizas pirámides de Chicago. Escogió una agencia publicitaria de mediana magnitud. Le pregunté si se veía a sí misma como «candidata a presidenta».

—Yo nunca habría dicho eso. Cuando mi jefe me llevó a almorzar el día de mi cumpleaños, me preguntó: «¿Qué te gustaría ser a los veinticinco?». Le respondí: «Vicepresidente de esta agencia». Eso era lo máximo a lo que podía aspirar.

Su jefe se convirtió en la figura central de la década de los veinte. Aprobó y bendijo sus metas más altas. Ella le pagó en adoración. Él inspiraba, ella inhalaba.

—Ella estaba muy unida a ese hombre. Él me preparaba listas de lecturas y yo las devoraba. Viajamos juntos. Algunas veces se quedaba a dormir en mi apartamento. Pero no entraba el sexo en nuestras relaciones. Él se sometía a la regla de hierro según la cual no debe mojarse la pluma en el tintero de la oficina.

El que le hizo daño fue el poeta. Éste se ocupaba de los afanes del alma como líder del grupo Great Books al que ella pertenecía, pero cuando resultó que estaba embarazada, él huyó.

Existía una dicotomía que continuamente la amargaba:

—Los hombres se sentían atraídos por mí pero después decían: «Eres demasiado para mí». En cuanto al mundo de los negocios, nada de lo que hacía parecía excesivo. La gente me adoraba por mis ideas y me otorgaban premios. En un mundo era reverenciada y en el otro era un total fracaso.

Recordemos que esto ocurría en los años cincuenta. El movimiento sufragista había muerto y el feminista todavía no había nacido. Blair se atrevió a afirmar sus ambiciones cuando la mayoría de las mujeres estaban inmersas en uno de los más grandes movimientos de regreso a la cocina de la historia americana.

Su padre escapó con una bailarina mexicana. Ella lo consideró como un rechazo personal. También empezó a sospechar que él no era el intelectual ni el político radical que ella creía. Pero aun cuando Blair temía volverse como su padre —simple brillo externo y carencia de un firme compromiso personal—, era con él con quien se identificaba mas conscientemente.

La desconfianza marcó sus relaciones con los hombres y se convirtió en un ser totalmente impersonal.

—Déjate ver cuando vengas a la ciudad —decía—, ven a cenar, a pasar el fin de semana, lo que quieras.

Siempre creaba la impresión de que lo pasaba bien, tanto si había como si no un hombre su lado. Dejaba que todos se sintieran libres de irse. Pero cuando un hombre se iba, sangraba interiormente y se sentía desconcertada.

El precio de las aventuras amorosas superficiales y dos abortos fue muy alto. Pero durante este período de rodaje —mientras se demostraba a sí misma que ser una competente ejecutiva absorbía todos sus recursos— resultaba menos doloroso sufrir los efectos de dejar sin analizar su sexualidad. ¿Qué podía hacer? ¿Casarse y sumarse a todas las perjudicadas? Ya imaginaba a su jefe mirándola a los ojos, como se mira a alguien de quien siempre se sospechó y diciendo: «No tiene sentido prepararte, abandonarás para tener un hijo». Los dictados de su inconsciente consistieron en abandonar todas esas emociones en un distante depósito. Permitir que aparencieran habría significado hundirse en un torrente de contradicciones insolubles.

Blair compensó la falta de hijos volcando su afecto en sus sobrinos. Se concentró en la satisfacción de ser más audaz y más realizada profesionalmente que cualquier otra mujer de las que conocía. Esperaba recibir un día, un fantástico regalo en una caja. La tarjeta diría: «Para alguien verdaderamente singular».

A los veintiséis llegó el momento de superar la dependencia de su mentor. O de retroceder. A él le habían ofrecido un puesto mejor en otra empresa. Pero la oferta, afirmó, no incluía a una mujer cuya posición y salario fomentarían la rebelión del resto de las empleadas.

—Años más tarde reconoció que al principio no tenía idea de que yo avanzaría lo bastante como para significar un desafío. Pero allí estaba yo, vicepresidente de la empresa. Temía que si me llevaba consigo, llegaría a aventajarlo.

Blair pasó a la vicepresidencia de una agencia de más prestigio, en la que supervisaba cuentas nacionales. Por sorpresa, al llegar a los veintisiete años, se encontró un peldaño por encima del que había soñado: ¡la dirección!

Su mente no sugirió ningún nuevo plan.

—No era que no se hubiera presentado el hombre conveniente. En los negocios yo había llegado mucho más lejos que mi imaginación y todo el mundo estaba casado. Tenía que vivir la fantasía de lo que significaba ser una esposa.

Una esposa, en un sentido general, era su madre. La madre y la hermana menor de Blair se habían casado con la promesa de alcanzar un hogar modelo, una elevada posición social y seguridad permanente:

—¡Eso era lo peor! Yo jamás haría un matrimonio semejante. Pero terminé haciendo *lo mismo.*

Su elección recayó sobre un hombre de negocios fuerte, con ambiciones políticas.

Blair renunció a su trabajo poco después de la boda. Cumplió el rol de esposa hasta la maligna perfección.

—No pareces muy entusiasta con respecto a las reuniones profesionales que ofrecemos —decía su marido.

—¡Estoy haciendo exactamente lo que tú preferías! —gritaba Blair—. Soy la esposa de moda, figuro en los periódicos. Eras *tú* el que quería tener una esposa que no trabajara.

Todo esto desconcertaba a su marido. Él tenía bastante con ocuparse de su paso hacia los cuarenta.

—¿Por qué no nos alejamos y vivimos una vida tranquila? —sugirió el marido en una oportunidad en que la simpatía social de Blair se había desvanecido con la luz del día y se encontraban en la cama—. Estoy harto de representar para los clientes.

Blair se cerró como una concha y fingió dormir.

—Tú no me amas —decía él, esperando en vano que ella protestara que sí.

La inexplicable verdad consistía en que Blair estaba viviendo la vida de su madre y la detestaba. En cuanto alcanzó reconocimiento como esposa de ejecutivo, sintió que le faltaba algo. En lugar de analizar las partes de su feminidad de las que podría haber disfrutado y de tratar de integrarlas a sus actividades profesionales, se lanzó al rol de la «mala madre». Tenía que convertirse en una parodia de ese custodio interno para así poder acabar siendo la mujer que quería ser.

Esto no es tan extraño como podría parecer. La gente que se encuentra en el paso a los treinta puede asumir repentinamente el papel de reproducir la vida del padre o la madre sin que sepa qué le impulsa a hacerlo. Es posible que detesten la rigidez de esta nueva vida y se sientan regulados por un misterioso demonio. Pero muchos de nosotros debemos reproducir las partes malas de una identificación fuerte y conflictiva antes de poder incorporar las partes buenas.

En el proceso, Blair actuó como una poseída. Mientras su marido luchaba con una crisis normal de la mediana edad que no comprendía, Blair acumuló grasa. Se adueñó de su cuerpo, se endureció y lo cubrió todo: su aspecto, su deseo sexual, sus sueños.

—Tenía la sensación de que nada andaba bien pero era algo que se me escapaba. Algo me atemorizaba pero no sabía localizarlo. Le eché toda la culpa a mi peso.

A los treinta años, Blair le dijo a su marido:

—¡Todo lo que quiero es irme y liberarme de esta abominable grasa!

A pesar de sus impulsos, Blair necesitó esperar a los treinta y cinco años antes de desplegar su artillería. Al igual que mucha gente, pensaba: «Me veré libre de todo lo malo si me divorcio».

En la base de este pensamiento existe la común creencia mágica. Uno puede liberarse de los problemas no resueltos del yo si se libera de la persona en la que los ha proyectado. En el caso de Blair, el problema proyectado era su gran conflicto interno entre ser una esposa satisfecha como su madre o un gran genio de los negocios, como deseaba su padre. No fue su marido quien insistió en que abandonara su carrera, sino Blair la que «tenía que vivir la fantasía de lo que significaba ser una esposa». Pero no se encontró menos vacía como esposa de lo que se había encontrado como fría máquina del éxito.

Lamentablemente, antes de que Blair fuera capaz de ver que la pareja sufría las contradicciones que ella misma había creado, contribuyó a impulsar a su marido a una deplorable infidelidad y más tarde a arrojarse mutuamente platos a la cabeza hasta que el matrimonio llegó al paroxismo de la convulsión.

—Cuando por fin me fui —dice—, llevaba tres años pensándolo. Si hubiera podido elegir, jamás habría cruzado el desagradable umbral de esos tres años, pero me sentí obligada a hacerlo. Ahora, por primera vez soy sincera con respecto a mis sentimientos. Ya no puedo ser el apéndice de nadie. Tampoco permitiré que los hombres se limiten a pasar por mi vida, como hacía en los viejos tiempos, cuando hice de mí una especie de hotel. Todos mis problemas no se referían a mi padre, como yo creía. Los que estaban aún por solucionar correspondían a mi madre y a mi identificación con el hecho de ser mujer. Lo que quiero ahora es ser una persona integral que no tema amar ni ser amada. Esperemos que así ocurra.

Debería, quizás, detenerme aquí, donde queda resuelto el paso de los treinta. Pero el cambio de actitud de Blair a los 35 nos ofrece una perspectiva de los cambios por venir.

El día que cumplió treinta y cinco años, Blair compró una casita. Allí parece tan cómodamente arraigada como las hojas de tubérculos que trepan hacia el cielo. Ser dueña de casa... el acto mismo de contraer ese compromiso por y para sí misma se ha convertido en centro de su existencia. Ahora, cuando invita a alguien a cenar, le invita a su *hogar* y selecciona a sus invitados. Cuando cocina, puede permitirse el lujo de gozar en lugar de sentirse en el papel de «mala madre». Su nuevo trabajo es impresionante y exigente pero ascender como un cohete ha dejado de ser uno de sus objetivos.

—Ya he visto por mí misma las más altas cotas y me digo:

279

«¿Ésta es la cumbre? ¡Que se la queden!». Lo que más me interesa es hacer trabajos de gran calidad. Y ahora puede hacerlo sin sentir que tengo una brasa en el estómago y sin temer, como antes, que en cualquier momento descubran que no tengo un título universitario.

Se percibe en ella una expectativa, algo así como si esperara a reunir las fuerzas faltantes más importantes de su vida. Los hijos que nunca tuvo se encuentran, sobre todo, en su mente.

—Pero sé que los que voy a tener pueden ser siempre los hijos de otra persona, de mi hermana o del hombre con quien me casé —sonríe y apura una copa de coñac—. Pensándolo bien, tengo mucho más de lo que esperaba. Y tal vez en eso consiste la vida. Quizá una se queda con la caja y no con la cinta del regalo.

El rebote

Naturalmente, no todos pueden controlar las decisiones que cambian su vida. ¿Qué le ocurre a quienes se sienten contentos de permanecer en la silla en la que se sentaron a los veinte, si les retiran esa silla? Son posibles muchas reacciones. La historia de Rosalyn ilustra una respuesta que puede parecer débil pero es, potencialmente, una forma de cumplir tareas evolutivas que no se hicieron en su momento.

La infancia de Rosalyn había quedado atrás pero no tenía sentido convertirse en adulta. Los Penosos Veinte no habían añadido sustancia a su sueño: lo habían destruido. Y ese sueño era típico de la muchacha que se integra en el matrimonio como fuga de la cárcel.

—Cuando dejé mi casa para ir a la Universidad, pensé: «Ya está, lo he logrado, estoy afuera. ¡Mi madre ya no puede tocarme!». Pero al acabar los estudios tuve que volver a casa. No recibí una sola propuesta de matrimonio. Otra vez Brooklyn y aquél ambiente repulsivo. Estaba a punto de aceptar un trabajo en el que me pagarían sesenta y cinco dólares semanales pero conocí a Borden y me casé con él. No tuve que pensarlo ni diez minutos.

Para Rosalyn, la única perspectiva más odiosa que permanecer en Brooklyn había sido la posibilidad de tener que casarse con otro judío lleno de complejos del Hillel Club. Pero apareció Borden Rayburn, de Clayton, Missouri, protestante blanco y anglo-sajón como el que más.

—Eso me encantó. Él formaba parte de un mundo que yo conocía por mis lecturas. Yo nunca había querido trabajar. No era a mí a quien apuntaban los movimientos de liberación de la mujer. ¿Dependiente de mi marido? Claro, absolutamente, para el dinero, la compañía. Yo ignoraba todo acerca de la realidad. Estaba contenta con mi vida que consistía, principalmente, en ir de compras.

La pareja nunca pareció ponerse de acuerdo en si era feliz o desdichada. En una temporada, durante los veinte, todas las amigas de Rosalyn se separaron de sus maridos y también ella coqueteó con esa idea. No, dijo Borden, nosotros somos felices. Decidieron tener otro hijo. Cuando el niño tenía un año, una noche Borden llegó a su casa y le preguntó:

—¿Eres feliz?

—Sí, ¿y tú?

Más tarde, lamentó no haberse limitado a decir: «Veamos la televisión».

—Tengo otra mujer —dijo Borden— y la amo.

—¿Desde cuándo? —preguntó Rosalyn.

—Desde que quedaste embarazada.

Ella había sido feliz durante todo el tiempo.

—Sé que aquello me volvió más desdichado —Borden se consideraba como una persona ética.

—Bien —gimió su esposa—. Me iré.

—¡No! No puedes llevarte a los niños.

Borden le aseguró a Rosalyn que podía volver a ser feliz ahora que le había confiado su secreto. Podía mantener un matrimonio maravilloso y tener una amiguita excitante.

—Es un suplemento —explicó.

Durante un año y medio, Rosalyn pensó: esta gente me oprime, son todos como mi madre. Borden ha ocupado el lugar de mi madre. Esto no es vida. Me casé con él para escapar de mi madre, de Brooklyn y de todo ese contorno vulgar. El problema es que me falta experiencia. Y eso es lo verdaderamente divertido. Borden ni siquiera se ha drogado conmigo. Deseo una existencia espiritual interior.

Al cumplir los treinta decidió que no quería ser Rosalyn el carrito de la compra, casada con Borden el adúltero. Quería quitarse el uniforme y protagonizar un cambio radical. En el fondo era una persona poco común, una artista o un espíritu astral, o algo semejante. En Big Sur se drogaría con Joan Baez.

—Me voy a California —le dijo a su marido.

—¿Por qué? —inquirió Borden.

—No quiero seguir haciendo esto.

—Tu partida no me hará feliz —observó él.

Rosalyn conoció a un escultor en un período de inactividad. Estaba en su tercera encarnación en el negocio de la publicidad:

—Quiero avanzar espiritualmente.

—Sí, sí, sí —coincidió Ros.

El regalo de despedida de Borden fue su tarjeta de las gasolineras Exxon. Rosalyn partió un primero de año, en una Rover TC2000 con el escultor y su abrigo de piel de Afganistán. Sus hijos ocupaban el asiento trasero. Tenían siete y dos años y disfrutaron de lo lindo destrozando las camas de las habitaciones del motel de Howard Johnson mientras los mayores fumaban algo que sostenían con clips para el cabello. Howard Johnson los alimentó porque Rosalyn presentó su tarjeta de crédito. Siguieron el mapa como si fueran a la caza de un tesoro, según la temperatura, del frío al calor, de Chicago a Texas por la Carretera 66, al clima cálido a través de Arizona y por fin a zambullirse en Laguna Beach, en California. Libertad cálida y todo color.

El escultor expresó su interés por Marin County. Ros dijo que tenía un comprosimo en Big Sur. Allí era donde se reunían los verdaderos artistas.

Ros pensaba: no tengo la menor idea de lo que va a ocurrirme y precisamente allí reside el atractivo. Estaba acostumbrada a saber exactamente lo que me ocurriría.

Cuando Rosalyn se fue, Borden se apartó de la otra mujer. Decidió que se había convertido en una persona absorbente.

He aquí otra de las respuestas de Alcanzar los Treinta: el rebote. Si no tiene sentido seguir adelante porque la transferencia de la dependencia de los padres al marido no ha resultado, el impulso puede consistir en volver al punto del que partió una chica antes de que sus ilusiones románticas quedaran contaminadas al contacto con la realidad. El regreso a la adolescencia. Entonces intentará Arrancar Raíces nuevamente, buscando la inmunidad de sus antecedentes familiares y la inmunidad de elegir su camino mientras busca nuevas personas y nuevos grupos a los que emular. Esta biografía pertenece a una mujer, pero el rebote también se produce en los hombres. [1]

Poco después de unirse a la cultura de Big Sur, Ros tuvo la sensación de que si una bomba nuclear estallaba sobre la costa oriental, esa gente ni se enteraría. Allí no había televisión ni material impreso de ningún tipo. La conversación, tal como se comprende el término en el Este, no existía. Todo consistía en tener un camión, cortar madera y tocar música. Al principio, Ros pensó que era por su culpa por lo que se sentía fuera de lugar. Trató de asistir a las reuniones que se celebraban en la comuna más cercana, trató de trascender el mundo contaminado escuchando sus flautas de bambú y sus tambores. Lo que oyó fue a una serie de personas sin talento que tocaban instrumentos poco complicados y lo hacían mal. Ninguno de ellos parecía haber oído hablar de los gobiernos, de las guerras, de la gente que era noticia. o, no, no es culpa mía, decidió. Esta gente es *aburrida*.

Empezó a vivir únicamente en función de sus excursiones al supermercado de Carmel. Esa fue la zona en la que reingresó al mundo civilizado. Nunca terminaba de hacer la compra, de modo que debía ir allí todos los días y en oportunidades dos veces diarias. Junto a las cajas registradoras, en deslumbrantes hileras, la esperaba una serie de atractivos periódicos. Primero se zambullía en el *Time* y pasaba velozmente las páginas hasta llegar a la sección «Gente». ¡Sí! Todavía estaban en el mundo aquellas personas fascinantes y vigorosas. Y ella, Rosalyn, volvió a ser un carrito de la compra. Se sintió plenamente confiada en este lazo con su antigua vida.

Para entonces ya estaba claro que su glorioso escultor era un cabeza hueca. Ninguno de ellos trabajaba, pero esto no molestaba a su amante. Se encontraba perfectamente a tono con el sueño de la inmunidad californiana y contento de vivir el presente inmediato. A Ros le resultó más doloroso comprender que él dependía económicamente del cheque poco cuantioso que ella recibía como pensión de su marido. Se sentía mejor, dependiendo de ella, de lo que Rosalyn se había sentido nunca, en tales condiciones. La atracción del supermercado se volvió más fuerte, tanto que finalmente Ros decidió mudarse con él y los dos chicos a Carmel. Al menos allí había televisión.

Visité a Rosalyn poco después de que se hubiera convertido en una de las mujeres que flotan libremente por Carmel, la mayor parte de las cuales acaban de pasar el umbral de los treinta y vienen huyendo de matrimonios «perfectos» que habían funcionado mal. Me recibió en el aeropuerto una vivaz divorciada que actúa como una especie de madre protectora. Su coche era una ruina. Una de sus amigas que flotaba libremente había chocado con ella. «Retrocedió con su coche y me dijo: Hoy tengo ganas de chocar contigo». La madre postiza ríe. Aquí existe una sola regla: nada debe tomarse demasiado en serio. El entorno estimula esta actitud.

En este reino de Narnia que es Carmel, las carreteras serpenteantes superan a la imaginación, se abren cuando uno menos lo espera en paisajes de un mar frío donde las nutrias juegan con conchas de moluscos como si fueran niños con sonajeros. No existen flores comunes y corrientes sino aberrantes brochazos de lilas

284

salvajes y extrañas azucenas manchadas de rojo. Rosalyn vive en una pequeña casa alquilada. Casi todos los que viven aquí son criaturas de otro mundo, de destino desconocido. Carmel es un estado de ánimo. Un salto atrás antes de madurar o de envejecer.

La mayoría de las personas con las que se relaciona Rosalyn tienen edad suficiente para haber reunido dinero en una encarnación anterior (esposa o empleado) que ahora les permite contener el impulso. Los anuncios de empleo rara vez reciben respuesta. Colina arriba y colina abajo, esta gente elige permanecer en casas de cristal, dejarse el pelo largo, encerrarse transitoriamente en un experimento personal con la vida.

—Aquí consideramos —dice la madre protectora— que todo lo que funciona merece la pena intentarse.

Rosalyn ya lleva dos años en Carmel y tres de compromiso con la forma de vida californiana. El entusiasmo que animaba sus ilusiones adolescentes se evaporó y se vio enfrentada a una sospecha insuperable.

—Descubro que soy exactamente la persona que era antes. Ninguna poética interior me estaba esperando

Su actividad básica desde el transplante a California ha consistido en drogarse, cambiar el canal de televisión, leer artículos de revistas y comer dulces, todo al mismo tiempo. No considera que ninguna de estas sensaciones merezca concentración. Su segunda elección fue, naturalmente, entrar en contacto con otra gente.

Otra gente. En la forma misma en que habla de ellos, con su promiscuo respeto, está la clave de su situación. Ahora lo sabe. Está huyendo de los meditadores y de los vendedores de ilusiones, en los que ya no cree.

—Todos ellos me decepcionan.

A los treinta y dos años, Rosalyn ha empezado por fin a volver al mundo adulto, a pasos pequeños y dolorosos.

Una tarde se sentó de espaldas al idílico paisaje marino y dejó que las lágrimas brotaran de sus perdidos ojos verdes.

—Soy sumamente dependiente de otras personas y de otras cosas. Ello se debe a que no es mucho lo que creo en mi interior. No tengo trabajo. Tengo a mis hijos y además de ser madre no es mucho más lo que he tenido en mi vida. Hago las compras, como todo el mundo. Eso es todo.

El hecho de que reconociera su molesta dependencia constituyó, sin duda, un progreso. Aunque parecía que Rosalyn se había rebelado contra sus padres, el conflicto no había sido resuelto en absoluto. Se limitó a transferir la dependencia a un marido idealizado, a un amante posado en un pedestal, y, durante el último año en Carmel, había recurrido a los procedimientos más insólitos para llenar el vacío.

En el curso de la lucha contra su dependencia —como señala Edith Jacobson en su mecanografía del Journal of the American Psychoanalytic Association—, este tipo de personas puede despreciar a sus padres y apartarse de ellos con disgusto durante la adolescencia. Pero de «adultos» continúan emulando y situando sus esperanzas en otras personas y grupos, admirándolos excesivamente hasta que vuelven a rebelarse y abandonan a estos sustitutos airados y decepcionados, para seguir buscando nuevos objetivos a los que glorificar y emular. En tanto sigan este camino, permanecerán fijados al nivel adolescente de conflictos insolubles. [2]

—Estoy ansiona por integrarme de nuevo en el mundo —dice ahora Rosalyn—. Creo que han sido etapas lentas. El próximo verano trataré de trasladarme a Los Angeles. Por el momento tengo una falta básica de confianza en mi capacidad de obtener trabajo y ser una persona interesante. No creo que pueda hacerlo si no es indispensable.

El hecho de que lo sea es, probablemente, un don.

Meses después Rosalyn se trasladó a Los Angeles. Sus hijos gemían en el asiento trasero:

—Queremos volver con papá.

Rosalyn lanzó una consigna:

—Palmeras, Hollywood y las estrellas.

Cuando visité a Rosalyn en su casa alquilada de Hollywood

Hills, había dado otro paso. En su máquina de escribir había un resumen y hablamos de un trabajo como lectora de guiones, pero no me refiero a eso. Quiero decir que Rosalyn estaba encontrando la parte de su autenticidad de la que había estado huyendo durante quince años, y que ella le servía para hacer amistades.

—¡Aquí todos son judíos de Brooklyn, como yo! —parecía divertida, no disgustada—. Los encuentro sumamente interesantes porque son las personas que nunca habría tratado antes. Es algo así como volver a casa.

Después de dar la vuelta a todo el círculo, Rosalyn volvió a Nueva York. Trabajó para una importante editorial que buscaba autores independientes para escribir libros sobre diversas carreras para su sección pedagógica. Un año más tarde —ahora tiene 35— Ros me telefoneó desde Fire Island:

—Estoy aquí con los niños, un hombre al que todos queremos y mis libros, que se propagan como la pólvora.

Acababa de concluir su tercer libro.

Cuando explicamos por primera vez el paso de Alcanzar los Treinta, podía parecer que no había salida. Ya hemos conocido a una pareja que prefirió dejar que la maraña de incongruencias provocara una gran tensión y a otra pareja que logró encontrar el camino de salida. También hemos visto lo que no es Alcanzar los Treinta. No se trata estrictamente de un problema de profesión; se resuelve tanto iniciando como abandonando profesiones. No es necesariamente un dilema que requiere más independencia; algunas personas lo resuelven dando rienda suelta a su dependencia. Y no lo superaremos si huimos del problema, aunque en oportunidades puede aprenderse mucho en el intento de escapada. Por ejemplo Ros descubrió, experimentando una pauta de vida alternativa, que se siente cómoda en un sistema más convencional. Si hubiera seguido siendo un carrito de la compra, en la edad mediana podría haberle gritado a su marido, llena de furia:

—Tú eres la causa de que nunca encontrara a la artista que hay en mí.

El paso de Alcanzar los Treinta exige una solución personal. Una parte de esa solución es siempre constante: la disposición a cambiar.

Quinta Parte

Pero yo
soy singular

Probablemente un cangrejo se sentiría
inundado de ira personal si nos oyera clasi-
ficarlo sin más como un crustáceo, y así
dispusiéramos de él. «Yo no soy eso», diría. «Soy *yo mismo*, y sólo *yo mismo*.»

WILLIAM JAMES

Quinta Parte

Pero yo
soy singular

A estas alturas ya debe haber un saludable coro de lectores que protesta:

—¿Y yo? No me parezco en nada a esas personas de las que ha estado hablando. Están todas hechas de materia convencional. Yo soy singular.

Sin duda alguna, la gente se distingue siguiendo pautas muy diferentes, *según la forma en que hagan las elecciones de los veinte*. Dado que sólo vivimos una vez, cada una de esas elecciones significa limitar alguna posible línea de evolución con el propósito de desarrollar otra más plenamente. Es contra el telón de fondo de tan diversos modelos de vida que cada uno de nosotros interpreta la misteriosa historia de los actos futuros.

Al principio estas diferencias me intrigaron, y me inquietaron. Aunque existen muchos modelos para atravesar cada período, sólo existe una secuencia. Fue Levinson quien aseveró categóricamente que cada período de desarrollo debe seguir a otro como B sigue a A. No es posible saltar de A a C y el único camino que conduce a

D pasa por C: no hay rutas alternativas. Cuando le expliqué a Levinson mi concepto de Alcanzar los Treinta, enmarcando tal circunstancia en los términos que él emplea para cada período, todo comenzó a tener más sentido. Es decir, se trataba de una incongruencia aún más cruel.

—Si es verdad que uno debe Ingresar en el Mundo Adulto entre los veintidós y los veintiocho, antes de pasar a la Transición de los Treinta (veintiocho a treinta y dos), antes de estar preparado para Establecerse (treinta y dos a treinta y nueve), ¿qué ocurre con la mujer que queda atrás? Repentinamente, un marido que atraviesa su Transición de los Treinta se vuelve a la esposa y le dice, en efecto: «Salta al mundo adulto. Ahora necesito una compañera para decidirme a establecerme». ¿Esto no los vuelve locos a ambos?

—Eso está muy bien, es correcto —la conclusión de Levinson fue que probablemente no es posible que la mujer pueda conjugar las dos profesiones (la doméstica y la extrafamiliar) hasta los treinta o los treinta y cinco. Lo más probable es que en el momento en que haya empezado a alcanzar la integración necesaria para hacerlo tantas otras cosas están mal que probablemente ya se habrá divorciado o la familia ha llegado a una situación tal que resulta casi imposible arreglarla por completo.

Le pedí a Levinson que olvidara por un momento la teoría y aplicara a su propio matrimonio mi idea de Alcanzar los Treinta. Aunque ellos escogieron un modelo diferente, el resultado fue el mismo. María Levinson pasó los años de matrimonio de sus veinte como estudiante postgraduada, sin hijos, trabajando en la investigación junto con su marido, lo que entrelaza por completo sus vidas.

—Para ella la Transición de los Treinta significó un intenso deseo de cambiar, aunque en su caso de la profesión al seno de la familia —explicó Levinson.

Durante los seis años siguientes, María se dedicó con gran intensidad a ser más doméstica. Cuando Levinson le pidió que colaborara con él en un libro, como había hecho en el pasado, ella se mostró interesada pero dubitativa.

—Pensé que se estaba quedando atrás —reconoce Levinson—. Esa es parte de la complejidad de la evolución de las mujeres.

Yo estaba segura de que parte de esa complejidad podía clasificarse para ambos sexos diferenciando las distintas pautas de vida que la gente pone en marcha durante los veinte. ¿En qué dirección puede preverse que les llevarán esas tempranas elecciones? ¿Qué pautas pueden asimilar mejor la autoexpansión, cuáles son más sofocantes? Algunos parece que tienen tendencia a depender de la explotación de un compañero, otros dependen de la dependencia. Colocar a la gente dentro de sus pautas es otra forma de cortar el pastel, para ver mejor cuál es su contenido. Es importante recordar que no se trata de un esquema fijo. Si a uno no le gusta el modelo, puede cambiarlo. Naturalmente, la gente pasa de una vía a otra a medida que acumula experiencia y conocimiento de su propio yo. Y, ciertamente, en algunos de los ejemplos utilizados, la gente no permaneció fiel a sus modelos.

No es necesario que usted se entusiasme con la persona cuya historia se ha utilizado para ilustrar un modelo de vida. Especialmente si se asemeja demasiado a la suya. A todos nos gustaría ser representados por el modelo más inspirador. Permítaseme introducir una negación. Esta obra no proporcionó a la gente dichos modelos; esa gente aportó a este libro sus historias de vida. No se trataba de una búsqueda de talentos ni de una encuesta de popularidad. Sólo después de reunir las 115 biografías y compararlas, comenzaron a perfilarse las diferencias en las pautas de las elecciones y expectativas de las personas. En consecuencia, estas pautas son descriptivas y no prescriptivas.

Cada una de las historias de vida de esta sección describe a una persona en el paso de los veinte a los treinta y en algún caso avanza un poco más. Aun cuando no se lleve a cabo ninguna acción perceptible durante el paso a los 30 años, casi siempre se produce un giro inadvertido, un cambio en el modo de sentir de una persona con respecto a su forma de vida que con toda probabilidad se plasmará posteriormente en cambios externos. Ya no es tan importante como en los veinte demostrar que uno es singular. El equilibrio recuperado al llegar al otro lado de los 30 posibilita a las personas que examinen sus orígenes y reconozcan gradualmente las partes de sí mismas que quedaron fuera en elecciones anteriores.

El examen de esas partes no reconocidas es el fenómeno central que entonces empieza a ocupar nuestra vida interior.

15

Pautas masculinas de vida

Tres pautas o modelos surgieron como predominantes entre los hombres entrevistados.

Los transeúntes: no están dispuestos o son incapaces de contraer ningún compromiso firme en los veinte; prolongan los experimentos de la juventud.

Los encerrados: contraen sólidos vínculos en los veinte aunque sin sufrir ninguna crisis o análisis profundo de sí mismos.

Los jóvenes prodigios: crean riesgos y juegan a ganar; a menudo creen que cuando alcancen la cumbre se desvanecerán sus inseguridades personales.

Otros tres modelos resultaron mucho menos comunes.

Los que nunca se casaron: puesto que sólo el cinco por ciento de americanos de más de cuarenta años permanecen solteros, resulta difícil una afirmación válida con respecto a un grupo tan minoritario.

Los que nutren a otros: escogen, a través de su compromiso profesional, cuidar a la familia del hombre (clérigos, misioneros médicos) o dedicarse a la educación de una compañera, habitualmente la esposa.

Los que no abandonan la infancia: evitan el proceso de la adolescencia y permanecen atados a sus madres durante la edad adulta.

Existe otro modelo que merece atención. No son muchos los que hasta ahora han imaginado la forma de seguirlo. Pero con la relajación de los estereotipos de los roles sexuales, la intuición liberada por las experiencias expansivas de la mente, y el cuidado del ego estimulado por el pensamiento oriental, hombres de todas las edades están pensando en la forma de aflojar sus camisas de fuerza competitivas. Quieren estar relacionados con la vida a diversos niveles. Los pocos que hacen de ello un modelo son equiparables a la mujer que intenta combinar una meta individual con la función de esposa y madre. A éstos los designo como:

Los integradores: los integradores del sexo masculino intentan equilibrar sus ambiciones con un auténtico compromiso familiar, incluyendo la atención de los hijos y trabajando conscientemente con el fin de combinar el confort económico con una existencia beneficiosa para la sociedad.

Establecido este bosquejo, analicemos los modelos más comunes.

LOS TRANSEÚNTES

El estímulo consiste en explorar y en experimentar, en mantener toda estructura como una simple tentativa y, en consecuencia, fácilmente reversible. En un sentido extremo, se trata de las personas que no están dispuestas o son incapaces de tener algo más que limitados compromisos emocionales, del mismo modo que cambian varias veces de trabajo sin llegar a tener una ocupación clara y definida. La permanencia no es una meta para ellos, al menos durante la década de los veinte.

Algunos transeúntes prolongan los experimentos de la juventud de manera positiva. Aunque cada experimento no es más que una prueba, se sumergen en él con celo y sinceridad. El joven puede pasar un año entero trabajando en una campaña política, después conducir un taxi mientras trata de escribir poemas, más tarde emprender una odisea personal a través de países extraños y misteriosos «viajes» con drogas; retornan llenos de experiencias notables (aunque totalmente arruinados) y ansiosos por conseguir alguna experiencia en los negocios que les permita administrar un grupo de rock. Las exploraciones del transeúnte son positivas si sirven para sentar las bases de una elección posterior.

Otros transeúntes actúan de una forma destructiva. Piénsese en el rico anti-héroe vagabundo de *Five Easy Pieces* o en el Rizzo de *Midnight cowboy*. Estos también pueden hacer auto-stop en el camino de las causas de la vida, incapaces de entregarse plenamente a ninguna cruzada porque no pueden permitirse saber qué es lo que realmente sienten. Aunque la experiencia interior es caótica, la estructura exterior de la transitoriedad probablemente se mantendrá como mínimo durante seis o siete años.

Transeúntes fueron las superestrellas de la contracultura de los años sesenta. Después cumplieron treinta años. ¿Estaba Rennie Davis pasando del activismo político con Chicago Seven a la búsqueda de la verdad espiritual interior en su calidad de devoto del Maharishi? ¿O simplemente, se trataba del paso a los treinta utilizando como emblema una novísima forma para una transición que todos vivimos?

Otro famoso transeúnte de los tiempos modernos fue Jerry Rubin. Una de las declaraciones que hizo en los veinte fue: «La juventud americana está buscando una razón para morir». En aquella época de su vida, Jerry Rubin estaba aproximadamente tan desarrollado como un juguete bélico.

Algunos de los centenares de miles de muchachos en los que Jerry Rubin causó impacto, murieron. Pero no Jerry. Superados los treinta, dice: «Me veía movido por el destino a un rol de mártir. Los mártires mueren... yo quería vivir y amar. Haced las cosas que yo no tuve tiempo de hacer en los años sesenta, tan cargados de manifestaciones. Por ejemplo, descubrirme a mí mismo». [1]

Después de informar que ahora está en contacto con la feminidad reprimida de su personalidad, Jerry Rubin concluye: «En los sesenta pasé mucho tiempo viviendo de mi yo y de mi proyección al exterior... La gente no tenía conciencia de su propia necesidad de crecimiento personal. En los setenta nos estamos volviendo hacia adentro y descubrimos que somos los creadores de nuestra experiencia».

Todavía se esfuerza por explicarse a sí mismo como parte de un movimiento político más que como consecuencia del proceso más humilde de una evolución natural.

Un transeúnte no tan famoso puede ser «blanco europeo». Me refiero al americano medio de ascendencia sureña y europea oriental pero el término también puede incluir a irlandeses, judíos, franco-canadienses y otros que llegaron de Europa durante los últimos cien años. Según la amplitud de la definición, abarca entre 40 y 70 millones de americanos.

En más de la mitad de estas familias, tanto el marido como la mujer trabajan. Pero su posición económica es marginal: la media de ingresos oscila entre los once y doce mil dólares anuales. Se sienten dejados de lado tanto cultural como económicamente. El trabajo del hombre es ambiguo. Bien entrado en los veinte, puede seguir viviendo con sus padres o sus suegros. Sin poder contar con los viajes de ida y vuelta experimentales que ayudan a la juventud de la clase media a arrancar raíces, siguen dependientes de los lazos familiares. A menudo no tienen una visión de sí mismos. Derivan de un trabajo a otro y no piensan demasiado en organizar su trabajo en una dirección que signifique una carrera. A su lado no hay nadie que les diga cómo hacerlo. No buscarán un mentor en la línea de montaje de las fábricas ni en una parada de camiones en la carretera. Cuando se casan, lo hacen principalmente para cumplir con lo que creen que es su deber.

Superficialmente puede parecer que este hombre ha asumido

compromisos adultos pero es probable que sólo una ínfima parte de sí mismo esté implicada en ellos. Cualquier accidente vital puede apartarle de su camino: algo que obligue a cerrar la línea de montaje, la muerte de uno de los padres, alguna dificultad legal. También es probable que ningún modelo de carrera coherente adquiera forma. Puede dejar transcurrir su tiempo en la tierra dejándose vivir más que comprometiéndose en una vida, y busca sus satisfacciones en otras fuentes: la caza y la pesca, quizá la construcción de su propia casa, las apuestas de caballos, las discusiones en las tabernas.

¿Cuánto tiempo puede uno retrasar el momento de asumir los compromisos adultos antes de convertirse en un fracaso? A juzgar por George Bernard Shaw, es posible ser un desagradable errabundo sin sentido, internamente atormentado por la cobardía y los defectos personales, como mínimo hasta los treinta años de edad. Shaw se concedió a sí mismo tan prolongada moratoria para evitar quedar atrapado por el éxito. «Lo hacía bien a pesar de mí mismo y descubrí, con gran consternación, que los negocios, en lugar de expulsarme como al inservible impostor que era, caían sobre mí sin la intención de soltarme». [2] Con el fin de eludir una ocupación que detestaba, George Bernard Shaw se largó a los veinte años y abandonó su tierra natal, se dejó atraer por el movimiento socialista y finalmente encontró refugio en sus propias dotes, estudiando y escribiendo acerca de lo que le interesaba. Durante la década de los veinte escribió cinco novelas, a la obediente manera de un escolar que llena su cuaderno; aunque no serían publicadas hasta cincuenta años más tarde, el esfuerzo le valió para aprender a escribir. Más importante aún, ese largo período de exploración libre le permitió conformar una personalidad que más tarde se adelantó a ocupar su lugar entre los personajes singulares del mundo.

La sabiduría popular supone actualmente que el modelo de compromisos limitados encuentra su mejor momento durante los veinte. Demasiados jóvenes han visto el precio que tuvieron que pagar sus padres por pasar obedientemente su juventud en el peldaño más bajo de una gran burocracia.

—No es ése el lugar que uno debe ocupar cuando está en los veinte y se pregunta quién demonios es —dice un famoso columnista político que ha pasado toda su vida intentando construir la identidad de elevado perfil que le fue negada cuando trabajaba en una gigantesca agencia de noticias—. En ese caso, la respuesta es: «Eres un gusano».

Por otro lado, la gente que no pone mucho de sí misma en sus primeras elecciones es posible que no obtenga, como compensación, algo que le permita cambiar o evolucionar. Llevada a su extremo, la falta de disposición a comprometerse no permite la expresión del Yo Fusionador. Si no es posible confiar en ninguna escuela, organización ni compañía amorosa, o si la única guía que el individuo considera adecuada para subsanar los errores de la sociedad es la de aplastarla o exiliarse de ella, uno acabará inexorablemente en el aislamiento. El transeúnte perpetuamente rebelde corre el peligro de verse encerrado o *expulsado*.

En un sentido general, la gente que empieza con un modelo transeúnte, alrededor de los treinta sentirá un urgente impulso de establecer metas personales y compromisos (aunque no necesariamente casarse). [3] Algunos hombres permanecen en moratoria —buscando a tientas una identidad personal y valores fuertemente sentidos— hasta la mediana edad.

La amiga de Tony había vuelto a pasar la noche con él y había dejado su maquillaje encima del lavabo del cuarto de baño del apartamento de él. Había pelos de ella en el cepillo de él. Los tejanos de la muchacha estaban en el suelo, lo mismo que sus bragas. Tony entró a la ducha y llenó el baño de vapor a la mayor velocidad posible para expeler el aroma de la chica, anulando así su invasión. Decidió que la cosa había llegado demasiado lejos. Tendría que ponerle punto final.

En la oficina, su despacho es una montaña de correspondencia sin abrir y lo utiliza otra persona. Todos se sorprenden cuando le ven llegar. Tony es un trabajador independiente y aparece con la menor frecuencia posible. Su última ocupación consiste en estructurar un ejemplar especial sobre la pareja, lo que es divertido, pues desde que dejó la casa de sus padres, no ha pasado más que tres noches consecutivas con otro mamífero, excepto un gato. El único objetivo de Tony en los veinte ha sido tener como mínimo tres trabajos distintos y ninguna esposa.

—No tengo interés en ser «candidato a presidente» —dice—. La mitad de mis contemporáneos, durante los primeros años después de la graduación renunciaron a ello y dejaron de considerar la vida como una serie de obstáculos en la carrera con otros hombres. Las drogas volvieron menos agresivos a muchos de ellos. Pero después de la etapa de la droga, casi todos volvieron a ponerse los trajes formales y retomaron en el punto en que habían dejado.

Pero no Tony. Su idea básica residía en evitar su participación en cualquier estructura. Sigue siendo auténticamente un muchacho de los años sesenta, dice. Pero a medida que surge su historia —cautelosamente, espaciada— todo parece guardar menos relación con su generación que con su padre.

«Inteligente es el hombre que gana más dinero en el menor período de tiempo sin ser un criminal redomado», era la filosofía de su padre. Idolatraba el dinero pero no lo conseguiría fácilmente como reparador de televisiones y con una educación que no pasaba de la escuela secundaria. Decidió utilizar el capital que tenía, que era su apariencia física. A los ojos de su hijo, era apuesto como un astro de cine y musculoso como un toro, rudo pero encantador. Deseaba que su Tony llegara a ser un as en el mundo de los negocios.

Pero los genes de Tony bailaron de otra manera y éste salió con las piernas cortas, rechoncho y con la maldición del tipo de piel apropiada para la ilustración de textos médicos sobre los desagradables efectos permanentes del acné vulgaris. No estaba en condiciones de competir con los atributos físicos de su padre. Pero era inteligente.

A muy temprana edad, Tony empezó a apuntar su talento en la dirección de su principal línea de defensa. Sería lo único que su padre jamás podría aspirar a ser: un intelectual. En la escuela secundaria se destacó entre los genios de los debates polémicos. Con gran tenacidad se enseñó a sí mismo a hacer un impresionante despliegue de fuegos artificiales de la mente: no estaba seguro de su inteligencia. Secretamente se sentía como un parásito intelectual, duda que su padre contribuyó a cultivar. «Tú no eres uno de esos intelectuales», era una de sus observaciones más comunes. Empero, los inteligentes actuaron como aliados que ayudaron a Tony a repudiar el punto de vista materialista de su padre. El consejo de su madre era: «Sé un buen muchacho. Házte sacerdote». Tuvo que estar un año en el seminario antes de apartarse del catolicismo de su madre, pero tuvo que pasar un año más en el hogar antes de poder empezar a actuar según su programa radical propio.

El padre de Tony habría preferido ver al muchacho convertido en usurero que en universitario. En consecuencia, el momento en que Tony empezó a arrancar raíces mediante la obtención de una beca en una importante Universidad, significó un *coup d'état*.

Pese a que físicamente había salido de la familia, Tony no se sintió como una entidad separada hasta que concluyó su tercer año de estudios. El diploma fue la clave. Ahora que el mundo adulto había certificado su capacidad cerebral, él también empezó a aceptar que la tenía. Se convirtió en su motor. Lo llevaría a cualquier lado, y dejaría pasmados a sus detractores; estaba seguro de que llegaría a convertirse en un gran físico nuclear.

En última instancia abandonó la idea de la física porque hubiera implicado quebrantar su código de no compromiso. Al igual que cualquier golpista después del golpe, Tony tuvo que adherirse durante algunos años a las prácticas doctrinarias (es decir a la antítesis de la doctrina de su padre) antes de atreverse a esperar que la oposición hubiera cedido. Así, en lugar de convertirse en parte de la institución, que es lo que habría supuesto una carrera como físico, escribió un libro acerca de la carrera de armamento nuclear. La obra sólo se refería a cosas. En aquella época no pensaba en términos de personas. El libro tocaba el tema de la muerte en un sentido abstracto. La muerte personal no tenía significado para Tony a los veinticinco años.

—Mientras por un lado intelectualizaba con respecto al holocausto, hacía montones de cosas temerarias.

Recorría en bicicleta la autovía Boston-Washington sin casco, por ejemplo.

También pensaba en las mujeres como categorías abstractas.

La intimidad, según definición de Tony, era el tipo de comunicación que se produce en la tercera y por lo general última etapa de una relación.

Todo esto suena muy avanzado y compatible de una era deshumanizada. El propio Tony podría haber llegado a creerlo. Sin duda alguna, no esperaba que una joven heredera llamara a su puerta.

Una noche aquélla le llamó y le invitó a cenar. Ése era exactamente el tipo de iniciativa que le atraía. Cualquier chica que tuviera la suficiente confianza en sí misma como para invitarle a salir, no intentaría, seguramente, atraparlo. Por otro lado, como nunca dejó de reconocérselo a sí mismo, todas las muchachas que le recordaban a su madre le deprimían.

—Sé que sería malo como mitad de una pareja —afirmaba—. Supongo que creo en la adolescencia prolongada.

En cuanto le sirvieron el primer plato, la acaudalada y joven belleza, prescindiendo de todo preludio emocional, le hizo a Tony una propuesta puramente impersonal. Deseaba tener un hijo. Él era el hombre más inteligente que conocía. ¿Aceptaría realizar una aportación genética para la concepción del bebé que quería tener? Le garantizaba, naturalmente, que ella asumiría toda la responsabilidad sobre el niño.

Por supuesto, el halago le desarmó, al confirmarle que su brillantez mental podía hacer que los demás se olvidaran de sus limitaciones físicas. Cuando lo pensó sintió que se congelaba.

—Cristo, pensé, ¿cómo podía estar seguro de que un hijo no

despertaría todos los sentimientos de padre posesivo que hay en mí? Eso podía destruir toda mi imagen de personalidad fría e independiente. No acepté.

A los veintiocho años, Tony tenía la estructura de vida de un transeúnte y rechazaba todo lo que pudiera alterarla. No podía ser padre de un niño por temor a que ello significara un compromiso. Pero aún, existía la posibilidad de que ese hecho resucitara en él a su padre, con toda su rudeza y fortaleza física... ¡nunca se sabe! Podía empezar a comportarse como lo había hecho su padre. La muchacha que le recordaba a su madre era aquella que amenazaba exponer la parte de él que todavía necesitaba cuidados maternales. Poco calor humano podía invadir a Tony en cuanto bloqueara toda consciencia de la influencia de sus padres.

Era singular, es verdad, pero a un precio que acabaría empobreciendo su evolución. En algún momento tendría que reconocer aquellas influencias si había de elaborar su propia y auténtica respuesta a la ética comercial de su padre y a los fuertes valores católicos de su madre. Cuando se adentró en el siguiente paso todavía no estaba claro si, después de haber adquirido alguna confianza en sus propios atributos, no se sorprendería al descubrir una parte de sí mismo que no era tan libre y necesitaba el contacto humano.

Visité a Tony poco antes de que cumpliera 30 años. Era un hombre con un apartamento, un contrato de alquiler, felpudos y una mujer a la que estaba prometido. Un par de años atrás, la misma mujer le habría producido pánico con sólo dejar su maquillaje en el cuarto de baño. Nos sentamos a comer y Tony se refirió al placer que había sentido al preparar la cena del Día de Acción de Gracias «con todo lo que hacía mamá y algunos platos que nunca cocinó». También hablamos de su nuevo libro. Esta vez se refiere a personas, a delincuentes institucionales. No es una coincidencia que las personas en las que Tony se muestra ahora interesado crean, al igual que su padre, que el hombre inteligente es aquel que gana la mayor cantidad de dinero en el menor tiempo posible.

LOS ENCERRADOS

Seguros pero sofocados, son los que más abundan. Toman sólidos compromisos en los veinte, aunque sin experimentar una crisis de identidad ni analizarse en profundidad. La meta consiste en instalarse. A la búsqueda de una estabilidad, a menudo no analizan en profundidad el sistema de valores que subyace en sus objetivos. Al acercarse a los treinta, pueden lamentar no haber empleado los años anteriores en el análisis.

Los que tienen el valor de llegar a conocerse, pueden emplear el paso a los treinta para romper el molde de «debo» si la profesión por la que han optado no va con ellos. Este giro temprano y dramático en la dirección de su profesión se hace más atractivo. Y a medida que así ocurre, se crean más modelos y se minimizan los peligros previstos de llevar a cabo un cambio.

Un cambio de esta naturaleza puede ser doloroso y significar una crisis. Pero mucho más doloroso resulta para el hombre que espera a los cuarenta y se lanza a la crisis de la edad mediana como un submarino contra un acantilado que no aparecía en los mapas. El hecho de que se encuentre encerrado contribuye a la crisis. Porque la década de los cuarenta —como tan sucintamente lo expresa la escritora Barbara Fried— constituye un período en que no parece importar qué curso ha seguido uno, en que «todo se vuelve gris, se seca o nos abandona». [4]

Los hombres que padecen la enfermedad de los «pasos del padre» son los casos más obvios de quienes entran en el amplio término de encerrados, pero existen vías mucho más corrientes hacia este modelo. Todos los que se encierran en trabajos de funcionarios por carecer de los recursos que les permitirían apuntar más alto... antes de saberlo se convierten en el contenido de un pequeño cajón de la burocracia y, en la vida privada, en el Señor Ocupante, Estimado Comprador, etc. También los hijos de la clase alta, de la clase media alta y de la clase media normal están representados allí.

Esencialmente, son los hombres que continúan haciendo lo que se espera de ellos. Renuentes a correr riesgos o a ser demasiado diferentes, son también los más ansiosos por introducirse en la vía que conduce a los cargos ejecutivos o las cátedras universitarias. Cargos, cátedras... algo a lo cual aferrarse.

Toda una generación de hombres de estas características está reflejada en el Grant Study of Adult Development.[5] Estos 268 estudiantes de Harvard pertenecientes en su mayoría a las promociones de 1942 y 1944 fueron seleccionados por su salud psicológica y, con una ironía indudablemente imprevista, por su notable independencia.

Casi todos intervinieron en la Segunda Guerra Mundial. Las profesiones que más les atraían eran la abogacía, la medicina, la administración de empresas y la enseñanza universitaria, en ese orden.

Dos de las conclusiones terminantes que se extrajeron del estudio de este grupo favorecido después de analizar su trayectoria desde su primer año de estudios hasta los 48 años de edad, fueron: con el tiempo, la salud psicológica de una persona es absolutamente *inconsistente*. En segundo lugar, incluso los hombres de este grupo, escogidos por su bienestar, seguían a los cuarenta tratando de destetarse de sus padres. El estudio al que nos hemos referido ha sido analizado por el psiquiatra George Vaillant, de la Escuela de Medicina de Harvard, que apunta los siguientes aspectos destacados:

Entre los veinticinco y los treinta años, estos hombres trabajaron duramente en su profesión y «se dedicaron a la familia nuclear. Poco dotados para la autorreflexión, no eran distintos a 'niños en estado latente': buenos en sus tareas, cuidadosos seguidores de las reglas, ansiosos por ascender y dispuestos a aceptar muchos aspectos del 'sistema'». Hacia los treinta, su excelencia potencial, dice el doctor Vaillant, «se había perdido en beneficio del conformismo». Eran perchas de trajes de franela gris.

Con el propósito de preservar la ilusión de que sus elecciones de matrimonio y profesión eran adecuadas, la mayoría de estos hombres se convirtieron en maestros del autoengaño. Cumplían su parte en el cambio de pañales de los niños y evitaban mirar demasiado atentamente a las esposas que estaban con ellos dentro de las jaulas bien construidas. Dedicaban prácticamente todos sus esfuerzos a escalar los peldaños de su profesión. Para ellos el principio de los treinta había sido una etapa especialmente poco profunda ya que ninguna expansión había tenido lugar en la transición previa. A los treinta y cinco apenas podían esperar a tomar el timón.

A los cuarenta, se rompía su apariencia externa compulsivamente serena. La mayoría de ellos se hallaba en una confusión más mortificante que las que recordaban de su época adolescente. La década entre los cuarenta y los cincuenta había resultado problemática en todas las esferas de su vida. Empero, a pesar de estar corroídos por la depresión y las dudas, los que fueron capaces de afrontar el agonizante autoanálisis de la edad mediana salieron renovados y consideraban el período que va de los treinta y cinco a los cuarenta y nueve años como el más feliz de su vida. Los casos más lamentables son los de quienes ignoraron las dificultades crecientes de los cuarenta. La mayoría de éstos eran abogados. Paradójicamente, en los veinte se encontraban entre los más aventureros. Pero en la edad mediana, guardianes del *establishment* y protectores de sus cuantiosos ingresos, se resistieron a una nueva evolución. Comparados con sus compañeros de estudios, parecían prematuramente viejos.

Los mejores resultados, prosigue el doctor Vaillant, pertenecen a los que en la edad mediana enfrentaron el problema de la mortalidad y cuya preocupación, en la década de los cincuenta, dejó de estar centrada en sí mismos y en su propio progreso. Sus ocupaciones cambiaron decididamente y pasaron, de ganar dinero y recompensas a ocuparse del cuidado de otras personas, lo que incluía preocupación por sus hijos, por la enseñanza y los consejos y, en muchos casos, la transformación en mentores de los jóvenes. Hasta aquí, se trata de una descripción que se atiene precisamente al punto de vista de Erikson sobre la crisis central de la mediana edad: vencer el estancamiento mediante la generatividad (tema del que se trata, en profundidad, en el Capítulo 20). Pero el doctor Vaillant me confunde cuando explica que los hombres que recibieron las más altas calificaciones en cuanto a ajuste adulto dominaban la intimidad en los veinte. «De los hombres mejor adaptados —observa— el 93 por ciento había alcanzado el matrimonio estable antes de los treinta y seguía casado a los cincuenta.» El doctor Vaillant parece definir la intimidad como el hecho de permanecer casado. Cabe preguntarse cuántas de esas esposas alcanzaron un pleno desarrollo adulto.

El Grant Study iniciado en Harvard en 1938 es equiparable en distinción con el Oakland Growth and Development Study (que compara el desarrollo de la personalidad de hombres y mujeres, tal como hemos descrito en el Capítulo 11), que se emprendió en Berkeley en 1929. De los estudios realizados en el mundo entero sobre el desarrollo adulto, estos dos son los que abarcan el mayor período de tiempo. La coincidencia más impresionante de ambos consiste en la forma en que los hombres avanzan velozmente entre los veinticinco y los treinta y cinco, ganando confianza y consolidándose en sus profesiones, aunque perdiendo con la misma rapidez el contacto con sus sentimientos y aprendiendo a bloquear cualquier cambio mediante un constante ejercicio de autoengaño. Excepto para profundizar sus compromisos profesionales, la mayoría de los hombres de ambos estudios parecen haber ignorado el paso a los treinta y haber permanecido encerrados en la conducta de «debo» adecuada a los veinte, al menos hasta pasados los treinta y cinco. No es extraño que en la actualidad exista un profundo interés por la crisis masculina de la edad mediana. Éstos son los hombres encerrados que la sufren actualmente.

Dwight pertenece a una promoción más reciente; se graduó en los años cincuenta. Naturalmente, aquella era una época inexorable en sus esfuerzos por convertir a los jóvenes en niños en estado latente. A Dwight le incumbió reflejar su empedernida herencia de Nueva

Inglaterra. Papá no había tenido mucho estilo pero el abuelo —a quien Dwight idolatraba— había empezado como corredor de bolsa en Wall Street para llegar a dirigir un ferrocarril. Bastaba mirar a Dwight para adivinar que había nacido con mano dura y que llegaría a ser un triunfador.

Bajo las apariencias, sin embargo, existía una vena de soledad. Hijo único, Dwight había vivido solo con su madre mientras su padre estaba en la guerra, hasta que un día también ella desapareció. El chico volvía de jugar en el estanque y se sorpendió al ver la cantidad de coches aparcados en el sendero. Su madre había muerto. La explicación oficial fue neumonía y jamás volvió a tocarse el tema. El niño fue recogido por sus abuelos. Años después estaba buscando papel borrador en el escritorio del abuelo para practicar fracciones y encontró la noticia del *New York Times* sobre el suicidio de su madre. Papá regresó y se volvió a casar. Las piernas del chico apenas llegaban al primer peldaño de la escalerilla del tren cuando empezó a arrastrar las maletas que llevaría a la escuela. Le gustó la escuela. Allí tenía compañía. Nunca causó problemas, nunca atravesó un período contradictorio. De hecho, tal como era a principios de los veinte, Dwight parecía dispuesto a encerrarse en una gran caja fuerte.

No fue un caso de necesidad económica. Tan conmovido estaba el abuelo al ver a su único heredero como graduado universitario, que le regaló a Dwight una suma de dinero para que hiciera con ella lo que quisiera. El dichoso graduado podría haberla utilizado para ir a Creta a hacer excavaciones, para retozar en los burdeles de todo el continente o, sencillamente, para aventurarse en el capitalismo.

—Supongo que mi ancestral ética protestante me aconsejó que la invirtiera.

Puso todo el dinero en acciones. ¡Encerrado!

Vanessa había estudiado en Vassar. Vanessa era un romance idílico. Vanessa esquiaba. Basándose fundamentalmente en tales premisas, Dwight se convenció a sí mismo de que la amaba. Tenía

309

que ingresar en el ejército. Se sentía solo otra vez. No transcurrió un momento entre la conclusión de su educación básica y el inicio de su vida de casado con Vanessa. ¡Encerrado!

Dwight no tenía grandes planes con respecto a sí mismo cuando salió del servicio. Naturalmente, tampoco los tenía Vanessa; ella se limitaba a tener hijos y a estar siempre bien peinada, como se supone que deben hacer las esposas. Todos los compañeros de Dwight estaban ingresando en Wall Street o haciendo un curso de preparación para ejecutivos. Dwight sabía lo que no quería hacer. Papá había sido ejecutivo y papá significaba asociaciones desagradables en su mente. Fue el comandante de Dwight quien le sugirió que se dedicara a la enseñanza, y tal vez a causa de que la escuela había sido su hogar sustituto durante tantos años, decidió intentarlo. Aceptó un puesto en una escuela primaria en California.

—Vanessa no tuvo nada que ver con mi decisión, hasta el punto de que ni siquiera expresó a dónde quería ir. Cuando empecé a dar clases me entregué a ello sin reservas. Me encantaba la idea de convertirme en un erudito.

Sin apenas experimentación, Dwight había encontrado su verdadero camino en la vida. ¡Encerrado!

Algunos fragmentos de yeso empezaron a desprenderse de este elegante matrimonio cuando la pareja se acercó a los últimos años de los veinte. Necesitado de una cierta excitación, Dwight se desvió ligeramente en su camino y vivió en Washington durante un año, trabajando como ayudante administrativo de un congresista. Esto le llevó a entrar en contacto con gente famosa. Vanessa empezó a expresar algunas quejas sin mucha fuerza, nada que él pudiera asumir.

—Yo no sentía que tuviera ningún apoyo real detrás de mí, aunque tampoco ningún antagonismo.

Quince años después, Dwight puede especular en qué es lo que andaba mal pero aún hoy hay algo que le desconcierta.

—Sospecho que uno de nuestros auténticos problemas fue que

su sentido de sí misma era, en gran medida, yo. Buscaba constantemente algo «que hacer» para que su tiempo fuera útil. Era una buena madre. Sigue siéndolo pero todavía hoy anda a la búsqueda de su propia identidad.

A los treinta, los contornos de su vida en el mundo académico parecieron situarse en su lugar con toda claridad. Su alma mater, una Universidad de Nueva Inglaterra, le alejó de Washington ofreciéndole el puesto de ayudante del presidente de la Universidad. De pronto Dwight se vio mirando hacia un futuro en la administración, en la silla del decano y después en la del presidente, ejerciendo influencia, a cargo de todo. Como el abuelo.

A medida que Dwight adquiría seguridad, su esposa se sentía invadida por el pánico. Más temor cuanto más limitada se sentía y más limitada cuanto más temía la expansión, Vanessa pasó al ataque. Le recordó a Dwight su compromiso con la enseñanza. ¿Qué había ocurrido con sus conversaciones elevadas acerca de convertirse en un erudito que ganaría becas, investigaría y escribiría libros que serían apreciados por las personas cultas? Ella reservó su respeto para los miembros de la Facultad. Su opinión de la gente a la que tenía que invitar a reuniones de administrativos con su marido era: «Esta gente no vale nada».

Dwight no podía reconocer hasta qué punto estaba de acuerdo. Vanessa, maldita sea, sacaba a la luz todas las cosas que él no era capaz de afrontar: ¿Estaba desperdiciando su talento por la seguridad? ¿Desertaba de la erudición para perseguir el poder de la presidencia? En lugar de luchar con el demonio que había en su interior, convirtió a Vanessa en ese demonio: «Me estaba oprimiendo». Respondió con el mismo tipo de observaciones críticas sobre su esposa. «Tú tomas clases de arte y pintas un cuadro y no te importa en absoluto la calidad. Mañana te atraerá algo distinto. Nunca concluyes nada de lo que empiezas, ¿qué te ocurre? Me inquietas. No hay ninguna muestra de... de lo que yo llamo excelencia. ¿Por qué no vuelves a estudiar y obtienes un título universita-

Posteriormente, Dwight afirmó: «Yo la estimulé. Claro que, dicho sea en su honor, volvió a la Universidad y concluyó la carrera. Pero entonces nuestro matrimonio ya estaba deteriorado». Perdido el sentido de la oportunidad, también fue Dwight quien dijo (como citamos en el Capítulo 13): «Creo que mi esposa debió sentir cierta envidia porque yo tenía una visión de mí mismo. Dejó de apoyarme. Siguió participando, pero sin demostrar mucho entusiasmo por las responsabilidades de ser mi esposa, por ejemplo la de recibir invitados en casa. Ella todavía no tenía nada propio. Estaba poniéndose frenética». ¡Crac!

Ambos decidieron permanecer separados durante un año. Vanessa se fue con los niños a una ciudad; Dwight permaneció en la ciudad universitaria, donde al cabo de poco tiempo se relacionó con la joven secretaria del decano. El matrimonio de ésta también se tambaleaba. Bajo la pálida luz de los gélidos atardeceres se dieron calor el uno al otro, se estimularon mutuamente a convertirse en alguien nuevo. «¿Cómo puedo volver a ser estudiante ahora, a los treinta y dos?», inquiría él retóricamente, ya que eso era precisamente lo que quería. Ella alejaba sus dudas riendo: «Sufrirás reumatismo antes de alcanzar una cátedra, ¿y qué?». Él, a su vez, encontró un gran placer en ser un Pigmalión. La convenció de que abandonara la sofocante seguridad de su matrimonio y volviera a estudiar para obtener el diploma.

Cuando Vanessa regresó, con la esperanza de remendar el matrimonio, encontró a un hombre en plena rebelión, tanto que, de hecho, ni la oyó decir: «¡Pero eso es exactamente lo que *yo* esperaba que hicieras!».

Dwight rompió prácticamente todo lo que había construido en los veinte: el matrimonio, el hogar, la carrera como administrador. Estaba lanzado. Salvo por el hecho de que echaba de menos a sus hijos, no tenía pesares.

—Era en gran medida a causa del enamoramiento de una nueva compañera, de una nueva aventura sexual y, sobre todo, porque esa muchacha me apoyaba en todo lo que yo quería hacer. En aquella época de mi vida corrí un riesgo profesional. Echaba de menos la enseñanza y quería ser profesor universitario. La única forma de lograrlo consistía en obtener un doctorado. Renuncié al puesto de ayudante del presidente, vine a Nueva York y volví a la escuela para graduados. Ella creía en mí. Ambos vinimos solos a esta ciudad fría e impersonal. Nos reunimos; me sentía muy cerca de ella. Estaba preparado para iniciar una nueva vida con ella.

¿Oyen ustedes los ecos que Dwight no puede oír?

La esposa dice: *Sé fiel a tus propios valores. Tú valoras la vida académica más que el poder. En consecuencia, tendrías que ser profesor y no administrador.* Esta era la verdad, por desagradablemente que la presentara Vanessa. Pero cuando Dwight estaba en los veinte y Vanessa transmitía este mensaje, él no deseaba recibirlo. Lo interpretaba como una exigencia externa y una crítica. Lo proyectaba sobre su compañera: «Me estaba oprimiendo».

Durante el paso a los treinta, surge en el interior de Dwight un imperativo que dice: *La búsqueda de la vida académica es de mayor valor que el poder. Tendría que ser profesor y no administrador.* El mensaje es idéntico pero ahora lo reconoce como una parte de sí mismo, de modo que puede asimilarlo. Al mismo tiempo, se ve lleno de una nueva confianza: *Para variar, no importa la seguridad; corre el riesgo.*

El mismo mensaje comunicado en diferentes etapas asigna una apariencia totalmente distinta a quienes lo llevan. Existía muy poca diferencia entre la esposa y la Mujer Testimonio en la vida de Dwight, excepto en el momento en que se presentaron. Antes de que Dwight estuviera dispuesto a abandonar la seguridad de su trabajo administrativo, la mujer que le instó a volver a su sueño académico era una detractora. Cuando se hallaba preparado interiormente, la mujer que le estimuló a llevar a cabo el cambio era un soporte. La nueva mujer también le consideraba como un hombre que voluntariamente retrocedía, dispuesto a arriesgar una posición segura para volver a ser estudiante. Ella ignoraba todas las vacilaciones y autoengaños anteriores. Donde su esposa veía a un cobarde, la Mujer Testimonio veía a un hombre que luchaba por ser. Más importante aún, él ahora *necesitaba* su ayuda.

Dwight, a su vez, ofreció a las dos mujeres muy distintas expectativas. Ambas habían sido brillantes universitarias hasta que se casaron y dedicaron su atención al cuidado del marido y los hijos. Ambas empezaron a aburrirse y a desesperar cuando iniciaron el ascenso de la colina que conduce a los treinta.

A su esposa, Dwight le decía: «Disfruta de los deberes de la esposa de un administrador, sé una buena anfitriona, solidarízate con mi profesión. Por supuesto, sé también una buena madre. Y en última instancia, ¿por qué no concluyes tu educación para sentirte más confiada y culta? Sería fantástico a la hora de recibir a mis invitados».

Antes la Mujer Testimonio, no obstante, tendía exactamente el tipo de alfombra mágica que podía haber salvado a su esposa. A la nueva mujer le decía: «Ven a volar conmigo, volvamos a la vida de estudiantes, reviviremos los sueños de nuestra juventud, creeremos el uno en el otro y todo lo construiremos juntos, empezando por el adiós a nuestras antiguas rémoras sexuales».

Y volaron, efectivamente. Tres años más tarde, Dwight se estrelló. La Mujer Testimonio le dejó en el aire sin advertencia previa, por otro hombre. «Fue algo repentino y brutal. Yo no había lamentado nada de la ruptura con mi esposa pero esta vez... me sentí totalmente destrozado. No sé, tal vez contaba con ella como algo dado.»

Todo lo cual demuestra que es posible romper el encierro y no eludir el paso de Alcanzar los Treinta. Como descubrió Dwight exactamente a los treinta y cinco, el cambio de compañera no era la clave, sino un cambio *en él.* Y dicho cambio sólo empezó a tener lugar seriamente cuando dejó de esperar que su compañera fuera el soporte (ya fuera explotándola a ella, como hizo con su Mujer Testimonio). Cuando empezó a asumir la autoridad de su propio apoyo, Dwight se expandió a todos los niveles. Pasó varios años trabajando en forma independiente en un proyecto de investigación académico y relacionándose con una serie de mujeres que tenían sus propios hierros puestos al fuego. Se relajó. Se dejó crecer el bigote. Aprendió una o dos cosas de una vigorosa mujer casada. Se mezcló en la política antibélica. Finalmente volvió a casarse y escribió un libro. Ella era productora cinematográfica. Al borde de los cuarenta, resplandeciente de vitalidad y más audaz que nunca, Dwight partió con su nueva esposa al último desierto del Oeste para filmar un documental: sobre el campo de él, utilizando el medio de ella.

EL JOVEN PRODIGIO

—Siempre he jugado a ganar más que a no perder —son las palabras del hijo de un peón irlandés para explicar su propio ascenso a la presidencia de una gran corporación—. Suena como si fuera lo mismo pero existe una enorme diferencia.

Así es. Aquí se representa como la diferencia que hay entre el modelo encerrado y el del joven prodigio. Ambos tipos de hombres pueden tener sueños de metas elevadas. La diferencia está en el grado de riesgo que están dispuestos a correr. El hombre que empieza «como candidato a presidente» o que juega a ganar barrerá hacia casa en todas las oportunidades posibles, adelantará posiciones, recibirá los honores y a lo largo del camino mostrará fidelidad a cualquier equipo o principio en tanto signifique para él una causa triunfal. No sólo acepta riesgos sino que los crea. La incertidumbre misma de los resultados es la fuente de su excitación. Casi invariablemente cuenta con un instructor (el mentor o modelo de carrera no parental descritos por Levinson) y éste le entrena desde temprana edad, para su equipo, pero a la primera oportunidad pasará a otro equipo más grande y mejor.

Por lo general, el joven prodigio disfruta tempranamente del éxito de su carrera. Una señal del hombre de este modelo es su reacción ante la idea totalmente extraña del desarrollo adulto. Sólo la aceptará si tiene la posibilidad de tomar la delantera.

—Puede usted estar en lo cierto en cuanto a esa etapa —dirá—, pero yo la atravesé con cinco años de adelanto.

Encuentra su camino antes que los demás... aunque no siempre llega a la cima o permanece en ella si ha conseguido alcanzarla. Todos sus pensamientos están ocupados por el trabajo. Su fijación es el trabajo. La línea divisoria entre trabajo y vida privada se desdibuja prematuramente. Trabaja en las fiestas, en la ducha, en sus espasmódicos sueños de su temprano despertar; trabaja incluso cuando juega. Las vacaciones no le sirven más que para recargar su batería y así trabajar más; la meta del juego de golf es la de intimar una amistad comercial, a menos que se trate simplemente de ganar el campeonato.

El mundo de los deportes está abarrotado de jóvenes prodigios. Quizá más que cualquier otro grupo profesional, los atletas campeones necesitan un concepto del ciclo vital total. Son demasiados los que surgen como centro de atención en sus primeros años sólo para caer en una punitiva oscuridad antes de estar preparados para una segunda carrera, y eso significa algo más duro que poner la firma en cajas de galletas. Los más listos extienden su posición de celebridad en campos afines, convirtiéndose en personalidades de los medios de comunicación, columnistas o propietarios de restaurantes. Y de tanto en tanto, un joven prodigio que se inicia como triunfante deportista, se dedica a ganar para la humanidad.

Einstein elaboró la teoría de la relatividad a los veinticinco años. Napoleón y Alejandro consiguieron grandes imperios antes de los treinta. El legado de tamaños despliegues de precocidad, junto con la única religión perdurable de Estados Unidos —la productividad— contribuyó a perpetuar el atractivo de la situación del joven prodigio, aunque no sin algunas consecuencias negativas.

Los científicos, como grupo, sustentan masivamente la creencia de que estarán consumidos después de los treinta. Ponen el acento en la productividad temprana más que en una elevada meta a largo plazo. La obra de Harriet Zuckerman sobre los laureados con el premio Nobel pone de manifiesto que su trabajo se basa en esta creencia. Los ganadores del premio Nobel empiezan a publicar antes que sus colegas (a una edad promedio de 25 años) y continúan haciéndolo a un ritmo furioso (una media de cuatro ensayos anuales desde el inicio de sus carreras) hasta que llegan a la cima de la productividad a los cuarenta. Su prodigioso esfuerzo es recompensado pero la recompensa misma —creada con un incentivo de posteriores contribuciones a la ciencia— actúa como un freno. En los cinco años posteriores a la obtención del premio Nobel, la productividad de los laureados declina agudamente. Su trabajo con los colaboradores se hace tirante, por lo general hasta el máximo de tensión tolerable. Repentinamente se convierten en estrellas. Requeridos para el consejo administrativo, los discursos, las decisiones políticas, las entrevistas, el servicio gubernamental, etc., no les queda tiempo para volver al laboratorio y continuar con su trabajo. Se convierten en víctimas de la predisposición a la precocidad que reflejan actualmente muchas de nuestras instituciones. [6]

El círculo se completa con científicos menos destacados que abandonan pronto el laboratorio (antes de consumirse, según su criterio) para ocupar puestos administrativos. Creyendo en el mágico lazo de unión entre juventud y productividad, hacen realidad la creencia en la forma en que entonces organizan la ocupación.

También se ha creado una mitología alrededor de otras profesiones, según la cual se debe superar una determinada marca a cierta edad o de lo contrario es mejor abandonar la profesión.

El joven prodigio a menudo parece poseer una ilimitada capacidad para recuperarse de los fracasos en su carrera. Pérdidas en los negocios, luchas por el poder, elecciones en las que han sido derrotados, incluso acusaciones delictivas son consideradas como reveses transitorios: no hacen más que intensificar su resolución de llegar a ser ganadores. Pero cuando se abren a la luz las biografías de estos hombres, a menudo aparecen como retardados en la esfera personal, limitados en reciprocidad y, en ocasiones, carentes de toda capacidad de comunicación. Podríamos decir que un superlogrado es todo buscador y nada fusionador.

317

Clásicamente, el joven prodigio hace un matrimonio utilitario, atrae a una «esposa oficina» y acumula amantes que rara vez se cansan de esperar a que abandone a su esposa. No es sorprendente que la mayoría de ellos se case con dispensadoras de cuidados, especialmente con aquellas que tienen linaje, acciones o padres importantes. También les atraen las modelos y actrices que pueden exhibirse como posesiones envidiadas. Sería difícil exagerar la importancia que adjudican estos hombres al mantenimiento de la estructura matrimonial tradicional. Entre los estudios que lo han documentado, uno señala, inequívocamente: «Sus esposas forman un santuario que psicológica y literalmente les libera para trabajar. Pero aunque la existencia de una familia puede ser crucial, sus esposas e hijos podrían ser intercambiables.[7] La esposa oficina es otra cuestión. Ella sabe dónde está todo: sus papeles, sus caprichos, su ropa sucia profesional, su momento de ganar. La relación puede o no extenderse al campo sexual pero se desarrolla una identidad de objetivos. Ella no es fácilmente reemplazable. Como el joven prodigio es un hombre complicado y raras veces introspectivo, suspira por alguien que le comprenda sin desafiarle. Si no se trata de la mujer con la que trabaja, será una amiga, una alumna o protegida. Hastiado después de una noche de seducir clientes, puede hundirse en el lecho de esta mujer comprensiva y confesar: «Me siento como una prostituta». Pero rara vez comparte con su esposa los pensamientos privados, los temores y las esperanzas que siente con respecto a su trabajo. Un estudio referente a estos hombres —y que ocupa todo un libro— dice que ello se debe a que aun cuando a este hombre le gustaría compartir ese mundo con la esposa, no puede salvar el abismo del lenguaje especializado y, por encima de todo el sistema de valores aceptado en los pasillos del poder, que a ella le resulta completamente ajeno.[8] (¿Y posiblemente repugnante?)

Mis sujetos revelaron una razón más profunda. Tenían miedo de reconocer que no eran sabelotodos. Miedo de permitir que alguien se acercara demasiado. Miedo de dejar de llenar su tiempo con desafíos externos que con toda probabilidad podían superar, por temor a vislumbrar ese vasto y traicionero mundo interior que parece insuperable. Miedo de que en el momento en que barajan la guardia alguien pudiera ridiculizarlos, exponerlos, descubrir sus debilidades y reducirlos otra vez a la impotencia de un niño. No era a sus esposas a quienes temían, sino a sí mismos. A esa parte de sí mismos que he designado custodio interno y que tiene su origen en los padres y en otras figuras de la infancia.

En algún punto del pasado, allá en la oscura senda de la infancia, cada uno de los jóvenes prodigios a los que entrevisté, recordaba a una figura que le había hecho sentir indefenso o inseguro. Una madre excesivamente protectora, un padre que no daba su aprobación, un padre alcohólico, un padre ausente. En algunos casos, la fuerza a la que hacían referencia era más global: una agobiante pobreza o algún prejuicio. Un hombre, que en la actualidad es un genio de las finanzas, tuvo una infancia judía especialmente memorable. Se vio abordado por una pandilla de alemanes nazis. Le dejaron un solo testículo. Naturalmente, se trata de un caso extremo. El custodio interno puede también provenir de un padre con buenas intenciones: «Tienes la oportunidad que nunca tuve yo de convertirte en médico», o «Debes realzar nuestro apellido aspirando a altos cargos públicos». Pero el legado más importante de estas frases es la segunda parte, que queda implícita: *...o no serás nada.*

Con frecuencia el dinero es un objetivo secundario en el torbellino de la vida del joven prodigio. El impulso fundamental consiste en ingresar en el círculo íntimo. Esto lo consiguen subordinando todo lo demás a la compulsión de ser el Número Uno porque entonces —eso esperan— se desvanecerán sus inseguridades, serán amados y admirados, nadie podrá volver a humillarles, ni a denigrarles ni a hacerles sentir dependientes.

El joven prodigio puede comportarse de modos diversos en la edad mediana, etapa en la que —dicho sea de paso— la mayoría de ellos detesta reconocer que ha ingresado. Para estos hombres, la gran crisis tiene lugar al *alcanzar* el éxito. [9] La premisa inconsciente consiste en que cuando lleguen a la cumbre, el custodio interno, aquel siniestro dictador o detractor, quedará desautorizado de una vez por todas.

En ocasiones, los que siguen este modelo de vida terminan en la cárcel. Pero muchos otros llegan a dirigir las principales corporaciones de la nación, cuando no la nación misma. Puede ser una élite formada por muy pocos, pero su impacto se ve multiplicado por los cientos de miles de personas junto a las que pasan en su camino hacia el pináculo de la influencia. Por esta razón debemos ocuparnos de ellos. Y también porque somos nosotros quienes les llevamos al lugar que ocupan.

En una cultura competitiva como la nuestra, que celebra a los asesinos, a los proscritos y a las prostitutas, el joven prodigio se siente acicateado a alcanzar sus objetivos. Sus más cínicas manipulaciones de los demás se pasan por alto de buen grado en tanto siga siendo un ganador. Es un héroe corriente de la pantalla americana y un imán para las mujeres. Piénsese en el Clark Gable de *Lo que el viento se llevó,* o en el Bogart de *Casablanca.* El joven prodigio es la expresión de la fantasía de millones de hombres más débiles que se prendaron de Billy el Niño, James Bond, Michael Corleone; que idealizaron el valor de John F. Kennedy durante la crisis cubana de los misiles hasta que, en retrospectiva incluso un documental de la televisión ofrece la escalofriante perspectiva de que aquel arriesgó la exterminación de la humanidad con el único objetivo de demostrar que Kruschef no podía competir con él. La multitud estuvo prendada de Richard Nixon, hasta que su juego quedó al descubierto. Como ha señalado Shana Alexander, la caída de Nixon es importante en un sentido que a nadie parece interesarle demasiado. Arquetipo del Sueño Americano, muchacho pobre que consiguió triunfar, Nixon profesó el evangelio de ganar por el mero hecho de ganar. «El evangelio... te deja en la ruina espiritual cuando el juego concluye y se ha perdido la partida.» [10]

Los sociópatas y las personalidades paranoides se encuentran ampliamente representados en el modelo del joven prodigio. El psiquiatra William Gaylin de la Columbia University ha advertido que son precisamente estos rasgos, los más peligrosos en la gente que detenta el poder, los que resultarán más adecuados para llegar al poder en nuestra cultura. Estos son los hombres, afirma, que con toda probabilidad triunfarán como dirigentes de las grandes corporaciones y que serán elegidos como nuestros líderes.

En primer lugar, los sociópatas. Estos no están mentalmente enfermos; simplemente, son ajenos a las necesidades de los demás y carecen por completo de la capacidad de sentir culpa o empatía. «La capacidad de ser implacable, enérgico e inmoral, si se la conjuga con inteligencia e imaginación, puede ser una combinación victoriosa tanto en la política como en el mundo de los negocios», observa Gaylin. [11]

Resulta fácil reconocer cierto grado de paranoia en el perfil de otro tipo de joven prodigio. Señala Gaylin:

> La personalidad paranoide, con su mente conspiratoria, su tendencia a personalizar y a considerar los desafíos políticos como ataques personales, su preocupación por el orgullo y la humillación, su permanente inclinación a crear luchas por el poder donde no tienen por qué existir, su constante reafirmación de su valor que no está siendo cuestionado y de su masculinidad que no está siendo amenazada, su exagerado sentido de la humillación, y su terror de dejar al descubierto su profundo sentido de impotencia e inadecuación, es una amenaza muy concreta en una posición de poder.

Existen otros superlogrados, por supuesto, que superan su propio éxito y son capaces de alcanzar la renovación prolongando su talento en beneficio de la sociedad o guiando a la nueva generación.

Cada uno de los veinte sujetos de un estudio de la Universidad de Michigan referente a hombres decididamente triunfadores, habían protagonizado cambios profesionales radicales o se habían vuelto benefactores sociales en la edad mediana. Un médico había abandonado su práctica de clase media con el fin de establecer una clínica para la atención de los pobres. Un venerable académico trabajaba en el intento de modificar la política social nacional. Estos hombres, entrevistados en profundidad por la profesora de psicología Judith Bardwick, vivían en Boston, Nueva York y Ann Arbor, Michigan. Aunque se trata de un estudio selecto, revela importantes coincidencias en las vidas de esos hombres. [12]

De modo característico, los veinte insistieron en que nunca habían sufrido una crisis de la mediana edad, que no la esperaban y que no sabían que estaban avanzando hacia su propia muerte. No eran introspectivos. Con pocas excepciones —como la del médico y el profesor mencionados—, el trabajo que hacían no resultaba beneficioso para la sociedad, pero se tranquilizaban considerando que sus tareas o instituciones eran valiosas. Empero, la trascendencia de un yo ético era secundaria en la línea de evolución, y sólo adquiría importancia después que habían alcanzado el poder.

Como la mayoría de sus esposas no trabajaban —y las pocas que lo hacen sólo es con dedicación parcial—, los hombres del estudio de Bardwick sienten inquietud por el crecimiento de sus hijos. En breve sus esposas quedarán desocupadas, y lo saben. Pero apareció una notoria discrepancia entre las declaraciones iniciales de estos hombres en el sentido de que sus esposas eran mujeres maravillosas (queriendo decir esposas y madres maravillosas) y su auténtica opinión tal como surgió en última instancia. Aproximadamente las tres cuartas partes del grupo no respetaba a sus esposas como personas.

A no ser que sus esposas provocaran una confrontación, el comportamiento egocéntrico de estos hombres se sucedía desenfrenadamente. Un fracaso profesional sólo servía para que hicieran mayores esfuerzos pero estaban absolutamente mal preparados para afrontar y superar una crisis matrimonial. Los que sufrieron una tal experiencia, puede decirse que fueron los más afortunados. Sólo ellos vivieron, en la mediana edad, una sincera y nueva estimación de sí mismos.

Todos los jóvenes prodigio cuyos casos consideré tuvieron una crisis en la mediana edad. No necesariamente una crisis aparente en su carrera pero sí una inquietud interior que les obligó a hacer una introspección. Cuando la brecha de la soledad fue demasiado amplia para ignorarla, o sus esposas les habían abandonado o se habían vuelto alcohólicas, algunos trataron de disfrazar su pérdida emocional: «Era una madre estupenda», o «Era el factor fundamental de todos mis éxitos». En ocasiones, bajo la desdicha del abandono reciente, con lágrimas en los ojos, alguno de esos hombres confesó: «Sin duda he debido ser terriblemente insensible con ella».

Los afanes específicos del joven prodigio en el paso de la mediana edad serán considerados más adelante, pero el modelo queda gráficamente demostrado por un hombre al que llamaremos Barry Bernstein.

En las mágicas profundidades de la tercera fila del cine Quickway, pasó su infancia soñando en el día en que se convertiría en Señor Cine. Cuando ese día llegara, le enviaría mensajes a John Wayne y negociaría los derechos de la Biblia. El nombre que aparecería en los títulos de crédito no sería Zanuck, ni Preminger, ni Louis B. Mayer. Sería Barry Bernstein. Sus padres tenían que sacarlo a la fuerza del cine para llevarle a casa a comer.

A los diecisiete años entró a trabajar en los servicios de correspondencia de un importante estudio cinematográfico. Al margen de una interrupción que se llamó guerra de Corea, avanzó uniformemente por los niveles de una destacada agencia de talentos hasta el punto en que, a los treinta años, se hallaba en posesión de una envidiable cuenta corriente y muchos otros beneficios que suele alcanzar un soltero en el mundo del espectáculo. Nadie dependía de él. No se permitía distracciones. Vivía en un apartamento semipalaciego en la zona más lujosa de Manhattan y tenía una criada que recogía sus calcetines, además de numerosas modelos intercambiables con las que podía estar cuando le interesaba, lo que no ocurría a menudo. A ellas no les importaba que a Barry le gustara más trabajar que estar con ellas, siempre que mencionara sus nombres a los directores.

Sus padres eran lo único que empañaba su horizonte. Eran asalariados con muy poca predisposición a mejorar su suerte. No tenían ninguna opinión sobre el éxito de su hijo, éxito al que trataban como al tullido al que se cruza en la calle: no le prestaban la menor atención.

En ausencia de un mentor, Bernstein confiaba absolutamente en un modelo distante. Su ídolo era John Kennedy. Trabajó en la campaña que le llevaría a la presidencia. La razón por la que lo idolatraba:

—Demostró que un joven puede avanzar rápidamente y hacer su trabajo tan bien como cualquier hombre de más edad —creer en esta premisa era vital para el programa de Bernstein.

La única evidencia de un cambio durante su paso hacia los treinta fue una nebulosa sensación de que algo en su interior no estaba plenamente realizado. Según diagnóstico del propio Bernstein, el programa consistía en que no había alcanzado una identidad personal en el mundo del cine. Era un radio y todas las ruedas estaban en Los Angeles. Empero, no reflexionó sobre esto ni se sintió impulsado a modificar ninguno de los términos o condiciones de su vida. El vacío fue fácilmente encubierto por un movimiento físico, esta vez a una vivienda que dejaba a cualquiera sin aliento, con vista al East River, más acorde con sus ingresos de 35 mil dólares anuales. Tenía treinta y dos años.

Un día la criada le despertó bruscamente. Él estaba en la cama desde hacía varios días tratando de recuperarse de una pulmonía bronquial.

—Tengo malas noticias —dijo la mujer—. El presidente ha sufrido un atentado y ha recibido varios disparos en la cabeza.

En su estado de debilitamiento, Bernstein no logró comprender esta información. Miró a la criada como si fuera una pared.

Poco rato después llegó una de sus amigas modelo para confortarle. Permanecieron con la vista fija en el televisor tres días enteros.

—A mí me dio una perspectiva distinta de lo que era la vida —recuerda—. Me refiero a que vi a un hombre hecho añicos en el pináculo de su carrera. Todos mis movimientos, alborotos y actitudes materialistas perdieron sentido. Fue un período muy emocional. Ya nada me parecía importante. A mi lado seguía aquella muchacha encantadora cuyo único centro de atención era yo, que no quería hacer otra cosa salvo cuidarme. Toda mi actitud hacia ella cambió. Iniciamos un noviazgo formal, como si fuéramos dos chiquillos. Poco después del asesinato le pedí que nos casáramos. Así de sencillo. Le dije que podía dejar de trabajar en cuanto quedara embarazada. En consecuencia, la primera vez que creyó estarlo, dejó su trabajo. Jamás le pedí que volviera. Eramos la pareja perfecta. Quiero decir que todos pensaban que el nuestro era el matrimonio perfecto.

A los treinta y siete años, Barry Bernstein era jefe de producción de una de las compañías cinematográficas más importantes de Hollywood. Se sentía un héroe.

—De pronto pensé, Jesús, soy un magnate. Todos tienen que acudir a mí, todos.

Excepto su esposa:

—A ella no podría haberle importado menos.

Los primeros dos años de matrimonio habían sido dichosos. Ella se ocupaba de él, que finalmente se ocupó de dejarla embarazada. Como exhibición de su felicidad, dieron una pequeña fiesta en su casa la noche del reparto de premios de la Academia. Los invitados fueron estimulados a tocar el vientre de Lorna: ya empezaba a estar abultado. Lorna era muy joven y se sentía muy orgullosa de su sexualidad que le permitiría arrojar bebés al mundo. El resto de su universo era Barry, el muro protector.

Aquella misma noche, tarde, una ambulancia se llevó a Lorna. El cirujano informó que existían pocas posibilidades de que se salvara. El niño se había asentado donde no correspondía y había dañado zonas vitales de su cuerpo.

Sobrevivió, pero se había roto algo más que no se pudo reparar con tanta facilidad. Tanto ella como Barry se convirtieron en seres atemorizados. El miedo de Lorna se mezclaba con una ira impotente. Dos grandes ilusiones de sus veinte —la de que su cuerpo trabajaba perfectamente y la de que su seguridad era su marido— se habían destrozado simultáneamente. No estaba preparada para aceptar la parte negra de la vida como parte de sí misma. Proyectó todo en su marido. ¿Cómo él, su protector, había permitido que la invadiera esa fuerza del mal? A él le correspondía alejar sus pesadillas. En los años siguientes puso a prueba a Bernstein, arrastrándose repetidas veces hasta el principio de la destrucción en la esperanza de que el marido la salvara y alejara de los temores que la atormentaban.

Bernstein decidió huir de sus propios temores montando al más rápido de los tranvías llamados Éxito. Un año atrás, dos de los más astutos agentes cinematográficos nuevos en el negocio lo habían contactado para pedirle que se uniera a su equipo. Les rodeaba una gran mística, así como la reputación de ser asesinos. Barry había decidido con Lorna, antes de su embarazo intrauterino, no abandonar la respetable compañía para la que trabajaba por estos genios dudosos. Pero ahora no podía esperar. Había vislumbrado el gusano de la mortalidad en la manzana.

Lorna llevaba seis meses de su nuevo embarazo cuando los socios de Bernstein le dijeron que había llegado el momento de trasladarse a Los Ángeles.

—No puedo dejar a mi tocólogo —rogó—. A mi familia, a todos mis amigos...

—Me tienes a mí —afirmó Bernstein— y en California hay muy buenos médicos. He hecho todo lo necesario, ya verás. Tenemos una hermosa casa amueblada en Benedict Canyon.

No tenían a quién invitar para la ceremonia de la circuncisión. Las familias de ambos eran demasiado pobres para viajar.

Bernstein llenó la casa de colaboradores comerciales. Su esposa no abandonó su dormitorio en ningún momento.

—Estaba totalmente inmerso en los negocios, trabajaba siete días a la semana, como un loco —recuerda los últimos años de la década de los treinta—. Le prestaba muy poca atención o ninguna atención a mi familia. Todos decían: «Si quieres estar seguro de que tu esposa se siente contenta, cómprale una casa, dale algo a qué aferrarse». Compré una casa. Pero ella no quería tener nada que ver con mi mundo. Detestaba asistir a fiestas y estrenos, de modo que iba solo. No sé qué hacía ella. En realidad nunca me molesté en pensarlo. Seguíamos durmiendo en la misma cama, pero no la deseaba. Todavía me importaba... pero en la cama no ocurría nada. Yo no comprendía. La única forma de soportarlo era dedicarme al trabajo con más intensidad. Me hice mis propias relaciones en la empresa. Estaba empezando a sentir una sensación de poder. Los Angeles es una ciudad muy veleidosa. Si estás en una posición de poder, todos te adoran. Te miman.

En el mundo cinematográfico eso se llama fiebre. Bernstein tenía mucha fiebre.

A la primera señal de depresión, imponía ser mejor atendido. Entraba al restaurante y exigía que le situaran en la mejor mesa. Los domingos por la tarde telefoneaba a sus vasallos y les echaba un rapapolvo. *Tú eres dios, tú eres dios,* le decían sumisamente, y su depresión se desvanecía. Cuanto más trabajaba, más gente le atendía y le mimaba, más alto se elevaba. ¿Puede un tipo común y corriente comprender lo que supone esta tremenda seducción de estar por encima de la humanidad y hacer saltar a hombres adultos?

Barry Bernstein era ahora un magnate hecho y derecho, el mágico Señor Cine de sus sueños. Estaba absolutamente anestesiado de toda sensación interior. Vivía la ilusión que conduce a más de un joven prodigio a un callejón sin salida: *Debo darme prisa y cumplir mi sueño porque el éxito me conferirá la autoridad definitiva... sobre mi propia vida, sobre otros, sobre el tiempo, sobre la muerte.* En realidad, el éxito le proporcionó todo lo contrario. Bernstein había

327

hecho una regresión al narcisismo de un niño pequeño que juega a ser el rey de la montaña. Era un niño dios. En su mundo sólo quedaba una persona que esperaba que fuera humano. Su esposa, en la cama. La abandonó.

La llamada llegó pocas semanas más tarde, un sábado de 1970. Una terrible crisis había afectado a la industria cinematográfica. Su empresa, entre otras, se tambaleaba. Bernstein tenía todas las razones para creer que le nombrarían presidente de la compañía. El actual, le habían asegurado, lo consideraba su protegido. Esta llamada era, probablemente, crucial: la situación les había obligado a apelar a él antes de lo previsto. Reduciría radicalmente el presupuesto, sacaría a flote la empresa.

Su interlocutor le informó que estaba despedido y le pagarían lo que correspondía: la compañía cerraría en el plazo de una semana.

—Recuerdo los titulares: «XYZ cierra, Bernstein despedido». Fue lo mismo que leer mi propia nota necrológica.

Fue como leer su nota necrológica porque Bernstein ya no era capaz de distinguir el negocio de sí mismo. Si la compañía había muerto, el niño dios había muerto. Peor aún, de repente se hizo difícil demostrar que había existido alguna vez. El presidente de la compañía, de quien Bernstein creía estar tan cerca, no quiso atender ninguna de sus llamadas. El síndrome de declive de la industria cinematográfica ya había entrado en vigor: los fracasos desaparecen.

Se ocultó. Un amigo que se iba de la ciudad para filmar una película le ofreció que se quedara a cuidar su mansión de Beverly Hills. Durante las primeras semanas se levantaba, se vestía, conducía todas las mañanas a través del hogar de las estrellas e intentaba ver gente. Después se vio presa del pánico. No soportaba la idea de ver a otra secretaria con rostro de vinilo diciendo: «Estoy segura de que se pondrá en contacto con usted». Dejó de vestirse. Entornó las persianas para no tener que ver el sol abrasador que arrancaba sin esfuerzo hojas del tamaño de orejas de elefante de los arbustos. Permaneció encerrado en la oscuridad. Transcurrieron las semanas y después los meses, como olas de un océano invernal, sin dejar huella, indiferenciadas.

—En el tipo de trabajo que hago yo no es posible salir a buscar un puesto. Quiero decir que yo tenía una posición. O alguien me llamaba... o nada. Llegué al punto en que ni siquiera podía acercarme a la piscina. Me convertí en un recluso.

De acuerdo con su estilo de avance, en el momento en que su tarea residía en hacer frente al demonio interior Bernstein conoció, en cambio, a una muchachita adorable que borraría el terrible drama que pesaba sus espaldas por medio del romance.

—Durante aquel período estuvimos muy unidos. Ella me cuidaba.

Pero entonces Bernstein tuvo tiempo para escuchar lo que sus antiguos vecinos le habían estado diciendo. Su esposa se había convertido en una alcohólica. El mensaje era: ¡*Sálvame!* Barry no respondió. Lorna enfermó gravemente. Esta vez el cirujano tendría que desfigurar su cuerpo para extraerle el tumor y aun así no estaba seguro de que sobreviviera. Bernstein la convenció de que corriera el riesgo. Lorna sobrevivió pero la cirujía plástica fracasó. Renació su ira, esta vez redoblada: Bernstein había vuelto a traicionarla. Barry entabló pleito de divorcio.

Un sábado por la mañana, su nueva amiga le avisó que le llamaban por teléfono. Otra vez los antiguos vecinos. Lorna había ingerido una sobredosis de píldoras y sus hijos corrían por las calles como locos, en pijama. Bernstein se precipitó al coche en calzoncillos y se dirigió a su antiguo domicilio. Un bulto azulado sobresalía de la cama: era su esposa. Él mismo le hizo respiración de boca a boca. Cuando superó el estado de coma, la internó en la sala de neuropsiquiatría.

Bernstein tiene ahora cuarenta y tres años y un trabajo respetable. Algunas de las personas para las que trabaja son los antiguos vasallos que le mimaban. En otros tiempos, cuando sólo medía su valía por los bárbaros valores del mundo del cine, esta humillación habría sido insoportabls. Actualmente puede vivir y tolerar las pérdidas imprevisibles. En ese sentido ha tenido mucha práctica. Una por una, todas las personas que antes le cuidaban, incluyendo a su amiga, su esposa, su madre y su padre, le habían quitado su apoyo, se habían deteriorado o habían muerto. Hubo de enfrentar cada pérdida con su cúmulo de angustia y al hacerlo ha aprendido dónde reside su valía real. Ahora, cuando se mira al espejo, no encuentra al niño dios. Acepta su rostro tal como es.

—Le diré algo muy importante. Sé que puedo sobrevivir. En esta etapa de mi vida, ya no siento pánico. Uno aprende cuál es la diferencia entre los problemas que se impone a sí mismo y las presiones externas que no puede controlar. Nunca llegaré a ser presidente pero disfruto de la compañía de mis hijos. Todavía me siento como si tuviera veintidós años. Pero tengo canas en la barba y arrugas de ésas que sólo la vida hace surgir en el rostro. De esto no puedo ocultarme. Ahora busco menos recompensas materiales y más satisfacciones interiores. Solía tener una actitud infantil. casi neurótica. Para mí un hombre era un caballo de carrera, un tipo fantástico en la cama, capaz de salir y darle un puñetazo a otro en la mandíbula. Después he aprendido lo que es un hombre. Un ser humano. No quiero decir que estoy complacido conmigo mismo. Dios sabe que todavía tengo deficiencias. Pero sé lo que soy.

No fue el éxito lo que impulsó a Bernstein a crecer, sino la capacidad de sobrevivir al fracaso y aceptar su propia humanidad.

LOS QUE NUNCA SE CASARON, LOS QUE NUTREN A OTROS Y LOS QUE NO ABANDONAN LA INFANCIA

Estos tres modelos se presentan con mucha menos frecuencia. Según todas las estadísticas y estudios, los hombres necesitan del matrimonio más que las mujeres. Sólo el cinco por ciento de los hombres americanos de más de cuarenta años no está casado. Los hombres divorciados vuelven a casarse antes que las divorciadas. Los viudos lo hacen con mayor frecuencia y a más breve plazo que las viudas. En tanto tiende a aumentar el número de hombres que deciden permanecer solteros entre los menores de 35 años, las filas de los solteros que se encuentran por encima de esa edad continúan la tendencia tradicional a disminuir rápidamente. [13]

Los ancianos, en especial, se encuentran perdidos al descubrir en su interior una renovación de objetivos cuando el mundo externo los ha devaluado. O, como expresa sucintamente Margaret Mead: «Es mucho más probable que los hombres se mueran cuando se jubilan; las mujeres se limitan a seguir cocinando».

El valor de apoyo del matrimonio entre los hombres fue notablemente confirmado en el Harvard Grant Study. Recordemos que cuando Vaillant clasificó a sus sujetos por su adaptación adulta, el 93 por ciento de los «hombres mejor adaptados» habían hecho un matrimonio estable antes de los treinta y en él habían permanecido hasta los cincuenta.

El mito de que el matrimonio ofrece una estructura de apoyo similar para el desarrollo de hombres y mujeres se ha visto desmentido, no obstante, al comparar a maridos y esposas. Como es sabido, las mujeres disfrutan de una salud física igual a la de los hombres, y mejor aún después de los 65. Pero —y esto se ignora— los riesgos de salud mental que sufren las mujeres casadas es mucho mayor que los que corren los hombres casados. La socióloga Jessie Bernard ha sacado a la luz evidencias sorprendentes en este sentido. Más mujeres que hombres casados han sentido que se encontraban al borde de un colapso nervioso; más han experimentado angustia psicológica y física; más han experimentado sentimientos de inadecuación en sus matrimonios y se han culpado a sí mismas por su propia falta de ajuste. Más esposas evidencian reacciones de fobia, depresión, pasividad y deterioro en su salud mental. No se trata sólo de una diferencia sexual, ya que cuando se compara el perfil de salud mental de las mujeres casadas con el de las solteras, el grupo de casadas aparece igualmente desfavorable. [14]

Esto nos conduce a la superación del mito más sorprendente de todos. Las mujeres que no tienen marido son las incipientes alcohólicas frustradas marginadas por nuestra cultura en la isla de la desesperación, en tanto los solteros que se mueven libremente son envidiados por todos. ¿Es cierto? Absolutamente falso.

Los psicólogos Gurin, Veroff y Feld afirman que las mujeres casadas de nuestro país experimentan menos incomodidad y mayor felicidad, y se muestran en muchos sentidos más fuertes para asumir los desafíos de sus posiciones que los hombres solteros. Los hombres no casados padecen muchas más tendencias neuróticas y antisociales, y con más frecuencia son deprimidos y pasivos. La edad amplía la distancia entre ambos grupos.

Entre los 25 y los 34 años no existe mucha diferencia en la educación, la ocupación y los ingresos entre hombres y mujeres solteros. Pero cuando alcanzan la mediana edad —entre los cuarenta y seis y los cincuenta y cuatro—, la distancia entre ambos se hace abismal. Las mujeres solteras son más cultas, tienen ingresos más elevados por término medio y trabajan en ocupaciones de mayor prestigio. Y no es la solterona sino el solterón quien ostenta los peores síntomas de perturbación psicológica. [15]

Ocasionalmente, la sociedad es la beneficiaria de los dones extraordinarios del hombre soltero que vuelca todo su talento y energía en una causa loable. Un hombre como Arthur Mitchell,* cuyo único objetivo absorbente ha consistido en introducir niños de su raza al ballet clásico, resulta ejemplar.

Mitchell abandonó la compañía del New York City Ballet cuando se hallaba en la cima de su carrera con el fin de poner en marcha una escuela de baile en Harlem para niños negros, la primera de este tipo en el país.

—Hace seis años yo era un bailarín. Ahora me he convertido

---

* Arthur Mitchell me autorizó a utilizar su nombre real.

en un administrador, un moderador, un maestro, un director, un hombre de negocios y, por encima de todo, en un ser humano más consciente. Constantemente se refuerza mi convicción de que cuanto más se da más se recibe. La mayoría de la gente existe pero no vive.

Es quizás un tanto arriesgado situar a Arthur Mitchell en la categoría de hombres que nunca se casaron: sólo tiene cuarenta y dos años. Pero resulta interesante oírle contar cómo se ha convertido en el tipo de hombre que nutre a otros a través de su trabajo.

—En tres oportunidades estuve a punto de casarme. Pero finalmente no lo hice. Cuando uno se casa cambian muchas cosas. La gente se vuelve posesiva. Las tres muchachas eran bailarinas. Si uno está absorbido por su propia carrera, el matrimonio es insulso porque no se puede dedicar el esfuerzo necesario a la vida hogareña. Estoy tan dedicado a mi escuela que para los chicos soy prácticamente una figura paterna. En este momento no hay tiempo para el matrimonio. Sé que acabaré casándome. Sí, me gustaría tener hijos propios. Pero no habría logrado todo esto si me hubiera casado. Este trabajo exige veinticinco horas diarias.

Otros hombres de este tipo, como los clérigos y los misioneros médicos, que escogen como ocupación el cuidado de la familia del hombre, se encuentran en una encrucijada totalmente distinta al llegar a la mediana edad. Como la mayoría de las mujeres, han depositado todas sus energías en responder a otros. Lo que entonces necesitan es tiempo para atenderse a sí mismos y dejar de ser hombres que tienen todas las respuestas para convertirse en peregrinos cargados de preguntas.

El hombre que dedica las mismas atenciones y cuidados que por lo común proporcionan las esposas a sus maridos ambiciosos, constituye una rara especie. Pero han existido algunos. El marido de Edna St. Vincent Millay dedicó todo su tiempo al cuidado de su esposa emocionalmente frágil para que ella pudiera desarrollar todo su talento. Janet Travell —que fue médico de John Kennedy— estaba casada con un corredor de bolsa que se retiró a los cincuenta años y dedicó el resto de su vida a conducir el coche para trasladarla en largos viajes profesionales y leerle por las noches, cuando ella estaba exhausta por el exceso de trabajo.

Las vidas masculinas más indigentes observadas por Vaillant eran las de quienes habían evitado decididamente una crisis de identidad. Su adolescencia fue plácida y su período agitado no se vio comprometido en una etapa posterior. El ciclo nunca entró en función. Vivieron sus existencias como «niños en estado latente», permanecieron atados a su madre, tuvieron un desenvolvimiento pobre en sus carreras y pasaron poco tiempo —en los casos en que así fue— viviendo con una esposa.

LOS INTEGRADORES

Si su esposa padece un embarazo difícil, él no le quita todo sistema de apoyo para proseguir en un lugar alejado su propia carrera. Evalúa los costos humanos. Si su esposa es elegida para un cargo municipal, él puede trabajar una parte del tiempo en su casa para compartir el cuidado de los hijos. Si el dulce giro ascendente de su carrera le exige que encubra al jefe que ha cometido alguna leve infracción legal, antes de hacerlo, renuncia. El integrador es un hombre que intenta equilibrar sus ambiciones con un auténtico compromiso con su familia y que trabaja conscientemente hacia la combinación del confort económico con una actitud ética y beneficiosa para la sociedad.

Obviamente, no es fácil seguir este modelo. No lo es en un país que promueve continuamente la peligrosa ficción de que la recompensa que hay que esperar es, ante todo, una ovación externa e impersonal. Por lo general al hombre le lleva cierto tiempo de vida descubrir que ninguna estructura burocrática compensará su lealtad, que el zumbido del éxito se cobra su precio en una sociedad de cruel profesionalismo.

¿Recuerdan a Jeb Carter, del Capítulo «La Verdadera Pareja»? A los 25 años, tiene las esperanzas de un integrador: «En cierto nivel, quisiera ser el próximo Edward Bennett Williams. Pero en otro, no siento la necesidad de triunfar hasta el punto de tener que agotarme para lograrlo. Por encima de todo, me preocupa mi relación con Serena a cualquier nivel. Al mismo tiempo estoy seguro de que no quiero ser un abogado incompetente». Pero sus elecciones se formulaban, todavía, en tiempo condicional. Y no tienen hijos. Aun está por verse qué modelo seguirá realmente Jeb.

Un consejero profesional de 29 años de edad reconoció que «todavía estoy luchando con la Gran E y la pequeña e», haciendo referencia al éxito público versus el éxito privado.

—Existe en mi interior una tensión que no he satisfecho —me explicó—. Me preocupa pensar que si alcanzo demasiados logros, perderé el aspecto íntimo y tierno de mí mismo con el que ahora estoy entrando en contacto. ¿No quedaré yo atrás a expensas del éxito?

Cuando hablo con estos jóvenes demasiado serios que quieren ser integradores *ahora* (¿pero *cómo?*), les digo que no se flagelen. Es natural encontrarse luchando con la Gran E y la pequeña e en el paso a los treinta. Probablemente sea justo decir que no es posible alcanzar una vida auténticamente integrada antes de mediados los treinta. Si ésta es la pauta que se desea, hay que intentar buscarla.

Empero, existen muchas fuerzas opuestas sobre las que el integrador en potencia tiene muy poco control. Cuando llega el momento en que el hombre típico empieza a desear la satisfacción de una vida interior más amplia, lleva consigo mucho bagaje del que debe desprenderse. Desde la primera infancia, el viaje lo ha preparado para resolver problemas basados en el modelo de un examen de matemáticas. Ha sido equipado para una cultura en la que se degradan los sentimientos en favor de los hechos, en que se prepondera la competitividad sobre las interrelaciones humanas. En el que deben seguirse reglas y sistemas y en el que se desalienta el pensamiento original e imaginativo. Está desensibilizado. Es racional. Y si la tecnocracia ha logrado entrenarlo como uno de sus tipos favoritos, ya han sido arrancadas todas las clavijas de su intuición.

No es sólo el mercado el que se opone a una integración dinámica de toda la capacidad humana del hombre. Está desarrollándose un cuerpo de investigación que describe una dramática distinción entre las funciones de los dos hemisferios del cerebro.

El hemisferio cerebral izquierdo opera como una computadora. Alimentando mensajes lineales en una cadena lógica de pensamiento y filtrando mensajes sensoriales que no se aplican directamente a la resolución del problema inmediato, actúa como un centro de deducción abstracta.

El hemisferio cerebral derecho opera intuitivamente. Permite a la persona entrelazar cualidades externas e internas de modo que el yo pueda ser experimentado en su función interrelacionada con la naturaleza, con otros, con la cadena de la existencia. Tiene la capacidad de fantasear, lo que hace posible las manifestaciones de la imaginación y de la invención.

Todos nuestros métodos convencionales de enseñanza ejercitan el costado izquierdo del cerebro. Las modernas técnicas de administración y análisis de sistemas se apoyan en él. El tipo de política exterior que nos legó el episodio de la Bahía de los Cochinos y la estrategia de la vietnamización es una prolongación global del mismo.

El lado derecho es el que permite a un niño prever cómo reaccionará la pelota cuando la golpee con un bate. Es la base de las capacidades intuitivas que designamos como «sabiduría callejera» o «sabiduría terrestre», que permite a la gente sobrevivir en su medio ecológico específico. El hemisferio derecho es fluido en el empleo de las imágenes visuales y abre los ojos de la mente a aspectos del entorno que nuestra mente lineal ignora selectivamente. Probablemente es parte de lo que permite al artista comunicar un sentido del universo que jamás surgirá de las mejores obras del intelectual.

Supongamos que un hombre ha rendido parte de sus paredes de pensamiento lineal a la conciencia mística de la filosofía oriental.

Existe todavía un poderoso prejuicio contra el empleo de todo lo que no sea la mitad racional de su cerebro. Por deslumbrantes que sean las funciones del hemisferio derecho, son ridiculizadas por nuestra sociedad. Como apunta el educador e investigador Robert E. Samples, quedan relegadas a las respectivas referencias a la «intuición femenina». [16]

«Cuando grupos de personas no funcionan bien juntos, muy frecuentemente la razón consiste en que los individuos que los forman no se sienten autorizados a comunicar ideas que para ellos son intuitiva y metafóricamente significativas», continúa Samples. «No tiene ninguna importancia que se trate de vicepresidentes y administradores de corporaciones, maestros y alumnos, esposos y esposas o padres e hijos. La intuición es reducida a un rol inferior al de la lógica... Con semejante énfasis en lo racional y lo lógico, no es de extrañar que sean tan elevados los niveles de 'neurosis normal'.»

Después de doce años de trabajar con niños cuyas estrategias de pensamiento metafórico natural no habían sido desarraigadas, Samples llega a una conclusión muy semejante a la que expuso Abraham Maslow poco antes de su muerte: «Los seres humanos alcanzan la expansión más alta de su existencia cuando toda su esencia como persona penetra en el desarrollo sinérgico de todas sus capacidades a la vez». [17]

Las cosas están cambiando. A diario crece la marea de hombres que intentan liberarse del hábito del ascenso competitivo por el estrecho sendero de la tecnocracia. Se despliegan en manifestaciones que les permiten conectarse con la vida a muchos más niveles. Y los jóvenes eligen a sus compañeras en un conjunto de mujeres radicalmente diferentes. Estas nuevas parejas intentarán casi cualquier cosa para hacer posible la meta de una intención independiente por parte de cada uno de ellos. Los encontramos viviendo en apartamentos separados, en distintas ciudades, enfrentando con un sentido realista el hecho de que el mismo lugar puede no ser adecuado para ambos al mismo tiempo. Sólo permanecen en el aturdimiento los que provienen de una época anterior.

16
Pautas femeninas de vida

¿Si pudiera escoger a cualquier mujer de este siglo como modelo, aquella cuya vida más le gustaría tener, a quién elegiría?

La pregunta partió de un grupo de personas que se había reunido en un centro de retiro para meditar en dónde se encontraban a mitad de la vida. Se suponía que yo era la experta. Ocurrió pocas semanas antes de que yo terminara este libro. Mi mente recorrió nombres —mujeres brillantes, mujeres notables, mujeres hermosas— pero no se detuvo en ninguno.

—¡Margaret Mead! —declaró una mujer.

—¡Oh, no! —exclamó la esposa de un pastor, que normalmente permanecía callada.

Surgió una controversia sobre qué era bueno, qué era malo y qué había quedado de la vida de Margaret Mead.

—Bien —dije yo—, su biografía está en el libro. Quisiera saber lo que piensan después de leerlo.

—¿Quién más?

No hubo una sola respuesta.

Cosquillearon mis pensamientos nombres como el de Eleanor Roosevelt, Katharine Hepburn, Coretta King, Rachel Carson, Doris Lessing, Anne Morrow Lindbergh, Georgia O'Keefe y muchos otros que no serían famosos en ningún otro libro pero que en el mío están considerados. Empero, no sabía qué contestar. Quizá sabía demasiadas cosas sobre ellas. Ninguna de esas mujeres había cumplido sus sueños ni satisfecho sus anhelos sin renunciar a algo o sin verse privadas de algo querido.

Nadie puede decirle a una mujer cómo hacer la elección que sea mejor para ella. No existe una elección *correcta*. Pero actualmente hay más posibilidades y más apoyo para intentarlo que en ningún otro momento de la historia americana. Lo cual también deja a las mujeres con la carga de la elección.

Piénseselo de la siguiente manera. Aunque la Gran Depresión fue un desastre económico que obligó a muchos hombres jóvenes a ingresar en la posición de encerrados, también se convirtió para otros, inmotivadamente, en la gran coartada americana: «Si no hubiera empezado durante la Depresión, hoy no estaría anclado en donde estoy». De manera similar, aunque el prevalente patriarcado mantuvo a muchas mujeres como ciudadanas de segunda clase, también las proveyó de excusas herméticas: «Mi marido no me lo permitiría; mi lugar está en la casa; no me darían un trabajo decente aunque lo intentara... soy mujer». En nuestros días, lamentablemente, muchas mujeres se sienten obligadas a explicar o a defender la decisión de ser «sólo un ama de casa».

Eso que se designa como deseo de igualdad de la mujer afecta a todas las edades, clases y colores. Ha estimulado un cambio en los viejos modelos. Y de ese movimiento cambiante está surgiendo un nuevo tipo de mujer. Su compromiso guía apunta a la autonomía. Lo principal consiste en *no apoyarse,* en no volverse dependiente. Este efusivo compromiso informa todas sus elecciones.

Pero las únicas mujeres que llegaron con frescura a esta idea, que no tienen que deshacerse de la carga de una era anterior a la liberación, son las que ahora están en los veinte. Todavía ignoramos a dónde llegarán, qué pautas novedosas pueden surgir de sus intenciones declaradas. No me sorprendería en absoluto, por ejemplo, que las jóvenes que hoy declaran «para mí nada de hijos... jamás» produjeran un alza repentina en los nacimientos al llegar a los treinta.

Tres de cinco mujeres *menores de 30* entrevistadas por The Roper Organization para Virginia Slims en 1974, se expresaron a favor de la combinación del matrimonio, los hijos y la carrera profesional. Idéntica mayoría prefirió el divorcio al mantenimiento de un matrimonio inestable. Ya no abrigaban la esperanza de guardar el pastel y comerlo al mismo tiempo. Una mayoría rechaza la idea de recibir una pensión en concepto de alimentos en los casos en que la mujer puede obtener ingresos razonables. Sólo una de cada cuatro de las mujeres entrevistadas afirma que el derecho de custodia de los hijos debe ser adjudicado únicamente a la madre. [1]

Este es el modo en que opina la mujer de la clase media. ¿Qué hay de la clase trabajadora? En un estudio reciente realizado sobre esposas de obreros, el nuevo sueño descrito por la mujer más joven incluía el retorno al trabajo cuando sus dos (y sólo dos) hijos fueran a la escuela. Pero quiere una ocupación más satisfactoria personalmente que el trabajo utilitario que cumplía antes de casarse. El momento culminante de la vida surgirá, tal como lo prevé, cuando sus hijos dejen el hogar y lo mismo hagan ella y su esposo, embarcándose en una sucesión de viajes a otras partes del mundo, a la búsqueda de sus intereses y pasatiempos predilectos.

«Este es uno de los cambios de actitud más significativos que hemos presenciado en más de un cuarto de siglo», dice Burleigh B. Gardner, cuya organización, Social Research Inc., ha llevado a cabo este tipo de estudios desde la década de los cuarenta. «La mujer de la clase trabajadora nunca volverá atrás.» [2]

Un pensamiento reconfortante a tener en cuenta es que uno siempre puede cambiar de idea y de modelo. Las mujeres tienen una larga vida y muchas experiencias.

Lo máximo que podemos hacer para descubrir modelos de vida femeninos es decir a dónde han conducido las diversas elecciones del pasado. Todo lo que tenemos que hacer es escoger las pautas que tienen historia. Trataré de introducir estos modelos en forma cronológica, empezando por el más tradicional y concluyendo por el más experimental.

Dispensadora de cuidados: la mujer que se casa a principios de los veinte o antes, y en aquel momento no piensa en ir más allá del rol doméstico.

«O bien»: la mujer que en los veinte se siente obligada a elegir entre el amor y los hijos *o bien* el trabajo y la realización personal. Existen dos tipos:

> *Criadora que difiere la realización:* posterga todo esfuerzo excesivo en su carrera para casarse y poner en marcha una familia. Pero a diferencia de la dispensadora de cuidados, *tiene* la intención de retomar un interés extrafamiliar más adelante, en algún momento.
>
> *Realizada que difiere la crianza:* posterga la maternidad y a menudo también el matrimonio con el objeto de dedicar seis o siete años a completar su preparación profesional.

Integradoras: las mujeres que tratan de combinarlo todo en los veinte, de integrar el matrimonio, la carrera y la maternidad.

Mujeres que nunca se casan: incluye a las paracriadoras y a las esposas oficina.

Transeúntes: mujeres que en los veinte rechazan lo permanente y deambulan sexual, ocupacional y geográficamente.

Insistimos en que los modelos son descriptivos y no prescriptivos. Y también en que tienen la intención de analizar a las personas dinámicamente, a partir de las prioridades que se fijaron siendo jóvenes hasta la incorporación de otros aspectos vitales de sí mismas a medida que avanzaron en el tiempo.*

LA DISPENSADORA DE CUIDADOS

De todos los modelos de vida posibles para poner en marcha mediante las elecciones de los veinte, la mayoría de las mujeres han elegido ser dispensadoras de cuidados. Su vida consiste en querer, socorrer, ayudar, escuchar y creer en otra gente. Viven para las relaciones humanas y desarrollan toda ambición personal a través de otros.

Más que realizar su propio sueño, la dispensadora de cuidados cumple el sueño del marido más prometedor que puede encontrar. Este es el signo distintivo de su modelo. Puede hacer muy bien este camino siendo siempre condescendiente. Muchos miles de este tipo de mujeres trabajan con dedicación parcial, como una forma suplementaria de contribuir a la carrera de su marido, o para ganar dinero suficiente para reformar la cocina. Esto se aparta por completo de la idea de «realizar la plena potencialidad en el trabajo».

La dispensadora de cuidados rara vez está preparada para un acontecimiento demarcador o un accidente vital que puede lanzarla al mundo del «nada o ahógate». A fin de cuentas, los maridos salen a luchar, se convierten en prisioneros de guerra, pierden trabajo, adoptan amantes, sufren ataques cardíacos y dejan a sus esposas

* Los lectores notarán que este capítulo es más largo que el precedente. Mi experiencia se hace eco de la de Irwin Deutscher para la Universidad de Siracusa, en su estudio de vida postparental: «Las entrevistas con los maridos se caracterizaron por la carencia de calidad emocional... de expresividad. No eran ni remotamente tan comunicativos como sus esposas. Esto no significa que su tendencia a las respuestas neutrales fuese un artilugio de la metodología; la impresión del autor (y entrevistador) es que se debe, más probablemente, a un artificio cultural».

dispensadoras de cuidados, en la mediana edad, con fatal regularidad. Los hijos crecen. Si todas las demás circunstancias son positivas, pasará serias dificultades sobreviviendo a su marido. Semejantes eventualidades rara vez figuran en las ilusiones juveniles de la
dispensadora de cuidados. No escuchará si alguien le dice: «Realmente tendrías que tomar en serio tu preparación, algún día puedes
tener que mantenerte a ti misma».

Así como la dispensadora de cuidados vive para sus compromisos, depende de la constante necesidad que de ella tienen aquéllos
con quienes ha establecido sus compromisos.

La mayoría de nosotros tenemos madres que han sido dispensadoras de cuidados. Algunas tuvieron vidas plenas y satisfactorias
y después, en los cincuenta, se convirtieron en excelentes agentes
inmobiliarias. Y otras, atrapadas sin preparación en la gigantesca
ola de cambios producida por los movimientos feministas retrocedieron a puestos de retaguardia e hicieron una virtud de la defensa
de los derechos de no igualdad para las mujeres. La mayoría no
hizo ninguna de ambas cosas: siguió como antes limpiando lo que
ensuciaban los demás.

Probablemente, era inevitable que surgiera una Marabel Morgan. Antaño reina de belleza, a los treinta y seis años ama de casa y
madre en Miami, Marabel Morgan escribió el ensayo más vendido
del año 1974: *La mujer total.* Aunque virtualmente ignorado por
los críticos y por la mayoría de las mujeres de las ciudades, se abrió
paso en las bibliotecas religiosas y en la mente y los corazones de la
americana media. En su obra, Marabel describe el problema de
la edad. Después de contraer matrimonio con Charlie y esperar que
el cuento de Cenicienta durara toda la vida, se sintió impotente
cuando todo empezó a cambiar.

Marabel estudió la Biblia, a Ann Landers, al doctor David
Reuben y reunió una serie de principios que aplicó a su matrimonio
«con resultados sorprendentes».

He aquí algunas citas de dicha obra:

Sólo cuando una mujer ofrece su vida al marido, lo reverencia, lo idolatra y está dispuesta a servirlo, se vuelve auténticamente bella para él.

Dios le ordenó al hombre que fuera la cabeza de la familia, su presidente; la esposa debe ser el vicepresidente. Toda organización tiene un líder y la unidad familiar no es ninguna excepción. No existe modo alguno de alterar o perfeccionar esta jerarquización.

Dile que amas su cuerpo... Hazle un buen cumplido todos los días y observa cómo florece ante tus propios ojos.

Adáptate a su forma de vida. Acepta a sus amigos, sus hábitos alimenticios y su forma de vida como propios.

Estremécelo desde que abre la puerta con tu atuendo. [El primer atuendo y el «más conservador» de la señora Morgan fue un camisón muy corto de color rosado y botas blancas.]

Comed a la luz de los cirios, ¡encenderás el de él!

Esta semana prepárate física y mentalmente para hacer el amor todas las noches... Sé la seductora y no la seducida.

Léele la Biblia a tus hijos todos los días. [3]

Los resultados de la aplicación de estos principios a su matrimonio fueron revolucionarios, afirma Marabel. «Charlie comenzó a traerme regalos todas las noches... Un camión cargado con una nueva nevera... Ahora, sin sentirse molesto, empezaba a darme lo que yo siempre había ansiado.» [4] Marabel se sintió conmovida al poder transmitir sus principios del curso de la Mujer Total (a la que a veces se refiere como «mujer totalizada»), que ella y sus cientos de discípulas enseñan a lo largo y lo ancho de todo el país.

Si se me permite manifestar una predisposición personal, me limitaré a hacer un breve comentario. Si existe algo «total» en cuanto a suscribir estos principios, se trataría de una total deshonestidad personal. Nunca se le dice a la mujer que haga o diga lo que siente o cree, sino sólo lo que considera que le proporcionará seguridad, besos fabulosos y electrodomésticos último modelo. Esto insulta la inteligencia del hombre. Entrena a la mujer para que siga siendo una niña manipuladora. Esto puede funcionar aceptablemente durante la primera mitad de la vida. Pero la farsa difícilmente permitirá conocer la verdad. La gente debe estar dispuesta a hacer aparecer su propia verdad si es que pretende pasar a la mediana edad como adulta.

Cierto que existen dispensadoras de cuidados que permanecen dentro del modelo y que al mismo tiempo también logran desarrollarse como seres individuales. Se pensaría que las mujeres educadas tienen mayores posibilidades. Mientras compilaba estadísticas de un folleto de la vigésima reunión de Radcliffe, me fascinó descubrir que incluso las mujeres que se habían graduado en una de las facultades más prestigiosas del país habían elegido masivamente convertirse en dispensadora de cuidados. [5*]

Muchas de las dispensadoras de cuidados, que actualmente tienen 41 años, habían sido brillantes principiantes: una campeona mundial de patinaje artístico, una concertista de piano, una colaboradora de un especialista en política exterior. Pero todo esto había ocurrido en el breve período de «antes de casarme con tu padre», es decir con anterioridad a los 25 años. Al contraer matrimonio, la mayoría de estas brillantes principiantes descartaron sus sueños o trataron de vivirlos a través de su prole.

---

* Las 127 encuestadas que escribieron sobre sí mismas con todo detalle, pueden descomponerse de la siguiente manera: el 70 % había elegido ser dispensadora de cuidados, el 10 % eran criadoras diferidas y el 8 % realizadas que difirieron la crianza. Sólo el 6 % habían intentado ser integradoras en los veinte y otro 6 % nunca se habían casado.

La campeona de patinaje habla a sus hijos de sus triunfos deportivos y su buen estilo jugando al golf, aunque últimamente ha iniciado una actividad en la enseñanza del patinaje.

La concertista se casó con un violinista y produjo bebés mientras él obtenía títulos. «Con dos hijos y posibilidades limitadas, no tuve que sentarme a pensar qué hacer. Renuncié a mis alumnos privados, puse el "parque" del niño cerca del piano y empecé a trabajar en la sonata concertante de la cocina.» Ahora, a los cuarenta y uno, vuelve a la práctica con dedicación plena.

La asistente de política exterior proyectó su sueño casándose con un funcionario·del servicio exterior. Ha viajado por Oriente Medio como esposa durante 16 años y ahora escribe: «Si hubiese tenido la posibilidad de elegir me habría decidido por el Lejano Oriente o el Sudeste Asiático... pero eso habría supuesto otro marido» (¿y una proyección diferente?).

La mayoría de las dispensadoras de cuidados descubrieron que aun cuando sus matrimonios podían ser satisfactorios, no resultaban suficientes. Aproximadamente dos tercios de ellas han vuelto a estudiar o a buscar trabajo.* Las orientaciones preferidas fueron la enseñanza, la bibliotecología y la asistencia social; una gran parte de estos dos tercios todavía buscan trabajo. Unas pocas encontraron formas imaginativas para aplicar su talento en sus propios negocios (una galería de arte, una empresa de diseño arquitectónico). pero insisto en que sólo unas pocas. La abrumadora mayoría consideró necesario volver a estudiar, a entrenarse en áreas que son prolongaciones de sus capacidades como dispensadoras de cuidados en las que la competencia se incrementa en tanto el mercado de trabajo se reduce. Los datos concretos sobre las oportunidades para las mujeres que vuelven a trabajar aparecen con más detalle en el Capítulo 19.

Pero existe otro 36 % de dispensadoras de cuidados que han

---

* De esos dos tercios, siete lo hicieron a los treinta años, catorce a los treinta y cinco y el número más elevado —treinta y cinco— a los cuarenta.

permanecido como amas de casa de dedicación completa hasta el presente. Se expresan así:

—Jamás lamenté haberme especializado en Historia y haber carecido de una preparación específica para un trabajo. Aún está por verse si puedo reorganizar... ¿Puede una mujer de cuarenta años, con una educación fabulosa y ninguna preparación específica encontrar trabajo en una pequeña ciudad del Medio Oeste? ¿Un trabajo realmente remunerador?

—Soy afortunada porque tengo un buen marido, dos hijos sanos y gracias al trabajo de Bob he ido a Hawai y al Lejano Oeste. El último verano visitamos a mis parientes de España. El año que viene quisiera aprender español ya que éstos nos invitaron a volver.

—Ahora desearía haber dedicado parte de mis energías, después de la graduación, a sentar las bases de mi carrera. A los cuarenta he descubierto que tenía una mente bien adiestrada, una gran experiencia en trabajos voluntarios a nivel ejecutivo y ninguna habilidad rentable... Adquirir experiencia profesional tendría que haber sido uno de mis objetivos veinte años atrás.

—Eso es precisamente lo que me he estado diciendo a mí misma desde hace un año: ¿cuáles son mis intereses específicos?

—Lo mejor que me ocurrió en Radcliffe fue conocer a John en el baile del primer año... Lo que más me gustaría ser cuando madure es colaboradora de Nader.

Las mujeres realizadas que aplazaron la crianza durante seis o siete años como mínimo, por su parte, incluyen a una pediatra, a una psiquiatra que ejerce la profesión con su marido, a una funcionaria naval que esta a punto de retirarse y que espera reanudar las amistades y las actividades que debió dejar de lado, a la directora regional de una compañía de seguros, a una escritora de libros infantiles y a una alcohólica recuperada que desde los 35 años ha dedicado su vida a ayudar a quienes padecen la misma enfermedad.

Lo más impresionante con respecto a estas mujeres de Radcliffe es su disposición a desnudarse y su apertura al cambio. Los hombres de Harvard de la misma clase, a quienes se pidió respondieran a un cuestionario similar, se refirieron principalmente a la forma en que habían logrado aumentar la curva de ventas de su empresa o cosas semejantes.

Probablemente, el mayor temor de las dispensadoras de cuidados sea el de sentirse vacías. Pero también existe el miedo a la vegetación progresiva. Con frecuencia, el conflicto entre seguridad y autonomía no se les plantea hasta la mediana edad. Entonces es necesario llegar a una difícil conclusión. ¿Ha llevado a su compañero a hacer el bloqueo de su propio desarrollo? ¿O este es realmente insatisfactorio? Si es así, ¿una mujer de cuarenta se encontrará mejor sola o con un marido incompatible, insensible o mariposón?

Una de las mujeres de Radcliffe que ha enfrentado todas estas cuestiones se ofreció a reconstruir su biografía conmigo. Siguiéndola a través de sus pasos, quizás podamos comprender mejor la forma en que la dispensadora de cuidados afronta los problemas habituales de desarrollo.

El sueño de Kate durante toda su infancia había consistido en tener a alguien con quien hablar por la noche. Sus padres eran viejos. Les gustaba la paz y la serenidad. Sólo vivían ellos tres en la quietud de Maine. Mamá y papá volvían de sus trabajos, cenaban con su única hija y se acostaban temprano. Kate rogaba que llegara otra vez el verano para poder salir de campamento, deslizarse bajo las mantas con otras chicas de su edad y hablar entre susurros.

A los 15 años inventó a un hermano mayor en la persona del vecino de la casa de al lado. Hablaban a través de las ventanas por señas durante horas. Él sabía de todo. Era alumno de Harvard. Representaba la ventana de Kate en el mundo y sin él jamás habría sabido que había trotskistas, que existía Tolstoi, un cine alejado de Broadway, un lugar llamado Radcliffe. Aquel verano, cuando el muchacho volvió, se sentaron en el porche de la casa de Kate y entrelazaron sus brazos mientras hablaban. La madre de Kate le pidió a su hija que entrara.

—No puedes seguir viéndolo —le dijo—. Es mucho mayor que tú; no me parece bien.

Kate se encogió. Sintió lo mismo que si le arrancaran los brazos.

—¡No puedes hacerme esto! Es el mejor amigo que he tenido en mi vida y se trata de algo perfectamente inocente.

Mamá se mostró inexorable:

—Debes hacer lo que yo digo porque estoy enferma.

Era verdad. Algo le ocurría a su madre. Kate no tenía a nadie con quien hablar de la cuestión. De modo que supuso que en cualquier momento la mujer que conocía, que siempre había sido fuerte, se recuperaría.

Antes habían compartido algunas cosas. El teatro de aficionados, las cabalgatas, las clases de arte, actividades que amaban y que su padre desaprobaba. Papá había sido un malhumorado abogado solterón durante cien años hasta que se casó. Fue mamá —que dio a luz a Kate a los 38 años de edad— quien se encargó de la educación de la niña. Pero ahora las manos de mamá eran distintas cuando tocaban los hombros de Kate: delgadas, secas, descarnadas.

De modo que Kate renunció a su hermano mayor de la casa de al lado. Sola, sentada en el porche, reflexionaba con tristeza y al mismo tiempo lamentaba no haber sido más bondadosa con su madre. Pero aun así, Kate siguió deseando tener progenitores jóvenes y elegantes, y un padre que jugara al béisbol en la calle. Lo deseaba con tanta intensidad que la culpa le produjo malestar físico.

El día que su madre murió, Kate insistió en ir a la escuela. No mostró ningún pesar; de hecho, actuó en una comedia de la escuela. Distribuyeron los informes de mitad de trimestre. Un triunfo. En un intento por complacer a su hermano mayor de Harvard, después de años de malas calificaciones, había logrado cinco «sobresalientes» y un «notable». Llevó a su casa el precioso informe para que lo viera su acongojado padre. Él le preguntó por qué tenía un «notable». Ésta no era su manera de alabar a Kate

Llenó la soledad provocada por la pérdida de su madre con un amor inmediato y desesperado. Se alimentó de las cartas de un muchacho que se encontraba lejos, en un internado. Lo elevó al puesto de figura destacada. En aquella época, también Kate esperaba que le respondieran a la solicitud presentada en la Universidad. Un día volvió en bicicleta desde la escuela y encontró dos cartas en su casa. La primera era de Radcliffe: la habían aceptado. En un arranque de alborozo pensó en saltar a la bicicleta y volver a la escuela y comunicárselo a la profesora de literatura, que también estaba esperando la noticia. Refrenó su impulso el tiempo suficiente para leer la carta cotidiana de su amigo. Había conocido a otra chica que le gustaba más. Volvió a la escuela y se echó sobre el escritorio de la profesora. Pensando que habían rechazado su solicitud en Radcliffe, aquélla la consoló con gran ternura. Muda de dolor, Kate le dio a leer ambas cartas.

Sólo diez años más tarde, cuando volvió a ver al muchacho, Kate se dio cuenta de que su gran amor era un hombre insignificante y estúpido. Pero hasta aquel momento no había asumido la pérdida de su madre.

La muerte de la madre no acercó a Kate y a su padre. Él volvió a casarse un año más tarde con una mujer que no le gustaba a Kate. Se trasladaron de su ciudad natal a South Portland, donde ella no tenía ninguna relación. Desde ese momento Kate sólo volvía a casa para hacer visitas formales. Su búsqueda de una familia sustituta se hizo más intensa que nunca.

En la escuela de teatro en el que daba clases los veranos, se cruzó en su vida una pareja casi tan deslumbrante como Lunt y Fontanne. Ambos eran actores, jóvenes, brillantes; no tenían hijos y estaban a principios de los treinta. Todo el mundo se rendía a sus pies en actitud de adoración. Para Kate, lo más maravilloso de la pareja era la forma en que cada uno concluía las oraciones que empezaba el otro. Trabajó devotamente para ellos durante toda la temporada de su formación en la Facultad. La mujer era fuerte. Le dijo a Kate: «Debes aprender a asumir las cosas y protegerte». El marido estimulaba conversaciones íntimas. En Kate brotó la esperanza de un matrimonio semejante al de ellos... que adornaría con veinticuatro hijos.

Podría pensarse, dada su historia de interés por el teatro que Kate destacaba en este arte, lo que era cierto. Y que Kate aspiraba a ser actriz, lo que no era así. Lo que intentaba era encontrar el marido ideal, el hombre que concluyera sus frases. Quería una casa llena de hijos para que jamás volviera a encontrarse sin nadie con quién conversar por la noche. En consecuencia, su elección de la década de los veinte fue la de dispensadora de cuidados.

En su último años de universidad se enamoró locamente. Lo llamaremos Sheperd Wells Southby. Era dos años mayor que ella y llegó de Harvard para unirse a su grupo de teatro. El mismísimo Shakespeare no podría haber imaginado un rostro más hermoso para desempeñar el papel de Hamlet. Shepherd le presentó a su padre —también apuesto y gallardo— y a toda su familia, que formaba una cadena de actores destacados sin solución de continuidad.

Esto es lo que debo hacer, pensó: casarme con esta maravillosa familia y asentarme. Shepherd no concluía, precisamente, sus oraciones sino que le corregía la pronunciación. Le leía Beowulf y Chejov... ¡en ruso! Kate abandonó la escena. Quería ser leal con este hombre al que deseaba por marido y era él quien tenía un destino en el drama clásico. Cuando él actuó en Radcliffe. Kate le dijo que era soberbio. Mentía: la actuación de él fue pésima.

Muchos años más tarde, confesar que lo sabía la hace sentir desnuda. En aquella época había elevado al señor Southby a la perfección, designándolo su seguridad y su protector. Todo tenía que encajar, dice Kate, y esto era lo único que no funcionaba. En consecuencia, lo apartó de su mente. Se prometieron en matrimonio.

El año siguiente, Shepherd fue a cumplir el servicio militar en Europa, dejando a Kate trabajando en el espectáculo televisivo de Garry Moore. Vivió en Nueva York de manera exuberante. Tenía dos compañeras de habitación también prometidas, e innumerables amigos para compartir la preparación de ingentes cantidades de spaghetti. Fue un año entero en que su atención no se centró en la relación hombre-mujer. Por fin era libre de divertirse.

Cuando Shepherd volvió y tuvo que abandonarlo todo, un extraño pensamiento cosquilleó en su cerebro: *Aquel año que me moví por mi cuenta fue el momento más dichoso de mi vida.* Pero Kate creía en los moldes: sería la perfecta lo-que-mi-marido-quiera-que-sea. Volvieron juntos a Europa. Ella se convirtió en la esposa de soldado que siempre tiene preparada la bandeja con los cócteles.

En cuanto regresaron a Estados Unidos, lo primero que hizo Kate fue buscar a su familia sustituta, la pareja de actores. Encontró a la esposa, deprimida y turbada, dirigiendo sola la escuela de teatro.

—No me dirás que lo ignoraste todos aquellos años —dijo la mujer.

Parece que la costumbre del marido consistía en ofrecerle una plena iniciación sexual a la mayoría de las consejeras femeninas y que había dejado embarazada a una aburrida y estúpida compañera de Kate. Abandonó a la esposa, se casó con la muchacha y se fue a establecerse en Scarsdale. La ironía de toda la cuestión era que su primera esposa le había rogado en vano que tuvieran hijos. Durante aquella temprana temporada de su vida él se había negado: eran actores y debían ser libres; los niños atan.

La historia destrozó a Kate. Fue un momento peor que el de la muerte de su madre. Siguió siendo amiga de la actriz y ésta fue para ella un modelo poderoso y aterrador. Ahora se encuentra en los cincuenta y dirige sola toda la escuela. Pero según lo entiende Kate, esta «mujer herida» no se daría cuenta si un príncipe llegara y le besara los pies. La actriz parece ser una mujer que no piensa siquiera en los hombres, estado mental que Kate no logra comprender.

Kate sólo tenía 23 años cuando se enteró de la ruptura de esta pareja perfecta. La noción de que la gente puede cambiar sin razón aparente le resultaba entonces detestable. Borró también esto de su mente y redobló sus esfuerzos para adoptar la personalidad que su marido deseaba. Pero empezó a evidenciarse una confusión.

Kate significó un puente en la rebelión de Shepherd. Al casarse con su idea de una persona desgarbada y que no seguía los caminos tradicionales, Shepherd había hecho una declaración anti-establishment a su familia. Pero en cuanto la llevó a Nueva York se ocupó de metamorfosearla. La hizo llevar sombreros y bolsos haciendo juego con los zapatos. La cubrió de minúsculos collares de perlas, aunque ella era de huesos grandes, como su madre. No encontró nada para ocultar su amplia sonrisa campesina de dientes grandes. «Tienes que pertenecer al Colony Club y hacer obras de caridad», le dijo. A veces la confundían con una asistenta. Su marido no dejó timbre sin pulsar en su esfuerzo por introducir a su mujer en la vida social. Kate se sintió humillada al ver que evaluaban sus condiciones y antecedentes de acuerdo con las normas de una clase social de la cual, a propósito, jamás había oído hablar.

En tanto, Sheperd asistía diariamente a la Academia de Arte Dramático, donde todos reptaban por los suelos imitando a leones. Más adelante se unió a una compañía de repertorio de actores sin empleo, que representaba a Shakespeare en salas vacías.

Kate quedó embarazada como corresponde. Llegaron dos hijos. Ella los adoraba y quería ocuparse personalmente de ellos. Shepherd insistió en que niñeras de uniformes empujaran los cochecillos. La cena debía estar servida a las siete en punto. Montaban como en caballetes en las sillas antiguas de la familia de él. Tenía que haber postre, indispensablemente: era una tradición Southby. Los Southby, sin embargo, eran esqueletos congénitos y Kate siempre debía esforzarse por adelgazar después de los embarazos. Pero servía fielmente el postre. En la superficie, todo era como debía ser. En cuanto a sus sentimientos, Kate no abría la boca para enunciarlos.

—Siempre tuve la sensación de que procedía con calma. No era verdad. Ignoro por qué me sentía así. Mi yo había ido cuesta abajo desde los tiempos en que tenía una profunda confianza en mí en la universidad. Me deslicé demasiado profundamente en el marco de mi marido. Desde luego, no fue culpa de él.

—Entonces llegó un momento de epifanía. Yo tenía veintinueve años y empezaba a tener una sensación de que «no era suficiente». Estaba inquieta. Cuando fui a votar a una escuela primaria —tan vital y conocida— me sobrecogió una maravillosa excitación. Me dije: «¡Esto es algo que puedo hacer!». Apenas pude esperar a la mañana siguiente para ir a Columbia a inscribirme en un programa de profesorado.

En este punto Kate Southby se desvía de la respuesta clásica de la dispensadora de cuidados al Alcanzar los Treinta. Cuando sintió el impulso de expandirse, no retrocedió a la seguridad de una etapa anterior tratando de arrastrar consigo a su marido. Actuó directamente sobre la cuestión.* Al salir de este paso —después de tres años de estudios y del nacimiento del tercero y del cuarto hijo— Kate era maravillosamente feliz.

—Me había descubierto a mí misma como si me hubiera encontrado en un rincón oscuro. Recuerdo cuando me miré en el espejo el año que inicié mi práctica de la enseñanza. Empezó a *gustarme* mi aspecto. Estaba de moda el pelo lacio y las faldas cortas y me sentí atractiva por primera vez en muchos años. Me había gustado estar embarazada pero ahora aquello había concluido. Tenía el marido de mis sueños y cuatro hijos maravillosos, sanos, inteligentes. Acabábamos de comprar una casa. Tenía un trabajo nuevo del que estaba enamorada y alumnos que me adoraban. «Lo he logrado», pensé.

Poco tiempo después de que Kate iniciara su tarea como profesora de una escuela secundaria, llegó de visita la cuñada de Shepherd. Este había estado en la casa todo el día, trabajando en una obra en verso. Terminaban de cenar.

---

* Corresponde señalar que no debe confundirse la divergencia de Kate de la respuesta clásica con el modelo de la Realizada Diferida que, a diferencia de ella, cuando se casa *tiene la intención* de reanudar en algún momento una carrera.

—¿Dónde está el postre? —preguntó Shepherd.

—No he tenido tiempo de prepararlo —explicó Kate.

Shepherd pegó un salto, corrió a la cocina, empezó a abrir armarios y a cerrarlos de un portazo.

—¡Ahora que te dedicas a la enseñanza no te importa nada de mí ni de mi familia! ¡Nunca hay mantequilla, nunca hay postre!

Su cuñada le dijo:

—Oye, yo nunca tomo postre, quiero adelgazar. Nadie quiere postre.

Shepherd se encerró en el dormitorio.

La invitada, que se encontraba en proceso de divorcio, le dio un consejo a Kate:

—Te abandonará. Será mejor que dejes la enseñanza.

Kate pensó que la cuñada estaba loca.

Durante los dos años siguientes, el marido de Kate sufrió otros ataques. Ella hacía esfuerzos crecientes por mantener la nevera atiborrada de mantequilla y de gelatina bávara cuando iba a la escuela. Empero, a los 35 empezó a tener extraños pero persistentes temores. Cada vez que Shepherd subía a un avión, temía que se estrellara; la sirena de una ambulancia significaba que uno de sus hijos había sido atropellado. La culpa resultaba especialmente abrumadora porque *no necesitaba* trabajar. Shepherd nunca había ganado un céntimo pero vivían de los intereses de sus inversiones.

Durante una amarga huelga Kate fue una de las devotas profesoras que continuó trabajando sin cobrar su salario para no suspender las clases e introdujo lo que consideró su mejor innovación. Un grupo de negros del último curso tenía problemas para leer a Shakespeare, y debían aprobar un examen sobre el tema con el fin de ingresar en el programa práctico. Kate tradujo *Macbeth* a la prosa callejera.

—¡No tendrían que *permitirte* ser profesora! —gritó Shepherd.

Declamó un apasionado sermón y dejó la casa disgustado para representar a uno de los clásicos con un grupo eclesiástico. En aquel momento ya no había ninguna duda posible en cuanto a su abierta hostilidad hacia el trabajo de Kate. En breve se convirtió en un muro de piedra... y cumplió cuarenta años.

Shepherd cambió de la noche a la mañana. Se dejó crecer cola de caballo y empezó a usar *kurtas* indias. Rechazó su anterior encanto, los buenos modales, los clásicos. Se pasó al teatro abierto y se hizo actor residente de un grupo radical de SoHo. En la casa se sentaba con las piernas cruzadas y meditaba. Le dijo a Kate que también ella podía renacer si se sentaba a su lado con las piernas cruzadas y contemplaba las llamas. Ella se sentó, contempló las llamas y pensó que se estaban quedando sin mantequilla.

Todavía entonces deseaba transformarse en la imagen que pudiera complacer a su esposo. En efecto, él le decía: «Sólo puedes renacer si sigues mis métodos». Pero la idea que ella tenía de que podía cambiar su personalidad a voluntad y que le había parecido muy posible durante los veinte, ya no funcionaba. Tuvo que decirle a su marido: «Lo siento, pero no es posible fingir algo semejante». Él empezó a pasar las noches con una «compañera espiritual», una mujer que le decía que era Gielgud, Burton y Brando en uno solo. Las ausencias de Shepherd fueron cada vez más frecuentes y prolongadas.

Kate volvió a quedar embarazada. Poco tiempo después, su marido se fue para no volver. Se hizo un aborto. Se sentía absolutamente fracasada. Kate se perdió a sí misma durante dos años.

—Yo estaba muy mal y nadie lo sabía. Intentaba decírselo a la gente pero nadie me habría creído... porque me las arreglaba bien. Me sentía como una mutilada. Miraba a los pobres sin brazos ni piernas que se arrastraban en carritos por Madison Avenue y me decía: «Claro que funcionan, pero no volverán a crecerles los brazos y las piernas. Tampoco a mí. Lo que me resta es ser valiente y fuerte pero siempre estaré amputada».

Llevó a su casa a un hombre al que le encantaban los paseos familiares y tenía muy pocas ambiciones. Vivieron juntos dos años como si hiciera cien que estaban casados. Una noche fue a cenar un viejo amigo de Kate del mundo editorial. «Es maravilloso verte tan feliz», le dijo. La ira de Kate hizo explosión: *¿No se da cuenta que estoy en las tinieblas, que ésta no soy yo?* Lo que pensó después fue más siniestro aún. Si estaba haciendo que todos creyeran que estaba bien de esa forma, tal vez ella misma se creyera la mentira.

Pero esos dos años no habían sido en vano: significaron una época de recolección. Aquella noche (Kate tenía cuarenta años) decidió abandonar la enseñanza. Le dijo a su compañero:

—Deseo trabajar en una editorial. Probablemente me llevará cinco años alcanzar el puesto que deseo.

El hombre se sintió intimidado por su decisión de entrar en la carrera de la dirección. Ella sabía que significaba tomar caminos separados. Pero todos esos cambios, para su sorpresa, no le produjeron prácticamente ninguna tensión. Inconscientemente, se había estado preparando durante dos años.

Volver a trabajar siendo una mujer de cuarenta años le resultó duro, dice (no consideraba que la enseñanza fuera un «trabajo» porque significaba una prolongación de su rol maternal). No sabía nada sobre el mundo editorial e ingresó como ayudante del departamento de contratos. Pero Kate estaba lanzada, avanzaba a otra velocidad. Por las noches leía manuscritos para tantos editores como podía. Aprendió a leer un libro de trescientas páginas en una noche, a juzgar un manuscrito y a escribir un informe. Un año después obtuvo un cargo importante dentro del departamento literario.

Ahora se ha relajado la intensa concentración de aprender una nueva vida de trabajo y estabilizarse en ella. Kate es una mujer alegre, habilidosa, bonita y modesta, una adulta, aunque ella misma todavía no lo cree. Aún existe la sensación de que una mujer no es del todo completa sin ataduras familiares.

—Ya no puedo usar a mis hijos como excusa. Ahora no importa si vuelvo o no a casa para cenar. Son perfectamente capaces de ocuparse de sí mismos. Tienen diecisiete, quince, once y nueve años. Entran y salen; no necesitan a su madre, lo que me asusta un poco. Lo que ahora me preocupa es que puedo liberarme de la costumbre de estar con un hombre, porque ya no lloro sobre la almohada como solía hacerlo hace dos o tres años. No estoy desesperada. Y realmente me gusta volver a casa, con mis hijos, mucho más que cuando daba clases. Las noches transcurren rápidamente. Un amigo de tanto en tanto, practico el piano, preparo la cena, hablo con los chicos, leo manuscritos, me acuesto. Podría seguir así durante años.

Kate todavía preferiría estar con el marido ideal. Pero al margen de lo que ella haya hecho, no podía evitar la crisis de la mediana edad de su marido. Él era un hombre que nunca había desafiado el destino familiar ni enfrentado su propia identidad hasta que sintió el fracaso a los cuarenta años. Si ella hubiera abandonado la enseñanza, habría estado presente todo el tiempo para observar que su marido era un fracasado, y si no hubiera seguido su propio impulso de expandirse a los treinta, probablemente no sólo habría terminado abandonada, sino amargada e incapaz de cumplir ninguna función que no fuera la doméstica.

En algún punto de la vida, toda dispensadora de cuidados debe aprender a ocuparse un poco más de sí misma.

La disyuntiva

Cuando se realizan estudios acerca de las tempranas elecciones de modelos femeninos, aproximadamente la mitad de las encuestadas quedan situadas en este campo. Son las mujeres que creen que sólo pueden desarrollar un aspecto de su personalidad cada vez: *o dejo de lado todo esfuerzo profesional mientras me caso y establezco una familia a cambio del afecto seguro de un compañero, o me dedico por entero a prepararme para una carrera, postergo el matrimonio y la maternidad y renuncio, por el momento, a esos afectos. En algún momento concreto, la mayoría de las mujeres se sienten obligadas a escoger entre el amor y los hijos o el trabajo y la realización. Si a un hombre se le presentara semejante elección, ¿habría maridos?

LA CRIADORA
QUE DIFIERE LA REALIZACIÓN

Su forma de resolver el dilema consiste en diferir o suprimir la parte de sí misma que desea situarse profesionalmente en el mundo. Pero si se trata de una de las mujeres que siguen este modelo, acabará por encontrar ese lugar. Debido a la difusión de la identidad que tan a menudo caracteriza la primera parte de este modelo, la criadora necesita una gran preparación interior antes de poder precisar sus metas externas. Durante ese período es normal que estén presentes la vaguedad y el temor.

Betty Friedan es representativa de este modelo. Recibió una educación exquisita en una institución de primera categoría, se destacó diplomándose *summa cum laude,* se casó, se instaló en una zona residencial y tuvo hijos. Aunque amaba auténticamente a sus cuatro hijos, descubrió que una gran porción de sí misma estaba congelada y fuera de la existencia, pero ni siquiera a los 35 años logró imaginar cómo hacerla entrar en funcionamiento.

Por si alguien duda de las dificultades que representa volver a poner en funcionamiento un aspecto reprimido de una·misma, he aquí una sorprendente confesión de Betty Friedan: «Para mí fue más fácil poner en marcha el movimiento feminista que cambiar mi propia vida personal». [6]

Se les hizo un mal servicio imperdonable a las mujeres a las que se les prometió el cielo para más adelante si eran buenas en el cumplimiento de pequeños roles por el momento, durante un período de quince o veinte años. La hipocresía consistía en que la mayoría de los artículos de las revistas para amas de casa en las que se hacían tamañas promesas, diciéndole a la realizada diferida que siempre podría «reanudar» su educación o su carrera, estaban escritos por mujeres que no habían interrumpido las suyas. No resulta difícil imaginar por qué algunas de las mujeres de edad mediana más furiosas de nuestros tiempos fueron las muchachas intelectuales de los años cuarenta.

Charlotte fue una de ellas, y ésta era la serie de ideas que la animaban: terminaría el primer ciclo universitario, se casaría pero no tendría hijos mientras concluyera la escuela para graduados. Hacia finales de los veinte empezaría a tenerlos y durante diez años se dedicaría a la familia. Alrededor de los cuarenta estaría lista para dedicarse a la actividad deseada.

Lo que ocurrió fue que cuando estuvo lista, su especialidad había avanzado a una velocidad años luz mayor que sus posibilidades. Las teorías y los métodos de cualquier disciplina académica cambian demasiado velozmente en una década como para que uno pueda ponerse al día rápidamente. Descubrió que sólo podía reingresar en un nivel inferior, como instructora ayudante, con una carga de siete horas diarias de clase. Era demasiado tarde para embarcarse en un proyecto serio de investigación que le permitiera publicar la obra que le granjearía la entrada a la jerarquía académica. No sólo se vio ante una angustiante pérdida del yo sino que no ganaba mucho más que su ama de llaves. Mientras sus contemporáneas que permanecieron en la brecha ocupaban ahora, en sus cincuenta, cátedras universitarias, Charlotte sigue tratando de ponerse al día.

¡Si hubiera tenido una esposa!

¿Y qué hay del trabajo voluntario? No es apreciado. ¿Dirigir una casa y criar hijos maravillosos? No se considera una contribución. La mujer no cobra un seguro de desempleo al perder su puesto de esposa (de ahí la constante campaña por el derecho a recibir una pensión en concepto de alimentos). Si llega a la viudez sin cumplir ningún trabajo fuera de su casa al mismo tiempo, se le dirá a la esposa que no contribuyó a incrementar los bienes de su marido. Deberá pagar los más altos impuestos a la herencia. Si la Delegación de Contribuciones computara veinticinco años, digamos, de servicios en el hogar a la tasa actual de servicios comparables en el mercado libre (793 dólares semanales), eso significaría una contribución de 1.124.500 dólares. [7]

¿Hemos hecho las operaciones correctamente? ¿Una esposa vale más de un millón de dólares? No es posible. Nuestra estructura impositiva nos informa lo que realmente valemos. Y ser una esposa y madre amante no significa ninguna contribución social.

¿Tiene algún valor psicológico favorable el trabajo doméstico? Nerviosismo, insomnio, palpitaciones cardíacas, dolores de cabeza, mareos, desmayos, pesadillas, temblores, manos transpiradas y, sobre todo, inercia. Las amas de casa padecen con mucha mayor frecuencia cada uno de estos síntomas de perturbación psicológica que las mujeres que trabajan, según los datos reunidos por el Departamento de Salud, Educación y Bienestar Social en 1970. Sólo en cuanto a la situación de sufrir colapsos nerviosos inminentes superaban las mujeres que trabajan a las que se dedican a las tareas domésticas. Pero fueron más las amas de casa que padecieron realmente colapsos nerviosos. [8]

Actualmente se están corrigiendo algunas de las injusticias cometidas con la mujer criadora, mediante constantes programas de educación que adjudican el valor que tiene a la experiencia de la vida, mediante reformas en las leyes de pensiones y a través de programas de acción. Y justamente a tiempo, porque ahora no es sólo la mujer de la clase media la que exige una vida más plena. También lo hacen las mujeres de obreros y las madres dependientes de la seguridad social.

Cuando se analizan las estadísticas de todo el ciclo vital familiar, la conclusión adecuada es que la maternidad es una fase. En la actualidad, la madre puede esperar traer su último hijo al mundo antes de haber rozado la superficie de la etapa adulta: hacia los treinta. Y con una mezcla personal de pesar y alivio, observará a su último bebé abordar el autobús escolar al llegar a los treinta y cinco años. [9]

¿Entonces qué? ¿Vigorización? ¿Pánico? ¿Irresolución?

Melissa dejó de trabajar quince meses después de la boda. En el entendimiento, por supuesto, de que se trataba de una medida temporal. Había decidido quedarse en su casa y tener un niño para que «el matrimonio funcionara». Sentía que era necesaria toda su atención para suavizar cualquier problema. Especialmente teniendo en cuenta que en la vida de Melissa existían muy pocos antecedentes de haber tenido que afrontar problemas.

Naranjales, huertos de melocotoneros, mimosas y bayas... se había criado en un pequeño Edén de árboles frutales cercano al Pacífico, donde tenía a sus padres para ella sola (si exceptuamos al hermano, que se rebeló). Hacia viajes y asistía a fiestas sofisticadas con sus padres. Mamá decía que era la hija perfecta. El cambio fue brusco, entonces, cuando Melissa cruzó el país para asistir a una universidad de Nueva Inglaterra.

—Era pequeña, pintoresca y hermosa; yo adoraba a la Universidad en sí misma. Pero me sentía desolada. Lloraba. Después de un año y medio no lo soporté más. Volví a casa.

Se inscribió en la UCLA, una compensación por las voluptuosas comodidades de vivir otra vez en casa. No tuvo el menor deseo de volverse independiente hasta que las fantasías al uso culminaron en su deseo, a los 22 años, de «jugar a ama de casa».

Sus padres eran demasiado generosos como para decirle que desaprobaban al marido que había escogido para realizar su fantasía. El elegido de Melissa era un actor de televisión que participaba en series de ínfima categoría. En ella desempeñaba papeles secundarios a los de los actores secundarios o el papel del mexicano al que disparan y cae del caballo. El resto del tiempo lo pasaba en su casa, bebiendo. No era estable.

El primer hijo se convirtió en un centro de intensa competitividad. Previstos de los últimos libros e implementos, ambos atacaron el hecho de que el bebé se chupara el pulgar o se golpeara la cabeza, decididos a demostrar su capacidad como los mejores padres del mundo. En cinco años de matrimonio la palabra *divorcio* había permanecido deliberadamente ajena a todas sus conversaciones.

—Sigamos intentándolo —decía siempre Melissa.

—Tú tienes miedo de hacerlo y yo también —señalaba él.

—Así es.

Ella se forzaba a amarle. Cualquier cosa era mejor que la inseguridad de lo desconocido.

Hicieron otros acuerdos: relaciones superficiales con instructores de tenis y gente similar. Melissa tuvo el segundo niño. Este hecho reforzó aún más la «imposibilidad» de su separación. ¿No era obvia la estratagema? Incluso la madre de Melissa lo comprendió.

—Montones de mujeres con hijos vuelven a casarse —le dijo a Melissa—. Si un hombre te amara, eso no le importaría.

Transcurridos siete años la situación se volvió insostenible, aunque la pareja en ningún momento lo discutió abiertamente. En su interior, Melissa sentía un dramático cambio de talante: «¿Para qué seguir? Estoy ansiosa por volver a hacer algo. Realmente aspiro a tener mi independencia. Jamás volveré a casarme».

La pareja se trasladó de las aisladas colinas a una pequeña casa alquilada, a menos de siete manzanas de distancia de la de la madre de Melissa. Allí los chicos encontraron fácilmente compañeros de juegos y Melissa cultivó una serie de amistades solteras. En el momento en que supo que su marido tenía ante sí una seria perspectiva de volver a casarse, montó la escena:

—¡Fuera! ¡Adiós!

Sólo entonces Melissa comprendió que había estado todo un año preparándose para ese momento. Tenía veintinueve años y sentía toda la expansividad del paso a los treinta.

—Cuando se fue sentí que me quitaba un gran peso de encima. Jamás derramé una lágrima por su partida. Se operó un cambio notorio Compré libros, me inscribí en cursos de la UCLA, me hice cortar el pelo, fumé por primera vez. Empecé a salir delirantemente. Mi madre siempre venía a ayudarme y trasladaba carne de su congelador al mío. No quería que gastara mis ahorros. Fue el pe-

363

ríodo más feliz de mi vida. ¡Me sentía tan prometedora! No, más aún, me sentía renacida.

Es necesario esperar para ver a Jake. Es un hombre terriblemente ocupado, un agente cinematográfico. Estamos hablando de su segundo matrimonio. El intercomunicador de su escritorio lo mantiene en la rueda cotidiana de su quehacer que, a decir verdad, le resulta muy interesante. Fuma cigarros y habla a borbotones.

—Envié el guión. Es fantástico, fantástico. ¿Quieren a Paul para eso? ¿Quién está hablando con quién? ¡Caramba! Yo le hablé de ello a Antonioni. ¿Posibilidades? Cincuenta a diez. Oye, yo también estaré en Cannes. ¿Puedo hablar con Paul?

Jake explica que es como si fuera médico: está de guardia las veinticuatro horas del día.

—Siempre hay alguien que necesita más tiempo. Mis clientes, o mi esposa, o los chicos. Últimamente he estado pensando mucho sobre los resultados —se siente inquieto también porque su esposa está... ¿cómo decirlo? ...en una rutina—. No trabaja. Estoy seguro de que se siente frustrada. Pasa mucho tiempo con sus hijos.

En su casa, Melissa parece confundida. ¿No era ella la que se sintió renacer después del divorcio? ¿La que declaró: «Jamás volveré a casarme. Realmente aspiro a tener mi independencia»? Podría haber seguido un curso de horticultora en la UCLA, o haber abierto una empresa de lavado de coches, o haber metido a sus hijos en una camioneta para salir a explorar las ruinas mayas.

Pero seis meses después de su zambullida de cisne en el mundo, se casó con Jake.

—Después de nuestra tercera salida juntos comprendí que estábamos enamorados. Dejé de llamar a mis viejos amigos. Me introduje totalmente en la vida de Jake, sus amigos, sus lugares. Toda mi personalidad cambió. Me volví cada vez más parecida a él. Jake me transmitió mucha fortaleza. Yo estaba muy débil y asustada. Lo que deseaba era aprender a ser la señora de Jake Pomeroy.

Si el marido mencionaba la guerra civil, ella corría a la biblioteca a buscar un libro de historia ilustrado. Si él hablaba de un negocio, ella leía el contrato. Si se trataba de una película, leía el guión.

—Sería lo que él quisiera que fuera.

Eso era mucho más fácil. Durante los cinco años siguientes olvidó cualquier idea inquietante que pudiera tener acerca de la vida independiente.

El estilo de avance de Melissa ha sido consistente. Cada vez que rompe con la inactividad del hogar, se siente vitalizada. Le ocurrió cuando cruzó el país y encontró la Universidad pintoresca y hermosa. En cuanto experimentó los primeros brotes de independencia, la llamada del hogar fue más poderosa. Después de siete años más de estado de latencia puso fin al matrimonio que consideraba la estaba restringiendo. Hubo un estallido de animación, algunos estremecimientos y volvió a zambullirse en la primera zona de seguridad que encontró. Esta vez, «adoptó» la vida del marido, volcándose tan por entero en los sueños de él que se marginó de los cometidos de la evolución que le correspondían asumir.

Ahora tiene treinta y cuatro años y ha remontado el escozor. Esta vez parece tomar la forma de una crisis importante.

—Me siento totalmente bombardeada. Por los chicos, las empleadas del hogar, los maridos, los amigos, los teléfonos, los televisores. Daría cualquier cosa por recobrar mi intimidad, por estar sola. El período posterior a mi divorcio fue el más feliz de mi vida.

Esto no quiere decir que Melissa tenga el deseo de deshacer su actual matrimonio. Lo que ella ansía es tener el valor de aflojar las cuerdas que atan su seguridad al marido y los hijos.

—Ahora puedo empezar —dice dubitativamente—. Sí, estoy llegando al momento crucial de mi vida. Este verano mis hijos se irán a pasar un mes con el padre. Para mí es una gran prueba, ya que tendré que decidir si me sentaré en casa a llorar la separación o si empezaré a pensar qué dirección tomar para volver a trabajar. Si logro superar ese mes, seré completamente feliz.

Afuera suena un claxon. Ha llegado el padre de los domingos por la tarde de sus hijos.

—Adiós, angelitos míos —suspira Melissa.

Los chicos salen marchando con un aire de prisioneros de guerra.

Ahora está sola con las maletas y los teléfonos. Las maletas la hacen sentir culpable porque las ha preparado para ir a Cannes con su marido. Éste será su primer viaje juntos. Jake tuvo que luchar para convencerla de que le acompañara.

—Sé que con toda lógica se supone que debo estar con mi marido —dice Melissa—. De todos modos mis hijos me dejarán algún día y sólo me quedará mi marido. Pero emocionalmente nunca me he sentido capaz de alejarme de mis hijos. Siempre pienso: *¿Y si después no quieren volver conmigo?*

Los teléfonos plantean una respuesta diferente. Frustración. Están por toda la casa. Los teléfonos de él. En el estudio, en los dormitorios, en la cocina. Una infinita orgía de extensiones que enlazan sus blancos brazos alrededor de su marido en cuanto éste entra en la casa, que le abrazan a las tres de la madrugada con llamadas de otro continente, que le manosean todo el fin de semana con peticiones de ayuda de sus clientes... la gente importante. Hay momentos en que Melissa piensa que tendría más comunicación con él si fuera telefonista.

La cuestión candente en el centro de la vida de Melissa ha aparecido una vez más, pero ahora la llama es poderosa. Tiene casi treinta y cinco años.

—¿Cómo encuentra su propia identidad una mujer fuera del matrimonio sin ponerlo en peligro ni arriesgar a los hijos? En realidad, no conozco ninguna mujer de mi edad que no esté pasando por lo mismo.

Esta es la pregunta clave de todas las mujeres criadoras que postergan su propia expansión. Cada paso plantea nuevamente la cuestión y si no se resuelve la luz piloto acaba por desaparecer y algo empieza a flotar en el aire.

Melissa es típicamente imprecisa acerca del momento en que comenzará.

—Justamente este años he decidido —dice con el rostro radiante— que ha llegado mi turno. ¡Tengo tantos deseos de volver a trabajar! Todavía estoy tratando de llegar a ese punto. Estoy consultando a una terapeuta por este motivo.

Sin pausa y sin advertirlo nítidamente, Melissa vuelve a postergar el momento decisivo:

—El año *próximo* me moveré por mi cuenta.

Uno de los rasgos más notorios de compartir la vida con un niño en crecimiento es que a cada paso el adulto revive vívidamente sus propias experiencias infantiles. Los deseos insatisfechos, las rivalidades, el amor no correspondido, los temores y las frustraciones que el adulto conoció de niño y nunca superó del todo, reviven a través del niño. Éste es un proceso conocido y aceptado por los psiquiatras. Pero muchas parejas son inconscientes de ello y pueden verse impulsadas a un enfrentamiento, cuando en realidad no es otra cosa que un duelo con sus propios padres fantasmas. No obstante, al mismo tiempo ese proceso de revivir las experiencias infantiles a través de los hijos da a los padres la oportunidad de elaborar y superar antiguas iras y heridas, de «mejorar».

Al tener un elemento tan conveniente y consolador a mano, muchas madres se muestran reticentes a separarse de sus hijos. La explicación que darán parece maternal, incluso sacrificada: «Yo pensaba volver a trabajar este año pero ahora comprendo que mis hijos todavía no están preparados».

Una conocida mía que tiene cuarenta años pone esta excusa desde hace bastante tiempo y su elección parece proporcionarle una gran satisfacción. Su propia infancia fue una dramática vigilia, esperando a que muriera su madre alcohólica, lo que finalmente ocurrió. Parece que la catarsis cotidiana de experimentar la existencia segura de sus propios hijos es un factor determinante con respecto al hecho de mantenerla en su casa.

No sólo la madre de antecedentes traumáticos encuentra consuelo en revivir sus experiencias a través de sus hijos. Cuando Melissa dice con poca convicción «Realmente quiero volver a trabajar, justamente este año he decidido que ha llegado mi turno» e inmediatamente se permite una postergación: «El año *próximo* me moveré por mi cuenta», lo que realmente pone de manifiesto es su deseo de prolongar la beatífica unidad de su propia infancia. Los padres de Melissa fueron un santuario tan envolvente que ella tuvo muy pocos motivos para luchar por la independencia. Cada vez que lo hacía, llegaba mamá y le llenaba el congelador y la cuenta bancaria. ¿Cómo podía ella mejorar ese enclaustramiento o siquiera conservarlo si reivindicaba su lugar como adulta? El estilo de avance de Melissa se vio conformado por la atención de sus padres. Su deseo de retornar siempre a ellos, aposentarse allí, seguir siendo la niña complaciente y nada difícil.

De modo que el ciclo puede repetirse. Llena de atenciones como centro de una familia nuclear cerrada, la niña complaciente crece y recrea el santuario convirtiéndose en una madre a la que le resulta insoportable dejar a sus hijos, a los que puede transmitirles la misma carga de dependencia.

Cuando las dos veces casada Melissa improvisa sobre la forma en que proyectaría su vida si tuviera que volver a vivirla, se evidencia su envidia por la opción opuesta.

—Dichosas son las que ya habían establecido sus carreras cuando se casaron y esperaron un tiempo a tener un hijo. Eso es lo que haría si naciera de nuevo. Decididamente, tener una profesión y casarme a los veintiocho.

LA REALIZADA
QUE DIFIERE LA CRIANZA

Entre las mil quinientas mujeres realizadas seleccionadas al azar en diversas ediciones del *Quién es quién de las mujeres americanas,* un número levemente superior a la mitad se han casado. Pero en principio, en cuanto obtuvieron su diploma de enseñanza básica, dedicaron un promedio de siete años de atención íntegra a su carrera. [10] Vuelve a evidenciarse el ciclo de siete años.

¿Qué investigaciones de experiencia vital podemos ofrecer a esas mujeres cuando buscan a tientas su totalidad? Lamentablemente, muy pocas. Los biógrafos siempre han estado dispuestos a desenterrar los restos personales de reinas imperiales y reinas cinematográficas, así como también de mujeres de éxito en las artes y en las ciencias, para presentarnos la aberración. Pero la mujer que intenta alcanzar su realización y difiere la crianza no ha sido incluida en los estudios evolutivos de los años adultos, y los modelos son escasos. [11]

Las mujeres que ocupan puestos de nivel ejecutivo son aproximadamente tan difíciles de encontrar como los hombres que se quedan en su casa a cuidar a los hijos con varicela. De los 27,8 millones de americanos que en 1973 ganaban diez mil dólares o más, menos del diez por ciento eran mujeres. [12]

En 1975, una firma consultora de Nueva York dio a conocer los resultados de una investigación nacional en dos mil empresas industriales, correspondiente a mujeres que tenían dos años de experiencia como gerentes y ganaban un mínimo de veinte mil dólares anuales. Encontraron a cuarenta mujeres que correspondían a esa descripción. [13]

El único examen profundo de personas realizadas de sexo femenino en el mundo comercial, por lo que sé, fue realizado por una profesora de administración comercial como tema de su disertación doctoral en Harvard (1970). Margaret Hennig registró minuciosamente el *Quién es quién en América,* el *Quién es quién de las mujeres americanas* y los informes anuales de las 500 corporaciones más importantes. Encontró a cien mujeres que ocupaban puestos de presidentas o vicepresidentas de grandes corporaciones comerciales y financieras. Analizó las vidas de veinticinco de ellas y sus descubrimientos son fascinantes. [14]

Todas esas mujeres consideraban el matrimonio y la proyección profesional como opciones excluyentes. Eligieron apuntar más alto de lo que el tradicional rol femenino les permitiría y en la década de los veinte dejaron de lado la mayoría de sus sueños románticos. Hennig se dedicó a averiguar si se trataba de un tipo de personalidad fija —la acostumbrada figura de la mujer como copia del hombre— o de una etapa evolutiva que podía conducir a una resolución posterior.

Cada una de las mujeres estudiantes disfrutaba de la condición de primogénita. Todas ellas estaban satisfechas con su condición de mujer y sólo ponían objeciones cuando la gente decía que hay ciertas cosas que las chicas no hacen. El padre, no obstante, las estimulaba a no aceptar pasivamente esos condicionamientos. Este claro y temprano conflicto entre las tendencias culturales predominantes y la libertad estimulada en el hogar, observó Hennig, era un ingrediente habitual en la fórmula que había llevado a esas mujeres al éxito.

En la primera adolescencia se resistieron al circuito edípico que las habría llevado a identificarse con sus madres. Envidiaban la existencia más activa y excitante de los hombres. Hennig señala que en sus casos el fenómeno de la envidia no parece cargado con ningún oscuro temor freudiano. Se trataba, lisa y llanamente, del deseo de seres humanos que habían disfrutado de tempranas experiencias de libertad y querían seguir disfrutando de esa libertad durante toda la vida.

Ninguna de las madres de esas mujeres poseía una personalidad especialmente magnética. Eran clásicas dispensadoras de cuidados que trataban de inculcar a sus hijas su propio modelo de comportamiento. Cuando esas hijas ingresaron en el período crucial entre los 11 y los 14 años, se resistieron a convertirse en «señoritas», se alejaron de sus madres y encontraron en sus padres un puerto en medio de la tormenta. Pero no existen pruebas de que los padres trataran a sus hijas *como* a varones. En cambio, todas las mujeres admitían la existencia de un elemento distintivo en la dinámica entre padre e hija: la relación trascendía el sexo de ambos.

En modo alguno los padres rechazaban la feminidad de sus hijas. Acentuaban sus capacidades y habilidades más que el rol sexual. Era frecuente que los dos jugaran al tenis y navegaran juntos, hablando de los negocios de papá. Todo parece indicar que esos hombres buscaban en sus hijas la camaradería que no podían tener con sus esposas, mujeres más limitadas. El estudio de Bardwick referente a hombres de éxito (al que se hace referencia en el Capítulo 15) puede explicarlo. Aunque esperaban decididamente que sus esposas no fueran competitivas ni realizadas, se enorgullecían de tener una hija realizada. Una hija de tales características es a menudo la favorita porque a diferencia de un hijo varón, puede reflejarse en el padre sin convertirse en un rival. Y estimularla no implica perder los servicios de una esposa.

Cuando las mujeres extraordinariamente triunfadoras del estudio de Hennig fueron interrogadas acerca de los sentimientos familiares, la simple idea de que podrían haber tenido una rival en su madre en su relación con el padre, la rechazaron como absurda. Sus madres jamás eran consideradas como una amenaza. Habían ganado a papá muchos años antes.

La relación entre padre e hija permaneció constante a lo largo de la tempestad de la adolescencia: los padres confirmaron la valía de las hijas y se convirtieron en su principal fuente de recompensa.

Todas las mujeres que estudió Hennig asistieron a la Universidad y todas, salvo una, eligieron una Facultad mixta prefiriendo ser preparadas en un ambiente orientado hacia una carrera profesional y en compañía de hombres. La mitad se especializaron en empresas o economía, presumiblemente influenciadas por sus padres como modelos en la actividad profesional; sólo unas pocas se dedicaron a las profesiones liberales. Todas se destacaron académicamente. Tres años después de la graduación, eran secretarias o asistentes administrativas en la industria, en el comercio, en la banca, en las relaciones públicas o en compañías de servicios. La mayoría de esos puestos les fueron ofrecidos como favores a sus padres.

A diferencia del joven prodigio masculino, estas mujeres no trataban de ampliar hasta el máximo sus expectativas. Para ellas estaba claro que una mujer sólo podía avanzar demostrando estar más capacitada que cualquier hombre disponible para el puesto superior al que ocupaban. Puesto que les había exigido un enorme esfuerzo establecer buenas relaciones de trabajo en una empresa, consideraban un riesgo innecesario pasar a otra. De modo que eran impresionantemente leales. Durante los treinta años siguiente permanecían en la misma firma hasta que se les recompensaba con un puesto directivo.

De jóvenes jamás se les había ocurrido que el matrimonio y los hijos debieran desecharse para siempre. Pero alrededor de los veinticinco años, observa Hennig, todas ellas «arrinconaban su feminidad para reconsiderarla en el futuro». Aunque la mayoría de ellas había salido regularmente con hombres hasta ese momento, a partir de entonces se limitaban a relacionarse con hombres casados e inalcanzables y daban pocas, o ninguna, posibilidad de expresión a sus deseos sexuales.

En la década de los veinte, todas estas mujeres manifestaban una adhesión profunda y vital al jefe, que las tomaba donde sus padres las habían dejado. En cuanto se encontraban bajo la protectora custodia de este mentor, subordinaban todas las demás relaciones a ésta. La repetición de experiencias anteriores era clara. El mentor era la persona a la que podía atreverse a revelarle todas sus facetas y aquél, al igual que el padre, la apoyaba y la estimulaba. Cuando le ascendían, la ascendían a ella por petición de él.

Todas estas mujeres permanecían dependientes de sus mentores hasta llegar al nivel medio de la administración y a la línea divisoria de los treinta y cinco años de edad.

¡Treinta y cinco años! El tiempo las había atrapado. Por excepcionales que fueran sus logros, comprendían que su vida era muy poco más que el trabajo. El desafío de su profesión ya no era suficiente. Al mismo tiempo, se sentían más seguras en su posición profesional de lo que nunca se habían atrevido a imaginar.

Cuando revisaban la relación Gran Mentor-Pequeña Yo, muchas descubrían que se había convertido en una asociación de pares. Aquellos aspectos femeninos que previamente habían barrido bajo la alfombra no podían seguir siendo ignorados. Era imperativo hacer un inventario porque ahora se trataba ya de una crisis.

Sus explicaciones de la crisis siempre se referían a la edad biológica:

—De pronto comprendí que si quería tener hijos me quedaba un período limitado de tiempo para hacerlo.

El límite biológico no era, empero, el factor decisivo. Era, sencillamente, el motivador. La cuestión real era: «¿Qué ha sido de esa parte de mí misma que dejé atrás con la intención de recogerla cinco o siete años después? Han transcurrido quince.

La congruencia con que estas mujeres afrontan su crisis de la edad mediana es auténticamente notable. Las veinticinco se tomaron una moratoria de uno o dos años. Continuaron trabajando pero con una dedicación mucho menor. Con diabólica exuberancia hicieron de todo, desde renovar su guardarropa hasta variar su peinado. Se permitieron volver a divertirse y se dieron tiempo para disfrutar del aspecto sexual de su personalidad.

Casi la mitad de ellas se casó con un profesional al que conocieron durante ese período. También entró en juego su faceta criadora. Aunque ninguna tuvo hijos propios, todas las que se casaron se convirtieron en madrastras.

Aparentemente, la otra mitad no encontró con quien casarse; cuando este cambio trascendental se presentó en ellas por sorpresa carecían de vida social. Pero el hecho de casarse o no casarse no alteró un aspecto fundamental. Las que siguieron solteras, al igual que las otras, comprendieron que debían introducir un cambio significativo en sus vidas. También ellas se volvieron más receptivas y a menudo, por primera vez, se sintieron dispuestas a convertirse ellas mismas en mentoras.

Alrededor de dos años después de su moratoria, todas esas mujeres volvieron a comprometerse en la meta de alcanzar los más altos puestos directivos. Pero su comportamiento y sentido del yo había sufrido un cambio profundo. Sus relaciones con la gente eran más sinceras y espontáneas. Donde anteriormente se habían sentido segmentadas, comenzaron a sentirse más integradas. En lugar de describirse a sí mismas, al igual que en etapas anteriores, como «satisfechas» o «recompensadas», por primera vez en su vida agregaron la palabra «dichosas».

«En ningún caso era sencillamente que lo que otros les hacían creara un conflicto en sus vidas», concluye Hennig, «sino qué hacían ellas con la dualidad de su propio interior. Evidentemente, ese proceso se hizo más difícil... debido a las actitudes sociales y culturales con respecto a las mujeres que intentaban una carrera ejecutiva. Pero para ellas era mucho más fácil evitar esos conflictos externos que superar los internos».

Un final no tan feliz aguardaba a un grupo de mujeres que quedaron congeladas en la medianía administrativa. Cuando la doctora Hennig las comparó con el grupo más amplio de investigación, descubrió que la situación parental había sido muy distinta: sus padres no las habían tratado *como si hubieran sido* varones, sino como a varones. Su feminidad había sido prácticamente negada; algunas incluso tenían nombres masculinos. A medida que avanzaban en la vida profesional, estas mujeres sólo lograban establecer relaciones de «camaradería» en el trabajo. Tal vez más importante aún, jamás se permitieron una crisis, ni siquiera en la mediana edad. Mantuvieron reprimido lo que en un principio sólo habían arrinconado. Ninguna se casó. Las de este grupo tenían tendencia a permanecer dependientes de sus mentores hasta que éstos las abandonaban. No llegaron a la cumbre y en los cincuenta se encontraron solas como mujeres, secundonas como ejecutivas, amargadas y defraudadas por la gente.

Fueron las mujeres de negocios que en la mitad de la vida sacaron a la superficie un aspecto emocional, sexual y criador que habían dejado atrás, las que superaron con facilidad a sus mentores poco después, salieron de los puestos intermedios de la administración y pasaron a ocupar la presidencia o la vicepresidencia alcanzando un triunfo de la integración personal.

Una variación más prometedora de este modelo es escogida actualmente por algunas jóvenes criadoras diferidas, entre ellas la hija de Margaret Mead. Este tipo de mujeres hacen todos los esfuerzos para adquirir primero una sólida base profesional, aunque no están exclusivamente orientadas hacia su profesión. Después intentan montar en el columpio del matrimonio hasta que ambos compañeros aprenden algo acerca del equilibrio entre reciprocidad e individualidad. Sólo entonces tienen un hijo, lo que por lo general significa esperar hasta los treinta años. Se trata de jóvenes mujeres que tienen algún conocimiento acerca de lo que le ha ocurrido a la gente en la vida.

Obviamente, las brillantes jóvenes realizadas de nuestros días tienen que superar menos obstáculos internos y externos que las mujeres que intentaron profesionalizarse en décadas más oscuras, a las que a menudo se ridiculizaba por ser solteras. Se encontraban entregadas casi por entero a modelos masculinos y mentores masculinos. Toda nueva inspiración que su feminidad pudiera haber introducido en el mundo de los negocios y de la política quedó en su mayor parte perdida, para que no las pudieran catalogar en el estereotipo femenino y las etiquetaran de «demasiado emocionales».

La ferviente hermandad femenina actual ha comprometido a muchas mujeres ya de éxito a ser mentoras de sus entusiastas menores. Sólo la igualdad nos permitirá averiguar qué valores pueden aportar las mujeres libres a la formación de la cultura. «Y tendremos igualdad», dice Estelle Ramey, presidente de la Asociación de Mujeres Científicas, «cuando una pobre diablo femenina avance a tanta velocidad como un pobre diablo masculino». [15]

Ahora bien, con respecto a la faceta diferida, ¿qué ocurre cuando la mujer realizada deja paso a su deseo reprimido de cria-

375

dora? Aparecen algunas de las madres más dulces que podemos encontrar entre la población femenina.

La publicista que he mencionado con anterioridad, que viajó durante los veinte por todo el país, deslumbrante de pruebas de su capacidad, se sintió «lanzada» a los veintinueve, cuando un hombre mayor le propuso matrimonio.

—En los últimos diez años he dado a luz seis hijos, incluyendo mellizos —dice mientras exhibe una amplia sonrisa—. Esto no ha desvirtuado mi identidad sino que le ha proporcionado un positivo equilibrio. Ahora estoy empezando a sentir otra vez el gusanillo de dedicarme a lo mío. El hecho de haberme dedicado yo a los negocios me permite comprender las presiones profesionales que sufre mi marido. Francamente, no comprendo cómo sobreviven los matrimonios en que la mujer no ha trabajado.

En esta mujer existe una seguridad de sí misma notoriamente serena. Cuando habla de sus proyectos para el próximo período de su vida (trabajar con dedicación parcial hasta que el niño ingrese a la escuela y entonces ocuparse de las relaciones con la clientela en la empresa de su marido), a nadie le queda ninguna duda de que lo hará.

Otra mujer realizada que esperó aún más tiempo para dar a luz, dice con entusiasmo:

—Significa un gran placer tener el primer niño mediados los treinta. Jamás tendré que mirar a un hijo mío y decir: «si no hubiera sido por ti».

Esto nos lleva a un grupo aún menos frecuente de mujeres dentro de este modelo, a las que llamaremos:

SUPERREALIZADAS
CON NIÑO TARDÍO

Entre las mujeres que están notable y visiblemente realizadas, un número significativo no fueron madres hasta los treinta y cinco años o más tarde aún: Margaret Mead, Barbara Walters, Shana Alexander, Sofía Loren, entre otras. Algunas eligieron la postergación. Otras tuvieron problemas físicos o psicológicos para concebir, cuando no una misteriosa combinación de ambos. En cualquier caso, este fenómeno las coloca en una posición especial dentro de la cadena de generaciones. La mujer cuya menopausia coincide con la pubertad de su hija tiene un concepto sorprendentemente distinto de sí misma que la mujer cuyo nido se está vaciando en ese momento.

Si selecciono una biografía que constituya la quintaesencia de la mujer realizada, debo escoger la que primero ocupa los pensamientos de casi todas las mentes americanas: Margaret Mead.

Lo ha hecho todo. Durante los veinte buscó la gran aventura en Samoa, soportó la malaria y los abortos y encontró información y cultura en el río Sepik a los treinta, colaboró en tres matrimonios y en una extraordinaria agrupación de tipo familiar antes de cumplir los cuarenta y cinco. Ha estudiado siete culturas y escrito diecinueve libros, ha conservado cincuenta años de informes de campo sobre culturas primitivas antes de que llegaran a ellas los misioneros, impartió conocimientos a 2.500 discípulos, atacó a la sensatez convencional en cientos de conferencias y acaparó el espacio de atención de cuatro minutos de los fanáticos de los programas televisivos de habladurías. Ha tenido una hija, un nieto y tres maridos; ha escrito su autobiografía.

A las cinco de la mañana, balanceando su enrulada cabeza, prepara la máquina de escribir portátil sobre la mesa del comedor. Se dispone a trabajar. Actualmente necesita menos horas de sueño: sólo tiene setenta y cuatro años.

Mead es el general de la infantería del feminismo moderno. Entre todas las que hemos pagado un precio por la liberación —las que perdieron o abandonaron maridos, las que optaron por realizarse profesionalmente al coste de no tener hijos, las esposas fugitivas que no encontraron su genio latente horneando arcilla en Big Sur, y ciertas celebridades feministas que de tanto en tanto, aburridas y cansadas de su atletismo sexual confiesan anhelar una noche de entusiasmo con un empedernido cerdo machista—, ninguna se ha liberado tanto de sí misma como Margaret Mead. En su papel de general, es profeta en su tierra. Como mujer es una descarriada de su propia cultura. Lo había pensado todo hace más de cincuenta años.

Margaret Mead —primogénita e hija deseada— nos cuenta en su autobiografía que fue su padre quien definió el lugar de ella en el mundo. Éste era un profesor conservador de la Universidad de Pensilvania que sentía vivamente la convicción de que lo más importante que podía hacer una persona era aportar sus conocimientos al mundo. Ya de niña, Margaret observó que la carrera de socióloga de su madre estaba limitada por el número de hijos que tenía, decisión que había dejado en manos del Señor y que la llenó de apasionado resentimiento acerca de la situación de la mujer.

En un suelo tan fértil para la germinación de una mujer realizada, Margaret se sintió impulsada a romper otros moldes cuando «tuve perfectamente claro tanto que las chicas brillantes podían superar a los chicos brillantes como que sufrían por ello». [16] Extendió esta comprensión a sus elecciones en el campo antropológico y decidió no competir abiertamente con los hombres en el terreno de éstos. Descubrió dos áreas en las que las mujeres pueden cumplir proyectos de trabajo de campo mejor que los hombres. Una de ellas, que alcanzó casándose dos veces con antropólogos, consistió en trabajar en equipo con sus maridos, siendo el objeto de sus estudios las mujeres y los niños. La otra consistió en trabajar con ambos sexos siendo anciana, «aprovechando la alta jerarquía de que goza la mujer que ha experimentado la menopausia». Así, Mead planeó una vida que evitaría que la mujer se convirtiera en prisionera de su sexo ni de su edad.

Le pregunté a esa mujer que hoy es un mito cómo había logrado compaginar sus diversas vidas.

—Indudablemente tuvo que hacer algunos compromisos y transigencias a lo largo del camino —sugerí.

—Sí. Para mi generación, combinar una carrera con los hijos —aunque sólo fuera uno— exigía una tremenda energía. Yo la tenía. O una tremenda cantidad de dinero, o una tremenda suerte. Yo tuve suficiente energía para cumplir dos trabajos. Y entiendo lo bastante bien la cultura como para estudiarla y, en cierto sentido, superarla.

Continuó hablando acerca de la mano de obra especializada más barata del mundo: una esposa. Esto me recordó una conferencia suya en la que le oí decir: «Las mujeres americanas son buenas madres pero malas esposas». Más adelante le pregunté por qué.

—Las americanas no son buenas en la atención de otro —respondió—. Las mujeres americanas han sido fuertes en las malas y en las buenas. Pero una buena esposa, si quiere hacer de ello una carrera, debe anticipar las necesidades de otro, estar dispuesta a cuidarlo cuando él vuelve a casa. Cualquier hombre que tenga que hacer algo importante, un educador o una figura política, por ejemplo, necesita una esposa de dedicación completa para que le sea posible realizarlo.

¿En qué forma relacionaba un punto de vista tan tradicional con su propia experiencia?

—Debemos cultivar la relación con la gente que disfruta dedicando su vida a otro, marido o hijos, que realmente goza con ello. Otra vez hablaba en general.

No existen dudas de que Margaret Mead se siente profundamente conmovida por los niños. En sus conferencias aparecen constantemente una airada preocupación por las víctimas abandonadas por los maridos desertores de mediana edad y las más recientes esposas fugitivas. La responsabilidad de los hijos se está desviando hacia la sociedad, advierte, y ésta no la acepta.

Pero en siete años que son los que hace que conozco a la doctora Mead, me he devanado los sesos para descifrar qué es lo que informa sus enfáticos pronunciamientos sobre la vida familiar americana. Volvemos a oír la voz del general. Con los más elevados propósitos y un gran humor, repasa la locura de nuestra forma de amar, de habitar, de trabajar, de producir brechas fatales entre las generaciones. Su idea básica es la de reagrupar a los batallones humanos en una nueva ordenación más adecuada: en comunidades multigeneracionales donde los ancianos y los que no tienen hijos tengan acceso a los niños, y que todas las legiones tengan un lugar en el futuro. ¿Por qué no la siguen esas legiones?

Margaret tiene muy poca paciencia con aquéllos cuya capacidad se desperdicia en la lucha con los demonios personales. Ella ha conquistado los suyos o los ha ignorado. ¿Por qué no puede la infantería marchar a paso vivo alejándose de los bárbaros barrios residenciales pisoteando los huesos de sus chamuscados matrimonios, reunir a sus hijos, admitir que la familia nuclear fue un experimento desastroso y seguir adelante después de haber hecho bien las cosas? ¿Qué es lo que retiene a esos soldados? El hecho de que no son Margaret Mead, naturalmente. Pero por clara que sea la respuesta para un admirador, sigue siendo un misterio para la propia Mead. Un incidente ocurrido hace varios años me hizo comprender cuán grande es la distancia entre el general y los reclutas.

Nuestros caminos se cruzaron una noche, en la sala de estar de la casa de una educadora que no parecía demasiado contenta con su destino de mujer. Me contó la historia de su matrimonio con un excéntrico. Yo lo conocía: un creador, a la vez encantador e infantil. La educadora había invertido veinte años de su vida en ser «la total colaboradora» de su marido. Él la abandonó al borde de la mediana edad. Ella se tambaleó incrédula durante unos cuantos años, después puso al día lánguidamente sus credenciales de estudiante y en aquel momento ocupaba un importante puesto en la Universidad.

No obstante, yo percibí que esa mujer no estaba liberada en su nueva carrera, sino que se hallaba amodorrada en ella. La doctora Mead había conocido a la pareja durante muchos años. Su percepción de la situación, descubrí, era muy distinta de la mía.

Mientras volvíamos a nuestras casas, le señalé a Margaret Mead:

—Es triste, pero creo que aún se siente incompleta sin un hombre.

—¿Para qué necesita un hombre? —Margaret me miró, incrédula—. Trabaja con hombres. Todos la respetan. Ha creado su propio departamento universitario y tiene todo su tiempo ocupado. Y no olvide que sigue siendo madre.

Dije que ignoraba si la mujer conocía la existencia de la amante del marido y que eludir el tema había exigido una gran delicadeza. Mead rechazó mi observación: todo el mundo conocía la existencia de la amante.

Sugerí que la mujer todavía parecía esperar el regreso del marido al hogar.

—De ninguna manera —concluyó el general.

Esa misma noche, aquella mujer y yo hablamos por teléfono.

—Oh, no, Dan y yo jamás hemos hablado respecto a que vive con otra mujer —insistió—. Es una situación falsa que ambos mantenemos conscientemente. Yo sólo sé de ella a través de Margaret. Estoy convencida de que atenderé a Dan cuando llegue el día en que necesite cuidados. Este es el concepto que yo tengo de lo que es un compromiso. Margaret no puede comprenderlo porque su vida ha sido muy distinta a la mía.

Estas palabras contribuyeron a situar a Mead en la perspectiva de un general. Ella observa el mundo desde una cima elevada y distante mientras su amiga, una entre una multitud de soldados de infantería trata, simplemente, de que no la derriben de un disparo.

En una oportunidad, el padre de Margaret Mead le dijo: «Es una pena que no seas varón; habrías llegado lejos».

Al no permitirle a su padre tener excesivo poder sobre ella llegó, literalmente, al fondo de la tierra.

Sus voluntades se enfrentaron ante la decisión de Margaret de hacer carrera universitaria y de casarse con un muchacho que estudiaba para ser pastor antes de graduarse. El dinero era escaso, corría el año 1919. Su padre afirmó el principio de que si se convertía en una mujer casada no necesitaba la educación universitaria. Margaret señaló que él se había casado con una mujer que todavía no había terminado el doctorado cuando ella nació. El padre la envió a la Universidad.

A los 20 años era una belleza de labios llenos y ojos negros. Siempre había alguien enamorado de ella. Para una persona de ambiciones tan firmes, esto significaba un riesgo profesional. Un compromiso de cinco años con el futuro pastor protestante Luther Cressman la liberó de las trivialidades de buscar compañero. Pero Margaret se sentía en el exilio en la poco activa atmósfera aldeana de la DePauw University de Indiana. Consideraba que Nueva York era el centro de la vida intelectual; más aún, Luther se encontraba en aquella ciudad, de modo que Margaret convenció a su padre de que la cambiara al Barnard College. Allí se convirtió en miembro de una vanguardia tan intensamente implicada en la psicología freudiana como en escribir poemas y en la exploración de nuevos campos de las ciencias. Estaba decidida, por encima de todo, a producir cambios en el mundo.

Para obstaculizar su matrimonio cuando se graduó, el padre de Margaret le ofreció la posibilidad de realizar un viaje alrededor del mundo. Ella lo rechazó de plano. Dos años más tarde, oponiendo a su padre y su mentor, el antropólogo Franz Boas, Margaret negoció el viaje en sus propios términos. Entonces ya estaba casada con Luther, que en oportunidades bromeaba diciendo que debía formalizar una cita cada vez que quería verla. Margaret consideraba que tenía lo que quería: un matrimonio que no significaba un obstáculo para ser ella misma.

En su mentor, el profesor Boas, puede adivinarse la silueta de una posterior Margaret Mead. En 1924, aquel guió a sólo cuatro estudiantes diplomados en Antropología de la Universidad de Columbia.

—Tenía que planificar... como si fuera un general —lo describe hoy Margaret—, con sólo un puñado de soldados a su disposición para salvar a todo un país.

Cada fragmento de trabajo tenía su importancia. Boas la encaminó a trabajar entre los indios americanos. La joven Margaret estaba decidida a explorar la Polinesia.

—De modo que hice lo que había aprendido a hacer cuando tenía que decidir cosas con mi padre —reconoce cándidamente, aunque más tarde llegaría a repudiar este tipo de manipulación.

La intuición le dijo a Margaret que lo único que su mentor valoraba por encima de la dirección de la investigación antropológica era su posición como hombre liberal. Ella le insinuó a Boas que si insistía la tiranizaría. Apeló simultáneamente al sentido de la rivalidad masculina de su padre: Boas estaba tratando de controlar a su hija. Su ardid funcionó. El mentor cedió, el padre le dio el dinero para el viaje alrededor del mundo, el marido partió con su propia beca a otro hemisferio y la señora Margaret se embarcó rumbo a Samoa. Según sus condiciones y conservando su apellido de soltera.

Durante la travesía vivió un romance con un antropólogo neozelandés, Reo Fortune, un asceta apuesto y malancólico, según sus fotografías. Pero no se podía equiparar con ella profesionalmente y tampoco le gustaba como posible padre. Retornó a su marido Luther y a las visiones de su vida en una rectoría campestre, llena de hijos.

Cuando un ginecólogo diagnosticó erróneamente que nunca podría tener hijos, Margaret —que contaba entonces veinticinco años— hizo nuevos planes para su futuro. Su mente siguió el siguiente razonamiento: «...si no ha de haber maternidad, una asociación profesional de trabajo de campo con Reo... tiene más sentido que la cooperación con Luther en su carrera (cambiada) de enseñanza de la sociología».[17] Su elección, como de costumbre, fue informada por la imagen que Margaret Mead tenía de Margaret Mead. Se casó con Reo.

Su siguiente historia sentimental y la más exótica, ocurrió en Nueva Guinea. Mead estaba a principios de los treinta y acababa de liberarse de meses de pesadilla en el hostil campo de Mundugumor, donde se ahogaba comúnmente a los bebés del sexo no deseado. Margaret y Reo estaban privados de compañía intelectual. La rivalidad entre ambos había llegado a ser peligrosamente tensa. Cuando llegaron a una amistosa aldea de Iatmul, los alojaron con un apuesto antropólogo británico, igualmente necesitado de compañía. Se llamaba Gregory Bateson y era un hombre diferente. Estaba en posesión de la natural seguridad que le daba el haber sido educado en Cambridge. Junto a la diminuta Margaret, parecía alto e independiente. Junto al marido de ella, su falta de agresividad mostraba un pronunciado contraste con los oscuros celos y la aburrida competencia de Reo. Éste quería escribir sus propias obras y le molestaba compartir el trabajo con Margaret.

Una vez más, los sentimientos íntimos fueron sublimados en una intensificación del trabajo de campo. Ella y Gregory se estaban enamorando. El triángulo potencialmente explosivo se convirtió en prolongadas noches de conversaciones en una pequeña habitación a prueba de mosquitos, en las que hablaban sobre la relación entre el sexo y el temperamento, que se convirtieron en el tema de la siguiente obra de Margaret Mead.

Una noche los tres fueron alojados en la planta principal de una casa de huéspedes de la aldea a la espera del ataque de vecinos poco amistosos. Mientras Gregory deleitaba a los lugareños conversando con ellos en la lengua de Iatmul, Reo cubría la escena con su revólver. El ataque no se produjo pero la crisis personal se hizo más intensa. Más tarde Reo se despertó y oyó que Gregory y Margaret hablaban en privado.

Tres años después, Margaret se casó con Gregory Los primeros años que los Bateson pasaron juntos fueron probablemente los más intensos y plenos de la vida de la mujer. Compañeros perfectos tanto intelectual como temperamentalmente, compartieron en Bali una experiencia de campo de fervientes esfuerzos y logros sin precedentes. Trabajaban por la noche revelando rollos de películas y refrescaban sus rostros al amanecer con el agua que les quedaba. Habían proyectado tomar dos mil fotografías y volvieron con veinticinco mil.

En su obra, los recuerdos del trabajo de campo con Bateson son al mismo tiempo extremecedores y reflexivos: «Considero que es bueno tener una vez semejante modelo... aunque el modelo implique tanta intensidad extra que toda una vida se condensa en unos pocos años». [18] Después intentó, aunque sin conseguirlo, repetir la experiencia compartida en Bali, que permanece vívida en su mente.

Incluso en el campo de la maternidad, su experiencia como mujer fue excepcional. Puede decirse que ello es inimaginable en el caso de la mayor parte de las mujeres que continúan considerándola una guía.

Cuando finalmente llegó un niño al mundo bien ordenado de Margaret Mead, el general ya estaba bien protegido por la edad y la reputación contra los estragos que un acontecimiento de este tipo puede causar en la buena marcha de una carrera. Tenía treinta y ocho años. Benjamin Spock atendió personalmente el parto. Margaret llevó al niño a la casa de su padre, en Filadelfia, y al dispuesto regazo de una joven niñera, y una cálida ama de llaves. Refiriéndose al momento en que Gregory Bateson dejó sus maniobras bélicas en Inglaterra durante la crisis de cólico infantil de su hija, Mead escribe: «Le dijimos a la niñera que se fuera y nos ocupamos personalmente de ella durante todo un fin de semana». [19]

El lenguaje de la niñera americana no era lo bastante correcto, insistía el padre inglés. De modo que la pareja dejó al niño a cargo de un amigo mientras encontraban apartamento en Manhattan y una niñera adecuada. Mead reanudó su trabajo de dedicación parcial en el Museo de Historia Natural y dictaba clases entre tetada y tetada. Se deleitaba con su hija Catherine. Un niño tardío que se presenta a sus padres recién bañado para jugar durante un rato bajo el sol matinal y otra vez, durante un par de horas, después que regresan de su trabajo, sólo puede dar alegrías. ¿La experiencia de la familia americana comun y corriente? No.

Mead pronto encontró una forma aún más placentera y eficiente de que todo estuviera hecho. Se unió a un hogar en régimen de cooperativa. Una vez más, la solución resultó excepcional. La base radicaba en la estrecha relación profesional de Margaret con un hombre dedicado a las ciencias sociales, Larry Frank; en la agradable vivienda que éste tenía en Holderness, Nueva Hampshire, y en los extraordinarios servicios de una dispensadora de cuidados a la usanza tradicional, la tercera esposa de Frank. Mary Frank se había casado con un viudo con cinco hijos. Era joven y hermosa y en ella recayó el rol de madre-ama de casa.

Después de dos veranos de experimentar en la residencia campestre, ambas familias decidieron unirse. La espaciosa casa de Frank en Greenwich Village se convirtió en el hogar durante los años de la guerra. Mead se vio inmediatamente liberada de toda tarea para trasladarse a Washington con Larry Frank, que la había incluido en una serie de esfuerzos interdisciplinarios. Pasaban en la casa los fines de semana. Mary Frank recibió con los brazos abiertos a la hija de Margaret en su activo parvulario. Bateson empezó a pasar cada vez más tiempo en Europa en tareas relacionadas con la guerra.

Me sentí interesada por la actividad de Mary Frank, ya que ésta fue el pivote alrededor del cual giraban libremente los tres científicos sociales altamente capacitados. ¿Estaba aquélla contenta con el papel que desempeñaba?

Sí —responde la doctora Mead—. No todo el mundo desea trabajar.

Mead se apresuró a agregar que podía permitirse el pago de la mitad de los gastos de una cocinera y un hombre que hacía la limpieza, lo que daba a Mary más libertad para encargarse de los niños. Y los chicos mayores cuidaban a los bebés.

—¿No surgió la envidia?

—Bien, creo que durante todo aquel período, Mary no tenía la menor idea de que yo supiera freír un huevo —me explicó Margaret; en su sonrisa aleteaban las notas de orgullo de un pasado estratégico—. Yo actuaba como un mari:... como un hombre más en la casa. Simplemente, pensaba que era más fácil dejar que ella estuviera a cargo de todo. Yo estaba terriblemente ocupada.

El tema obvio que se plantea con cualquier cambio en el esquema básico del matrimonio es la fidelidad. Pero la doctora Mead no considera que ambos aspectos estén íntimamente relacionados.

—Se puede ordenar la vida de grupo con un tabú general del incesto para todos los que participan en ella. Siendo las vidas de todos tan interdependientes que nadie desea perturbar el equilibrio. El matrimonio ya es bastante difícil siendo simplemente monógamo. La poligamia es más difícil: exige una mayor institucionalización. Y el matrimonio de grupo es demasiado difícil para cualquiera. En consecuencia, nunca se ha practicado. En ningún lugar del mundo. No es más que una fantasía.

Tan extraordinario fue el fruto de esos dos años de colaboración profesional con Bateson, que tuvieron que esperar cerca de veinticinco años a que la obra produjera su impacto en el campo antropológico. Para entonces, su unión amorosa se había disuelto hacía más de una década.

Esta coyuntura crítica en el camino personal de Margaret Mead, cuando tenía cuarenta y tres años, queda un tanto oscura en su autobiografía. Sólo tropezamos con este breve párrafo:

La bomba atómica estalló en Hiroshima en el verano de 1945. En ese momento arranqué todas las páginas de un libro que tenía casi concluido. Todo su contenido era anticuado. Habíamos ingresado en una nueva era. Mis años como esposa y colaboradora, en los que había intentado combinar un intensivo trabajo de campo y una intensiva vida personal, también llegaron a su fin.

Posteriormente le pregunté por qué la bomba había puesto fin a su vida de colaboración como esposa y científica.

—Porque me divorcié. De lo contrario no habría tomado esa decisión.

Así pues, durante el paso de la mediana edad, Margaret Mead destruyó gran parte de la estructura personal y profesional que había sustentado durante la primera mitad de su vida y empezó a construir un nuevo sistema de apoyo. Su vida intelectual tomó una nueva dirección, comprometiéndola en un intenso trabajo sobre la salud mental. Aprendió a trabajar sola o en colaboración con otra antropóloga del sexo femenino. Aprendió a vivir sola o a compartir su apartamento con una colega del sexo femenino. Todavía activa maestra-mentora, mantiene un archivo de los millares de estudiantes a los que continúa aconsejando, regañando y recomendando para que obtengan becas. Tal como era su intención, aprovecha su alta posición postmenopáusica para viajar constantemente como ciudadana del mundo cuya contribución siempre es solicitada. La forma en que ha ordenado la segunda mitad de su vida ha recompensado sus energías con mucho más que el obligado retiro que condena a tantas a una absolescencia prematura.

En los últimos años se tiene la sensación —observándola adormilada en otra órbita mientras un colega divaga acerca de la recuperación del vigor por parte de la mujer postmenopáusica reintegrándola a la fuerza de trabajo («pura basura»), oyéndola plantear su oposición a los bebés de tubos de ensayo («Pueden hacerlo con cabras, pero no se metan con la vida humana»)— de que el general está perdiendo la paciencia ante la persistente negativa de los americanos a aprender de su propia experiencia.

Pero mañana volverá a levantarse a las cinco, como lo hacía Augusto para pasar revista a sus legiones, los rizos sujetos con un clip, la capa sobre los hombros, y avanzará a reclamar sus dominios.

Soldados de la infantería, ¿podéis seguirla?

LAS INTEGRADORAS

¡Con cuántos motores salvajes iniciamos el camino en los veinte! ¡Queríamos hacerlo todo y simultáneamente! Aprender. Amar. Explorar. Sobresalir. Escapar de los barrios elegantes, o del Medio Oeste o de cualquier idea retrógrada predominante sobre la feminidad. Realizarnos. Encontrar un compañero. Tener un hijo.

Un programa de estas características todavía era considerado revolucionario a finales de los años cincuenta y principios de los sesenta. Las mujeres como yo fuimos las mutantes de nuestra generación. El matrimonio no nos impidió trabajar hacia la realización y tampoco el nacimiento de los hijos, aunque por lo general aminoró la velocidad. La culpa presente en el corazón de nuestros veinte era: «¿Cómo integraré al niño en mi vida para que no me aparte del mundo?». A veces llevábamos a nuestros hijos a la oficina o a la biblioteca y les dábamos lápices para que los rompieran jugando con ellos. Con más frecuencia aprovechábamos las fantasmales horas que transcurren entre la medianoche y el amanecer, reuníamos los restos intactos de nuestros talentos y corríamos, corríamos en el aislamiento, como los animalitos enjaulados de nuestros hijos, alrededor de las ruedas de molino de nuestro oficio elegido.

Estábamos decididas a no terminar como el estereotipo de la mujer de carrera endurecida, o como las alcohólicas olvidadas del otro extremo de la línea del conmutador de nuestros maridos como las desviadas y desdichadas mujeres que conocimos aun antes de que Betty Friedan diera nombre a su problema. Y la mayoría de nosotras lo logró. Aparecimos en un lugar distinto e ingresamos en los treinta con una crisis diferente. Algo tenía que ocurrir.

La mayoría de las integradoras se sustrajeron al matrimonio, o abandonaron la profesión, o dejaron que los hijos se fueran al demonio.

Algunas que intentaron hacer todas esas cosas se sintieron abrumadas por sus cometidos y descubrieron que no podían cumplimentar ninguno de ellos. Intentaron hallar refugio en la pérdida de la cordura. los psiquiatras intentaron «reeducarlas» hacia su rol más adecuado. No tenían otra opción: aceptar o ser internadas.

Un marido al que conozco bien le dijo a su esposa, que intentaba hacerlo todo a los veinticinco años: «Lo *óptimo* es que la esposa desee abandonar su carrera después del nacimiento del primer hijo y quedarse en su hogar. Tendrá que hacerlo de todas maneras».

No es muy factible que una mujer integre el matrimonio, la carrera y la maternidad en los veinte y ya es hora de que las que lo intentamos lo digamos. Es bastante viable hacerlo a los treinta y decididamente posible a los treinta y cinco, pero antes de esa edad, la integración *personal* necesaria sencillamente como un lastre, no puede de ningún modo desarrollarse. En conversaciones sostenidas con Margaret Mead y Daniel Levinson, descubrí que ambos coincidían. Levinson sostiene que

...cuando los cometidos de un período permanecen irrealizados en el sentido general, complicarán o interferirán los del período siguiente. En los casos extremos, la evolución puede verse perjudicada hasta el punto de que la persona no podrá ingresar auténticamente en el nuevo período: sintiéndose sobrecogida por las cargas de las nuevas tareas mientras aún lucha desesperadamente con las anteriores, puede buscar la muerte, convertirse en un psicótico o perder la dirección; también puede encontrar un nicho protector que le libere transitoriamente de las presionantes demandas externas y le proporcione un espacio en el que llevar a cabo el trabajo preparatorio interior para afrontar el nuevo período. [20]

Nadie puede decirte lo que es tener un ser humano, indefenso como un pez en la playa, en una cuna, en mitad de tu propia vida. En una oportunidad, un entrevistador enfrentó a Gloria Steinem con la pregunta clave: ¿Podría tener un hijo y seguir siendo la sorprendente periodista activista? Gloria estaba segura de ello: escribiría mientras el niño durmiera.

Lo real es que los niños pequeños sólo duermen media hora, después cogen la caja de costura y atan hilos alrededor de tu máquina de escribir.

Consuelo Saer Bahr, en un libro que está tratando de escribir a los treinta y tres años de edad, nos da una respuesta mucho más plausible con respecto a su hijo pequeño. «Después de cenar, mi hijo se acerca a mí deslizándose por el suelo para desearme buenas noches... ¿Qué es lo que te gusta, cariño mío? ...Tenerme para ti solo durante media hora seguida y no oírme decir: 'Ahora vete a jugar solito hasta que mami termine'. Pero ahora ya todos sabemos que mami nunca terminará». [21]

De vez en cuando aparecen noticias en los periódicos acerca de integradoras que han decidido renunciar a su carrera. Se trata de mujeres cultas, casadas con empresarios o profesionales, y madres de alumnos de primera enseñanza, que a finales de los veinte y principios de los treinta, han trabajado durante cinco o diez años y ahora pueden permitirse el lujo de dejar de hacerlo. Dicen que han perdido la energía psíquica para compaginar todas sus obligaciones. Lo que parecen buscar en esta transición es una distensión de los rígidos horarios del pasado, un espacio de tiempo para disfrutar de los juegos con sus hijos, de los paseos por tiendas y museos y, quizá, del cumplimiento de algún trabajo voluntario. Ésta parecería ser una renovación idílica para cualquiera que pueda permitírselo, incluyendo a los hombres. Y es probable que sólo sea transitorio. Cuando la gente empieza a preguntarles «¿Qué haces ahora?», estas mujeres por lo general explican que sienten el deseo de volver a trabajar.

La década de los treinta es, para la integradora, un período de adiciones. Para entonces puede tener práctica y confianza suficiente como para armonizar todas sus prioridades en competencia.

Un nuevo modelo de vida que ha evolucionado durante la última década en respuesta a este problema, es la madre soltera y el padre de un fin de semana de cada dos. Aunque le otorgamos muy poco reconocimiento como nueva estructura de apoyo, no es en todos los casos un acontecimiento espontáneo. Se ha convertido en una forma corriente de hacer frente a las crisis previsibles de la pareja.

Los padres divorciados deben afrontar la prueba de tratarse con tolerancia, cortesía y un conocimiento realista del tiempo y las presiones económicas de ambos, porque ahora deben hacerlo por el bien del hijo. El padre que atiende a su hijo los fines de semana y durante las vacaciones escolares hace posible que la mujer equilibre la maternidad con una dedicación profesional seria y le quede algún tiempo para revivir como mujer amante y sexual. Si esos padres hubiesen estado bien dispuestos y atentos durante el matrimonio, habrían permitido que sus esposas integraran todas sus facetas.

De alguna manera, los padres del sexo masculino que tienen la custodia absoluta de sus hijos logran integrar plenamente la paternidad con su carrera, por lo general contando con la ayuda de alguna mujer y jugando entusiastamente por las noches y durante los fines de semana. Algunos de ellos exigen horarios de trabajo más flexibles. Los viudos jóvenes hacen lo mismo. De hecho, viendo algunas de las series de televisión más populares de los últimos años —«Bonanza», «El noviazgo del padre de Eddie», «Mis tres hijos», «Padre soltero»—, se pensaría que un hombre solo que cría a sus hijos cuenta con una bendición especial. Y tal vez es así, al tener que ocuparse diariamente de los sentimientos.

¿Por qué soluciones tan ingeniosas deben esperar el divorcio o la muerte?

LAS MUJERES
QUE NUNCA SE CASARON

Nuestra sociedad se resiste a reconocer que éste es un modelo legítimo para las mujeres. Pero lo cierto es que a todos los niveles de edades (en educación, ocupación e ingresos) la mujer soltera término medio supera al hombre soltero promedio. [22] Aproximadamente el diez por ciento de las mujeres nunca se casan. A medida que tiene más edad, la mujer soltera también parece estar en posesión de reservas psicológicas más fuertes para soportar los desafíos de su posición que las de los hombres solteros.

En la historia de las mujeres artistas, las solteras están ampliamente representadas. A menudo fue la beneficiosa serenidad del hogar de sus padres lo que las asustó. Jane Austen leía en voz alta a su familia los capítulos que escribía y gozaba de la confianza de que ésta les dispensaba una cálida recepción. Louisa May Alcott —educada en el círculo intelectual de su padre, que incluía a Thoreau y a Emerson— se dedicó a escribir a los treinta años, y cuidó financieramente de sus padres. Numerosas poetisas, la mayoría de cuyas obras no alcanzó difusión hasta después de su muerte, se resistieron a la dispersión de energía que exigiría la vida doméstica. Sus biógrafos masculinos, sin embargo, supusieron que renunciar al matrimonio con un hombre significaba renunciar al mundo y al hablar de ellas lo hacían en términos de su «retiro». Cuando descubrió esto, Louise Bernikow reconstruyó las vidas de poetisas de cuatro siglos y observó certeramente en el prólogo de su antología esto tan ajustado:

> Las mujeres que no aman a hombres y las que no tienen relaciones sexuales con hombres, a los ojos de los hombres llevan vidas sin amor y asexuadas... la verdad parece ser que la mayoría de estas poetisas han amado a mujeres, y en ocasiones a hombres al mismo tiempo. Estas mujeres han encontrado en otras mujeres el compañerismo, el estímulo y la comprensión que no encontraron en los hombres. [23]

En la actualidad contamos con muchos modelos vigorosos entre las mujeres solteras, que comienzan a protagonizar nuevas formas. Algunas de ellas se cuentan entre las mujeres más heterosexualmente prolíficas de nuestros tiempos, otras son lesbianas y algunas son mujeres comunes y corrientes.

Algunas mujeres solteras se transforman en paracriadoras, según el modelo de Jane Addams. Como asistentes sociales, monjas maestras, cuidadoras de huérfanos y retrasados mentales, vuelcan su creatividad en el cuidado de los hijos del mundo.

Otras se convierten en esposas oficina. Ciudades como Washington son imanes para las mujeres que dedican su vida al cuidado de los hombres públicos y los políticos y que, al igual que Rosemary Woods, al dedicarse a ello excluyen cualquier otro lazo personal profundo.

LAS TRANSEÚNTES

Se trata de las mujeres que en la década de los veinte deciden mantener abiertas sus opciones. Pero por su misma elección de ausencia de fijación —como el hombre transeúnte al que nos hemos referido en el capítulo anterior—, siguen un modelo: el modelo de seguir deambulando sin compromisos.

Mujeres jóvenes, solteras y sanas pueden adquirir una rica experiencia prolongando su búsqueda. Al negarse a negociar a perder la autodeterminación a cambio de la seguridad del matrimonio, tienen más libertad. Pueden iniciar relaciones sexuales. Pueden probar diversos estilos de vida de la contracultura, algunos de los cuales pueden sonar más prometedores como parte de la retórica radical de lo que en realidad lo son en la vida cotidiana. Las granjas comunales, por ejemplo, en su mayoría organizaciones dominadas por hombres que devuelven a la mujer a la cocina para que hornee el pan. También es un instructivo desafío para las mujeres de la contracultura descubrir una forma de salir adelante por sí mismas. Como tienen muy pocas habilidades comercializables y escasa práctica de trabajo, deben sobrevivir con su ingenio y aptitudes naturales. Muchas se dedican a tejer, a la cerámica, a la fabricación de alhajas y otras artesanías. Algunas siguen el circuito de los rodeos y ocupan puestos en fábricas; otras tratan de burlar al sistema inventado estratagemas para vivir de la seguridad social, o venden marihuana o, sencillamente, se conforman con menos.

Sin embargo, ser un canto rodado plantea exigencias diferentes para cada sexo. La mujer debe hacer una elección tajante aproximadamente cuatrocientas veces en su vida. O se abre al embarazo, o niega a su útero la capacidad de infundir vida. Para la mujer no existe el no-compromiso casual. Si quiere deambular libremente, debe cometer un acto de negación todos los meses. Y esa negativa implica una buena dosis de energía psíquica. No puede simplemente no pensar en ello ya que ésta es, en sí misma, una forma de decidir su destino.

Con frecuencia, los hombres de la contracultura no pueden encontrar trabajo de ningún tipo en el contexto del trato de no compromiso mutuo, los transeúntes se sienten justificados cuando rechazan las responsabilidades familiares. La crianza de los hijos todavía se considera, aun entre la vanguardia más radical de nuestra sociedad, tarea de mujeres.

De modo que para una mujer, incluso la transitoriedad puede no excluirle de todo tipo de obligación. Pienso en las madres solteras que conocí por primera vez y sobre las que escribí en 1969. Existían antes, naturalmente —jóvenes poco habituales decididas a desafiar las convenciones y a criar un hijo sin estar dentro de la estructura del matrimonio—, pero ésta era la primera vez que se anunciaban al mundo.

Recuerdo vívidamente a Lorna. Fue miembro de la primer clase de graduados hippies:

—Cuando yo crecí, época en que los roles estaban tan poco definidos, resultaba muy difícil hacer una elección entre tantas posibilidades.

Siguió entonces el modelo nómada que era el «debo» de sus tiempos. Pasó de los estudios clásicos a una estrepitosa vivienda del East Village y de allí a la comuna del Haight.

A pesar de todas las palabrerías acerca del amor a todo el mundo, la despreocupada vida comunal no ofrecía una sola relación humana sostenida. Lorna dejó de tomar la píldora.

—Las circunstancias no eran propicias pero yo tenía veinticuatro años: el momento conveniente para tener un niño.

Mientras su deseo sólo era un embrión, Lorna continuó como antes, viajando entre California y Nueva York. Pero en los dos últimos meses de embarazo empezó a experimentar un cambio interior. Se sorprendió al ver su silueta reflejada en los escaparates de las tiendas. Allí encontró algo que trascendía el nebuloso reflejo de su necesidad de amor. Algo pesado y muy sentido. Una idea que pronto se convertiría en realidad.

Incluso después del nacimiento de su hija, Lorna se mantuvo en el modelo vagabundo, aunque sus días empezaron a tener principio, medio y fin Se trasladó a una comuna cercana donde todos trabajaban. Durmiendo sobre una estera con su hijo, en un minúsculo espacio entre dos cortinas, Lorna parecía más feliz: «Ahora tengo que planificar mi vida, por ella».

Unos pocos movimientos más y Lorna quedó decididamente desencantada de las comunas. Podría haber caído en el consumo de drogas pero la niña le daba motivos para actuar intencionalmente. Lorna alquiló una pequeña casa y descubrió que tenía temple para vivir sola. Esto es lo extraño en cuanto a la maternidad de una mujer soltera. Posee la virtud de galvanizar a las oscilantes en adultas en funciones. El tiempo pasa, el hijo crece, la vida adquiere forma y encuentra un objetivo.

Hace poco la madre de Lorna me dio noticias de su hija. Ya no es una transeúnte. Se instaló en una granja. Lleva una rica vida de trabajo ante una rueda de alfarero y comparte los años bulliciosos de su hija con el artista con quien se casó. Él se dedica a la carpintería como medio de vida. Prácticamente, ahora Lorna sólo viaja para entregar sus cerámicas en la ciudad. Se apresura a volver a casa. El hogar es algo que cuando está afuera echa mucho de menos.

Lorna tenía exactamente treinta años cuando dejó de deambular.

Dedicaré la última palabra a Margaret Mead. Después de escucharme atentamente mientras yo explicaba los modelos que he bosquejado, afirmó que la única forma posible de progresar hacia vidas integradas en el futuro consiste en olvidar el desempeño de roles. Debemos dar vía libre a todo tipo de pautas y modelos.

—Algunos hombres están más interesados en las relaciones humanas que en el éxito público. Algunos preferirían manejar una casa y a los hijos en lugar de acudir diariamente a la oficina. Existen algunas mujeres que no son aptas para atender la casa y los hijos. Si tuviéramos una noción de todas las combinaciones posibles (el hombre mayor, la mujer mayor, el hombre que sale a trabajar, la mujer que sale a trabajar, ambos que salen a trabajar media jornada, uno de ellos que trabaja un año y otro lo hace al siguiente), ningún modelo sería considerado peculiar. Tendríamos que considerarlos en la misma forma en que decimos: «Esa gente va a Europa todos los años» y «Aquella gente nunca va al campo en verano». Entonces sólo se trataría de interesantes diferencias.

Sexta Parte

La década tope

Cualquier cosa que puedas hacer o soñar, iníciala.
La audacia posee genio, poder y magia.

GOETHE

17
Iniciar el camino en el paso de la mitad de la vida

La mitad de los treinta es, literalmente, el punto medio de la vida. El mojón de la mitad del camino. Claro que no suena ningún gong, pero empiezan las punzadas. En lo más íntimo empieza a registrarse un cambio en las percepciones de la seguridad y el peligro, del tiempo y el no tiempo, de la actividad y el estancamiento, del yo y los otros. Todo comienza con una vaga sensación...

He alcanzado una especie de meridiano en mi vida. Sería bueno hacer un análisis, reexaminar dónde he estado y decidir cómo voy a emplear mis recursos a partir de ahora. ¿Por qué hago todo esto? ¿En qué creo realmente?

Por debajo de esta vaga sensación se encuentra el hecho, todavía desconocido, de que existe una cuesta abajo de la vida, una parte de atrás de la montaña y *sólo me queda un tiempo determinado para encontrar mi auténtica verdad.*

A medida que aparecen estos pensamientos se interrumpe la continuidad del ciclo vital. Se anuncian en una década que puede designarse, con su sentido más profundo, como Década Tope. En algún momento entre los treinta y cinco y los cuarenta y cinco años, si nos lo permitimos, la mayoría sufriremos una plena crisis de autenticidad.

Primero vemos el extremo oscuro del túnel. El miedo es a menudo repentino y profundo. No sabemos qué hacer con ello, ni siquiera qué es: ninguna persona joven cree realmente que le ha de llegar su fin. La primera vez que surge la idea, por buena que sea nuestra salud y por firme que sea nuestra posición, la mayoría nos preocupamos intensamente por las señales del envejecimiento y de la muerte prematura.

¿Tiene esto sentido? Racionalmente, no. Si nuestras aprensiones fueran lógicas, el temor tendría que acrecentarse a medida que envejecemos y nos acercamos a la muerte. Pero por lo general no es así. Cuando la gente se reestabiliza después de experimentar el paso de la mitad de la vida, el espectro de la muerte se aleja de su mente. Hablan mucho sobre el particular y comparan estrategias de protección, pero para entonces no es real, no significa algo privado e indescriptible.

Este capítulo explorará algunos de los caminos interiores previsibles que podemos esperar sentir en la Década Tope a medida que avanzamos por ella: vemos primero la oscuridad, que nos desarma, después vislumbramos la luz y reunimos nuestros fragmentos en una renovación. En el resto del libro describiremos la historia de hombres y mujeres que buscaron la autenticidad, cada uno según su modelo, tratando de descubrir su auténtica verdad. O alejándose de ella, o bloqueándola hasta que algo explotó.

Con esto no pretendo sugerir que la gente que padece la crisis más grave emerja siempre con el renacimiento más inspirado. Pero aquéllos que se permiten detenerse, analizar las cuestiones reales, estremecerse en un reexamen, son quienes encuentra su validez y florecimiento.

Cuando se ve la oscuridad
en el extremo del túnel

A menudo no se prevé el cambio repentino en la proporción de seguridad y peligro que sentimos en nuestra vida, razón por la cual nos sentimos deprimidos al comienzo de este paso. Cuando nos sentíamos aguijoneados por el optimismo de los primeros años, podíamos salir fácilmente del lado oscuro navegando de un canal de vigorosa actividad a otro. Nuestra sustancia funciona a todo vapor. Crecía nuestra potencia en todos los campos —cuerpos más fuertes, sexo mejor cumplido, mejores realizaciones, más amigos, salarios más elevados— y nos encantaba exhibir nuestras capacidades. Nos parecía que éstas sólo podían incrementarse. Nos defendían contra la inadmisible verdad de que no las poseemos para siempre.

Pregúntesele a cualquier persona mayor de treinta y cinco años en qué momento empezó a sentirse vieja. ¿Fue cuando te miraste en el espejo y comprendiste que todo estaba un poco en baja?

—Mete la tripa hacia adentro, mamá.

—Así es como la tengo.

Casi todos nosotros notamos primero las resquebrajaduras de nuestra cubierta física y las vemos distorsionadas, como en un espejo deformante. Un comediante propuso una respuesta tan ridícula como cualquier otra:

—Supe que me hallaba en la edad madura cuando una mañana me desperté y descubrí que de la oreja me salía un pelo de cincuenta centímetros de largo.

Todo lo que descartamos al mirarnos en el espejo, no podemos dejar de verlo en nuestros amigos, en nuestros hijos, en nuestros padres. Ellos son los «otros» que registran el hecho de que «tú» pronto serás diferente.

Asistes a una reunión. Tus ex condiscípulos ahora tienen títu-

403

los. Escuchas los relatos de cuanto han conseguido y comprendes que son impresionantes pero no te sientes impresionado. Lo que te obsesiona es la franja rosada que se abre paso en la línea de nacimiento del pelo del que fue primer alumno dsl curso. Oyes hablar de Harry: cayó como una mosca mientras bailaba.

En el vestuario, tú, una mujer que ha sobrepasado los treinta y cinco, te encuentras contemplando a las mujeres bien entradas en los cuarenta, sus bolsas de color púrpura en los muslos, y te preguntas si todavía se desnudan delante de sus maridos.

Tu estado de ánimo sube y baja de forma caprichosa. Optimismo desaforado por la mañana, abatimiento a la hora de almorzar. Bromeas contigo misma diciéndote que estas comportándote como «una loca menopáusica». Pero no lo crees, por supuesto. Eres una mujer que todavía menstrúa regularmente y las mujeres de treinta y ocho años se encuentran en la *cumbre* sexual. Si eres un hombre, piensas que a fin de cuentas Charlie Chaplin engendraba bebés a los 81.

Resulta paradójico que cuando alcanzamos la flor de la vida también comprendamos que hay un punto en que esta misma vida debe concluir.

El cambio en el sentido del tiempo

Al ingresar en esta década crítica, debemos esperar una distorsión en nuestro sentido del tiempo. Ésta se presenta entre el fin del crecimiento y el principio del envejecimiento. Al igual que los temores relacionados con la muerte, esta desorganización del sentido del tiempo resulta muy perturbadora en el principio del paso. El choque, tal como lo sienten hombres y mujeres profesionales, suena aproximadamente así: «El tiempo corre. Es necesario vencerlo. ¿Habré conseguido todo lo que esperaba antes de que sea demasiado tarde?».

Para las mujeres que han permanecido siempre en el hogar, el tiempo parece, de pronto, demasiado largo:

—¡Mira el tiempo que me queda! Cuando mis hijos se hayan ido, ¿qué haré con tanto tiempo?

La psicosocióloga Bernice Neugarten confirmó en una entrevista esta notable diferencia en la modificación del sentido del tiempo para ambos sexos. La posición profesional es significativa en los cambios de personalidad de los hombres y la salud significa un demarcador de la edad más para ellos que para las mujeres. [1] En cuanto a las mujeres, lo más probable es que vean ante sí un campo de oportunidades inimaginadas en la mediana edad. Una sensación inicial de peligro y timidez puede dar paso a una vigorización. Para la mayoría de ellas, todavía hay muchas prioridades.

El cambio en el sentido del tiempo nos obliga a una importante tarea en la mitad de la vida. Todas nuestras nociones del futuro necesitan ser reelaboradas en torno a la idea del tiempo que aún nos queda por vivir.

El cambio en el sentido de actividad versus estancamiento

Antes de que hayamos logrado este reequilibrio, el problema del tiempo nos habrá estancado a la mayoría. Nuestra perspectiva distorsionada nos hace ver el futuro tan falsamente que probablemente crearemos nuestra propia inercia diciendo: «Es demasiado tarde para empezar algo nuevo». *Sentimos* algo así como aburrimiento, pero como muy bien explica Barbara Fried, nuestro aburrimiento se da paralelamente a la difusión del tiempo.[2] Son dos cosas diferentes. El aburrimiento rutinario puede curarse buscando sencillas novedades en nuestra experiencia. La difusión del tiempo es una enfermedad más profunda que surge como consecuencia de nuestra

405

repentina y drástica falta de confianza en el futuro y en la escasa disposición a creer que podemos esperar algo.

La confianza es el fundamento de la esperanza formada en la primera infancia. Ahora volvemos atrás y calculamos de nuevo el equilibrio que podemos esperar alcanzar entre nuestras necesidades y el momento de su satisfacción, si es que se produce. Pero ahora no hay dispensadores de cuidados. *Nosotros* somos nuestra propia esperanza y no podremos confiar adecuadamente en nuestros propios recursos para la animación del futuro hasta que hayamos descubierto quién queremos que aparezca al otro lado del meridiano. Es un círculo, aunque no vicioso: el giro que conduce a la revitalización. Debemos rodearlo, sumergirnos en él antes de decidirnos a romperlo y hacer uso del tiempo que nos queda: «Sí, puedo cambiar. ¡No es demasiado tarde para empezar lo que hasta ahora he dejado de lado!».

Resulta paradójico que, a medida que salimos de la crisis, aunque de hecho nos queda menos tiempo real, la depresión y el tedio desaparecen. El futuro vuelve a considerarse en una perspectiva más auténtica porque entonces le infundimos la fe de nuestro objetivo redefinido.

El cambio en el sentido del yo y los otros

Más o menos en este momento, tu hijo te gana al tenis por primera vez. O te pregunta si él y su amiga pueden instalar los sacos de dormir en el patio trasero. Tú sudas la gota gorda toda la noche, preguntándote cómo *lo hacen*. A la mañana siguiente haces algunas preguntas tangenciales. Pero en la expresión de tu hijo lees que piensa que tu interés es menos parental que lascivo.

Tu hija quiere salir de compras. Tú miras los escaparates y te ves a ti misma con esas ropas. En el interior de la tienda, tu hija se siente disgustada cuando te pruebas un vestido excesivamente sexy: «Oh, mamá, qué asco».

Resulta paradójico que los hijos adolescentes sean absolutamente intolerantes con los padres que están en la mitad de la vida por tener las mismas fantasías románticas que ellos.

Miras a tus padres en busca de consuelo y descubres que están débiles. Su vista no es buena. Prefieren que conduzcas tú. Cuando un padre contrae una enfermedad definitiva, ¿quién será el próximo? Tú, que tienes cuarenta años, te ves repentinamente lanzado al frente del tren generacional, sólo seguido por tus propios hijos.

Mientras permanece intacto tu rol como hijo de tus padres, te sientes seguro. Pero cuando se produce la muerte de uno de los dos, te encuentras indefenso. «Actualmente existe un gran número de personas que experimentan la muerte por primera vez cuando fallece uno de sus padres y ellos mismos tienen entre treinta y cinco y cuarenta años», observa Margaret Mead. «Esto es algo absolutamente nuevo en el mundo.» Se ha demostrado que la muerte del padre sobreviviente es uno de los más constantes puntos críticos de la imagen evolutiva que tiene el individuo de sí mismo.

Tu curiosidad por mirarte en el espejo deformante se hace más intensa hasta llegar a ser enfermiza. Antes nunca leías las notas necrológicas; ahora te fijas en la edad y la enfermedad. Por primera vez en lo que podría haber sido una vida espectacularmente saludable, te transformas en un hipocondríaco de tono menor.

La gente que se encuentra en la mediana edad, a menudo dice: «Todos mis amigos se están muriendo de cáncer». *Todos* sus amigos no están muriendo de cáncer pero el hecho de que les ocurra a uno o dos constituye un fuerte impacto. Constantemente se oye hablar del incremento de la expectativa de vida. ¿Cómo es posible, entonces, que tanta gente enferme gravemente a finales de los cuarenta? Como la mortandad infantil se ha reducido notoriamente en los últimos tiempos, un mayor número de personas que habrían muerto al nacer sobreviven a la infancia, pero no son tan fuertes físicamente como necesitaban serlo nuestros abuelos para sobrevivir. En consecuencia, tal como señala el análisis gubernamental de las estadísticas de duración media de la vida, hay una población siempre creciente de personas de mediana edad y, en consecuencia, un grupo más numeroso con posibilidades de morir durante esos años. [3]

Si una tragedia semejante hubiese acaecido a un amigo o pariente tuyo cuando tenías veinticinco años, tú habrías reaccionado desde una distante seguridad. La tragedia sería de ellos, que habían sufrido un accidente. Ahora se trata de una llamada de alerta que te indica que debes hacer algo más con tu propia vida antes de que sea demasiado tarde. Y esto es positivo.

Resulta paradójico que cuanto más se personaliza la muerte, más energía se aporta a la fuerza vital. A las mismas puertas de este peligro está la oportunidad, nada menos que la posibilidad de un segundo bautismo.

Des-ilusión del sueño

Los cambios en la percepción se ven reflejados especialmente en la forma en que enfocamos el sueño. Cualquiera sea tu ocupación, no puedes dejar de observar el abismo entre la visión que tenías de ti mismo en los veinte y la realidad de tu llegada a los cuarenta. Si eres una madre de cuarenta años, tu objetivo pronto se te escapará de las manos. Si eres un funcionario ejecutivo, los psicólogos empresariales que proclaman que «ningún hombre de más de cuarenta y cinco años debería ocupar una posición de primera línea», pronto estarán hablando *de ti,* diciendo que tendrías que ocupar otro puesto; lo que quieren son jóvenes con empuje. No prestemos atención a estos filósofos de la mediana edad que desean hacer una contribución social.

La afirmación que hayas —o no— conseguido a los cuarenta te dirá qué puedes esperar para el resto de tu vida. Al margen de cuál sea tu posición, te preguntarás: «¿Esto es todo?».

La misma desilusión afecta a todos, ya sean reparadores de calderas o altos ejecutivos, y es crucial que lo recuerdes si deseas no llegar a sumergirte en la autocompasión. Studs Terkel reunió las historias de americanos de más de un centenar de ocupaciones para su extraordinaria obra *Working* y el denominador común que encontró se refería a la edad. «Tal vez éste sea el espectro que más persigue a hombres y mujeres que trabajan: la obsolescencia planificada de la gente que es una pieza de la obsolescencia planificada de las cosas que hacen.»[4]

Es hora de dejar de creer que todas las bellezas de la vida las obtendrás gracias a haber alcanzado las metas de tu yo idealizado. Si, evidentemente, tu yo ideal no ha de ser alcanzable y te niegas a adaptarte a esta idea, avanzarás por el camino de la depresión crónica. Pero si reconoces que nunca serás presidente del banco de la gran ciudad, puedes satisfacerte con convertirte en gerente de la sucursal de tu comunidad predilecta y tal vez encuentres el mayor placer en llegar a ser entrenador de un equipo de aficionados o en crear un coro.

Si tu yo ideal *ha sido* alcanzado, ¿qué ocurre cuando ya el sueño ha llegado a ser realidad? Si no lo reemplazas por uno nuevo, es posible que no llegue a haber más entusiasmo en el futuro y sí, en cambio, mucho temor. Por otra parte, el éxito te ha dado la libertad de recuperar antiguas pasiones, de abrir aquel pequeño restaurante singular en el que siempre habías soñado, de dedicarte a escribir canciones, o a ayudar a minorías, o a imaginar jardines decorativos para tus amigos. Conozco a personas que en la mitad de la vida se han dedicado a todas estas actividades. Son mucho más entusiastas que los que se contentaron con el viejo sueño alcanzado y se encontraron en los cincuenta, apretándose las venas para ver si les quedaba sangre vital.

Resulta paradójico que en tanto la ciencia médica ha incrementado nuestra expectativa de vida, la psicología empresarial intente encoger nuestro plazo de trabajo.

Buscando a tientas la autenticidad

A medida que nuestra visión distorsionada del lado oscuro se convierte en convicción y el sueño decepciona nuestras mágicas esperanzas, *cualquier* rol que hayamos escogido nos parece demasiado estrecho, *cualquier* estructura vital demasiado limitada. *Cualquier* marido o esposa, madre, padre, hijo, mentor o divinidad en el que hayamos puesto fe puede ser sentido como una parte del apretado círculo que nos encierra.

La pérdida de la juventud, la disminución de las capacidades físicas que siempre hemos tomado como dadas, el desvanecido propósito de roles estereotipados mediante los cuales hasta ahora nos hemos identificado, el dilema espiritual de no tener respuestas absolutas... cualquiera de estos elementos, o todos ellos, pueden lanzarnos a una crisis. Pero en todos nosotros, antes de que concluya la década, la crisis posibilita profundos cambios de la personalidad. Y una cierta modificación de la personalidad es probablemente inevitable. [5]

Estos cambios pueden permitirle a una mujer afirmarse a sí misma, a un hombre dar rienda suelta a sus emociones, y a cualquiera modificar sus estrechas definiciones profesionales y económicas. Cuando eso ocurre, estamos preparados para encontrar un sentido de objetivos auténticamente propio. El acto mismo de asomarse a esa senda puede allanar el camino hacia una nueva y libre intimidad entre nosotros y aquéllos a quienes amamos.

Pero antes que nada, al abrir la puerta del lado oscuro liberaremos a una serie de demonios. Todo cabo suelto que sea un resto de otros pasos previos volverá a la superficie para acecharnos. Todo fragmento del arcaico poste totémico de la infancia asomará a la superficie. Partes enterradas de nosotros mismos exigirán su incorporación o, como mínimo, que hagamos el esfuerzo de analizarlas y descartarlas.

Estos demonios pueden conducirnos a infiernos personales de depresión, promiscuidad sexual, persecución del poder, hipocondría, actos de autodestrucción (alcoholismo, ingestión de drogas, accidentes automovilísticos, suicidio), y a violentos cambios de humor, fenómenos, todos ellos, que aparecen en la mediana edad. La crisis de la mitad de la vida ha servido también a los psiquiatras para explicar por qué tantas personas sumamente creativas y laboriosas se consumen aproximadamente a mediados de los treinta Más dramática aún resulta la evidencia de que pueden morir a causa de ello. [6]

Si reconocemos la existencia del lado oscuro, ¿qué encontraremos?

Que somos egoístas.

Que somos codiciosos.

Que somos competitivos.

Que somos miedosos.

Que somos dependientes.

Que somos celosos.

Que somos posesivos.

Que poseemos un lado destructivo.

¿Quién teme madurar? ¿Quién no? Porque cuando iniciamos el proceso de reexamen de todo lo que pensamos, sentimos y apoyamos, en el intento de forjar una identidad auténticamente nuestra y sólo nuestra, encontramos nuestra propia resistencia. Existe un momento —inmenso y precario— de pavoroso terror. En ese momento, la mayoría desea retroceder lo más rápidamente posible porque seguir adelante significa enfrentar una verdad que hemos sospechado siempre: estamos solos.

Yo soy la única que lleva consigo ese conjunto de pensamientos y sentimientos. Otra persona puede *probarlos* mediante la experiencia compartida o la conversación, pero nadie puede realmente *digerirlos, asimilarlos.* No puede hacerlo ninguna esposa ni ningún marido, aunque sean capaces de concluir las oraciones iniciadas por nosotros; tampoco ningún mentor ni ningún jefe aunque tengan la buena voluntad de proyectar sus propias ambiciones en nosotros; ni siquiera nuestros padres.

A partir de las identificaciones infantiles con nuestros padres, arrastramos con nosotros el estado más primitivo de protección imaginaria: la del dictador-guardián al que he bautizado como custodio interno. Es esta protección internalizada la que nos da una sensación de aislamiento e incluso en la mediana edad nos quiere impedir enfrentarnos a nuestra propia individualidad absoluta. Nos volvemos a nuestros compañeros, a nuestros hijos, al dinero o al éxito, con la esperanza de que amplíen la protección de los dispensadores de cuidados de nuestra infancia. El ilusorio poder del custodio interno nos ha hecho creer que si no ponemos a prueba todo nuestro potencial, de algún modo estaremos aislados del peligro, del fracaso, de la enfermedad, de la muerte. Pero se trata de una ilusión.

Tratar de que siga viva esa ilusión manteniendo lo que los psiquiatras designan como «identificación incompleta», sólo sirve para tranquilizarnos ante la *idea* de la individualidad. No nos protege realmente del hecho de que somos seres separados. [7]

Luchamos y nos esforzamos contra todas estas verdades. Retrocedemos y temblamos. Perseguimos los dulces pájaros de nuestra juventud. Frenamos. Nos estancamos. Finalmente llegamos a conocer lo impensable: el lado oscuro se encuentra dentro de nosotros. Tan poderosa llega a ser la sensación de colapso interior que muchos ya no queremos evitarlo.

Las personas de cuya biografía me he ocupado pueden decir a los 44 o 45 años, «Atravesé un verdadero infierno durante unos años pero ahora estoy saliendo de ello», pero su capacidad de describir cómo era «ello» es, a menudo, limitada. La gente que se encuentra en el centro del paso de la mitad de la vida puede sentirse tan atemorizada que las únicas descripciones que pueden sintetizar

412

son las de «vivir en un estado de animación suspendida» o «por la mañana a veces me pregunto si vale la pena levantarse». Ser un poco más introspectivo parece peligroso.

Un diseñador de cuarenta y tres años de edad logró articular los sentimientos que llevan al vértigo emocional de este período:

—Lo que he descubierto durante el último año transcurrido, es cuánto he reprimido de lo que para mí es inadmisible. Sentimientos que siempre me he negado a admitir surgen ahora a la superficie en una forma *que ya no estoy dispuesto a impedir*. Estoy dispuesto a aceptar la responsabilidad de lo que *realmente siento*. No tengo que fingir que esos sentimientos no existen para acomodarse a un modelo de lo que debería ser.

Mediante su propio reconocimiento, ese hombre se ha comprometido con la crisis de la mitad de la vida.

—Ahora me siento realmente bajo los efectos de la envergadura y la calidad de esos sentimientos... sentimientos de temor, de envidia, de codicia, de competencia. Todos estos, llamados malos sentimientos, están realmente apareciendo donde puedo verlos y sentirlos. Me sorprende la increíble energía que todos empleamos para reprimirlos y no reconocer el dolor.

La investigación actual ha llegado a la conclusión de que la transición hacia la mitad de la vida es tan crítica como la adolescencia y en algunos sentidos más angustiante. ¿Es posible que merezca la pena seguir adelante con este caos y verlo todo? ¿Vale la pena volverse real?

Me siento bastante inclinada a la respuesta dada en una obra infantil, *The Velveteen Rabbit*. Un día el joven conejo le pregunta al caballo, que ha estado alrededor del parvulario un rato, qué es real. También quiere saber si duele.

—A veces —respondió el caballo, porque siempre era sincero—. Cuando eres REAL no te importa que te duela.

—¿Ocurre de golpe, cuando te hieren —inquirió el conejo—, o poco a poco?

413

—No ocurre todo de golpe —replicó el caballo—. Te vas transformando. Lleva mucho tiempo. Por eso no le ocurre a menudo a la gente que se derrumba fácilmente o que tiene que ser cuidadosamente guardada. Por lo general, cuando llega el momento en que eres REAL, has perdido casi todo el pelo, tienes los ojos caídos, las articulaciones flojas y estás muy gastado. Pero todo esto no importa nada porque cuando eres REAL no puedes ser feo, excepto para aquellos que no comprenden. [8]

Del desajuste a la renovación

Si el dilema de esta década es la búsqueda de la autenticidad, la tarea consiste en superar un desajuste para alcanzar una renovación. Lo que está desajustado es ese estrecho yo al que hasta ese momento hemos reunido en una forma que pudiera complacer a la cultura y a otras personas.

Se trata de la forma que nos hemos apresurado por encontrar en los veinte, la identidad que desarrollamos con el fin de estabilizarnos y alrededor de la cual construimos el sistema de vida de principios de los treinta: el ejecutivo ambicioso, la supermadre que siempre se las arregla, el político intrépido, la esposa que solicita permiso. Entonces no podíamos permitirnos actuar en consonancia con nuestra propia autoridad *interior*. La promesa tácita era que si cumplíamos un buen trabajo y permanecíamos dentro de esa forma lineal y estrecha, seríamos queridos y recompensados, y viviríamos eternamente.

El gran impacto de este momento decisivo consiste en descubrir que la promesa era una ilusión. El yo inocente y estrecho está agonizando, debe morir para dejar paso al yo plenamente expandido que asumirá todas nuestras partes —la egoísta, la temerosa y cruel junto con la expansiva y tierna—, las «malas» y las «buenas». Al margen de lo demoledor que pueda resultar este choque con

414

nuestros impulsos reprimidos y destructivos, la capacidad de renovación de todo espíritu humano es poco menos que sorprendente.

No es la disyuntiva de desajustarse *o* renovarse. Es ambas cosas. Al permitir esta desintegración, al aceptar nuestras partes reprimidas e incluso indeseadas, nos preparamos para la reintegración de una identidad auténticamente nuestra. Somos libres para buscar con mayor fuerza la verdad acerca de nosotros mismos y, en consecuencia, de ver el mundo desde una perspectiva más auténtica.

A lo largo del camino hacia esa libertad debemos padecer algún dolor por el antiguo «yo agonizante» y adoptar una postura consciente con respecto a nuestra inevitable mortalidad. [9] Es esta comprensión madura la que nos protegerá de cumplir servilmente aquello que nuestra cultura desea que hagamos y de malgastar nuestro tiempo en buscar la aprobación de otros conformándonos a sus reglas. Más aún, cuando actuamos en este entendimiento, podemos mostrarnos menos a la defensiva con los demás.

—¡Llévate tus estúpidas reglas! —podemos gritar por fin—. Nadie puede dictaminar lo que es bueno para mí. He vislumbrado lo peor y ahora puedo permitirme saber todo lo que se encuentra allí para ser conocido. Soy mi propia y única protección. Porque la realidad es que éste es mi propio y único viaje a través de la vida.

Así, el proceso del desajuste nos permite la más amplia expansión. Hacia el fin de este período podemos incluir dentro de nuestros límites todo lo que somos y hemos experimentado... y *reevaluarlo*. Esta es la renovación.

Avanzando cuesta abajo

Una solución consiste en adentrarse en la oscuridad y explorarla. Permanecer un tiempo en el fango. Tomarse una licencia y convertirse en un delincuente de mediana edad o luchar contra la naturaleza en un viaje en canoa por regiones apartadas. Es una forma de penetrar nuestras propias profundidades y posiblemente de revigorizarnos, mediante ese conocimiento, para sacar el mayor provecho de nuestras vidas.

Otras personas parecen sobrevolar esta estación de mitad de la vida sin pausa. Su solución consiste en continuar negando la cuesta abajo. Juegan más al tenis, corren más carreras, dan fiestas más numerosas, buscan mejores trasplantes de cabello y mejores estiramientos de la piel, encuentran compañía más joven para llevar a la cama. No pretendo afirmar que sacudirse no merezca la pena ni que la compañía de los más jóvenes no pueda ayudar a revitalizar una vida sexual estancada, pero la gente que sólo confía en estas salidas puede estar perdiendo algo más que una posibilidad crítica de evolución personal. Impedir los importantes cambios interiores exige pasar rozando todas las experiencias. El precio último es la superficialidad.

Algunos bloquean este paso mediante un estallido de actividad compulsiva. Los hombres de negocios de primera línea, las anfitrionas hiperactivas y los políticos, por ejemplo, no parecen tener tiempo para una crisis de la mitad de la vida. Están demasiado ocupados iniciando una nueva empresa ese año, o dando cenas, o participando en la carrera que les permitirá ascender a cargos más elevados. Se consumen en las exterioridades por la sencilla razón de que temen profundizar en lo que podría ser pobreza de significado interior.

La trampa consiste en que los problemas internos que se han subyugado en un período, tienden a salir a la superficie en el siguiente, con mayor fuerza. Enfrentar una crisis de mitad de la vida por primera vez a los cincuenta años es temible (aunque se puede superar). O el desarrollo puede quedar detenido, sencillamente, para la persona que insiste en taparse los ojos. Se vuelve más estrecha en sus puntos de vista, autoindulgente y, por último, insustancial y amarga.

«Si un hombre atraviesa un período relativamente blando cuando se encuentra en la transición de mitad de la vida —asevera

Levinson— esto limitará su evolución. Muchos hombres que no sufren una crisis a los cuarenta, engordan y pierden la vitalidad que necesitan para seguir evolucionando en las posteriores etapas adultas.» [10]

La única vía, finalmente, para alejar el temor de la cuesta abajo consiste en abrirle la puerta de entrada. Cuanto antes permitamos que las verdades de este período llenen nuestro recipiente, antes podrán ser integradas a nuestro optimismo juvenil, realimentándonos de auténtica fortaleza.

Las palabras más importantes en la mitad de la vida son: da paso. Da paso a que te ocurra. Da paso a que le ocurra a tu compañero o compañera. Da paso a tus sentimientos. Da paso a los cambios.

No podrás llevarte todo contigo cuando acabes el viaje de la mitad de la vida. Te estás trasladando. Te estás alejando de las pretensiones institucionales y de los salarios de otra gente. Te estás apartando de las evaluaciones y los premios externos, en busca de una validez interior. Estás variando tu rol y trasladándote al yo. Si yo pudiera darles a todos un regalo de despedida de este viaje, les regalaría una tienda de campaña. Para la experimentación. Les regalaría raíces portátiles.

Para alcanzar el claro que queda al otro lado debemos hacer el ingrávido viaje a través de la incertidumbre. Hay que renunciar a toda seguridad falsificada y adquirida mediante un exceso de inversión en otras personas e instituciones. El custodio interno debe ser apartado de los controles. Ningún poder ajeno puede dirigir nuestro viaje a partir de este momento. A cada uno de nosotros corresponde encontrar un curso válido según nuestro propio criterio. Y para cada uno de nosotros existe la posibilidad de emerger renacido, *auténticamente* singular, con una capacidad ampliada de amarnos a nosotros mismos y abrazar a otros.

18
Estás en buena compañía

Estudiemos a dos hombres creadores que han escrito acerca de sí mismos exactamente a la misma edad. La similitud de su desajuste será obvia. Lo sorprendente es que sus vidas estuvieron separadas por más de seis siglos.

El primero es el poeta Dante Alighieri. Sus palabras iniciales de las estrofas de *La divina comedia* expresan poderosamente el impacto psicológico de este período:

> En mitad del viaje de nuestra vida, llegué por mí mismo a un oscuro bosque en el que el camino recto se había perdido. Cuán duro es hablar de ese bosque salvaje espinoso y denso, cuya sola idea renueva mis temores. Tan amargo es que la muerte apenas significa un poco más.

Dante, además de escribir estas palabras a los cuarenta y dos años, las había estado experimentando en su propia vida desde los treinta y siete. Sólo dos años antes —apasionado idealista de treinta y cinco años con una esposa acaudalada y varios hijos— había sido elegido como uno de los principales magistrados de Florencia. Intentaba impartir justicia en medio de violentas luchas políticas. Pero en 1302, Dante fue convicto *in absentia* por negarse a reconocer la autoridad del papa en cuestiones temporales. Éste era un delito del que se enorgullecía y del que no se arrepentiría. Rechazó las reglas de «los otros» en favor de su propia autoridad. Como consecuencia, fue desposeído de sus bienes y expulsado de su ciudad natal.

Así empezó Dante a deambular por las aldeas y bosques de Italia, el «bosque oscuro» sobre el cual escribió. En ese bosque, frente a frente con los demonios que nos acosan a todos durante este período, luchó con las temibles escisiones de su propio interior.

El ensayista George P. Elliott describe los afanes de Dante en términos que son universales. «Si había que llegar a ser él mismo, debía encontrar la forma de reunir las partes de sus sueños en un todo.» [1] Siendo al mismo tiempo hombre de ideas y hombre de pasiones, Dante no podía contentarse con un sistema de vida exclusivamente intelectual, ni su naturaleza política le permitía limitar todo su ser al edificio de la teología. Anhelaba contribuir a poner en orden la Iglesia y el Estado, aparentemente con igual fuerza. De un beato enamoramiento de la niña idealizada de su infancia, había pasado al amor profano. Cuando se encarnó en el papel del peregrino en *La divina comedia,* él era todos los hombres. No eligió a un santo sino a un pagano para que le condujera al infierno.

«Para él, renunciar al mundo como lo hace un religioso, habría significado negar un gran fragmento de sí mismo y se trataba de un poeta demasiado orgulloso para hacerlo —apunta Elliott—. Quería dar cabida a todo, incluso a su propia maldad.»

El segundo de los hombres citados pertenece a nuestra época. Escribió la obra que precipitó la guerra contra la pobreza en los años sesenta, *The Other America.* Socialista y hombre intelectualmente honesto, al igual que Dante había llevado una vida activa y cosmopolita basada en la idea de que la razón conduce a la verdad.

Me refiero a Michael Harrington. Su pérdida del equilibrio en el precipicio de la mitad de la vida le encontró totalmente desprevenido. Se encontraba pronunciando un discurso de rutina sobre el tema de la pobreza, momento que más adelante describe en su autobiografía:

> Cuando llegué al podio me sentí repentinamente mareado y tuve que aferrarme a los bordes del atril para mantener el equilibrio. Después la sensación de estar a punto de perder el conocimiento fue tan intensa que tuve que sentarme y explicar al público que me encontraba indispuesto y sólo podía seguir adelante si permanecía sentado ...Abrevié el período de preguntas y volví al motel. Cuando llegué al dormitorio transpiraba profusamente y me temblaba el pecho y la espalda. Me pregunté si no estaría padeciendo un ataque al corazón. Al día siguiente volé a Nueva York en una especie de bruma y me metí en la cama. El médico que me examinó —al igual que otros a los que consulté durante las semanas siguientes— no logró encontrarme ninguna dolencia física. ¿Pero por qué, entonces, me sentía peor de lo que hasta entonces me había sentido en mis treinta y siete años de vida? [2]

Como la mayoría de nosotros, Harrington se aferró a factores externos para convencerse de que se trataba de un episodio aislado. Estaba sobrecargado de trabajo y fatigado. Pero aun cuando estaba conversando tranquilamente sobre arte en una fiesta, se abría paso la temible sensación de pérdida del equilibrio: «...el suelo de la casa parecía oscilar bajo mis pies y yo bebía rápidamente para bloquear esa sensación de mareo».

Siguió adelante como si nada hubiera cambiado, como si siguiera siendo el puro y limitado militante de los derechos civiles de su propia imagen y se unió a la marcha de Martin Luther King desde Selma. Un activista fue asesinado y otro sufrió un colapso en el aeropuerto. Harrington mantuvo su equilibrio ante estos acontecimientos perturbadores. La espantosa sensación de pérdida de equilibrio, concluyó, era una racha que había pasado. «Me equivocaba... en cuanto llegué a Nueva York tuve que afrontar una vez más algunos poderosos antagonismos reprimidos en mi interior. Esas fuerzas dominarían mi vida durante todo el año siguiente y la influirían profundamente en el curso de tres años más.»

Michael Harrington se refería al período transcurrido entre los treinta y siete y los cuarenta y dos años, que prácticamente para todos son los años en los que la angustia alcanza su apogeo. Pero Harrington, como la mayoría, no sabía nada acerca de eso que ahora designamos crisis de la mitad de la vida. De modo que Harrington, como la mayoría, creyó que estaba sufriendo un colapso nervioso.

«Nunca había conocido a mi 'ello', al menos cara a cara», escribe. «Entonces —y transcurrieron meses hasta que comprendí que de eso se trataba— mi inconsciente me cogió por el cuello en un ataque de furia destructiva. Fue, literalmente, un 'ello', una cosa ajena que tomó las riendas de mi vida y le dio órdenes, frenética e imperiosamente, a mi yo pleno y racional.»

Harrington empezó a convivir con la angustia, con el temor permanente de que no podía y no debía adherirse convenientemente a nada del mundo de los acontecimientos específicos. Su cuerpo, su obra, su esposa, toda la estructura exterior de su vida, permanecieron intactos. Pero las cuestiones más triviales —por ejemplo una llave al moverse dentro de una cerradura o el tener que permanecer de pie haciendo cola— podían provocarle un estallido de ira o pánico. Cada segundo que pasaba en un avión parecía una amenaza a su equilibrio.

«¿Qué era lo que había desequilibrado totalmente mi vida?» Buscó ayuda en un psicoanalista. Durante los cuatro años siguientes, a medida que los síntomas disminuían gradualmente, buscó a tientas una respuesta a esa pregunta. «Mi mundo se había transformado en un número extraordinario de formas durante aproximadamente un año y yo no podía, o no quería, reconocer que estaba ocurriendo. Fingía ser la persona que había sido; me negaba a admitir en quién o en qué me estaba convirtiendo.»

Fue un proceso que le fue imposible evitar: el desajuste de su sereno funcionamiento, de su sofisticado «yo pleno» en partes separadas y antagónicas —pero todas auténticas— del mismo Michael Harrington. Cuando empezó a clasificar sus partes, reconoció en una de ellas al itinerante radical de Antioch College de su juventud que «aún vivía en tejanos espirituales», no corrompido por las huellas burguesas del dinero, el poder y el éxito. Éste era el segmento bueno, tal como él lo veía. Pero a partir de mediados de los treinta otra parte de sí mismo había ganado terreno y le había alejado de una pobreza aceptable y de la glorificación de la vida comunal. Le había conducido al matrimonio, al deseo de tener hijos, al abrazo de la familia nuclear y, peor aún, a aconsejar a hombres poderosos, aceptando honorarios de clase media por sus discursos, gozando incluso de su repentina reputación como autor famoso.

Esta era la parte que consideraba impura, débil ante el éxito, un «ello» ajeno e inadmisible. Pero seguía existiendo: había forzado la entrada. Exigía la incorporación. También era él.

La crisis creativa

La prueba más asombrosa de que llegamos a una importante encrucijada a esta edad nos la ofrece el psicoanalista londinense Elliott Jaques. Sus primeras nociones surgieron de la observación de que los gigantes artísticos de la historia occidental se habían visto inmersos en una crisis de creación a mediados y fines de los treinta. Entre los artistas que consideró se encuentran Beethoven, Goethe, Ibsen y Voltaire. De estos estudios procede la teoría de Jaques de que todos alcanzamos un estadio crítico de desarrollo en este punto. Aunque sus primeros ejemplos derivan de un grupo muy especial continúa analizando otros casos de su práctica profesional. En un artículo publicado en 1965, afirmó que alrededor de los treinta y cinco años se inicia una transición crítica, que no sólo afecta a los genios creativos y que se manifiesta en todas las personas de alguna forma. Jaques la designó «Crisis de la Mitad de la Vida» (acuñando probablemente esta expresión aunque tiene por lo menos un competidor en este sentido). Jaques señaló muy claramente que el proceso de transición se prolonga durante varios años y que la duración exacta varía según los individuos. [3]

Esta crisis creativa puede expresarse en tres formas diferentes.

En primer lugar, la capacidad creativa puede surgir y afirmarse en este momento. El ejemplo más conocido es Gauguin, que a los treinta y cinco años abandonó a su airada esposa y su carrera en la banca para convertirse en un destacado pintor post-impresionista a la edad de cuarenta y un años.

Segundo, el artista puede consumirse creativamente o morir literalmente. La edad de treinta y siete años sigue apareciendo como destacada línea de muerte entre los artistas y la gente muy laboriosa. Jaques verificó su observación tomando una muestra al azar de alrededor de 310 pintores, escritores, compositores, escultores y poetas de excelentes dotes. «La tasa de mortalidad muestra un salto súbito entre los treinta y cinco y los treinta y nueve años, período durante el cual se encuentra muy por encima de la tasa normal —señala—. El grupo incluye a Mozart, Rafael, Chopin, Rimbaud, Purcell, Baudelaire, Watteau. ...Después se produce una caída por debajo de la tasa de mortalidad normal entre los cuarenta y los cuarenta y cuatro años, seguida por un retorno a la pauta normal en las proximidades de los cincuenta.» [4]

En tercer lugar, de aquellos artistas que física y creativamente sobreviven a esta crisis no prevista, son muy pocos aquellos cuya obra no sufre un cambio decisivo. Las reacciones varían desde una agonizante erupción hasta una transición más suave, tal como le ocurre a la mayoría de la gente. Resulta útil seguir el análisis que hace Jaques del cambio en el proceso creativo que marca el paso del artista por una crisis de la mitad de la vida. Se trata de una metáfora del cambio de calidad y contenido que todos podemos empezar a sentir en ese momento con respecto a la empresa elegida.

La creatividad espontánea, intensa y candente que utiliza toda experiencia como combustible, que quema inconscientemente y vomita obra en lingotes como si estuvieran preconfeccionados, pertenece a los veinte y en los primeros años de la década de los treinta. Los prototipos de Jaques son Keats, Shelly y Mozart. Jaques propone la biografía de Robert Gitting sobre Keats como eficaz descripción de esta febril característica creativa de la primera edad adulta:

> Keats había vivido todo ese año de su capital espiritual. Había usado y gastado cada experiencia casi con tanta rapidez como la poseía; todo paisaje, persona, libro, emoción o pensamiento se convirtieron espontáneamente en poesía. ¿Podría él o cualquier otro poeta haber perdurado a semejante ritmo? [5]

El artista que intenta forzar este estilo de combustión más allá de su punto espontáneo es el que, más probablemente, será consumido. Yo agregaría a la biografía de Keats la revelación de F. Scott Fitzgerald en *The Crack-Up:* «Empecé a comprender que durante dos años de mi vida me había estado alimentando de recursos que no poseía, que me había estado hipotecando a mí mismo física y espiritualmente hasta la saciedad». [6] Fitzgerald escribió estas palabras a los treinta y nueve años. Cinco años después estaba muerto.

Si el artista ha de perdurar, generalmente se produce un cambio en el modelo febril. Jaques designa este nuevo método como «creatividad esculpida». A partir de los treinta...

> la inspiración puede ser abrasadora e intensa... pero hay un largo trecho entre la primera efusión de inspiración y el producto acabado. La inspiración puede llegar más lentamente. Aun cuando se presenten repentinos estallidos de inspiración, sólo son el principio del proceso de trabajo (y) primero deben ser externalizados en el estado elemental. [7]

Trabajando con la materia prima de su imaginación, el artista maduro inicia la creatividad más meditada a la que hace referencia Jaques. El lienzo, la partitura, la comedia que inicialmente surge no es el producto acabado sino el punto de partida, que puede ser modificado a lo largo de años, incluso.

Un sentido trágico empieza a infundir a la obra creativa de la madurez un nuevo contenido filosófico. Shakespeare escribió sus comedias durante los veinte. Sus tragedias empezaron con *Romeo y Julieta,* a los treinta y uno y se cree que fluyeron en su serie triunfal entre los treinta y cinco y los cuarenta años.

Reflexionar sobre un Shakespeare inestable o un Dante deprimido puede ayudar a reequilibrar nuestra perspectiva de los afanes personales de la crisis de la mitad de la vida. la psicología humanista siempre habla de nuestra «evolución personal». A menudo, centrados egocéntricamente en las tribulaciones de nuestro exiguo plazo de setenta años en esta tierra, descartamos las evidencias de los mismos temas a lo largo de la evolución del hombre occidental. En el siglo XIII, Dante vivió hasta alcanzar los cincuenta y seis y Shakespeare, trescientos años más tarde, hasta los cincuenta y dos años de edad. Desde sus primeros atisbos de la Década Tope y sus terribles temores, ambos siguieron disfrutando de un período de unos quince años más de creación sorprendentemente prodigiosa.

La crisis espiritual

Aunque la religión cada vez produce menos alivio a menos gente en este mundo de certezas desvanecidas, se trata de una perspectiva del mundo que ha dado a mucha gente un marco de referencia para obtener algún sentido del caos. En tiempos de Dante, el universo cristiano era ordenado y significativo; había una existencia terrenal y un infierno del mal que debían atravesarse en el camino hacia un estado permanente de gozo accesible con la trascendencia a la otra vida. Dante el poeta y Dante el peregrino de *La divina comedia* se perdieron al principio del paso pero ambos sabían a dónde debían ir: la intención divina estaba en todas partes, señalando el camino.

Le correspondió a la filosofía del existencialismo decir, en las palabras de Nietzsche: «Este es mi camino, ¿cuál es el tuyo? *El* camino no existe».

Harrington, el peregrino moderno, a pesar de haber sido intensamente católico en su juventud, no habló de Dios como su pastor a través del valle de la sombra de la muerte. Se volvió al psicoanálisis, donde tanto guía como caminante se ven constantemente acosados por cambiantes interpretaciones de los roles sexuales, sistemas de valores y de creencias, y conducta sana. En pocos años puede resultar que homosexual sea «bueno», CIA sea «malo» y el único sistema de defensa «sano» sea dejarlo todo colgado.

Era totalmente distinto en la época de Freud. Todos sus pacientes pertenecían a una clase consistente dentro de la sociedad vienesa. Cuando una persona gritaba: «¡Me estoy ahogando!», Freud podía devolver al paciente a un mundo consistente, aunque rígido. El psiquiatra de nuestros días se encuentra en una posición diferente. También él rescata al paciente que se ahoga y trata de ponerle nuevamente sobre el flotador con toda suavidad. Pero cuando llegan allí, el flotador puede haber desaparecido.

Mucha gente encerrada tempranamente en una estrecha tradición religiosa se encuentra luchando, en mitad de la vida, contra posiciones absolutistas que ya no corresponden a su experiencia.

Uno de esos hombres vino a verme no hace mucho tiempo, porque conocía mis escritos en este terreno. Era un pastor de cuarenta y seis años de edad.

—Es un placer conocerle, reverendo Raines* —dije.

—Ya no me gusta que me digan reverendo Raines —replicó—. Llámeme Bob.

Se había quitado su cuello de clérigo y evidentemente se sentía

* El nombre es real.

feliz por ello. La suya era la clásica historia del joven que sigue el destino familiar y concluye arrinconado en lo que he descrito como identidad cerrada. En su caso, el padre era un obispo retirado.

—Los tres varones de nuestra familia fuimos al seminario —explicó Bob Raines sonriente—, lo que indica que todos padecimos una serena pero muy persuasiva presión. Yo lo acepté todo: era como envolverme en el manto familiar. Nunca me separé de mi padre en la adolescencia de modo que he tenido que hacerlo al llegar a la mitad de la vida. Él era un modelo muy poderoso en ciertos sentidos que sólo he conseguido reconocer en los últimos años.

A los cuarenta años, el reverendo Raines sintió como si su persona hubiera sufrido un colapso dentro de su profesión. Se suponía que él era quien tenía todas las respuestas, pero había perdido el contacto con la máquina contestadora. Quería que hubiera un lugar para su propia falibilidad, su ira, su necesidad de ser golpeado y todos sus demás sentimientos bloqueados. Convencido de que debía haber otros que padecían este profundo cambio de personalidad en la mitad de la vida, aceptó el puesto de director de un centro de retiro no confesional llamado Kirkridge, en las montañas de Pennsilvania. El aislamiento en la naturaleza coincide con su necesidad de reflexión. Está experimentando con el proceso de grupo en un programa variado de retiro y artesanía. La solución de Bob Raines consiste en encontrar su humanidad compartiendo sus incertidumbres con hombres y mujeres, pastores, investigadores y escritores, gente como él que intenta una renovación de objetivos en la mitad de la vida.

La diferencia entre mitad de la vida y mediana edad

En casi todos los sentidos, la persona que se encuentra *en el paso* de la mitad de la vida es dramáticamente diferente de la persona que

427

se ha reestabilizado alrededor de la mediana edad. Esto se aplica tanto a los médicos que investigan nuestra mente como al resto de nosotros. A propósito, la mejor ilustración breve que puedo ofrecer deriva de un proyecto de investigación en el que se comparó a psicoanalistas menores con psicoanalistas mayores en el Instituto de Psiquiatría William Alanson White. [8]

Los analistas menores —entre los treinta y siete y los treinta y nueve años de edad— comparten una orientación claramente diferente de la de sus mayores. Para los analistas jóvenes, prácticamente todas las cuestiones están ligadas a su relación con otros. La mitad de la vida es definida en términos del cónyuge. La carrera y la posición se relacionan con la competencia con personas más jóvenes. Consideran el atractivo físico como una batalla en la que deben mantener el suyo contra el avance inexorable del de los más jóvenes. El analista joven considera que es más feliz ahora, con la edad que tiene, y todos se ven a sí mismos por debajo del límite que establecen para la mediana edad.

Los analistas mayores —que han alcanzado una edad promedio de cincuenta y seis años— consideran la crisis de la mitad de la vida como una cuestión individual. Creen que los años medios ofrecen una nueva etapa en el continuo ciclo vital, en la que la persona se define en contraste con sus padres, en contraste con su cónyuge, en contraste con sus hijos. Se encuentra inmerso en la reconsideración de su propia vida. Es menos probable que el terapeuta mayor culpe de los problemas al compañero de matrimonio, en tanto el menor cree que puede adjudicar la culpa a uno de ambos cónyuges y *no* considera al matrimonio como un proceso que pasa por distintas etapas. Para los mayores, la terrible competitividad con el otro, con todos los otros, se ha relajado y es posible buscar placeres más personalizados. A diferencia de sus menores, afirman que el período de la mitad de la vida constituye una liberación de las presiones del compromiso. Se ha abierto la libertad más grande de todas: la de ser independiente y autosuficiente en casi cualquier relación.

Los investigadores sintetizan todos estos cambios como el paso de la «nostridad» a la «yoidad».

Poner un límite preciso a la mediana edad es un hierro candente. Los hombres trabajadores se autodefinen como personas de mediana edad a los cuarenta y como viejos a los sesenta. Los ejecutivos y los profesionales, por contraste, no se consideran de mediana edad hasta los cincuenta y para ellos un anciano es aquel que tiene setenta años. [9]

Está muy bien que Neugarten señale que los hombres y las mujeres de mediana edad son los «portadores de normas y tomadores de decisiones» y que aunque «viven en una sociedad... orientada hacia la juventud», está «controlada por los seres de mediana edad». [10] Pero tratar de decírselo a una persona de cuarenta años es lo mismo que tratar de convencer a un adolescente que acaba de perder a su primer amor, de que el cielo no se le ha caído encima. Poseídos como estamos la mayoría de los que nos encontramos en el paso hacia la mitad de la vida por ideas de envejecimiento y muerte inminente, no nos sentimos inclinados a identificarnos con la etapa posterior y en consecuencia somos incapaces de creer en el poder de la mediana edad. [11]

Después de los cuarenta y cinco, la mayoría de la gente que se ha permitido la crisis de autenticidad está preparada para aceptar el ingreso en la mediana edad y para disfrutar de sus muchas prerrogativas. La angustiosa revisión del pasado queda suspendida y las horripilantes fantasías con respecto al futuro se desvanecen en perspectiva casi cómica. El presente vuelve a absorberlos en la vida del aquí y ahora.

Con esta panorámica en mente, examinemos las respuestas específicas de hombres y mujeres, y los cambios previsibles de la pareja a medida que avanzan por el paso de la mitad de la vida hacia la mediana edad.

19
La perspectiva de los treinta y cinco

Eleanor Roosevelt, una mujer que temía estar sola, escribió a los treinta y cinco años de edad en su diario: «No creo haberme sentido nunca tan extraña como durante el año pasado... he llegado a perder toda confianza en mí misma y me encuentro con los nervios de punta, aunque sin duda jamás me he sentido mejor físicamente». [1]

Su marido había encontrado una compañera más joven, más bonita, más alegre. De pronto Eleanor se sintió más vieja, relegada, fracasada. Se inició el proceso de desajuste.

«Hermética y desesperadamente, Eleanor se aferró a los antiguos lazos familiares —parientes, amigos y obligaciones— aunque no logró acallar los estados de desesperación que la asaltaban cuando sentía que nadie le pertenecía y que ella no era de utilidad a nadie», escribe Joseph P. Lash en *Eleanor and Franklin*. «Fue una época de duros reproches y depreciación de sí misma... hubo momentos en que se tambaleó su convicción de que la vida tenía significado.» Dolorosamente se derrumbó el modelo de su joven estado adulto. En el estereotipo de la esposa puritana de político ya no estaba segura.

Su refugio fue un lugar de muerte, el cementerio Rock Creek en Washington, donde a menudo pasaba largas horas contemplando la figura de bronce de la esposa de Henry Adams, que se había suicidado. Era un lugar adecuado para que la señora Roosevelt se lamentara por su propio yo agonizante. Allí envidiaba la paz que reflejaba el rostro tranquilo de la estatua, nos informa Lash, y con frecuencia se preguntaba si esa paz podría alcanzarse en vida, mediante el dominio de uno mismo. Eleanor se sumergió en el trabajo. El trabajo, escribió posteriormente, es el mejor camino para arrancarse de las profundidades.

Aunque su confrontación con la mitad de la vida fue amarga, no murió a consecuencia de este período de desajuste ni descargó su dolor en el divorcio. Atravesó cuatro décadas de matrimonio y ocho de las más significativas de la historia política de Estados Unidos, en la que dejó su propia huella indeleble. El proceso de renovación finalmente recompensó a Eleanor Roosevelt con el dominio de sí misma, pero sólo después de años de esfuerzos y un extraordinario despliegue de autodisciplina. A través de su dedicación a cumplir su propia tarea en el mundo, logró dominar la más difícil de todas para una esposa dependiente que se encuentra en la mitad de la vida.

Lo esencial consiste en ver, sentir y, por último, *saber* que nadie puede aspirar a la realización a través de otro.

A los cincuenta y siete años, Eleanor Roosevelt escribió: «En algún punto de la línea de evolución descubrimos lo que realmente somos y entonces tomamos una decisión de la que somos auténticamente responsables. Debes tomar esa decisión fundamentalmente por ti mismo, ya que nunca podrás vivir la vida de otro, ni siquiera la de tus propios hijos. La influencia que ejerces se cumple a través de tu propia vida y de lo que haces de ti misma».

Las encrucijadas de las mujeres

Para cada uno de nosotros, el propio cruce hacia la mitad de la vida es el más dramático. Para las mujeres llega antes que para los hombres. El apremio del tiempo alrededor de los treinta y cinco plantea la urgencia de «mi última oportunidad». Lo que para la mujer es su «última oportunidad» depende del modelo que haya seguido hasta ese momento. Pero todas las mujeres —la dispensadora de cuidados, la realizada diferida, la criadora diferida, la integradora— descubren que cuestiones imprevistas llaman a la puerta de su mente alrededor de los treinta y cinco, instándolas a revisar los roles y acciones que ya han implicado paralelamente a los que han dejado de lado y a aquellos que la edad y la biología pondrán fin en un futuro *ahora previsible:*

«¿A qué estoy renunciando por este matrimonio» o «¿Me está privando esta profesión de mi felicidad personal?»

«¿Por qué tuve todos estos hijos?» o «¿Todavía tengo tiempo de tener un hijo?»

«¿Por qué no concluí mi educación?» o «¿De qué me sirve mi título ahora, después de tantos años fuera de la circulación?»

«¿Buscaré un empleo?» o «¿Por qué nadie me dice que *tendría* que volver a trabajar?»

«¿Persisto en una rutina porque temo romper?» o «¿Es mi marido el que me retiene?»

«¿Sigo soltera porque no soy atractiva?» o «¿Me he negado al amor por temor a que pusiera fin a mi carrera?»

«¿No estoy realmente interesada en volver a casarme?» o «¿Temo un nuevo intento?»

Una serie de hechos de la vida femenina se combinan para acercar al primer plano la sensación de punto limítrofe a esa edad.

432

A los treinta y cinco años la madre promedio envía al colegio a su último hijo.

A los treinta y cinco años empieza la peligrosa edad de la infidelidad. Las cifras del informe Kinsey señalaron que es más probable que la esposa sea infiel, si alguna vez lo es, a finales de los treinta. El deseo de una experiencia intensa coincide con su cumbre sexual, que la mayoría de las mujeres alcanzan alrededor de los treinta y ocho años. Al igual que los hombres, es probable que las mujeres coqueteen con, fantaseen sobre, y con frecuencia se lancen a una etapa promiscua en mitad de la vida, con la esperanza de curar los temores, el «aburrimiento» y una repentina sensación de decadencia corporal. Diversas obras y estudios recientes así lo testifican y las entrevistas que efectué para este libro lo confirmaron. [2]

Por lo general, la cuestión no consiste en enamorarse y encontrar un nuevo marido. La idea se sintetiza así: «Esta es mi última oportunidad de echarme una cana al aire antes de que haya perdido mis encantos». Sentimientos que muchas mujeres confesarán pero no transmitirán a sus maridos fueron lisa y llanamente expresados por una esposa de Westchester. Después de veinte años de leal matrimonio y cuatro hijos, decidió tomarse sus primeras vacaciones sola y le dijo a su asombrado esposo:

—Oye, cariño, tú has estado en el mundo todos estos años y yo me he quedado en casa. Me gustaría tener más experiencias sexuales. Tengo la sensación de que si sigo por este camino me resultará imposible conseguirlo.

La mayoría de las mujeres con las que hablé —al igual que la mayoría de los hombres atrapados por el pánico de la mediana edad— no desean renunciar a las comodidades de su matrimonio ni correr el riesgo de quedarse solas. Lo que en realidad desean es ser salvadas de las garras de la decadencia física y apartadas de la amenaza de la muerte por medio de la magia de una experiencia narcisista, es decir, viendo cómo se restablece su propia imagen juvenil ante los ojos inmaculados de un nuevo amante. Más allá de la aparente universalidad de este deseo, en particular las mujeres a menudo buscan algo que sustituya a los hijos que ya no las preocupan pero siguen siendo dependientes, una ocupación para el tiempo del que ahora disponen, y una vía de escape para las crecientes energías sexuales que ya no satisface el marido que cada vez trabaja más y vuelve al hogar con menos deseos sexuales. Por encima de todo, buscan un desvío ahora que sus vidas han perdido la dirección.

A los treinta y cinco años la estadounidense casada promedio reingresa en el mundo del trabajo. Las cifras censadas demuestran que entonces la mujer puede esperar formar parte de la fuerza de trabajo durante los veinticuatro años siguientes o más.[3] Muy pocas amas de casa están preparadas para que les caiga ese rayo encima. En la escuela secundaria no se menciona lo que sigue a la adecuada selección de un marido, de los electrodomésticos y de escuelas para los hijos: *veinticuatro años* de aplicar la capacidad que tuvo el buen sentido o la suerte accidental de adquirir antes de casarse o veinticuatro años de ser una cifra de ventas o la operadora 47. Nadie informa a las muchachas de que la maternidad sólo constituye la mitad de una vida de trabajo.

A partir de 1970, las siete octavas partes de las mujeres que trabajaban fuera de su casa lo hacían «para ayudar al sostenimiento económico del hogar».[4] A menudo se pasa por alto el factor de la necesidad en el celo del movimiento feminista por explicar, correctamente, que muchas esposas también desean trabajar en algo que les gusta hacer y que les permita llegar a poseer una identidad individual. Más aún, el factor de la necesidad también abarca a las familias de elevados ingresos. La esposa de un senador trabaja porque el salario de 42.500 dólares anuales de su marido no es suficiente para mantener una segunda residencia en Washington y volar con sus cuatro hijos a su tierra natal de la costa oeste en las Navidades. Las mujeres de todas las clases sociales definen «para ayudar al sostenimiento económico de la familia» mediante cualquier estilo de vida al que a su familia le gustaría acostumbrarse:

434

trasladarse de una conejera a un apartamento de mediana calidad, poder escapar de un apartamento de la ciudad a una casa de verano, pasar a los hijos de escuelas públicas a escuelas privadas.

Si la realizada diferida que se enfrenta a la crisis de reingreso de la mitad de la vida es una de esas afortunadas que aparecen en los anuncios de tintes para el cabello —universitarias con chaleco de Cachemira, reservadas y levemente deprimidas—, le bastará con vencer su timidez interior. Y su afición a *no tener que trabajar*, a la que nunca se dará la suficiente importancia como contrafuerza poderosa.

Para un grupo mucho más numeroso de mujeres, el reingreso en el mundo del trabajo no tiene nada que ver con la emoción de que les paguen por vender colgantes de dientes de ballena en su propia boutique. Se ven arrancadas de sus hogares por la necesidad y lanzadas a los callejones sin salida del mercado nacional. Camarera, dactilógrafa, telefonista, costurera, trabajadora hospitalaria, ayudante de vendedora o una vez más la línea de montaje: estos son los tipos de trabajos a que pueden aspirar la mayoría de las esposas a las que no se preparó para una actividad que habría de ocupar un cuarto de siglo de sus vidas. [5]

El noventa por ciento de las mujeres que se encuentran entre los treinta y los cuarenta y cuatro años carecen de título universitario. [6] Casi todas ellas esperaban ser dispensadoras de cuidados toda la vida.

Las tres cuartas partes de las mujeres que trabajan no tienen marido o los ingresos de su compañero se encuentran por debajo de los siete mil dólares anuales. [7] Esta oración debe leerse dos veces.

A menudo esa mujer se ha criado en una comunidad de la clase trabajadora, donde aprendió a creer en la unidad, en las coles cocidas en casa y en aventurarse a salir únicamente para asistir a reuniones en la iglesia. En el umbral de la mitad de la vida, una organizadora de la comunidad de Baltimore con estos antecedentes habló en nombre de muchas mujeres semejantes a ella misma:

Soñábamos con casarnos con empleados, elevarnos y expandirnos hacia afuera. (Más tarde) estudiamos los cheques correspondientes a los sueldos de nuestros maridos y descubrimos que con ingresos entre los cinco y los diez mil dólares nunca lo lograríamos. Éramos las casi-pobres. De modo que para muchas el descubrimiento significó la vuelta al trabajo. Fue un choque tener treinta y cuatro años de edad y haber permanecido ajenas al mundo del trabajo durante catorce años.[8]

Los obstáculos más graves no se relacionan con el nivel educacional de la mujer sino con el número de años que ha permanecido ajena al mundo del trabajo en su calidad de ama de casa. Las mujeres de más de treinta años lo pasan mal y las perspectivas son aún peores después de los cuarenta. Muchas mujeres casadas y con hijos (según un estudio del Departamento de Trabajo) retrocedieron, de hecho, en la escala laboral con respecto a los puestos que ocupaban antes de casarse. Cerca de un tercio de las mujeres que reingresaron al mundo del trabajo entre los treinta y los cuarenta y cuatro años no lograron alcanzar mejores puestos de los que habían disfrutado durante su juventud. Después de los cuarenta, la tasa de desempleo es superior en más de un tercio para las mujeres que para los hombres de la misma edad.[9] Para completar tan deprimentes estadísticas, en un período de receso las mujeres —junto con los negros— son las primeras en ser despedidas.

Estas son las realidades a las que se verá enfrentada la joven esposa de la clase obrera a pesar de su nuevo sueño. Como recordaréis, en el estudio más reciente se comprobó que aspiran a retornar al trabajo cuando sus dos hijos estén en edad escolar. Para entonces, desean una carrera más compensadora personalmente que el trabajo utilitario que realizaban antes de casarse. Se han trasladado al modelo de la realizada diferida. Éste puede ser uno de los cambios *de actitud* más significativos del último cuarto de siglo, pero está muy alejado de las posibilidades reales.

436

Los treinta y cuatro años es la edad promedio en que la mujer divorciada vuelve a casarse. Han transcurrido alrededor de trece años desde su primera boda. [10] Intentará de nuevo formar una pareja para satisfacer su necesidad de relaciones íntimas.

Los treinta y cinco años es la edad más común de la esposa fugitiva. Éste es uno de los fenómenos de más rápido crecimiento de nuestros días. Durante los últimos doce años, la proporción de esposas desertoras con respecto a maridos desertores ha pasado de una por cada trescientos a una por cada dos. El perfil típico de la esposa fugitiva —de acuerdo a la descripción de Ed Goldfader, presidente de la Tracer's Company of America*— corresponde a una mujer de treinta y cinco años de edad que se casó a los diecinueve y dio a luz su primer hijo a los once meses de la boda. «Desde ese momento —agregó Goldfader durante la entrevista—, dedicó su vida a la crianza de los hijos y la atención del hogar y se encuentra en una edad en la que siente que ya no tiene tiempo de conseguir un camino significativo en su estilo de vida. A menudo su marido casi ha dejado de pensar en ella como persona.»

La empresa solicita al marido que llene un cuestionario sobre la historia personal de su esposa. Las respuestas más habituales son reveladoras:

COLOR DE LOS OJOS: No recuerdo.
COLOR DEL PELO: Rubio.
HOBBIES: Ninguno.

Bajo el rubro «Hábitos» o «Costumbres» el marido deja el espacio en blanco.

Bajo «Salud mental» en casi todos los casos escribe: «Emocionalmente perturbada».

---

* Empresa dedicada a la averiguación del paradero de personas desaparecidas *(N. de la T.)*.

Lo sorprendente de las fugitivas es que por lo general disfrutan de una buena situación económica. No es la privación de objetos lo que las lleva a la ruptura sino la pérdida de sentimientos valorados o incluso percibidos por sus maridos y la pérdida anticipada de significación en la vida.

En una de nuestras entrevistas, Margaret Mead señaló: «Considero que la principal rebelión de nuestros días, tras de la rebelión de los hombres en los cuarenta, es el cuantioso número de mujeres que abandonan a sus maridos *antes* de que se llegue a producir la deserción de éstos. Se trata de mujeres de treinta y cinco años, que se encuentran en la mediana edad y sienten: 'Esta es mi última oportunidad'».

A los treinta y cinco años aparece ante nuestros ojos el límite biológico. Probablemente a esa edad la mujer vislumbra por primera vez ese vago campo que las espera y al que los demógrafos designan, áridamente, «fin de sus años fecundos». La criadora diferida se está quedando corta de tiempo para seguir difiriendo. La realizada soltera debe enfrentar en forma tajante la cuestión de la maternidad. El mayor número de adopciones hechas por madres solteras lo llevan a cabo mujeres que se encuentran entre los treinta y cinco y los treinta y nueve años. Y algunas de las mujeres profesionales de gran poder, resistentes a la bebida, solteras y poco sentimentales, se detienen en su camino y se enamoran de la nueva experiencia de estar embarazadas.

Irma Kurtz es una periodista independiente que tomó exactamente esa decisión a los treinta y siete años. Irma, una americana soltera, ingeniosa y egocéntrica que había alcanzado la cumbre de su profesión en Inglaterra, nunca había tenido tiempo de tener un hijo. «Aquélla era mi última oportunidad», escribió. Le encantó estar embarazada: «Fue mi primer acto de devoción». También hubo momentos de pánico en los que sólo veía finales: «el fin de la vanidad y la aventura, el fin de la libertad, el fin de mi propia infancia egocéntrica». Pero existe cierto consuelo aparentemente universal en el embarazo cuando el feto empieza a dar patadas a la madre. Una se encuentra en un tren expreso. Puede acomodarse y disfrutar hasta el fin del viaje. «Resultó delicioso ingresar en el área absolutamente novedosa de información e interés», observa la periodista, «aproximadamente a la edad en que una siente que todas las experiencias factibles han sido exploradas.» [11]

El niño de Irma Kurtz nació por medio de una cesárea pero ella estaba preparada para esa posible contingencia de su elección. Las sorpresas que la esperaban se referían a una percepción del tiempo completamente alterada, y al yo y los otros, común a la madre de cierta edad. Casi inmediatamente después del nacimiento de su hijo, su agenda social quedó vacía.

> El sueño intermitente, que probablemente me afecta más que a las muohachas jóvenes y los febriles horarios cotidianos, significan que he dejado de lado la bebida, al menos por el momento; es sorprendente la forma en que la no disposición a beber mucho limita la vida social en mi grupo generacional y más sorprendentemente aún lo aburridos que ahora encuentro los entusiasmos y las conversaciones alcohólicas con las que antes disfrutaba... Considerándolo retrospectivamente, me parece que antes de que naciera mi hijo rara vez hablaba de algo que no fuera yo misma ...Ahora sé con certeza que soy mortal y estoy envejeciendo ...A veces pienso que cuando él tenga trece años, es decir cuando sea apenas un adolescente, yo tendré cincuenta, o sea que no seré ninguna niña... pero eso no me alarma. [12]

La sabiduría convencional indica que tener un hijo después de los treinta y cinco es arriesgado y poco recomendable. En los textos de ginecología, la mujer que queda embarazada por primera vez a los treinta y cinco años o más adelante, aún es designada como *primeriza de edad avanzada*. Cuando el intervalo entre un nacimiento y otro ha sido de diez o más años, se dice que el parto puede ser similar al de una primeriza de edad avanzada. [13] Pero existen cada vez mayores pruebas de que los peligros han sido exagerados.

¿Cuáles son los riesgos? Después de consultar a una serie de fuentes, el único riesgo relacionado con la edad que me parece cierto es el síndrome de Down (mongolismo). En las madres de veinte años, la posibilidad de tener un hijo mongoloide es una en dos mil. A los treinta y cinco, el riesgo no asciende a más de uno en mil. Pero cuando la mujer tiene cuarenta años la posibilidad se eleva a uno en cien, y la incidencia del mongolismo se duplica año a año después de esa edad.

La amniocentesis —procedimiento por el cual se extrae una pequeña cantidad de líquido amniótico del útero— es actualmente cien por ciento seguro para detectar el síndrome de Down y otras anormalidades cromosómicas.

Otros factores descubiertos en un importante estudio relacionado con los riesgos de tener hijos en los treinta, fueron un bajo nivel socioeconómico e inadecuada atención médica. Esto se debe a que la salud general y la nutrición de la madre contribuyen significativamente al peso del niño al nacer. Se ha descubierto que el bajo peso es el factor más importante de las muertes fetales.

Al margen de estos riesgos, que pueden detectarse por adelantado, algunos de los especialistas más experimentados del país me han informado que son exageradas todas las demás advertencias referentes a embarazos tardíos, tales como una posible estrechez o tejidos poco elásticos. «Con una buena atención obstétrica, no tendría que haber diferencia entre las mujeres que han superado los cuarenta años y las que no han alcanzado esa edad», me dijo en una entrevista el doctor Raymond L. Vande Wiele, profesor y jefe del Departamento de Obstetricia y Ginecología del Columbia Presbyterian Medical Center. También señaló que la primeriza de edad avanzada más frecuente es la divorciada sin hijos que vuelve a casarse a los treinta y ocho o treinta y nueve años.

«Por lo general estas mujeres están dispuestas a enfrentar cualquier cosa para tener un hijo. Si se presenta algún contratiempo en su embarazo o parto, piden que se las lleve a la mesa de operaciones sin pestañear.» También es probable que el obstetra concluya un parto prolongado con una cesárea en la primeriza de más edad. Existen otras complicaciones posibles relacionadas con la edad, pero raras veces se presentan realmente. La hipertensión y la diabetes son más comunes con la edad, y las mujeres de más de cuarenta años que nunca han estado embarazadas cuentan con más probabilidades de tener fibromas, que pueden causar hemorragias. Antes de que la mujer quede embarazada se puede determinar mediante un examen si se encuentra presente alguna de estas dolencias. Una complicación corriente que no puede predeterminarse es una *placenta previa*, o sea baja, lo que expone a la madre a graves hemorragias cerca del término del embarazo o durante el parto.

A la mayoría de los obstetras les disgusta atender a mujeres que quedan embarazadas después de los cuarenta años, lo que de todos modos es poco común. Pero las pruebas sobre la cuestión de la maternidad tardía no son fehacientes. De modo que si tienes treinta y cinco años o más, te aconsejo que no aceptes la primera opinión que te den cuando preguntes si aún tienes tiempo de tener un hijo.

Un fenómeno distinto se observa entre las dispensadoras de cuidados enfrentadas al límite biológico. Estas pueden retornar a los estudios, volver a utilizar sus talentos latentes o prepararse para su reingreso en el mundo del trabajo. Pero en lugar de obtener el título o lanzarse de hecho al mundo profesional, a menudo vuelven a quedar embarazadas. «No es por error», me dijo la doctora Ruth Moulton, profesora adjunta de psiquiatría de la Columbia University. «Al tener otro hijo, permiten que éste tome por ellas la decisión.»

Aunque una madre ya haya tomado una de las decisiones más definitivas de su vida —«Ya he tenido mi último hijo»— y se encuentre dichosa con su resolución, percibe que está a punto de cerrarse un período trascendental de su vida: «Tendré más tiempo libre a medida que los chicos crezcan y aunque la perspectiva es excitante me pregunto si encontraré algo lo bastante importante para reemplazarlos».

Cuando todos los factores convergentes se han presentado ya, no resulta extraño que una mujer empiece a sentir el cambio hacia la perspectiva de la mitad de la vida a los treinta y cinco años. El hecho de que *actúe* o no en ese momento y el papel que en ello puede desempeñar su marido, es otra cuestión. La expansión de Eleanor Roosevelt —una dispensadora de cuidados que de lo contrario habría permanecido en las sombras— se vio precipitada por un acontecimiento demarcador doloroso. El proceso también puede comenzar por un impulso interior inexplicable y persistente. Pasemos ahora a la vida de una esposa contemporánea residente en Washington y veamos cómo lo experimentó ella.

El reajuste de Priscilla Blum

En medio de una existencia exteriormente espléndida y con todos sus deseos juveniles aparentemente cumplidos, se presentó en ella un síntoma misterioso: el llanto.

Priscilla se encontró llorando en la bañera de la encantadora casa de su segundo esposo en Georgetown. Esposa de uno de los cometas de más rápido ascenso del periodismo político, Priscilla se encontraba en pleno florecimiento, tenía el pelo rojizo, era ágil y vivaz. Pero volvió a verter algunas lágrimas antes de sus habituales llamadas telefónicas a las diversas secretarias y embajadores. Otro leve ataque de llanto *después* que hubieron aceptado su invitación, lo que ampliaría los contactos de su marido y más adelante sería correspondida con otra invitación más fastuosa, que también contribuiría a elevar la estatura profesional del esposo.

Los accesos de llanto perduraron seis meses: no tenían ningún sentido.

Hacía dos años que Priscilla y Don Blum estaban juntos (los

nombres son ficticios). Juntos, en un feliz segundo matrimonio, se habían fundido en algo similar a un nuevo avión con alas en delta. Él era el cuerpo del aparato y la amplitud de su información se encontraba respaldada por una contundente ambición. Ella era el radar sensible que ordenaba día a día la vida social, según los vientos cambiantes del poder de Washington.

—Yo estaba totalmente dedicada al trabajo de equilibrarlo todo —dice Priscilla—. No quería molestar a Don con mis problemas. Él trabajaba frenéticamente.

Washington es una ciudad administrativa. Rara vez es discernible la línea que separa la vida pública de la privada. Priscilla se trasladó a la ciudad al casarse con Don, a los treinta y tres años: sus dos hijos tenían un nuevo padrastro. Los Kennedy iniciaban la Nueva Frontera.

—Me inquietaba realmente preguntarme si Don sería dichoso conmigo, si «triunfaría» en Washington. Yo estaba muy impresionada con Don y también muy enamorada... de su pragmática fuerza impulsora, la *fuerza* de su sueño y la agitación de su ambición. Me resultaba muy seductor.

Sugerí si Don no sería tan ambicioso como ella no podía permitirse serlo.

—Oh, no, no se parecía en nada a mí.

Priscilla había sido educada según la tradición protestante anglosajona para equilibrar graciosamente todas las cosas sin aparecer nunca en el primer plano. Al proyectar su propio deseo de «triunfar» y su propia e inadmisible «fuerza impulsora» en Don, Priscilla se convirtió en el auténtico conductor de su carrera. Y así lo expresa, aunque no oye lo que ella misma dice:

—Don era un aprensivo cargado de angustias en cuanto a si todo saldría o si aquella persona se había enojado con él. Siempre me pedía mi opinión y hablaba de todos los problemas conmigo. En realidad llegó a ser columnista porque yo le obligué a enviar sus artículos.

A los treinta y cinco años Priscilla tuvo éxito en ayudar a Don a triunfar, pero en el éxito a través de otro siempre hay algo que suena a vacío. Ella estaba ocupada con las esposas de Washington que juegan al tenis y se reúnen en la Casa Blanca para tomar clases con el conservador del museo. Todas ríen, nadan y fingen amistad, pero sólo sus maridos tienen algo en común, sólo las conversaciones de éstos poseen un contenido. Los maridos negocian información por poder, al que sólo los hombres de Washington pueden aspirar.

—¿Por qué lloraba? Me parecía que se trataba de algo casi fisiológico. No pude analizarlo en profundidad; eso llegó mucho después. Tenía que serenarme para plantearme unas cuantas preguntas.

La respuesta que podría haber surgido de adentro, de su custodio interno, probablemente habría sido: *no tienes derecho a desear algo para ti misma. Tu papel es el de ser el sistema de apoyo de tu marido*. Priscilla no estaba preparada para luchar a ese nivel. Aún tenía que ser la chica «buena» educada por su madre para no demostrar que era enérgica. Cuando algo la impulsaba a ser «mala», lloraba.

—Por último, en un momento de desesperación, le dije a Don: ¡Debes invitarme a cenar a solas! —Le confesó que constantemente sollozaba y estaba deprimida—. El único motivo en que puedo pensar es Washington. Sales a cenar cinco noches por semana y siempre encuentras a Arthur Schlesinger. Después de nueve meses de ver a Arthur Schlesinger cinco noches por semana, descubres que no lo conoces mejor que al principio.

Don Blum no consideraba a su esposa como una nulidad ni la veía sólo en la única dimensión que se ajustaba cómodamente a su propio sueño. A través del síntoma del llanto vio a Priscilla, la persona que lloraba por expresarse como persona individual y que jamás lo lograría en los rituales de las cenas de Washington.

—Te aconsejo que acabes con las invitaciones —respondió—. Al demonio con todo eso. Tampoco cierres la boca: puedes decir todo lo que desees. ¿Por qué no intentas reanudar el arte?

444

Priscila tardó aún dos años más en creer lo que su marido le había dicho. En primer lugar reorganizó su estructura de vida volviendo a la escuela de arte y tratando de organizar sus relaciones sociales en ese entorno.

—Pero transcurrieron dos años hasta que me convencí de que Don no necesitaba que le ayudara para ver a los poderosos y que yo podía tomarme en serio la pintura. Reanudar esa actividad exige mucho tiempo y una enorme confianza. Uno de mis profesores consideró que mi obra era fantástica. Eso me ayudó. ¿Quién más fue importante en ese período...? ¡Oh, Jesús, Don estuvo a punto de morir!

Priscilla tenía treinta y siete años cuando Don sufrió un ataque cardíaco. Éste pasó tres semanas en el hospital, leyendo las tragedias de Shakespeare. Cuando regresó al hogar, anunció:

—No voy a vivir como un vegetal. No puedo cambiar mis hábitos aunque eso me haga sufrir otro ataque —sólo tenía cuarenta y un años.

—En aquel momento yo sólo pensaba en la muerte —recuerda Priscilla.

Se inquietó por la actividad de su marido mientras él, aunque limitado por los tranquilizantes, volvió a zambullirse en el trabajo, pero puso fin a todo compromiso social. Lo curioso es que después de unos meses ambos empezaron a disfrutar de esta espléndida reclusión. Priscilla empezó a vislumbrar mejores medios para calmar las angustias que aquejaban a Don y aplacar sus iras. No dejaban transcurrir las noches con sencillos «¿Qué es lo que anda mal?» y «Nada».

—Reanalizábamos todo constantemente —dice Priscilla—. Después se produjo el asesinato de Kennedy. Me volví realmente enfermiza con el tema de la muerte. Ambos dejamos de fumar. No subí a un avión durante dos años, hasta el punto de que llevaba en tren a los chicos cuando íbamos a Florida para pasar las vacaciones de primavera: ¡veintisiete inacabables horas de viaje! Pero me sentía muy vulnerable. También tenía la sensación de que sería castigada por algo insondable. Pero cuanto más me dedicaba a la pintura, menos pensaba en la muerte.

El cambio de actividad a menudo precede y estimula un cambio en la percepción general. Durante los dos años siguientes, Priscilla se vio absorbida por el desarrollo de un don que avivaba todos sus sentimientos. Tenía una disciplina, un nuevo grupo de amigos y un sueño que no se confundía con el de Don. Podemos decir que la perspectiva de Priscilla cambió fundamentalmente cuando empezó a volver de la Universidad a su casa manchada de pintura y agotada, no menos felizmente agotada que una mujer que acaba de hacer el amor.

Lo mismo le ocurrió a Don. A semejanza de muchos hombres que estimulan a sus esposas a enfrascarse en alguna actividad, se sintió desconcertado cuando ella realmente lo hizo.

—Al principio prácticamente ni se dio cuenta —relata Priscilla—. Estaba demasiado absorbido por sus propios problemas. Quería que yo fuera dichosa. Volví a la Universidad, dejé de llorar y él me dijo: «Eso es fantástico». A medida que la pintura comenzó a absorberme más intensamente, empezó a sentirse fastidiado, según fuera su estado de ánimo. «¡Si alguna vez asomaras la cabeza fuera del estudio podríamos reparar el lavavajillas!» Pero ahora, cuando vendo un cuadro o tengo éxito en una exposición, se contonea como un pavo real. No entiende lo que hago pero sabe apreciar las alabanzas de la gente que entiende.

Priscilla cumplió cuarenta años como si éstos no fueran más que un breve chaparrón estival: ya había superado el frente de tormenta. El cambio interior siguió su ritmo y adquirió forma alrededor de la casa de campo que compraron. Con el tiempo, ésta se convirtió en el mundo de Priscilla, en su creación.

—Allí doy rienda suelta a mi naturaleza solitaria —afirma.

Durante seis semanas seguidas se recluye en el campo para trabajar en su exposición anual mientras Don, que no ha dejado de ser un periodista ambulante, viaja por el mundo.

Todavía algunas relaciones de Washington telefonean a Priscilla y le preguntan: «¿Te sientes bien, Pris, sola en el campo?». En los últimos años y con creciente frustración, los murmuradores han estado esperando como chacales a que llegue el momento de consolarse con el cadáver de otro matrimonio fracasado. Pero el matrimonio Blum nunca ha estado en mejores términos. De tanto en tanto, cuando las llamadas telefónicas le producen a Priscilla un cosquilleo de culpa, acude a Don:

—¿Soy una mala esposa? ¿Tendría que postergar mi exposición y quedarme contigo en Washington?

—Estás loca —responde el marido—. Ya me conoces: tengo la nariz metida en el trabajo día y noche. Cuando tú estás preparando una exposición, estás *pensándola.* Mi gran antídoto consiste en descansar los fines de semana en el campo, contigo. No permitas que nadie te haga sentir insegura. Eso te hundiría.

Priscilla tiene ahora cuarenta y cinco años y se ha apartado de muchas cosas que le eran ajenas. Lo que perdura son sus profundos lazos con Don, unas pocas amistades amorosamente cultivadas, la quietud de su mundo campestre y su obra

—No se trata de un talento superior —puede decir hoy que es capaz de ser honrada consigo misma— pero no es eso lo que importa. Ofrezco a la gente la oportunidad de gozar con mi obra y estar comprometida con algo me vitaliza. Actualmente no podría vivir sin la seriedad de mi pintura.

Ya no entra a los salones esperando atraer a los hombres, aunque conserva intacta su belleza. Ahora tiene algo más firme bajo sus pies y está decidida a conservarlo.

—Deseo envejecer con todo mi vigor femenino intacto. Con serenidad, sí, aunque con algunos bordes afilados. Después de aceptar esto, tener cuarenta y cinco años significa muchas cosas hermosas, lo mismo que tener cincuenta y cincuenta y cinco. Ahora me planto frente al espejo y me digo: ¡Si has de pintar, no puedes desperdiciar tus energías luchando contra lo inevitable! Envejecerás, de modo que acepta ese hecho, domina el temor. Tampoco pienso competir para llamar la atención en un campo que me producirá dolor, con montones de mujeres más jóvenes que yo. Llamaré la atención porque soy alguien *por derecho propio*.

Este es el caso de una mujer señalada a los treinta y cinco años por un síntoma que no podía atreverse a interpretar. Estaba cambiando pero le temía al cambio, deseaba algo más de lo que le permitía su rol pero le atemorizaba este nuevo aspecto. Era algo insólito. No existía nada vergonzante en sus elecciones anteriores: era una dispensadora de cuidados que había arrinconado su sueño individual y siguió dichosamente los dictados de ese modelo. Después llegó, sencillamente, a otra coyuntura crítica. Todo lo que sabía era que el molde que había escogido y que le había resultado satisfactorio hasta ese momento ya no era adecuado. Lo que antes estaba lleno de excitación por sentirse necesaria en todo momento para contribuir al lanzamiento de la carrera de su marido, ahora que éste había llegado a la cima, empezó a vaciarse un tanto. Priscilla no era más que una invitada incidental en una ciudad administrativa.

Supongamos que su marido hubiera sido menos perceptivo, o más egoísta, o se hubiera alarmado, sencillamente, como nos ocurre a muchos en la mitad de la vida, cuando nuestros compañeros se vuelven imprevisibles. Él podría haber negado la crisis diciéndole que su actitud era infantil, que debía mantenerse ocupada y mantener su promesa de colaborar en su carrera. Eso habría reforzado los sentimientos de «maldad» en ella. De llorar habría pasado a beber, a ingerir píldoras, a divorciarse o a huir, desesperada. Pero el compañero de Priscilla le permitió vivir su crisis y sugirió un retorno a las actividades anteriores. Aún así, ella temía abandonar su antiguo rol. Tan fuertes eran los deseos de imposición de su custodio interno que sentía que sería «castigada por algo insondable».

Fue necesario que se produjera el ataque cardíaco del marido para forzar a ambos a un reajuste global. Dejando de lado las actividades dirigidas por otros y que entonces significaban una pérdida de tiempo, los dos se volvieron más selectivos en sus objetivos y más tolerantes con respecto a la individualidad del otro. Él es un hombre que lucha con los estímulos dispersos de los contactos mundiales y el compromiso. Ella es una mujer cuya posibilidad se ha vuelto más privada. Sus energías creativas se agotan cuando se expone demasiado hacia el exterior; ella desea estar sola. Gradualmente, durante el curso de la Década Tope, han llegado a ser, al mismo tiempo, más íntimos y más individuales. Si esto supone romper gradualmente los códigos de Washington o provoca habladurías, a ellos no les afecta. Han encontrado un camino singularmente adecuado a Priscilla y Don.

20
Los cruciales cuarenta

También los hombres sienten que el tiempo aprieta alrededor de los treinta y cinco, aunque esto rara vez les induce a detenerse a llevar a cabo un examen general como a menudo hacen las mujeres a la misma edad. La mayoría de los hombres responden aumentando la velocidad de su carrera. Ésta es «mi última oportunidad» de apartarme de la manada.

Cualquiera sea su campo de actividad... el ejecutivo de nivel intermedio no puede esperar a ocupar el asiento del conductor... el hombre de ideas, cansado de adaptarse a otros, puede empezar a reunir el capital para iniciar su propio negocio... el obrero calificado piensa en renunciar a su trabajo para comprarse su propio taxi... el abogado de una corporación que se ha sentido satisfecho cumpliendo alguna tarea de servicios públicos tangencialmente desea ganar peso específico en la arena política. Ya no es suficiente ser competente y prometedor; ahora el hombre desea ser reconocido y respetado como escritor con estilo propio, o como científico con su propia especialidad académica, cuyos escritos se publican. Cualesquiera sean las privaciones que sufren en su vida personal y sin tener en cuenta a las legiones que tienen l¹ misma idea, muchos ejecutivos se lanzan, durante los cinco años siguientes, a una carrera para «llegar a ser presidente».

La aceleración de la carrera, que para muchos hombres precede a cualquier examen interno, también sirve para demorarlo. Cuando los auténticos problemas que les impulsan hacia adelante empiezan a insistir en ser reconocidos, el choque puede ser más brutal. Entonces no se produce un examen sino algo crucial.

Jung fue el primero en sostener la tesis de que entre los treinta y cinco y los cuarenta años «se encuentra en preparación una importante modificación de la psique humana. Al principio no se trata de un cambio consciente y asombroso. Se trata más bien de una serie de señales indirectas...». Pero Jung acertó al señalar que el cambio de perspectiva generalmente empieza antes en las mujeres, en tanto los hombres experimentan un aumento en la frecuencia de depresión alrededor de los cuarenta años. ¹

En nuestra sociedad, el hecho de que un hombre cumpla cuarenta años es un acontecimiento demarcador por sí mismo. De acuerdo con la costumbre y al igual que si fuera una mercadería que se encuentra en un estante, será observado por sus empleadores y su precio se elevará o descenderá, sus aseguradores lo pasarán a otra categoría, sus competidores lo etiquetarán. Tal como está estructurada la pirámide profesional, la mayoría de los hombres tendrá que adaptar sus sueños, hasta cierto punto, en un sentido descendente. Esto no significa que deban autoflagelarse por ser personas de segunda categoría. De hecho, esto puede salvarlos de ver incumplidas sus esperanzas mucho después, al impulsarles hacia la renovación mediante una segunda carrera u otra forma de trabajo dentro de la misma profesión, pero con mayor significado.

Lo sorprendente consiste en que el joven prodigio y el trabajador esforzado que *sí* están a punto de cumplir sus sueños, a menudo sufren una transición más dura que los que se encuentran lejos de su cumplimiento. Estos triunfadores reconocidos tienen el problema

451

de seguir su propio acto, un acto que rara vez produce la plenitud que esperaban. Si quieren evitar el estancamiento, deben plantearse nuevas metas y escuchar a otras voces de su propio interior que hasta ese momento han desoído.

Algo sorprendente en torno a este impulso de mitad de la vida consiste en las diferentes direcciones que toma en hombres y mujeres. La mayor parte de éstas se detienen a reconsiderar los aspectos tanto internos como externos de sus vidas y luego intentan reequilibrar cualquier distorsión que sientan entre la satisfacción personal y las aspiraciones mundanas. ¿Por qué razón el mismo cambio repentino en la perspectiva del tiempo insta a menudo a los hombres a correr a mayor velocidad por una senda aún más estrecha?

En especial la vida de empresa estimula al hombre a menospreciar todos los demás aspectos de su personalidad para ajustarse al estrecho rol de hombre inmerso en una organización. Si ha aprendido bien la lección del conformismo, creerá que el desempeño en su trabajo es el único criterio para calibrar su valía.

El ejecutivo de nivel intermedio

Ed Dilworth —de quien no puede decirse que sea un hombre de empuje— es director de fabricación de una planta de piezas de la General Motors. Procede de la clase media baja, de una comunidad agrícola del Medio Oeste. Si no hubiera sido por la influencia de un oficial de su submarino, que le instó a que «ascendiera un peldaño», no habría hecho el esfuerzo de asistir a la Universidad. Después de tres años de servicio en la General Motors, sigue trabajando siete días semanales como responsable nocturno del tercer turno y piensa: «¿Para *esto* fui a la Universidad?». Afirma que fue un ascenso a responsable de control de calidad lo que realmente dio comienzo a su carrera. Tenía entonces treinta años. Desde entonces sus ascensos han sido regulares, aunque no notables. Con primas como incentivo, se ha contentado con ocuparse del cuidado y la alimentación de una prensa de freno hidráulico del tamaño del monstruo del Lago Ness.

En la actualidad Dilworth tiene treinta y seis años y su deseo es llegar a ser presidente de la General Motors.

—La edad está empezando a ser un factor importante —me dijo—. En este momento juega a mi favor pero si se observa a la gente que se dirige a la cumbre, es necesario avanzar a toda velocidad, porque de lo contrario uno corre peligro de morir antes de haberla alcanzado.

Pregunté a este hombre poco pretencioso, cuyo estilo personal se inclina por las camisas negras y las corbatas blancas, si en un rincón de su mente siempre había tenido la idea de «ser candidato a presidente».

—No, decididamente no.

—¿Y ahora?

—Sí, ahora deseo ser el Número Uno. Presidente general o presidente de la junta. No es por el dinero sino porque ellos quieren tratar de montar el espectáculo. Yo considero que hay etapas; me imagino que si uno quiere llegar a dar lo máximo de sí; debe intentar llegar a la cima. Cuando la gente obtiene todo el dinero que desea, se convierte en filántropa. El que hace todo por el bien de la humanidad es porque ya ha conseguido sus millones.

Al igual que muchos hombres en esta etapa, Dilworth se encuentra en competencia con su mentor y se molesta cuando su esposa le dice que cuelgue el abrigo o cuando le parece que le tratan como a un niño. Durante la cena mantiene el teléfono a su lado. Los problemas que tiene en la planta con el absentismo o el alcoholismo no se olvidan fácilmente con un par de tragos. No le interesa hablar de ellos con su esposa como hacía antes. Aunque Dilworth aún considera que su mujer tiene una «personalidad fantástica», su idea del rol de ésta ha cambiado.

—Para decirlo fríamente, estaba claro que antes de la llegada de los hijos ella proveería los medios de vida mientras yo trataba de adquirir una educación. Pensábamos en tener una hermosa familia y un hermoso hogar.

Hoy confía absolutamente en su esposa para la administración del dinero y la educación de los hijos, pero le asaltan algunas dudas de que la carencia de una educación universitaria en ella pueda obstaculizar el avance de él en la escala profesional. Ahora se divierten más y tienen mayor libertad económica pero al mismo tiempo, las metas aceleradas de la carrera de Dilworth se están transformando en un freno autoimpuesto de esta libertad.

—No soy el mejor de los padres y eso me inquieta un tanto, pero intento llegar a serlo. Por ejemplo, este año consideré la idea de unas vacaciones de cuatro semanas. Pero sólo me tomé una semana porque me siento limitado en cuanto al tiempo que puedo permanecer alejado de la planta. Probablemente esto no es verdad pero yo lo siento así.

El cambio en la perspectiva del tiempo aún se limita totalmente a aspectos externos. Al igual que muchos otros que intentan resolver la sensación de que ahora les corre prisa, Dilworth ha marcado un plazo estricto a sus metas. Lo que resulta diferente en este ejecutivo de nivel intermedio es que tiene previstas dos alternativas.

—El próximo paso es llegar al nivel de gerente general. Esto debe ocurrir en el plazo de seis años si es que he de llegar a la cumbre. Si no he llegado a él cuando cumpla cuarenta y cuatro (se concede dos años adicionales), en lugar de pelear con mi familia o de abandonar la lucha por la vida, trabajaré por mi cuenta. Siempre he pensado que la agricultura resulta gratificadora. De allí provengo. Esta sería una elección secundaria, pero mejor que permitir que la General Motors haga de mí un anciano. Si llegado el momento no me creo capaz de alcanzar la meta, no deseo pasar de gerente general, porque después de este cargo es necesario superar aproximadamente cuatro niveles de vicepresidente y uno pierde notoriedad en el proceso —reflexiona Dilworth—. Un ejemplo de ello es John DeLorean. Cuando era gerente general de Chevrolet siempre aparecía su fotografía en los periódicos. Ascendió a vicepresidente ejecutivo de todas las secciones de montaje y empezó a dejar de ser un centro de atención. Esos puestos no son rutilantes. Se gana mucho dinero pero se pierde el poder que uno tenía en el escalón anterior. Creo que si entrevistara a DeLorean podría obtener una buena historia.

El joven prodigio de la gran empresa

John DeLorean es uno de los misterios legendarios de la industria automovilística.* En los primeros años, ofrecía exactamente el perfil que desea la General Motors para sus ejecutivos. Tenía los mismos antecedentes de clase media baja que la mayoría de aquéllos, había asistido a las mismas facultades técnicas de escasa notoriedad y jamás se había acercado a la Escuela Empresarial de Harvard, donde se desarrollan mentes inclinadas a volverse peligrosamente receptivas al cambio. Poseía un traje.

Incluso a los treinta y dos, cuando el hombre que se convertiría en su mentor le hizo jefe de investigación y desarrollo de la división Pontiac, DeLorean seguía siendo «el tipo más cuadrado del mundo», casado con una secretaria y engordando demasiado deprisa como para caber dentro de su traje, todo lo cual garantiza a la General Motors que puede confiar en este hombre técnicamente preparado, de miras estrechas, que se concentrará en la posibilidad de perfeccionar un parachoques empleando menos acero e incrementando el margen de beneficios para la empresa. Además, se le puede dar lustre con un curso de Dale Carnegie y una visita a una buena sastrería.

Si el joven entusiasta se desenvuelve con eficacia y se adapta personalmente, puede llegar a jefe de toda una sección a los cuarenta. Antes de llegar a los cincuenta, puede incluso estar ganando

* John DeLorean, una figura pública, me autorizó a utilizar su nombre real.

tres cuartos de millón de dólares anuales y en el camino hacia la presidencia.

John De Lorean cumplió todo esto. Si hubiera continuado ajustándose al perfil habría sido un posible presidente de la fábrica más grande del mundo. Pero DeLorean tenía fuertes sentimientos religiosos. ¿Qué desajustes esperan a un hombre semejante? Las grandes empresas no quieren gente con una «visión amplia», gente que habla (incluso antes del embargo del petróleo árabe) acerca de ofrecer al público coches más pequeños porque eso es lo que el público desea. La industria automovilística desea que el público acepte lo que fabrica. John DeLorean renunció a la General Motors a los cuarenta y ocho años.

—Le contaré lo que realmente ocurrió —me dijo en el curso de nuestra primera entrevista—. Cuando ingresé en la industria automovilística ni siquiera sabía el nombre del presidente de la General Motors. Yo tenía mi proyecto mecánico o como demonios se llame y estaba absolutamente absorbido por él. A medida que ascendía, empecé a reconocer lentamente el gigantesco impacto de la industria automovilística en Estados Unidos... ¡increíble!

Deseando convertirse en gigante él mismo pero desconocedor de cómo comportarse como un jefe, DeLorean fue a dar con Bunkie Knudsen. Éste era un hombre inusitadamente elegante para un gerente general de la General Motors y significó una revelación para DeLorean.

—Mi padre había sido obrero de fábrica —prosigue DeLorean—. Carecía de intereses y era alcohólico. Ninguna persona tuvo tanta influencia en mi vida como Bunkie Knudsen. Mi relación con él fue como la exposición de un chico de un ghetto a las cosas más hermosas de la vida.

A los treinta y cinco, observándose directamente en el espejo de su sueño, DeLorean se vio asaltado por la primera reflexión oscura. Fue con ocasión de un viaje a Palm Spring para mantener una conferencia de vendedores. Allí conoció a un hombre al que idealizó como «casi un dios»: Harlow Curtice, el presidente retirado de la General Motors. Al día siguiente DeLorean apareció en el club de golf para descubrir más sobre su ídolo.

—Es el ser más solitario que jamás haya existido —le dijeron—. Viene a mi tienda de artículos de golf un par de horas diarias y habla conmigo y con mi ayudante acerca de la industria automovilística. Nosotros no entendemos nada de eso pero le escuchamos. ¡Parece tener tanta necesidad de hablar!

El choque de esta premonición planteó dolorosas cuestiones: DeLorean se preguntó a sí mismo: «¿Qué ocurre?», «¿Por qué estás haciendo todo esto?» «Tú eres como una de esas máquinas. De pronto te volverás obsoleto y gastado: te dejarán de lado. ¿Tiene sentido eso?».

Pero en lugar de estancarse ante esta dolorosa perspectiva, DeLorean se liberó de ella convirtiéndose, a los cuarenta años, en el gerente general más joven de la historia de Pontiac.

A medida que se hacía más intensa la crisis de la mitad de la vida, DeLorean fue poniéndose más frenético en cuanto a introducir mayor número de cambios externos. Aumentó la presión sobre los vendedores y elevó las ventas, levantó pesos de mayor magnitud, corrió más carreras de motocicletas, se separó de una esposa de su misma edad, se hizo estirar la piel, se tiñó el pelo, comenzó a frecuentar las salas de fiesta con nacientes estrellas de cine, transformó la defectuosa división Chevrolet en un virtuosismo y tomó una esposa más joven que la mayoría de las hijas de los funcionarios de la General Motors. Remodelado así todo el conjunto, adoptó un niño, su primer hijo. Siguió corriendo, deteniéndose sólo algunos instantes al amanecer para ver al chico antes de salir a cumplir su diaria maratón de trabajo. En breve, aislada y evitada por las esposas de más edad de Detroit, su hermosa novia-niña volvió a su hogar de California.

DeLorean cumplió cuarenta y seis años antes de permitir que aquellos problemas subjetivos volvieran a irrumpir en la superficie. Se encontraba en la Exposición Automovilística de Detroit.

—Me sentí golpeado. Allí estaba yo, derrochando mi vida en

inclinar los parachoques de manera un poco distinta para tratar de convencer al público de que se le ofrecía un producto nuevo y diferente. ¡Qué exceso! Pensé que todo era ridículo y que en la vida tenía que haber algo más que eso. Me pregunté si estaría haciendo lo que Dios quería que hiciera en la tierra.

Aun entonces, estaba proyectando el descontento de sus propios cambios físicos superficiales en los cambios igualmente superficiales en los estilos de chasis que le hicieron sentir que su trabajo en la industria automovilística era, en el fondo, un fraude.

Transcurrieron dos años más. La inquietud de DeLorean se vio intensificada por su ascenso a vicepresidente. Privado de su escaparate exhibidor como gerente de sección, donde tenía montado su propio espectáculo, se encontró en una cámara de descompresión, en un aislado grupo ejecutivo del décimo cuarto piso, unos pocos asientos detrás del panel de control. Si no podían verlo, ¿qué otra cosa podría afirmarle en su posición? ¿Más influencia para el bien social? La empresa había ignorado sus anteriores predicciones de la demanda de coches más pequeños. Ahora parecía que al menos estaba en condiciones de convencer a sus compañeros ejecutivos para que se adoptara un punto de vista más realista según las normas federales. Sus argumentos fueron derrotados. ¿Prestigio? El precio estaba de acuerdo con la visión gris y la estrecha vida social del círculo íntimo de la General Motors.

Tal vez lo más perturbador fue ver tan de cerca la presidencia. El hombre que en ese momento la ocupaba era el mismo tipo de dios efímero y de manos atadas que había vislumbrado a los treinta y cinco. Por fin llegó al convencimiento de que allí no encontraría la liberación.

Zambulléndose en la profundidad de su segunda adolescencia, inició una olimpíada sexual de relaciones con nuevas bellezas. En diciembre de 1972 conoció a la modelo de Max Factor, a la que doblaba en edad y en mayo del año siguiente la convirtió en su tercera esposa. Tres semanas más tarde, dejó plantada a la General Motors. En lo que podría parecer otra proyección de temores que anidaban en su propio interior, anunció: «La industria automovilística ha perdido su masculinidad».

Al explicar esta nueva reordenación de su vida, DeLorean dice:

—Siempre lo difícil es abandonar la estructura. La vida en una corporación es un manto de seguridad. Claro que podría haber seguido durante diecisiete años más a razón de 750.000 dólares anuales sin esforzarme demasiado, pero avanzar lentamente no es mi estilo. Yo vivo de la adrenalina. Además, quería hacer una contribución. La mayor parte de la gente espera para ello al momento del retiro y entonces descubre que ya no le queda empuje ni entusiasmo. Yo pensé que ya que iba a cambiar la dirección de mi vida, ése podría ser un buen momento para detenerme durante un año y hacer algunas de las cosas de las que siempre había hablado.

Con un ardor rayando en lo evangélico, DeLorean se lanzó a una gira gratuita de un año para la Alianza Nacional de Hombres de Negocios. Hizo de forma comprometida lo que sólo había sido posible como algo secundario en la General Motors, donde había sido el pionero de algunos de los primeros programas de contratos a ex convictos e indigentes.

—Realmente deseo dedicar el resto de mi vida a trabajar en actividades que son importantes para el país —me dijo DeLorean— pero percibiendo una retribución económica. No quiero decir que seré un asistente social. Deseo contribuir a la solución del problema energético. Ahora debo trabajar el doble que antes. Pero ninguna cantidad de dinero ni de éxito puede igualar ni remotamente lo que se siente cuando se hace algo por los demás.

Renunciar al sueño imposible

«Existen dos tragedias en la vida. Una de ellas es no cumplir los deseos. La otra cumplirlos.» [2] Aunque podemos calificarla de frase típica de George Bernard Shaw, quizás sea una verdad aplicable a todos. Por cerca que se encuentre una persona de haber cumplido su sueño, éste no satisfará todos sus deseos. La pérdida de magia que siente —que todos sentimos en mayor o menor grado en la mitad de la vida— es la pérdida de las esperanzas mágicas unidas al sueño cuando éste cobró forma originariamente. Al margen del conjunto de factores peculiares a la profesión y los antecedentes personales del hombre, percibí uno que parece prever en un sentido general si la crisis de la mitad de la vida de un hombre será leve o grave. Es ello en qué medida éste aún considera su sueño primordialmente como una solución a problemas personales o si ha convertido ese sueño en objetivos más realistas.

Aunque DeLorean es sincero cuando menciona su actual necesidad de hacer una contribución social, todo sigue cubierto por la cuestión que no se atreve a mencionar: su terror por la edad avanzada y la impotencia. Tuvo un padre que le hizo sentir impotente, que dejó a la familia tambaleándose económica y emocionalmente cuando él era muy joven. Cuando DeLorean vio el poder que detentaban los gigantes de la industria automovilística, su sueño adquirió forma. La base de ese sueño era la imagen de sí mismo como físicamente fuerte, mentalmente ágil, emocionalmente audaz, y en su forma de llegar a ser todopoderoso.

Hoy no es capaz de admitir un acceso de terror que desbarataría toda su mística masculina. Por ello lo que hace es anular todos los factores externos que puedan recordarle su edad: la gordura, la esposa de la misma edad, las arrugas, el pelo canoso. A la manera de un hechicero con una varita mágica, ha recreado el rostro, el cuerpo, la esposa y el niño que pertenece al heróico sueño del hombre de veinticinco años, porque en su reino privado todos los espejos reflejan la imagen de la juventud perpetua y la masculinidad idealizada.

Cualquiera sea el modelo de vida que ha seguido un hombre hasta este punto, no se encuentra inmune al deseo de revivir la magia de su sueño juvenil (aunque puede elaborar el deseo solamente en la fantasía y de ese modo encontrar una salida suficiente para no poner en peligro la estructura de vida que valora). Especialmente vulnerables son los luchadores y superrealizados a los que llamo jóvenes prodigio: hombres que, al igual que DeLorean se ven estimulados por la nebulosa aunque profundamente arraigada convicción de que cuando hayan alcanzado el éxito les espera la gratificación plena y la liberación total.

La fantasía de gratificación, analizada a partir de mis conversaciones con jóvenes prodigio, actúa del siguiente modo: Cuando sea presidente, o profesor titular, o haya creado el edificio, el libro, el automóvil, la película que capture la imaginación de nuestros tiempos, la gente me reconocerá, me admirará, me respetará. Me pasearán en hombros como al héroe de los partidos de los sábados y me será posible dar rienda suelta a todos los deseos que me he negado a mí mismo.

La fantasía de liberación actúa aproximadamente de la siguiente forma: Cuando sea poderoso, o rico, nadie podrá criticarme ni volver a darme órdenes o tratar de hacerme sentir culpable. Nunca tendré que volver a soportar que me traten como a un niño.

La gratificación que en realidad buscan deriva del deseo de la infancia de centrar el mundo en nosotros mismos y de satisfacer todas nuestras exigencias. La liberación que buscan es la libertad de la influencia, la censura y el amor provocador de culpa del custodio interno. Por encima de todo, existe la vaga promesa de que si uno se convierte en amo de su propio destino podrá vencer incluso a la muerte.

Supone una brutal decepción descubrir que no es así. El éxito, por importante que sea, no supone la omnipotencia. Siempre hay alguien que puede hacernos saltar. El presidente de la junta, los accionistas, el electorado, los anunciantes o alguien más íntimo en el hogar, quizá la hija adolescente que domina al padre poderoso con su desdén: «Eres una basura elitista de un sistema corrupto».

Asimismo, los colegas rara vez son abiertamente generosos con el éxito ajeno. Como señaló Karen Horney: «Hasta los triunfadores de la vida americana se sienten inseguros porque tienen conciencia de la mezcla de admiración y hostilidad de que son blanco». Aun cuando los colegas del triunfador no estén mejor calificados, muchos creerán que lo están y que es debido a la suerte o a la manipulación de relaciones o a tácticas repugnantes por lo que ha llegado a la cumbre. Esperan cualquier oportunidad para dejar al descubierto las debilidades del ganador. Más de un hombre que ha hecho un largo camino hacia el éxito se siente profundamente entristecido ante las críticas de los mismos colegas que esperaba que por fin le reconocerían y le respetarían.

Tampoco ocurre automáticamente que el tirano interno se acalle cuando alguien es aclamado o se vuelve poderoso. La tarea de individuación es interna. Todos debemos cumplirla a menos que decidamos seguir siendo niños viejos. Aun cuando finalmente reclamemos la autoridad anteriormente detentada por el custodio interno, no sólo nos vemos liberados sino también privados de algo. Hemos perdido al compañero interior que durante tantos años también nos hizo sentir cuidados y a salvo.

El placer de atender

Una vez que comprendemos esta inevitable disparidad entre el sueño y aquello que éste deja sin cumplir, ¿qué incentivo tenemos para seguir una evolución continua?

Erikson dice que procede del avance a través de la crisis hacia la *generatividad*. Generatividad significa sentir una obligación voluntaria de atender a otros en el más amplio sentido de la palabra. Tener hijos no asegura la generatividad pero no tenerlos no la impide necesariamente. La definición de Erikson también incluye el llegar a ser más productivo y creativo. Los adultos que pierdan el enriquecimiento de la generatividad, advierte, caerán en un prolongado estancamiento . Muy posiblemente empezarán a consentirse a sí mismos como si fueran su propio hijo único.

Muchos hombres en los cuarenta experimentan un importante cambio del énfasis de volcar todas sus energías en su propio progreso. Empiezan a encontrar placer en engañar a otros o en reparar injusticias sociales. Algunos, como DeLorean, emperimentan un giro dramático por metas puramente materialistas. Otros se vuelven consejeros o consultores. Un agente de bolsa al que conozco aún se ocupa en ganar dinero pero dedica su tiempo libre a contribuir al rescate de refugiados judíos de todo el mundo. Hombres más serenos que siempre han considerado su trabajo en términos del cumplimiento de su obligación y de su responsabilidad, pueden ocupar un puesto de trabajo en el Gobierno o en la comunidad en una tarea necesaria y que nadie desea llevar a cabo. Otros quizás no experimentarán ninguna modificación en su puesto de trabajo ni reconocerán el cambio, pero aunque permanezcan en el mundo empresarial, gradualmente irán comprometiendo más tiempo en el adiestramiento de los más jóvenes o en el mejoramiento de la calidad del producto o de los servicios para el bien público.

Los problemas de la generatividad

Por cada magnate que se transforma en un filántropo y cada ejecutivo que pasa a desempeñar el rol de mentor, hay docenas de administrativos de nivel medio que creen que no son buenos a menos que puedan seguir obteniendo su porcentaje en el mercado. Después de medir su valía durante tanto tiempo según las pérdidas y las ganancias, han internalizado todos los valores del sistema empresarial. Y muy pocas grandes empresas americanas han sido acusadas de dedicarse a la producción de generatividad. El administrativo de mediana edad que desea retirar el agente cancerígeno del fertilizante o introducir un producto nuevo y auténticamente útil que no ofrece la misma rentabilidad recibirá la siguiente respuesta: «¡Díle eso a los accionistas!».

Detrás de sus defensas protectoras y de sus rebeliones fracasadas, la mayoría de los administrativos de nivel medio saben que no cuentan demasiado. Cuando lleguen a los cuarenta también conocerán sus propios límites. No es un placer enseñar a los más jóvenes: éstos significan una amenaza. Junto a este conflicto de generatividad se presenta el temor de correr más riesgos y la detestada falta de heroísmo que todos los días deja nuevas pruebas de ese temor.

Una noche estuve sentada en un banquete entre dos hombres barbados, ambos de cuarenta años, que se contaban entre los cuatrocientos administrativos de nivel medio de una empresa de cosméticos de California. El de barba gris mencionó al de barba negra que hacía poco tiempo se había encontrado con un ex condiscípulo común en la Universidad.

—Era el campeón de lanzamiento desde un trampolín de gran algura, ¿recuerdas?

—Bueno, no era *el* campeón —corrigió el de barba negra—. Cuando lo enviaron a las Olimpíadas sólo fue el suplente.

Imperturbable, el de barba cana continuó relatando que ahora el antiguo condiscípulo vuela por todo el país y hace apariciones en inauguraciones de centros comerciales. Se lanza desde el tejado sobre una red. Se ha convertido en una botella de champán humana. En dos oportunidades cayó fuera de la red y sufrió heridas graves, por lo que tuvo que pasar varios meses en el hospital. Inmediatamente después de ser dado de alta vuelve a realizar los ejercicios.

—¿Te imaginas lo que es viajar en avión a Des Moines sabiendo que puedes morir en el aparcamiento de un centro comercial? —inquirió el primero.

El hombre de barba negra respondió:

—Quizá preferiría decirle a mis hijos que lo que hago es lanzarme desde los tejados de los edificios y no lo que realmente hago, que es dar vuelta en círculos hablando tonterías y tratando de aferrarme a un trabajo que detesto.

Aquel que se encuentra en este estado, sintiéndose inservible, a menudo llora por dentro; se ve acosado por las úlceras y perseguido por la gordura. Se sienta en los restaurantes a comer y engullir, diciéndose a sí mismo que no debería hacerlo, «pero sólo por esta vez», y así va suicidándose lentamente. Cualquiera que le estimule a reconsiderar sus prioridades —la esposa, un amigo, un consultor de empresas— se convierte en su enemigo. Puede intentar toda forma de autoengaño. Entregarse a la bebida o a la hipocondría, calificar a su esposa de monstruo, abandonar a su familia, es decir casi cualquier cosa con tal de evitar examinar su maraña interior. Porque si examinara la décima parte de lo que le hace ser desdichado, sabría demasiado como para ignorar los nueve décimas partes restantes. Eso supondría modificar tantas circunstancias de su rutinaria estructura de vida, que prefiere no ver nada.

La respuesta ideal sería que aligerara su carga de coches, hipotecas y sesenta horas de trabajo semanales como ejecutivo, para así liberar su espíritu y dedicarlo a otros esfuerzos que podrían ser satisfactorios en un sentido más profundo, actividades o relaciones íntimas para las que no tuvo tiempo cuando estaba dedicado a «triunfar». No es posible saber dónde puede encontrar un hombre una revitalización de objetivos. Conozco a varios que ingresaron en el departamento de bomberos como voluntarios de su distrito y se sintieron muy bien trabajando como guardianes de su comunidad. Otros asisten a clases de cocina, estudian poesía gaélica, o pasan un fin de semana completo volviendo a conocer a sus esposas en la habitación de un hotel. Entre otras cosas hermosas que pueden aparecer durante un prolongado fin de semana de amor y conversación se encuentra la decisión de iniciar alguna empresa conjunta que habían dejado de lado.

El valor de un cambio de profesión

Pero para muchos ejecutivos en este tipo de ajuste existen muchas cuestiones que implican fracaso y absolescencia. Pueden desear salir de la senda emprendida, pero a menudo descubren que para ellos es más difícil que para un obrero calificado pasar a un puesto menos prestigioso.

Comprobé esta observación con un consultor de empresas educado en Harvard, James Kelly, que trabaja activamente con funcionarios ejecutivos de grandes empresas. Coincidió conmigo.

—Un ejemplo claro —me explicó a partir de sus múltiples experiencias— es el del hombre que ha estado en una gran empresa durante veinte años y ha alcanzado altos niveles de posición e ingresos, pero no lo bastante altos como para encontrarse en el último peldaño del poder y el prestigio. En la empresa está por encima de sí mismo. Gana demasiado dinero para su propio bien. La corporación no obtiene a cambio el valor de su dinero. Él lo sabe y ellos también. Pero consideraría degradante aceptar una cantidad inferior.

El consultor tiene dos formas de tratar a los ejecutivos intermedios en esta especie de crisis profesional de mitad de la vida. Puede tratar de convencer al ejecutivo de que el papel que desempeña es adecuado para él, que su desempeño es bueno y que pensar en llegar a presidente de la empresa no es una aspiración sensata en su caso. A otros puede decirles: «¡Renuncia! Tienes mucho dinero y mucho tiempo. Haz otra cosa». Cuánto tiempo le llevará al ejecutivo realizar semejante cambio, es otra cuestión.

—Eso requiere fácilmente un par de años —dice Kelly—. Sienten el temor de detenerse y fracasar. Estos hombres son fanáticos del trabajo. Tienen algo que conocen muy bien y en lo que han trabajado. Detenerse y pasar a otra cosa es muy duro.

El sencillo hecho de que la gente viva más y en mejores condiciones físicas que en otros tiempos casi predestina a una única carrera de cuarenta años al estancamiento. Sumando a ello se encuentra el acelerado ritmo del cambio tecnológico que produce la obsolescencia de prácticamente cualquier conjunto de habilidades. Nos estamos acostumbrando a la idea de matrimonios en serie. Sería un progreso que llegáramos a pensar en carreras en serie, no como significativas del fracaso sino como una forma realista de prolongar la vitalidad.

Muchos ejecutivos están empezando a pensar de este modo. La Asociación de Ejecutivos Americanos descubrió, en 1973, que el 70 % de los ejecutivos intermedios entrevistados abrigaban la esperanza de encontrar la forma de protagonizar un cambio profesional en un futuro previsible. Lo que les motiva no es la insatisfacción con su ocupación original. Más bien, «buscan activamente nuevos intereses que previamente no habían considerado como posibilidades profesionales». [3]

El hombre que ya se ha obligado a sí mismo a mantener a una esposa e hijos no puede pensar en un reajuste tan dichoso en la mitad de la vida. ¿O sí?

El giro

Después de treinta años de concienzudo servicio en una gran empresa petrolífera, el señor Gifford solicitó el traslado a Maine y sus empleadores accedieron, informándole que se ocuparía de las operaciones en aquel lugar. La siguiente paga que recibió ascendía exactamente a la mitad del salario que ganaba en Boston, sin que se lo hubieran advertido previamente.

Su hijo, el joven Gif, al observar lo ocurrido, abandonó la Facultad y entró a trabajar en una pequeña compañía teatral local. Llevó una vida de transeúnte, sin compromisos auténticamente sólidos (ignoraba por qué se había casado con su esposa, por ejemplo), pero agradable, durante siete años. Entonces empezó a sentir que se encontraba en un callejón sin salida, excesivamente cómodo; este hecho coincidió con el divorcio. Después Gif descubrió que se había convencido a sí mismo de que debía ser el hombre de relaciones públicas de un senador. Tenía veintinueve años.

En el mejor estado de ánimo, se trasladó a Washington. Poco después, persuadió a una mujer a la que siempre había deseado vivamente, de que abandonara su libre deambular por Europa, su vida profesional de soltera y se casara con él. Enseguida tuvieron un hijo.

—¡Qué sensación de poder! Un muchacho de Maine que de pronto se encuentra en la capital de la nación y empieza a tutearse con los más importantes periodistas. Ellos te cortejan y tú les cortejas a ellos. También se experimenta la creciente sensación de tener *influencia*. si lees el periódico y te parece que algo se puede corregir, ¡puedes decírselo directamente a un senador! Me pagaban bien. Siempre podíamos permitirnos el lujo de cenar fuera de casa. Todo el escenario era seguro y confortable.

Arraigo y Expansión en la vida personal e influencia profesional: los primeros años de la década de los treinta fueron agradables para Gif en todos los sentidos.

El ritmo cambió cuando el senador para el que Gif trabajaba decidió presentar su candidatura a presidente. Los hombres que le rodeaban empezaron a elevarse en la creciente ola de atención. Siguiendo alguna ley natural de Washington —donde tanta gente se identifica con los hombres de poder efímero—, la importancia que sentían los miembros del personal del senador volvió codiciosos a algunos y viciosos a otros.

—Yo volvía a casa por las noches y tomaba tres tragos de los fuertes. Ya no jugaba con los niños: apenas podía hablar. Después de otra copa me sentía un poco menos fatigado y le relataba a Annie cómo había pasado el día. Ella es básicamente optimista. Yo tenía la creciente sensación de ser un cautivo. El senador era capaz de llamarme a las tres de la madrugada. Después los viajes empezaron a molestarnos. No me gusta pasar las noches fuera de casa, siento una fuerte inclinación por el hogar y la familia. Por encima de todo, me fastidiaba no ser dueño de mi persona.

Esta última es prácticamente una consigna de los hombres que se encuentran a mediados de los treinta. Ansiosos por ocuparse de sus propios asuntos, impacientes por cortar los lazos restrictivos para que pueda apreciarse su propia valía, muchos de ellos empiezan a escalar rápidamente esa montaña.

La reacción de Gifford fue diferente. Se detuvo a los treinta y cinco y analizó el terreno que tenía detrás y delante de sí.

—La perspectiva de trabajar para un presidente es muy abrumadora, pero si eso no ocurría, ¿qué demonios haría yo? Estaba en los treinta y cinco y no tenía una profesión real, ninguna independencia. Podría haber vuelto a la administración teatral pero... ¿dónde? No me veía empezando todo de nuevo. En ese caso, ¿cuáles son las opciones? Se me ocurrió que lo que debía hacer era retornar a la realidad. Para mí, la realidad era Maine. En cuanto le comuniqué al senador que me marchaba, no pude esperar que llegara el momento de hacerlo.

Gif tenía tantas obligaciones familiares como el hombre término medio, quizás más: cinco hijos de sus dos matrimonios. Empero, su instinto le dijo: «Vuelve a Maine antes de que sea demasiado tarde». Eso fue lo que hizo. Durante los dos años siguientes se movió sin descanso. Trabajó para el gobernador de Maine mientras buscaba algún tipo de compromiso que se adaptara a su sensibilidad, siguió un curso de agente inmobiliario y abrió su propia empresa de este ramo.

Al borde de los cuarenta, Gif es un hombre independiente. El negocio de la vivienda es terrible, pero él lo supera con admirable ímpetu. Si él y Annie deben vivir durante un tiempo de sus ahorros, también les parece bueno. Con frecuencia se toman libre la temporada invernal y salen a esquiar.

Pero el resultado de la reconsideración que hizo Gif a principios de la mitad de la vida, se extiende aún más. A diferencia de muchos hombres que sienten los primeros cosquilleos de su lado nutridor, expresivo y femenino alrededor de los cuarenta, Gif no siente ningún pánico en reconocer este aspecto. Al contrario, le da rienda suelta.

—Le dije a Annie que si en algún momento desea volver a trabajar y puede ganar lo suficiente, yo me quedaré en casa y me ocuparé del cuidado de los niños. Lo digo en serio. Adoro a los chicos. Y si he de decir la verdad, en este momento de mi vida me encantaría pintar casas y construir cabañas.

Tener una crisis en la mitad de la vida cuesta dinero. Y cuesta aún más en seguridad. Si un hombre insiste en mantener —o acepta sin vacilaciones— el principio que dice que toda la carga económica debe caer sobre sus hombros (y muchos piensan así), debe entonces enfrentar el hecho de que no hay luz al otro lado del túnel. Está encerrado para siempre. Empleará su último aliento en decir: «El seguro está pagado, querida», porque se hará cargo de su esposa incluso después de muerto.

Si la pareja promedio ha de encontrar renovación al alcanzar la mitad de la vida, es necesario renegociar la anterior división de roles entre marido ganador de dinero y esposa dispensadora de cuidados. Naturalmente, resulta mucho más fácil decirlo que hacerlo. En un sentido realista, el hecho de que una esposa posea o no capacidades con valor de mercado depende del modelo al que se haya ajustado hasta ese momento. Subjetivamente, las cuestiones son: ¿Desea o se atreve a explotarlas? ¿Está él dispuesto a que una esposa pase a una órbita independiente o tiene miedo a su competencia? Ella debe afrontar el problema de la timidez femenina. Él debe superar el complejo masculino de Atlas.

21
La curva de los cuarenta y la pareja

Un grito trata de abrirse paso hasta sus labios. Esta no es una de esas noches en que el hombre público fuma su pipa mientras descansa brevemente de su trabajo y recobra vida en el luminoso círculo del orgullo familiar y el amor. Cuando los leños de la chimenea se apaguen y los perros hayan dado su paseo, no encontrará el alivio de las caderas de una experta esposa que alivie sus tensiones. Está tendido en el suelo del estudio de un amigo, porque para el político ya no existe un lecho hogareño al cual volver. Su esposa le ha abandonado.

—Me he dado cuenta de que en veinte años no he derramado una sola lágrima —dice Kilpatrick—. En el cuerpo de Infantería de Marina lo importante era no mostrar temor, no permitir que las emociones asomaran a la superficie. Ahora soy incapaz de ver una película sentimental sin enrojecer y ponerme lloroso.

Contrae diez, quince veces los músculos estomacales con violencia —como si sólo mediante la repetición del antiguo ejercicio de soldado pudiera dominarse—, veinte veces, se interrumpe. Parece estar ascendiendo a solas, absolutamente solo, hacia las regiones de la oscuridad original.

—Jamás he sentido una pena de tales proporciones —susurra—. ¿Cuánto tiempo me llevará superarla? Un psiquiatra me dijo que probablemente dos años. Creo que adoraba a mi esposa. Ella era el factor decisivo en todos mis éxitos. No sé qué hacer sin ella. Supongo que es una actitud egoísta pensar en mi propia capacidad y no en sus necesidades. Ahora ella trabaja en una inmobiliaria y me parece que es absolutamente feliz Está satisfecha al comprobar su habilidad para algo que nunca se había creído capaz de hacer. Yo me siento derrotado por su desempeño.

Las últimas ilusiones que le encadenaban a su antiguo sueño parecen estar cediendo. Secos sollozos brotan desde las profundidades de su ser... transcurre un rato hasta que vuelve a hablar.

—Creo que el hombre se prepara para tomar grandes decisiones en cuestiones relacionadas con el mundo. Pero al volverse lo bastante duro como para sobrevivir en la competencia política, uno también se convierte en un imbécil consumado. Todo lo que sé, un año más tarde, es que abandonaría esta falsedad mañana mismo y me pondría a trabajar en esta *cuestión humana* si pudiera recuperarla. A medida que uno envejece, la familia, los amigos y los hijos se convierten en lo más importante.

Yo misma siento un nudo en la garganta por compasión a este hombre, por su necesidad de confesarse dolorosamente. He oído confesiones similares de hombres de su misma edad, no importa cuál fuera el campo de su actividad profesional. ¿Qué señales no percibió? ¿Qué cambio no protagonizó?

Reunamos la creciente resolución de la esposa de mediana edad y los extraños estremecimientos de vulnerabilidad emocional del marido en la mitad de la vida, y veamos qué obtenemos: una historia de misterio en el punto más alto del suspense. Una persecución de mayor excitación en las partes de nuestra personalidad que hemos dejado de lado. Y una crisis de la pareja prácticamente previsible.

Muchas de aquéllas partes de la personalidad estarán ocultas bajo nuestras propias narices, en nuestro compañero o compañera, porque casi todos elegimos como pareja a quien representa los aspectos desconocidos o inadmisibles de nuestra propia psique: «Yo estaba enamorada de su fuerza impulsora», o «Yo decía que ella era un leño encendido el año entero». También es frecuente que proyectemos en esa persona todo tipo de ideas mágicas: «Mi esposa era el factor básico de todos mis éxitos» o, «Toda mi seguridad debe atribuirse a mi marido». Más aún, a través de los años logramos adjudicar muchos de nuestros propios fallos y defectos a ese hombre o a esa mujer: «Ella provoca la mezquindad y los celos que hay en mí», o «Si no fuera por él, *yo sería* la artista de la familia».

Sólo ahora, en este misterioso paso que conduce a nuestro segundo período en la vida, afrontamos el lado sexualmente opuesto de nuestra propia naturaleza. Se trata de un aspecto extraño y temible, que todavía no es plenamente consciente.* Todas las partes reprimidas del yo no se relacionan con los roles sexuales. Como he insistido repetidas veces, no importa cuál haya sido nuestra área de actividad, habremos descuidado algunos aspectos que ahora necesitan expresión. En el caso de la mujer que ha situado en primer plano la realización, la mitad de la vida puede ser el momento de relajar ese esfuerzo y entregar más de sí misma a cultivar amistades, a ser la compañera de un hombre, a desarollar mayor actividad en su comunidad, a permitir que entre en juego su parte espiritual.

Es prácticamente imposible resolver el misterio sin una lucha. El equilibrio de las relaciones íntimas estará, sin duda alguna, perturbado. Estar abierto a la intimidad presupone una identidad

---

* Entre los que observaron este intercambio de características se encuentra la doctora Bernice L. Neugarten, que dice: «Existen importantes diferencias entre hombres y mujeres a medida que avanzan en edad. Los hombres parecen volverse más receptivos a los estímulos filiales y educativos; las mujeres más sensibles y menos culpables con respecto a los impulsos agresivos y egocéntricos» (de *Middle Age and Aging,* 1968).

fuerte, incluyendo un firme sentido de nuestra identidad sexual. En cualquier momento que tambalee la imagen que tenemos de nosotros mismos —como ocurre durante todos los pasos, pero especialmente en el de la mitad de la vida—, debemos esperar que también se encuentre desbaratada nuestra capacidad de relaciones íntimas. Si hemos de emerger como seres completos, nuestro aspecto sexualmente opuesto debe volverse consciente. Debemos abandonar los poderes mágicos asignados a nuestros compañeros y renunciar a las proyecciones. Si cumplimos esta enorme tarea, ¿qué nos queda?

Jung proporciona la mejor explicación:

> Por encima de todo habremos logrado una independencia real y junto con ella, sin duda alguna, cierto aislamiento. En algún sentido estamos solos, porque nuestra «libertad interior» significa que una relación amorosa ya no puede encadenarnos; el otro sexo ha perdido sus poderes mágicos sobre nosotros porque hemos llegado a conocer sus rasgos esenciales en las profundidades de nuestra propia psique. No nos «enamoramos» con facilidad porque ya no podemos perdernos a nosotros mismos en otro, pero seremos capaces de un amor más profundo, de una entrega consciente al otro. [1]

No es fácil aprehender la relación, pero éste es uno de los puntos centrales de este libro: ¿Cómo es posible que la aceptación de nuestra soledad esencial nos permita alcanzar un amor y una entrega más profundos? Ello se debe a que la consternación de comprender que nuestra seguridad no reside en otro nos provee con el valor necesario para buscarla en nosotros mismos. Y cuando nuestra individualidad ha dejado de estar en peligro, podemos ser más magnánimos en nuestra entrega a otro. Entonces es posible, por fin, salvar el abismo entre nuestro Yo Fusionador y nuestro Yo Buscador.

«Indudablemente —prosigue Jung—; llegar a esta etapa ocupa la mitad de la vida.»

La corrección de las disparidades del sueño

También existe la posibilidad, naturalmente, de que la pareja choque, se quiebre o simplemente caiga en ese fortuito lapso de lentos movimientos conocido como declive de veinte años de matrimonio. No es tanto el peso de veinte años de matrimonio lo que hace desdichada a la gente, como el ingreso, en la mitad de la vida, en una cultura que venera a la juventud con la falsa expectativa de que los roles y las normas, los sueños e ideales que pueden haber sido muy adecuados en la primera mitad de la vida también servirán en la segunda. Pero no es así y no puede serlo. La segunda mitad de la vida tiene que tener su propio significado pues, de otro modo, será una imitación patética de la primera.

En esta obra nos hemos referido con frecuencia a las parejas que ya han tomado la ruta del divorcio y en el proceso pueden haber corregido en cierto modo su curso. En este capítulo nos ocuparemos principalmente de las parejas que han permanecido unidas. Puede que no hayan llegado todavía a la conclusión de que el cambio es esencial y bueno.

Cualquiera sea la disparidad no expresada que persiste entre las expectativas del sueño del marido y la esposa, ahora saldrá a la superficie.

Un escritor de cuarenta y tres años de edad me confesó:

—Me sentí absolutamente horrorizado al descubrir que en el fondo June siempre había esperado, como lo reconoció una noche, que me convirtiera en un Soctt Fitzgerald o un Gay Talese, que en algún momento escribiera un libro que me produciría medio millón de dólares. Sólo lo admitió después que sufrí dos fracasos seguidos. Comprendí que lo que ella había tenido todos esos años era el sueño de clase media de haberse casado con el escritor romántico. Esto me hizo caer en la más profunda depresión. Estuve sin escribir durante seis meses. Todo empezó a escapárseme de las manos. Nuestra vida sexual quedó destrozada. June era consciente de lo que ocurría: yo me apartaba de ella, de su intimidad. Me sentía despreciable y empecé a descargar parte de la culpa en ella. Empecé a temer la hora de ir a la cama y eso fue horrible para June. Se abandonó en su aspecto físico.

Naturalmente, este hombre había deseado llegar a ser un escritor famoso. Cuando esto empezó a parecer imposible, transfirió a su esposa la culpa de las esperanzas incumplidas que en otro tiempo habían compartido. June reaccionó como tantas mujeres que viven a través de sus hombres. Reconoció tan abiertamente su desilusión que su marido no soportó considerarla propia. Si el hombre que pierde su sueño se siente insignificante, la esposa dependiente lo siente doblemente. Ésta pierde incluso su identidad proyectada, que quizás era lo único que tenía. Quizá June no habría sido tan brutal y acosadora con su marido si hubiera poseído alguna importancia propia. Podría haberle ayudado a disfrutar de las libertades de tiempo y de talento que pueden surgir al abandonar el sueño estereotipado del escritor famoso.

¿Qué ocurre cuando la esposa respalda su sueño y éste se vuelve real? Durante quince o veinte años ella ha estado viviendo de los frutos del éxito gradualmente ascendente de su marido, a menudo actuando como fuente de inspiración, intuyendo la forma en que él debe tratar a la gente con la que trabaja, evitándole la molestia de aprender a preparar la carne a punto para invitados inesperados y ahorrándole el millón de detalles sentimentales necesarios para educar a los hijos. Puede haber sido hermoso saborear los frutos de la expectativa, pero cuando llega el momento de adjudicar los méritos, es él quien sube al podio para ser aclamado. A ella sólo se la conoce como la señora de Fulano, un incómodo apéndice con el que nadie sabe exactamente qué hacer.

Al llegar a los cuarenta, muchas de esas mujeres encuentran que ya no les satisface ser las silenciosas portadoras del sueño que antes les había proporcionado seguridad.

476

—Siento que se está produciendo en mí un resurgimiento de la competitividad —me explicó la esposa de un hombre admirado— y creo que lo que me inquieta es que no sé qué hacer con ello.

La esposa envidiada

El contraste más sorprendente entre el marido y la esposa dispensadora de cuidados en la pareja que se encuentra en la mitad de la vida, es la sensación de cansancio que tiene él en comparación con la habitual sensación que tiene la mujer de no estar atada. A pesar de toda su confusión en cuanto a dónde empezar a buscar un nuevo futuro, ella es libre. Concluidos los años en que debía llevar a sus pequeños de la mano, posibilitada ahora de caminar a un ritmo adulto, mejor preparada para organizar su tiempo e integrar sus prioridades, es libre de remontar caminos no trillados y mientras busca su originalidad, cantar ante la novedad de todo lo que intenta.

Al aproximarse a la misma etapa del viaje de la vida, el marido descubre su sentido del yo en otras circunstancias. Cualquiera sea la altura que haya alcanzado, de sus pies cuelga una cadena cuyos eslabones son una serie de actos infinitamente repetitivos. Y por encima de su cabeza, ¿le espera alguna persona? No, a menos que él mismo la cree. «En la vida de los americanos no hay segundo acto», afirmó Scott Fitzgerald. [2] Y aunque casi todo el contenido de esta obra y la mayor parte de la teoría de la evolución adulta contradigan a este autor, muchos hombres de cuarenta años coincidirán con él, al menos hasta haber superado este paso y dejado atrás la depresión y el tedio.

Entretando, la mayoría de los hombres con quienes he hablado expresaron envidia hacia sus esposas.

—¡Oh, ahora ella es increíble! —así retrató un hombre de negocios a su esposa—. Su aspecto es maravilloso, ha descubierto que aún es atractiva para los hombres y todo ello es a causa de que ha encontrado un nuevo objetivo en la vida. No puedo evitar tenerle envidia. A mí ahora la vida me parece muy dura por el constante esfuerzo de mantener mi ritmo. Todo lo que puedo esperar es escribir otro informe anual y después otro informe anual y después...

En ese momento es más probable que las quejas de aburrimiento con un cónyuge limitado y preocupado provengan de la mujer.

El cambio es doloroso, aunque previsible, porque estamos ante una inversión casi exacta de las posiciones de marido y mujer al Alcanzar los Treinta. En aquel entonces, la envidiosa era ella. Se sentía estancada e informe bajo el manto de la domesticidad, observaba con codicia la carrera de su esposo. Él tenía una forma, una identidad sólida. No podía ella anticipar la temible rancidez que podía llegar a contener esa carrera en el plazo de veinte años... hasta el punto de que la falta de forma de ella en la mitad de la vida le parecieron a él un elixir.

Del mismo modo que ella se siente carente al ver al *hombre real* detrás de cualquier máscara de fortaleza y heroísmo que ella misma haya proyectado en «mi marido», también él debe enfrentarse a la *mujer naciente* que ya no quedará contenida en sus fantasías de «mi esposa». Las descripciones que los hombres ofrecen de «mi esposa» tal como la han visto hasta ese momento caen dentro de clichés repetitivos.

—Me proporcionó una constante paz mental.

—Ella ha sido mi Peñón de Gibraltar.

—Judy fue una especie de ancla que no me empujaba hacia abajo sino que me hacía posible errar sin sentir que debía confiarle mis problemas a nadie más. Yo podía mantener mi carácter frío y contenido. Creo que usé a Judy en lugar de a otras personas.

¿Qué ocurre ahora, cuando la dócil esposa y sumisa anfitriona con quien él siempre ha contado como paño de lágrimas y angustias, empieza a cobrar ánimos? ¿Ella está dispuesta a romper, a volver a estudiar, a conseguir trabajo, a divertirse, justamente ahora que él se detiene para tomar aliento, sintiendo inútil cuanto ha hecho e inseguro en cuanto a mantener su lugar en el trabajo y en la cama? ¿Cómo reaccionará; ante la repentina independencia de ella?

Un hombre de éxito moderado, que se encuentra a principios de los cuarenta, después de varias horas de quejarse del reciente lanzamiento de su esposa al mundo, reconoció:

—Sería sencillo destilar todas mis quejas en: *¿Dónde está ella cuando yo puedo necesitarla?* Pero, de todos modos, es eso lo que siento.

El consejo que se·dirige a las esposas cuyos maridos se sienten desamparados a los cuarenta años es: «Tú debes construir el ego del hombre». Las esposas vuelcan obedientemente una gran dosis de maternidad, sólo para sentirse traicionadas cuando el tiro le ha salido por la culata, lo cual ocurrirá casi con seguridad. Precisamente, lo que un hombre no puede aceptar cuando intenta la transición de la mitad de la vida hacia el pleno estado adulto es una esposa que se comporte visiblemente como una madre.

Aquí la clave es la palabra *visiblemente*, porque estamos hablando de algo muy similar al tira y afloja que siente el muchacho adolescente. Desea saber que su figura de apoyo sigue allí para respaldarlo, pero prefiere morir antes que ella ronde opresivamente alrededor de sus heridas personales, preguntando: «¿Qué te ocurre?», «¿A dónde vas?», «¿Por qué ya no me hablas?».

Las mismas cualidades de esposa que él idealizó al casarse en los veinte, cuando le aportaban benévolamente su apoyo son ahora rechazadas como destinadas maliciosamente a atraparlo. Probablemente, siempre existe una tendencia oculta de ambivalencia en lo que siente un hombre con respecto a su hogar, pero parece alcanzar su punto álgido durante el paso a la mitad de la vida. Por estable que haya sido hasta ese momento su línea de evolución, puede empezar a oscilar entre un extremo de conducta y otro de una manera que parece, y a menudo es, voluble, caprichosa, «loca».

Incluso una santa no podría superar esta ambivalencia. Porque si su esposa reacciona como una santa, él creerá que trata de seducirlo para volver a introducirle en la trampa de ser un niño.

Esto en cuanto a él. ¿Y ella? Ella está tratando de reunir el valor necesario para ofrecer su capacidad al mundo del trabajo o para adquirir nuevas habilidades, o simplemente elegir entre las que ha acumulado a través de los años para dedicarse a algo afín. La autonomía no le resulta tan temible porque para entonces ya ha tenido repetidas experiencias de separación y pérdidas. Pero la excitación que encuentra una mujer en su nueva expresión a menudo hace que su marido sienta —injustificadamente— que es desvalorizado.

—¿Qué buscaba Nancy que su familia... principalmente yo, no pudiera proporcionarle? —se lamentó un hombre cuya esposa comenzó a trabajar seriamente en cerámica—. Me sentí dislocado. Nunca volví a poder gozar de la misma forma del tiempo y la atención de Nancy. Sus cacharros me hacían la competencia.

Abriéndose paso a través del laberinto cargado de temores que acompaña al momento en que una persona abandona un rol determinado, una mujer extrajo sensatamente esta conclusión:

—Ed ahora dice que soy «dura» pero esto no es ni remotamente tan aterrador como él pretende.

Si una esposa hasta entonces dependiente está decidida a dar el siguiente paso evolutivo, en este caso debe retirar la autoridad parental que asignó a su cónyuge. Debe ser ella la que se conceda permiso *a sí misma*.

Supongamos que ella experimenta algunos cambios externos notorios. Supongamos, por ejemplo, que logre remendar la tambaleante confianza en sí misma, presente su candidatura a presidenta de la Liga de Sufragistas Femeninas y gane. Ella ve que su marido está cada vez más angustiado. Lo estaría en cualquier caso en esta etapa, pero es probable que la esposa crea que ella es la causa. La idea la obliga a reprimirse. Hace acto de presencia la culpa... y después la ira.

Ella piensa: *¿Por qué no puede él comportarse como un marido fuerte para que yo pueda salir y evolucionar sin sentirme tan culpable?*

Entretanto, él piensa: *¿Por qué demonios corre ella en dirección opuesta cuando yo me estoy desmoronando?*

Este es un problema habitual que desafía la pareja al aproximarse a la curva de los cuarenta.

Ningún contrato de pareja es eterno. Es tan seguro que él abandonará la limitante idealización de madre-esposa como que ella renunciara a la mágica idea de que tiene un padre-amante que nunca debe mostrarse dubitativo ni vacilar en sus compromisos. El contrato de pareja *debe* ser renegociado al alcanzar la mitad de la vida. Esto no significa que dos personas deben sentarse como si estuvieran en una sala de conferencias y cerrar un nuevo trato de la noche a la mañana. Significa que es necesario introducir una serie de reajustes durante un período de años. Si ello no tiene lugar, es posible que ella se convierta en la bruja dominante a la que él teme —la Gran Mamá, comprometida de alguna manera a equilibrar las cosas transformándose en tesorera de la casa y en cuidadora de todas las debilidades de su marido—, en tanto él se desliza hacia el rol pasivo y afeminado de un Dagwood Bumstead. De un modo u otro, si la creciente afirmación de ella y la sensación que tiene él de que le dejan de lado no se vuelven conscientes y se les permite una saludable expresión, se presentarán en alguna otra forma más desagradable.

¿A dónde se han ido los niños?

Otro aspecto más patético de la curva de los cuarenta concierne a los hijos, que se están alejando.

Mi hija sólo tiene once años y se está yendo, casi se ha ido ya, de hoja a flor, de flor a fruto. Dos leves fresas están llenando dulcemente su pecho pero debo correr la cortina de la habitación, ¡córrela del todo, mamá! La sola *idea* del fácil privilegio que proporciona ser una hermosa joven ya está actuando en ella, modificando el entusiasmo que tenía hace sólo un instante por ser un agente secreto. Aunque todavía hay en ella lo suficiente de niña descuidada como para llenarse las uñas de tierra, siente veneración por las señoras que muestran la carne y se esmaltan las uñas hasta convertirlas en diez perfectas cucharas de plástico. Considero maravillosa cada una de las noches que todavía me llama para contarme sus secretos.

Pero frondosas páginas en prosa ya han registrado la agridulce experiencia de las madres que renuncian a sus hijos, como si nosotras fuéramos las únicas afectadas por este profundo cambio de objetivos. Lo que me sorprendió en las entrevistas fue la insalvable pérdida sufrida por tantos hombres. La propia ternura de éstos empieza a fluir precisamente cuando sus hijos comienzan a distanciarse: llega demasiado tarde.

Después de los años pasados (o desperdiciados) en edificar su carrera, el hombre que llega a la mitad de la vida a menudo retorna al nido para recapturar «ese algo humano» exactamente en el momento en que sus hijos están en plena rebelión. El siguiente párrafo podría proceder de los millares que se encuentran en situaciones similares.

—Empezó de la nada y creó su propia empresa, que ahora tiene sucursales en todo el mundo —relata Nora, la desconcertada esposa de un joven presidente— pero durante el último año ha sufrido una especie de angustia personal (el joven presidente de empresa ha entrado en los cuarenta). Cada vez piensa menos en sí mismo y en lo que significa su trabajo. Necesita saber que cuenta para nuestros hijos. Creo que siente que todas sus ausencias pasadas deben ser compensadas. De pronto, desea hacer cosas como salidas familiares, por ejemplo. Yo ya he hecho todo eso y ahora me siento como una adolescente. Todo vuelve a brotar y personalmente preferiría un fin de semana delirante para dos. Nos damos cuenta que no estamos sincronizados. Y los chicos consideran claustrofóbico estar con toda la familia.

Los padres también se cuelgan a los hijos, pidiéndoles lo absolutamente imposible, que no es «dame el presente contigo» sino, más bien, «dame el pasado contigo».

Con tanta frecuencia como se nos recuerda que debe permitirse al adolescente entregar su lealtad a otro o dedicarse a otra idea con el fin de arrancar raíces, éstas son arrancadas de nuestros corazones. Se le pide al padre que renuncie al brazo de un hijo o hija que antes lo veía como el depositario de toda la sabiduría del mundo, para entregarlo al abrazo de héroes sospechosos, de causas opuestas, de otros mesías probablemente fugaces. Al padre, por supuesto, le parece que se trata de un rapto. ¿Puede permitírsele a cualquier extraño lo bastante inteligente como para aprovecharse de esta necesidad de un modelo nuevo y glorificado, que envenene a un muchacho al que tanto tiempo llevó criar? O si no, ¿conducirlo a la suspensión de toda sutileza de criterio? Pero más que de un problema racional se trata de una batalla de autoridad emocional.

«¿He de decir la verdad?», confiesa el dramaturgo William Gibson, mejor dicho William Gibson, el padre de un muchacho indeciso de dieciséis años de edad. «Durante años he estado de duelo y no por mi propia muerte, sino por la de este muchacho, o por el rincón de mi corazón que murió cuando su infancia se me deslizó de entre las manos.» [3]

Después de temer la disolución de su hijo en el entumecimiento de las drogas y la falta de fe, Gibson planteó objeciones cuando el chico decidió ir a vivir en España bajo la tutela del maharishi. El gurú hindú señala el camino hacia el éxtasis de la conciencia a través de la vida limpia y la meditación. Gibson fue educado como católico y está casado con una psicoanalista. Pero el padre no permitió que estas marcadas diferencias de creencias le cegaran y actuó con sensatez. Viajó a España y vio que el muchacho había encontrado la curación por sus propios métodos. Renunciando al prejuicio sobre la virtud del héroe de su hijo, estimuló la prosecución de la búsqueda. «No comparto la veneración de ese maestro —escribe Gibson en su libro sobre la experiencia—, pero sé lo significativa que es para su evolución.»

Envidiémosle a Gibson la capacidad de volcar en una obra su dolor. La mayoría de los hombres no cuentan con esa vía de escape cuando se plantea el cambio de la relación padre-hijo.

Y así, el hombre de cuarenta años se ve probablemente desafiado en tres frentes a la vez. Da curso a sus emociones justo cuando su esposa está diferenciándose de él. Busca a sus hijos justo cuando éstos le repudian. Busca a tientas alguna forma de ser generativo justo cuando se siente más estancado en el trabajo. Tal vez no sería tan duro si supiera que todo esto era previsible. Y transitorio. Y que es la preparación necesaria para el período de serenidad que seguirá.

Por lo general, el hombre se reestabilizará alrededor de los cuarenta y cinco. Después de atravesar lo peor de la tempestad, probablemente se atará a cualquier serie de condiciones de vida y prioridades que haya alcanzado. Si ha conseguido reordenar esas condiciones y prioridades durante el torbellino, será un buen augurio para su evolución y alegría. No puede estar seguro de que esa reestructuración funcionará de forma satisfactoria, naturalmente. Nadie puede estarlo; eso ha de verse en otro período. Pero recupera el equilibrio, al que indudablemente debe dársele la bienvenida. La actitud interior del hombre hacia esta reestabilización, puede ser notablemente variada. Su espíritu puede estar cargado de vibraciones de renovación. O deteriorado por la resignación o el dolor de lo incompleto, en cuyo caso los grandes temas de la mitad de la vida volverán a aparecer en la superficie en el límite del medio siglo.

A los cincuenta hay una maduración y una nueva calidez. La competitividad que en el pasado dio a tantas relaciones matiz áspero se ve atemperada por un mejor conocimiento de sí mismo. Si el hombre ha llegado a comprender su soledad esencial, puede perdonar a sus padres. Si su individualidad ya no está amenazada, puede mantener una actitud más relajada con sus colegas y disfrutar de un nuevo tipo de camaradería con su antiguo mentor. Si ha dejado de medir su valía sólo por su status en el trabajo, puede gozar mejor de cualquier parte de éste que tenga mayor significado para él. Y si ha permitido la libre expresión de su aspecto sexualmente opuesto, puede encontrar en su compañera a una auténtica amiga.

...Siempre que le haya otorgado a ella la misma posibilidad.

El nido de mamá se vacía

La generatividad es un hermoso concepto dentro de sus límites. Todos los investigadores masculinos del desarrollo adulto coinciden con Erikson en que el camino hacia la plenitud de la mitad de la vida pasa por la enseñanza, la crianza y el servicio a otros. Pero una vez más, el ciclo de vida masculino es presentado como ciclo de vida adulta.

No se tiene en cuenta que servir a otro es lo que la mayoría de las mujeres ha estado haciendo todo el tiempo. ¿En qué consiste la primera mitad del ciclo de vida de la mayoría de las mujeres si no en criar a los hijos, servir a los maridos y atender a otros llevando a cabo trabajos de carácter voluntario? Si alguna esposa joven tiene una profesión extrafamiliar, lo más probable es que sea profesora o enfermera.

No es a través de una mayor entrega de cuidados cómo la mujer busca una plenitud de objetivos en la segunda mitad de su vida, sino a través del cultivo de talentos que quedaron a medio terminar, permitiendo que sus ambiciones antaño arrinconadas, se vuelvan agresivas al servicio de sus propias convicciones en lugar de que continúen siendo una parte pasiva-agresiva de otro.

Pero la diferencia entre hombres y mujeres con respecto a la generatividad es más básica aún. La pérdida de su capacidad de procreación fuerza a la mujer a dirigir sus energías. Se ha observado un curioso fenómeno a la edad —no importa a cuál— en que la mujer sabe de forma indudable que nunca volverá a tener un hijo: se libera un nuevo tipo de creatividad. Sea cual sea el curso que la mujer decida seguir, pondrá en ello más de sí misma que cuando aún poseía la opción de reproducir. [4]

Esto no implica que la mujer renuncie o deba renunciar a atender a otros. Por el contrario, un nido vacío libera a muchas madres para ampliar su interés por las generaciones futuras a la reforma política local, los movimientos nacionales, los congresos internacionales, incluso la protección de la especie. La sociedad es ahora beneficiaria de una creatividad que antes se reservaba para hacerle la comida a papá y a un promedio de 2,9 bebés.

Si el cometido de los hombres en la mitad de la vida consiste en superar el estancamiento a través de la generatividad, supongo que el cometido comparable de las mujeres consiste en trascender la dependencia por medio de la autoafirmación.

¿Por qué una pareja culta e inteligente como los Kilpatrick, que dieron inicio a este capítulo, a menudo se pierden en la curva? Volvamos a su historia, empezando por la primera señal de la mitad de la vida que impulsó a una persona a cambiar antes de que la otra hubiera registrado algún cambio interior. Porque como siempre, el tiempo de evolución es diferente para cada compañero.

El segundo intento del ciudadano-soldado

Estaban enviando marines a Vietnam pero a él, naturalmente, no lo llamarían. Su guerra había sido Corea. No se llama a filas a un reservista de treinta y siete años con cinco personas que dependen de él y una práctica legal abultada como un solomillo.

Aquella primavera, el sol se extendía en el valle como plata líquida; él tenía mucho tiempo. Los años de pobreza habían quedado atrás. Habían sido diez y después cinco años más de mantener un terreno baldío en un lozano valle del Sudoeste hasta que liquidaron todas sus deudas. Ahora adquiría forma su sueño de la casa.

Los obreros se ocupaban de eso, cada uno según su experiencia. Kilpatrick tenía tiempo de ser entrenador de la Pequeña Liga y de llevar a los chicos a practicar escalada en roca. Cuando tenía suerte, éstas estaban mojadas. Podía resbalar: otra vez una llamada a la frialdad, un débil brote de adrenalina, una décima de segundo de lucha del cuerpo contra la naturaleza antes de volver a casa a tenderse junto a su bronceada esposa y ver pasar la guerra apretando sin esfuerzo un botón de control remoto. Todo iba de la mejor manera posible. Eso es lo que le molestaba. Para un héroe de la Infantería de Marina es terrible volverse blando.

Su esposa abrió la carta del Cuerpo de Infantería de Marina rechazando su solicitud de incorporarse al servicio activo. Esa fue la primera noticia que ella tuvo al respecto. Lloró y después el dolor se transformó en fría ira. Cuando Kilpatrick volvió a su casa le preguntó cómo se le había ocurrido siquiera considerarlo.

—Estoy inquieto. Para mí sería un gran desafío ir a Vietnam —respondió él—. Quiero servir al país.

—¡Primero está tu obligación con la familia! —exclamó ella.

Y lo creía, como si esa verdad figurase incontrovertiblemente en el Código de Justiniano. La idea que tenía Peggy de lo que debía hacer un abogado correspondía a lo que su propio padre había hecho: ejercer una práctica triunfal desde el punto de vista económico, llenar una caja fuerte de testamentos y volver al hogar todas las tardes para retozar con los hijos y trabajar en el jardín. Ella creía haberse casado con un hombre exactamente así. No obstante, Kilpatrick había elegido ir a Corea en medio de sus estudios de abogacía, aunque fácilmente podría haberse librado de ello. En aquella época Peggy estaba embarazada: eso no se olvida fácilmente.

Ahora, él tenía argumentos:

—El ejercicio de mi profesión se encuentra en un punto en que puedo abandonarla. Tengo diez abogados trabajando para mí y diez secretarias...

—Y pagas demasiado a tus secretarias tal como están las cosas.

—¿Vas a decirme cuánto debo ganar? —replicó Kilpatrick—. Tú nunca has trabajado. No estás en contacto con el mundo real.

Ella respondió que estaba en contacto con la crianza de los hijos y con ser una buena esposa, lo que era mucho más importante que cualquier maldita guerra.

Al año siguiente Kilpatrick volvió a intentar ir a Vietnam, esta vez como civil, como miembro de un organismo gubernamental. Él y Peggy tuvieron su discusión de ritual acerca de la obligación para con la familia y la obligación para con la patria. Pero entonces ella cedió. Ella y los chicos serían felices, le dijo, si él lo era. Kilpatrick estaba atónito. Ya había decidido renunciar.

Aquel año construyeron una piscina y se sentaban a su alrededor a beber gin tonics.

Un día Peggy extrajo de la piscina a un niño ahogado y serenamente lo revivió mientras todos los demás, incluido Kilpatrick, perdían la cabeza. Él recuerda que pensó cuán fuerte era Peggy. Sí, él tomaba todas las decisiones y ella creía que la dependencia de un hombre era el destino de la mujer en la vida, gracias a Dios. Pero él había empezado a ver en ella una firmeza, una resistencia semejante a la de un árbol sano y, en consecuencia, implícita. «En muchos sentidos ella es más fuerte que yo», pensó Kilpatrick. El cambio de situación le hizo sentir muy incómodo.

A los cuarenta, de la noche a la mañana, Kilpatrick anunció que presentaría su candidatura a un cargo público. Ingenuo, buena persona, indefenso, poco seductor: rasgos del hombre cuando se lanzó a la política para lo que él llamaba «la lucha gloriosa». Todas las posibilidades jugaban en su contra, ésa era la mejor parte.

Es importante señalar que Kilpatrick no recuerda haber sufrido ningún cambio con anterioridad. Ninguno. Cuando le pregunté si tenía alguna reserva acerca de la forma en que se desarrollaba su vida a los cuarenta en comparación con lo que él había proyectado, respondió:

—Nunca pensé en ello. Conservaba exactamente el mismo ideal que había tenido a los veinte. Un americano que llega a ser un buen abogado, sirve a su país en la paz y al ejército en tiempos de guerra: ese era mi ideal de lo que debe ser un ciudadano. Un ciudadano-soldado según el concepto griego.

¿Su esposa tenía alguna meta?

—Su vida estaba construida absolutamente en torno a la mía.

¿Cómo veía usted a Peggy cuando se casó con ella?

—Sinceramente, no lo sé. Ella era básicamente una persona muy feliz. Supongo que la idealicé. Creo que ella fue muy importante en todos los éxitos que alcancé. Era el alma y el corazón del esfuerzo de mi campaña. Un esfuerzo auténticamente entusiasta.

Peggy detestaba la política.

Ganar un escaño en el Congreso fue para Kilpatrick lo mismo que comer comida envasada con un pelotón. Por fin hizo su viaje al Sudeste Asiático. Lo que encontró fueron refugiados mutilados por bombas americanas que vivían en cuevas y mendigos que deambulaban por los arrasados campos de Camboya. Estremecido y asqueado, regresó convertido en un fanático antibelicista.

El año cuadragésimotercero de la vida de Kilpatrick adquiere la connotación del tiempo presente. Es un año de elecciones primarias presidenciales y él aparece en una amplia gira. Su voz se quiebra cuando apela al diálogo nacional sobre la «política administrativa de engaño deliberado en el Sudeste Asiático». La sangre bulle en su interior. En la alineación de políticos profesionales diestros y satisfechos él sobresale, otra vez solitario lanzador de granadas y héroe de su sueño juvenil. Para un hombre independiente que representa a un estado conservador, constituye un lujo efímero poner en palabras sus propias convicciones. Corre una carrera con el tiempo. Durante los últimos noventa y siete días, Kilpatrick no ha estado en su casa sino el tiempo suficiente para comer una pizza congelada.

En el avión de regreso a Washington, está escribiendo una carta al Pentágono. Sigue escribiendo durante el aterrizaje. El avión se vacía. Lo abandonan todos los pasajeros excepto el fogoso político, un ayudante y yo. Estamos los tres solos. Kilpatrick sigue llenando la página. Con una sonrisa de complicidad, su ayudante sugiere que quizás a los demás les gustaría volver a su casa.

—¿Cómo? ¡Oh! Lo siento —el ciudadano-soldado perdido en el olvido de la obligación, Kilpatrick estalla—: Si usted puede esperar un minuto más, podemos concluir esta guerra un día antes.

Peggy le espera, esbelta, rubia, descalza, con la camisa sobre los pantalones de pana. A primera vista es una réplica de Doris Day.

El político la aferra por la cintura y le planta un beso auténticamente cinematográfico.

—¿Cómo te ha ido? —inquiere Peggy.

—No del todo bien, cariño. Un poco asustado frente a tanta gente.

Kilpatrick pone en marcha un cassette y recobra el aliento con *The Sound of Music*.

—¿Sabes una cosa? —mira a Peggy con desenfadado placer—. ¡He descubierto que hablar ante ocho mil personas es toda una experiencia!

Peggy también está iniciando una nueva experiencia; tiene cuarenta años. Libros y papeles referentes a su curso de agente inmobiliario se encuentran apilados sobre la mesa del comedor, cubriéndola por entero. Tendrán que comer en el estudio. Ella sirve la pizza congelada y vino francés.

Kilpatrick hace algunos chistes sobre el nuevo proyecto de su esposa, pero no resultan demasiado graciosos. El año anterior, alineándose entre los machistas intransigentes, había votado contra la Enmienda por la Igualdad de Derechos. Cuando volvió a su casa, Peggy estaba sentada en el sofá, en actitud solemne. El rebatió todos sus argumentos. Ella dio su veredicto en una sola palabra... por cierto una palabra que jamás había usado con anterioridad:

—¡Mierda!

Kilpatrick dice que desde entonces está así.

Mientras la pareja discute estrategias para las futuras apariciones del político, Kilpatrik hojea el *Washington Star*.

—La mitad de las parejas de Washington estarán separadas el año próximo —cita ociosamente.

Peggy observa que es una ciudad muy difícil para la vida de la pareja.

—Las viudas viven más tiempo —lee Kilpatrick en otro artículo.

Peggy dice:

—Cuando las mujeres obtengamos iguales oportunidades de trabajo, empezaremos a agonizar tan jóvenes como los hombres —aguijonea al político—. Y *tú* contribuirás a que esa oportunidad se haga realidad, ¿verdad, cariño?

El machista intransigente sacude la cabeza. La escena se congela. Intercambian esa mirada mezcla de impacto, envidia, orgullo y temor que constata que ha empezado a registrarse el cambio en la pareja. Peggy jamás volverá a ser la misma mujer y ambos parecen saberlo.

Kilpatrick vuelve a sumergirse en el periódico, murmurnado:

—¡Dios, una agente inmobiliaria agresiva! La sola idea me asusta.

Durante el año siguiente, Kilpatrick estuvo fuera tres fines de semana de cada cuatro, sumergido en la campaña. Peggy rara vez iba con él. Algo se había vaciado en ella desde que él había reunido a la familia y la había trasladado a Washington; el senador ignoraba por qué. Suponía que había significado un golpe para la seguridad de Peggy el hecho de que sus ingresos se vieran reducidos a la mitad. Pero dado que Peggy estaba ocupada en los detalles del cierre del bufete de él y en envolver los contenidos de la casa de sus sueños en jirones de sábanas blancas, él no podía moverla. Kilpatrick se resintió.

—Uno se harta de estar solo en los hoteles. Siente un enorme deseo de tener a otro ser humano que simpatice con lo que uno está tratando de hacer.

La chica tenía 26 años y decía «muy bien, adelante» a todo lo que Kilpatrick hacía. Durante los seis meses que estuvo enamorado de ella, no pudo tocar a su esposa. Esto significó un choque: se suponía que eran las mujeres quienes se veían bloqueadas por sus emociones. Los hombres, se decía, son capaces de fornicar con una gallina.

—Es posible que algunos puedan, pero la mayoría de mis amigos cuarentones se han encontrado en la misma situación. Se entregaban a una aventura y entonces no tenían ánimos para hacer el amor con sus esposas.

A la muchacha pronto le resultó insuficiente compartir sólo el compromiso político del senador. Deseaba algo más que la necesidad de restablecimiento de Kilpatrick en ásperas sábanas de hotel.

—Tú eres una muchacha encantadora y sensible —tuvo que decirle Kilpatrick—, pero no tienes ni punto de comparación con la familia y el hogar.

Peggy, le dijo Kilpatrick, seguía siendo su idea de lo que debía ser una mujer.

Poco antes de las primarias de New Hampshire, Peggy se reunió con el político. Él trató de seducirla ávidamente en la habitación del hotel. Ella permaneció fría e inmóvil.

—¿Qué es lo que anda mal?

Dos palabras: como un libro cuyo plazo de devolución ha vencido hace mucho tiempo, cuando uno piensa devolverlo, descubre que la biblioteca ha caído bajo la apisonadora.

—Me quedaré contigo hasta que hayan terminado las primarias —declaró Peggy—. Después quiero divorciarme.

Transcurría el mes de febrero. Ella mantuvo la apariencia de esposa leal y partidaria de la campaña hasta mayo.

Una noche, la hija del político, de 21 años de edad, le encontró solo y muy turbado.

—Lo comprenderías, papi —dijo—, si supieras que hay otro hombre.

Cuando volví a ver a Kilpatrick no estaba en su hogar porque no tenía hogar. Nos encontramos en la casa de un amigo común y después de cenar fuimos a hablar al estudio. Entonces fue cuando Kilpatrick se tendió en el suelo y empezó a contraer los músculos estomacales.

—Me encuentra usted un año más tarde y a veces me pregunto si merece la pena estar vivo.

Tenía los ojos enrojecidos y los párpados hinchados.

—Creo que el reexamen de sí mismo que hace el hombre en los cuarenta es totalmente comprensible. Pero no lo es el que hace la mujer cuando los hijos ya son mayores. Yo nunca medité demasiado en ello. Y nunca lo habría hecho si no hubiera sido por el choque con Peggy La cualidad más importante de mi esposa era su entusiasmo. Al principio de nuestro matrimonio también ella estaba comprometida con el mundo. Pero a medida que la mujer envejece, eso desaparece. La mayoría de mis amigos que se encuentran a finales de los treinta o principios de los cuarenta encontraron a una chica más joven que compartía su compromiso con una causa. Este es el mundo machista en el sentido de que ese mismo hombre buscará a su esposa para que apoye sus compromisos y lama sus heridas, pero no reconocerá las necesidades *de ella*.

Kilpatrick abría y cerraba los puños con ritmo disciplinado. Mientras liberaba sentimientos que antes nunca había permitido que asomaran, era casi posible ver el asidero, ver su mano que buscaba algo sólido donde apoyar el desorden de su vida.

—Demonios, saqué a Peggy y a los chicos de uno de los lugares más seguros y encantadores... ahora pienso que si nos hubiéramos quedado en el valle, nuestros amigos y el entorno habrían servido para mantener en pie nuestro matrimonio.

¿Qué otras cuestiones, le pregunté, consideraba que se habían inmiscuido en su matrimonio?

—Creo que la combinación de mi acelerado compromiso fuera del hogar, sumado a la conciencia naciente de Peggy acerca del movimiento feminista y el empuje que esto le dio; sin duda le llevó a preguntarse si quería pasar el resto de su vida casada con alguien

493

como yo, que era casi criminalmente insensible a sus necesidades.

Tratamos de hablar acerca de esas necesidades pero todo lo que Kilpatrick podía evocar era a la Peggy con la que se había casado, la Peggy que quería un padre.

—¿Cuándo cree que su esposa empezó a cambiar?

—Sinceramente, no lo sé.

Todo es así de complicado. Lo bueno puede salir mal. Kilpatrick tenía razón al programar la aceleración de su carrera a mediados de los treinta. Al ocuparse más de su país que de sí mismo, aceptó el riesgo de un cambio radical. Esto no sólo le reeducó y le revitalizó; se vio movido a actuar a partir de una convicción sentida en lugar de sentirse reducido por las egoístas estrategias de reelección que hacen unos cínicos de tantos políticos. Pero más allá de la mitad de camino de esta Década Tope en la que ingresó de forma tan enérgica, sólo encontró el dolor de haber perdido a su compañera.

La conducta de Kilpatrick en el cruce hacia la mitad de la vida me recuerda al león de *El mago de Oz*. Cuando los viajeros llegan a un barranco que divide el bosque hasta donde ellos son capaces de ver, el león afirma que probablemente puede saltarlo y el espantapájaros se ofrece como voluntario para cruzar a horcajadas sobre él. Pero cuando la nerviosa bestia se agacha al borde del barranco para dar un gran salto desafiando a la muerte, le insta a retroceder para analizar primero la totalidad del problema.

—¿Por qué no corres y saltas? —pregunta el espantapájaros.

—Porque esa no es la forma en que los leones hacemos estas cosas.

Cuando un ex héroe militar como Kilpatrick llega a un cruce incierto, no retrocede para hacer un examen completo de sus sentimientos porque ésa no es la forma en que los marines hacen esas cosas. El heroico sueño de la juventud de Kilpatrick, el de ser un ciudadano-soldado, no había sufrido ninguna modificación. Tampoco la idealización de su esposa como doncella de su sueño, ni siquiera en la actualidad. Si no puede ser el rugiente guerrero del

494

frente que todo lo arrasa, se siente desgraciado: un león sin valor.

La lucha del compromiso de Kilpatrick con su obligación y la contrapartida de las demandas de Peggy afirmando la prioridad de la familia, fueron bastantes habituales durante los primeros años de la pareja. Pero ninguno de los dos estaba dispuesto a retractarse en las proyecciones parentales hasta que se vio obligado a hacerlo.

Si el Kilpatrick de treinta y nueve años hubiera capitulado ante las exigencias de su esposa, si hubiera seguido siendo el abogado sentado en su refugio del lozano valle del Sudoeste, es probable que se hubiera vuelto sumiso y se hubiera convertido en un conservador consumido, sin convicción en sus propias creencias, pero condenado a blandirlas como su única bandera en el desfile de la perpetuidad. Esto tampoco habría contribuido en forma notable al desarrollo de su esposa.

Pero aunque actuó con energía en su propio reexamen, no percibió ni imaginó que la mujer con la que vivía necesitaba hacer lo mismo. Y jamás lo habría pensado, afirma, si ella no le hubiera abandonado (aunque yo lo dudo).

Peggy sólo pareció abandonar el deseo de que su marido fuera una réplica de su padre cuando se convenció de que su deseo jamás se vería satisfecho. Al buscar, exasperada, una actividad independiente, los buenos sentimientos que esto le proporcionó le permitieron apartarse del antiguo modelo de dependencia.

Aunque el sentido de pérdida de Kilpatrick es, sin duda alguna, sincero, continúa sobrevalorando a su esposa como a una especie de amuleto que aleja los peligros y atrae los éxitos. Aún no ha asimilado el cambio de su esposa. Y para resolver el nuevo problema, sólo le vienen a la mente los métodos antiguos. Cuando dice que mañana mismo abandonaría la falsedad política para trabajar en «esta cuestión humana», quiere decir que para recuperar a su esposa ahora estaría dispuesto a jugar el papel de padre. Pero a no ser que Peggy sufra una improbable recaída, ya no es eso lo que le interesa.

La gran cuestión que queda pendiente es: ¿El trayecto de una etapa a otra *exige* que uno prescinda del antiguo compañero con el fin de proseguir su propia evolución?

Supongamos que Kilpatrick no hubiese buscado a una bonita Mujer Testimonio para suplantar a la joven Peggy; supongamos que Peggy no le hubiera devuelto los insultos de sus ausencias entregándose a otro hombre y castigando finalmente su sensibilidad mediante el abandono ...Supongamos que esta pareja se hubiera enfrentado directamente en algún momento anterior y hubiese hablado del problema que existía entre ambos.

ELLA: Tu vida avanza hacia algo. Siempre has contado con mi ayuda y siempre te he ayudado. Ahora debo encontrar algo propio. Me enfurece que no tomes en serio mis necesidades.

ÉL: Lo cierto es que realmente pienso que tú te estás convirtiendo en la más fuerte de los dos y eso me aterroriza.

ELLA: Pero durante todos estos años *yo* he sido quien ha estado resentida por el poder que tú ejercías sobre mí.

ÉL: Mi poder sólo existe en tu mente porque no tienes suficiente confianza en ti misma.

ELLA: Creo que tú has cercenado la confianza en mí misma.

ÉL: ¿Cómo es posible? ¿No gano lo suficiente como para que te sientas segura?

ELLA: Muéstrate un poco más amable con la criada si crees que puede abandonarte. Eso es lo que en realidad estás diciendo. Así es como me ves.

ÉL: Tú eres quien siempre ha deseado una vida familiar sana y segura. Tú tampoco me ves a mí como *yo* soy; para ti no represento más que una repetición defectuosa de tu padre.

ELLA: Bien, eso está empezando a cambiar. Me siento más bien atraída por tus fallos. Especialmente en tanto estoy buscando mi propio apoyo. Es curioso, pero cuanto menos siento que eres el único salvavidas de mi seguridad, más puedo aplaudirte incluso en tus estrafalarias causas.

ÉL: ¿Y si fracaso?

ELLA: No significará el fin del mundo.

ÉL: Entonces, en cuanto te conviertas en una agresiva agente inmobiliaria, no me necesitarás más.

ELLA: No te necesitaré como dorada cuenta de ahorros. Pero sí para que me ames.

Y así sucesivamente, poco a poco, con muchas risas y amor en los intervalos, hasta que quizás un día llegarán a discutir la verdadera cuestión.

A partir de entonces cada uno de ellos puede continuar explorando su puerta interior, la que preside el custodio interno. Porque lo sepamos o no —y por lo general no lo sabemos— es de este dictador-guardián de quien todos intentamos liberarnos. Al llegar a la mitad de la vida vuelven a estallar las viejas batallas con el custodio interno. Y finalmente, si dejamos que se libren, culminarán en una última y decisiva batalla, cuyo objeto consiste en conquistar el último fragmento de terreno retenido por el otro para hacernos con la autoridad sobre nosotros mismos.

Pero entonces, ay, nos veremos enfrentados a nuestra absoluta individualidad.

Resulta tan aterrador aceptar esta pérdida que la mayoría de nosotros evade la confrontación final hasta que ha agotado otras posibilidades aparentemente más sencillas.

Mientras podemos proyectar la culpa de nuestra desunión a un cónyuge, a un jefe, a la sociedad, al lamentable estado en que se encuentra nuestro género, podemos evitar la sensación de aislamiento que nos invade al alcanzar la independencia plena. Puede mantenerse la capa más profunda de protección imaginaria que llevamos desde nuestras identificaciones infantiles con nuestros padres. Pero lo que tenemos que ganar al renunciar a la ilusión es nada menos que la liberación total de nuestro yo libremente auténtico. [5] Esta plenitud de ser sólo es nuestra cuando estamos preparados para enfrentar el último segmento del período de la mitad de la vida:

No existe ningún otro protector a tu lado, en la oscura habitación de tu mente. No existe alguien que siempre se ocupará de ti, alguien que nunca te dejará a solas.

La cuestión de
«¿Quién es el que está loco?»

La lucha contra esta verdad impulsa a la gente a actuar como si estuviera enloquecida. El castigo más sencillo y que cualquiera de los compañeros puede poner en práctica en cualquier momento, es el abandono. Uno puede dejar de oír, de tocar, de hablar, de atender e incluso de estar presente. Esta amenaza flotante hace que cada uno de los miembros de la pareja se sienta controlado por, y a merced de, el otro. Resulta crítico saber que en estas etapas de auto-absorción es *natural*. Alguna interrupción de las comunicaciones y de la intimidad es *previsible*, lo que da lugar a la tergiversación de cualquier actitud.

Un castigo potencialmente más pernicioso es la cuestión de «¿Quién es el que está loco?». Este parece ser un elemento esencial entre las parejas que se encuentran en la mitad de la vida. Ambos dan vueltas y vueltas alrededor del árbol de la acusación hasta que uno de los dos dice: «Realmente, necesitas ayuda. Creo que tendrías que ver a un psiquiatra» (o a un consejero matrimonial, o a algún otro sustituto de la antigua tradición de consultar a un cura o ir a la casa de mamá). Lo problemático de esta sugerencia es el motivo. Por lo general, el compañero desea una opinión que coincida con la suya de que el otro es culpable. Al percibirlo, aquél al que se le ha dicho que consulte a un psiquiatra, a menudo se niega a hacerlo porque poner los pies en el consultorio de ese árbitro sería reconocer que «el enfermo soy yo».

Toda la cuestión de «¿Quién es el que está loco?» se refiere por lo general a quién «lo» tiene: al demonio, a la relación inconclusa con el dictador guardián de la infancia, que todos tenemos y que todos tratamos de exorcizar en la etapa de la mitad de la vida. El demonio rebota de uno a otro. Tú lo proyectas en mí y yo en ti: «Tú *eres* el demente porque este desajuste no puede ser mío;

es tu problema el que incide sobre mí, perturbándome en consecuencia».

Pero supongamos que una pareja se resiste a la senda del «tú estás loco». Cada uno de ellos cumple pacientemente la tarea de la evolución interior. Ya no necesitan usar al otro y envenenar la relación. Renuncian a las proyecciones. ¿Existe alguna garantía de que la escena siguiente será un abrazo apasionado?

No necesariamente. Lo que puedes descubrir es que la persona a la que ahora ves claramente en la totalidad de sus cualidades, no es compatible como pareja. También es bueno descubrir esto, y si ha de haber una separación, es necesario llevarla a cabo con el respeto adecuado para que perdure una relación de amistad.

Porque algo se hace indudable a medida que maduramos: las pocas personas que han pasado realmente a través de nosotros y nosotros a través de ellas hasta que los sueños, imágenes y recuerdos han sido esclarecidos, se convierten en preciosos eslabones de nuestra continuidad. Esto incluye a nuestros padres, a nuestros hijos, a nuestros amores, incluso a los fetos que nunca vieron la luz (las ancianas suelen despertarse por la noche y ver sus minúsculas uñitas). Cuando intentamos enterrar las imágenes de otros que tanto han significado, una parte de nosotros muere con ellos. Nuestra vitalidad será mucho mayor si somos capaces de mantener la amistad con aquellos que han compartido capítulos de nuestra formación.

En cualquier caso, la mediana edad no es el momento característico de ruptura de los matrimonios. [6] Los años de la adolescencia y el período de Alcanzar los Treinta marcan los momentos cumbre del divorcio y a partir de este momento la proporción desciende uniformemente con la edad y la duración del matrimonio. Lo probable es que las parejas de mediana edad se separen. En oportunidades éste es un cambio (consciente o inconsciente) de inmunizarse contra un nuevo matrimonio. También puede servir para estimular la maduración individual, como cuando se trasplantan dos plantas maduras con mayor espacio entre ambas, hasta que cada una de ellas ha florecido hasta que vuelven a tocarse en una forma que ya no es forzada sino natural.

¿Novela policíaca?

¿Quién es entonces el villano y quién la víctima en la pareja? Mientras estábamos distraídos en la acción, los dos sospechosos principales se alejaban de los polos opuestos de la década de los veinte. Pero por algún misterioso intercambio, en los cuarenta han invertido las posiciones. Podemos observar el mismo planteamiento villano-versus-víctima en el período de la mitad de la vida, pero ahora acusador y acusado han cambiado de lugar.

¡Demonios! ¿Nunca se resolverá este misterio?

La respuesta es negativa. Lo que enseña todo cambio evolutivo es que *las cosas nunca pueden ser arregladas de una vez para siempre.* La vida es una novela de suspense, sí, pero no podemos resolver el misterio con la adecuada serie de pistas, ni el rompecabezas con un ajuste correcto. Resolverlo a los treinta no impedirá separar todas las piezas y volver a acomodarlas a los cuarenta. Y la mayoría de nosotros necesitará varios años para llegar a comprender, sencillamente, que la segunda mitad de la vida es un nuevo rompecabezas completo.

22
El diamante sexual

He dejado deliberadamente para el final la cuestión de los cambios e intercambios sexuales en el hombre y la mujer que llegan a la mitad de la vida. Y ello a causa de la vieja discusión sobre el huevo y la gallina. Existen pocas dudas de que una modificación en los niveles hormonales de ambos sexos estimulan, al menos, un parte de los cambios psicológicos de la mediana edad. Por otro lado, cuando el hombre casado de cuarenta años dice «Nuestra vida sexual se ha hecho añicos», o una esposa de la misma edad afirma que ha tomado un amante «para reforzar nuestro matrimonio», por lo general el cambio de las circunstancias sexuales no es la causa sino uno de los elementos de todos los demás cambios de perspectiva que ya se han descrito.

Muchas mujeres modernas exhiben con mayor intensidad su potencial erótico aproximadamente al tiempo que el incentivo sexual de sus maridos disminuye. Para los hombres, la sola *idea* puede resultar desastrosa.

La «impotencia» de mitad de la vida deriva, en más del 90 %

de los casos, de una devastadora combinación de ignorancia y angustia sexual masculina. Son muchos los estudios que lo confirman. Masters y Johnson lo dicen lisa y llanamente: «La susceptibilidad del macho humano al poder de sugestión con respecto a su capacidad sexual es casi increíble». [1] La angustia, el temor flotante de perder la capacidad masculina tal como la ha conocido —más que cualquier fluctuación a nivel hormonal— son a menudo la causa de que el hombre no pueda experimentar, por primera vez en su vida, una erección. Incluso la más leve sugerencia de que su capacidad sexual está disminuyendo puede llevar al hombre de mediana edad a sufrir por segunda vez lo que a menudo considera un humillante fracaso.

Percibe que le cuesta más experimentar una erección. Lo que antes era una cuestión de segundos y una mera ojeada a los globos de carne que se rozan por debajo de unos shorts de tenis, a medida que pasan los años puede significar varios o muchos minutos. También nota, acertadamente, que su recuperación es más lenta. Durante las dulces agonías de la adolescencia pude haber caminado durante todo el día con una erección, sin perderla del todo incluso después de hacer el amor o de masturbarse: era un virtual prisionero de sus hormonas y de los pantalones ajustados. Pero ahora cada acto sexual tiene un principio y un fin definidos y pueden transcurrir varias horas o todo el día hasta que vuelva a tener una erección. Comparaciones, dolorosas comparaciones: ya no es el muchacho que era.

El efecto acumulativo de tales comparaciones puede hacerle creer que está en el camino hacia la aridez sexual definitiva. Al tratar de forzar una erección que considera que en breve le resultará completamente inalcanzable, se convierte en candidato de una impotencia secundaria. Esto se traduce en que, tras haber disfrutado de una vida sexual perfectamente sana, ahora es incapaz de tener una erección por lo menos la cuarta parte de las veces, cuando no la mitad. O, si este fracaso episódico se transforma en una pauta a la que se resigna, nunca volverá a tenerla.

Masters y Johnson aseguran que salvo un porcentaje ínfimo, todos los casos de impotencia son de origen psicológico. No obstante, una cuarta parte de los hombres son impotentes alrededor de los sesenta y cinco y la mitad aproximadamente a los setenta y cinco años. [2]

¿Qué es lo normal? ¿Cómo debe ser capaz de comportarse el hombre después de los treinta y cinco? Precisamente el énfasis que se ha puesto sobre el comportamiento sexual ha sido la mayor causa de disfunción sexual a través de los tiempos. Algo está ocurriendo y no hay nadie que le indique cómo interpretarlo. La mayoría de los hombres no lo consultarán con otros de su mismo sexo y si lo hicieran probablemente no obtendrían una respuesta franca; la falta de sinceridad con respecto a los temas sexuales aumenta desde temprana edad y llega a ser incorregible. De ahí que cada hombre piense que su fracaso es, en cierto modo, excepcional.

Existen considerables ventajas para el hombre de mediana edad que se permite disfrutar de su madurez sexual. La capacidad sexual prolongada llega a él con naturalidad, aparte de que entonces es capaz de mantener relaciones íntimas más profundas (tipo de relaciones que no florece cuando existe la necesidad de demostrar machismo).

Un hombre me explicó cuán amenazantes le habían parecido algunos de esos cambios y en qué forma luchó con ellos durante casi cinco años. Durante los treinta, como hombre divorciado, había tenido una intensa vida sexual. Cuando estaba cerca de los cuarenta y se encontraba dichosamente casado por segunda vez, una madura y traviesa belleza de su pasado le invitó a una fiesta. Su esposa estaba por unos días fuera de la ciudad por asuntos de negocios.

—Sentía que debía intentarlo. Antes siempre había tenido éxito.

Cuando condujo a la tentadora a la cama, no sólo se sintió culpable sino además utilizado. Esa relación carecía de emoción ya que todos sus sentimientos estaban ligados a su esposa. De hecho,

503

no hizo nada. La otra mujer (como tantas mujeres maduras, observó él posteriormente) fue la agresora.

—Después de las primeras veces en que no pude tener una erección con otra mujer, empecé a comprender que ello se debía a que me veía obligado a hacer algo que en lo profundo de mi ser no deseaba.

No podía actuar ante una exigencia, pero a medida que pasaba el tiempo empezó a molestarle que le exigieran. Cada vez se volvía más pegado a, más vulnerable a, y más comprometido con su esposa. No le resultó fácil acostumbrarse a este cambio de utilizar el sexo como forma de dominio a la necesidad de afecto y exclusividad. Gradualmente, fue considerándolo como una ventaja.

—Significa la libertad de no sentir que uno tiene que perseguir a las mujeres.

Pero aun cuando el cambio fue positivo, este hombre se resistió al mismo.

Un tema recurrente en la biografía de los hombres que describen la etapa de la mitad de la vida es el de las escapadas con mujeres más jóvenes que ellos pensaban que restablecerían su capacidad sexual disminuida. En oportunidades, esto ayuda a disipar la angustia que es la auténtica responsable del problema. A veces, con gran desazón, los hombres se encuentran repentinamente fláccidos cuando se ven ante el momento supremo de la fiesta sexual, o descubren que la aventura les reduce a la flaccidez cuando están con sus esposas. En cualquier caso, se sienten confundidos. Y avergonzados. Y asustados.

Cuando Joe declara en una fiesta «No se me ocurriría acostarme con una mujer de más de cuarenta años», o Sam anuncia a sus amigos «Este fin de semana me voy a correr una juerga con una chica de diecisiete años», están revelando, más que nada, sus propios temores de inadecuación de la mediana edad. La mujer de cuarenta años no es evaluada como un individuo; la chica de diecisiete no tiene nombre ni características personales. En ambos casos, la mujer es limitada a una sola dimensión: su edad.

Es evidente que cuando el hombre comienza a sentir en este período su propio lado femenino, también se sentirá un tanto amenazado por el comportamiento que comienza a manifestarse en su compañera. Las características cambiantes que se hacen patentes en ambos sexos durante la curva de los cuarenta no pueden ajustarse entre sí, al menos durante varios años. Pero si el hombre no comprende o no puede aceptar este proceso, ello puede provocarle un bloqueo de sus sentimientos. Los temores sexuales no hacen sino agravar la situación. Desde su perspectiva, a medida que la naturaleza limita su potencial sexual, una mujer ardiente y experimentada de su propia edad sabe demasiado, espera demasiado. La defensa más obvia consiste en encontrar la forma de minimizar a las mujeres.

Buscar compañeras más jóvenes y más superficiales no es la única artimaña para minimizar a la mujer. Toda la experiencia sexual puede reducir su peso específico deshumanizando a las mujeres, viéndolas como un conjunto de objetos sólo levemente distintos, para ser usados y luego desechados. Se puede pagar a prostitutas. Es posible activar a modelos de salones de masajes como máquinas que funcionan introduciéndoles una moneda. Algunos hombres establecen una verdadera contienda para seducir a las esposas de otros hombres o a sus amigas, una forma de rivalidad masculina en la que la mujer puede ser rebajada por haber cooperado en la infidelidad. El fetichismo sexual también presenta un gran atractivo. La mayoría de los lectores de *The Fetishist Times* son hombres en los cuarenta y los cincuenta. El hombre puede insistir en el sexo con extrañas combinaciones. De pronto los pies se convierten en una obsesión, o los pezones oscuros, o cualquier otro elemento. Tal vez el auténtico deseo no es el de atraer sino el de descalificar al mayor número posible de mujeres.

El problema de la ignorancia radica en el hecho de que hasta hace muy poco tiempo el hombre americano prácticamente no disponía de ninguna fuente de información confiable acerca del sexo. Primero era un niño al que los chicos mayores le decían: «Cuando seas mayor lo sabrás». Después se convertía en un muchacho más grande que le decía a otro menor ignorante que cuando fuera mayor lo sabría. Más tarde abandonó la condición de hijo y pasó a ser esposo y padre; en el camino, rara vez les hizo a las chicas preguntas específicas porque eso habría significado reconocer que todavía no sabía.

Un pene fláccido le arroja, en la mitad de la vida, a los brazos del pánico.

Lo que probablemente no hará —según el doctor David Marcotte del Kinsey Institute es describirle a un médico su dilema real. Revelarle a cualquiera una debilidad real o imaginaria para vivir de acuerdo a las pautas de virilidad es repugnante. Aún más, los hombres no cuentan con médicos para la mediana edad. ¿Qué hombre tiene una relación confidencial desde hace tiempo con su urólogo, a la manera que la tienen las mujeres con su ginecólogo? A los hombres les resulta inimaginable la idea de abrir las piernas por orden del médico, como hacen las mujeres para que les palpen las partes íntimas, les parctiquen un Papanicolau o una episiotomía, un raspado, una introducción de un disco de goma, la inserción de una espiral de metal; el rol masculino durante los años reproductores no lo requiere. Así pues, si bien mantienen un sólido frente de virilidad, la mayoría de los hombres son remilgados para plantear sus problemas sexuales a un médico.

Y aunque lo hicieran, como regla general el médico no está especializado en problemas sexuales. No hará una historia sexual ni inquirirá acerca de la impotencia situacional que representa el verdadero problema. Habitualmente, el paciente disfrazará su preocupación real describiendo otros síntomas físicos («Estoy deprimido, fatigado, excedido de peso»), o inventará un factor orgánico. Si el médico le interroga sobre cuestiones específicamente sexuales, con toda probabilidad mentirá. Como consecuencia de toda la maniobra, por lo general el médico concluirá diciéndole: «No se preocupe, es una parte natural del proceso de los años». La afirmación implícita es: «No lo va a necesitar mucho tiempo más».

Entretanto, su equivalente femenino, a menudo se encuentra, literalmente, de ronda. Se ha prestado notable atención al «floreci- miento retardado» del deseo sexual y la capacidad orgásmica de las mujeres de más de treinta años con respecto a lo cual el hombre se encuentra inquietamente consciente. Masters y Johnson lo dice prácticamente: «Por lo general la mujer se sentirá satisfecha con tres a cinco orgasmos». [3]

Esto nos enfrenta a lo que parecería un círculo vicioso: la mu- jer de mediana edad busca activamente la satisfacción de sus pro- pios deseos sexuales desinhibidos en un hombre que, receloso ante cualquier exigencia directa, retrocede involuntariamente. Cabe pre- guntarse cómo puede la naturaleza ser tan perversa.

El enfrentamiento de los hechos de los ciclos de la vida sexual masculina y femenina

Cuando más semejantes son varones y mujeres es antes de nacer, a los dieciocho y después a los sesenta. Entre los dieciocho y los se- senta avanzan hacia polos opuestos que alcanzan sus puntos extre- mos alrededor de los cuarenta.

La configuración global debe considerarse como la forma de un diamante. Es decir, a la edad de la emancipación, hombres y mujeres son bastante similares. En los veinte empiezan a diferen- ciarse en todos los sentidos: en la capacidad sexual y la disponibili- dad para el sexo (especialmente cuando la mujer ejerce su potencial reproductor), en los roles sociales que son absolutamente diferentes y también favorecen diferentes características de la personalidad, y en el sentido general que tienen de sí mismos. Aproximadamente al final de los treinta y principios de los cuarenta, la distancia de un extremo a otro del diamante se encuentra en su punto máximo. Hombres y mujeres muestran los aspectos más sorprendentemente disímiles de sus capacidades sexuales. Al mismo tiempo, se les pide que admitan los aspectos sexualmente opuestos de sus naturalezas, que son tan temiblemente desconocidos. Durante los cincuenta, ambos experimentan una involución sexual, que finalmente vuelve a reunirlos en la identificación sexual de la ancianidad.

Ahora retrocedamos y completemos los detalles... En las primeras cinco semanas después de la concepción, todos somos hembras. Las instrucciones genéticas relativas a nuestro futuro sexo son dadas en el momento de la concepción pero todos los embriones mamíferos son femeninos hasta que queda suprimido, en algunos, el crecimiento de los ovarios. Corresponde a la estimulación de las hormonas sexuales masculinas iniciar la diferenciación sexual durante la quinta semana. Pero al margen de cuáles sean las instrucciones genéticas, si se extraen los órganos sexuales fetales con anterioridad a esta diferenciación, el feto se desarrollará en todos los demás aspectos como un ser femenino (sin ovarios), en todo otro sentido anatómicamente normal.[4]

Ambos sexos producen continuamente alguna hormona del sexo opuesto. Una hembra a la que se inyecta experimentalmente testosterona aceptará fácilmente la hormona masculina, y aunque con frecuencia crecerá su impulso sexual y se agrandará su clítoris, se requiere muy poco o ningún estrógeno para que se reafirme su feminidad humana innata. La situación inversa es aplicable a los hombres. El hígado controla íntimamente la provisión de estrógeno en el macho y libera de su cuerpo cualquier exceso. También es muy resistente al estrógeno inyectado y a sus efectos feminizantes. Empero, a medida que transcurren los años su hígado va perdiendo eficacia, de modo que en la mediana edad su nivel de hormona femenina empieza a elevarse o, al menos, permanece estable. Entretanto, su producción de hormona masculina, que ha ido declinando desde finales de la adolescencia, disminuye inexorablemente.

A medida que se acerca a los cincuenta, los contornos de su cuerpo recobran gradualmente parte de la feminidad que era anatómicamente natural del embrión original. Aunque la mujer postmenopáusica no se encuentra en una situación paralela (es decir que su nivel de hormona masculina no se eleva en la misma proporción), su nivel de estrógeno disminuye cuando concluye su ciclo reproductor. Entonces ambos sexos vuelven a ser más semejantes. O, para ser más precisos, al intercambiar muchas características devienen menos diferentes.

¿Pero qué hay de la similitud a los dieciocho años? Lo que antaño sólo fueron estremecedoras y secretas experiencias personales en la actualidad posee el testimonio de recientes investigaciones sobre el sexo y de una nueva sinceridad por parte de las mujeres.

Es perfectamente conocido que el varón alcanza su máxima capacidad sexual alrededor de los dieciocho. La capacidad sexual se define como la posibilidad de responder rápida y repetidamente, y el joven está a la altura de las circunstancias infatigablemente. El joven no sólo puede experimentar una erección en simple cuestión de segundos sino que es capaz de tener una cadena de eyaculaciones sin perder totalmente su erección. Diez minutos después del primer orgasmo, puede ser reestimulado de un estado de intensa excitación a otra plena erección *en el transcurso del mismo acto sexual.* Es decir que la fase de resolución tarda minutos u horas en quedar definitivamente completa y que es potencialmente capaz de tener múltiples orgasmos penetrando repetidas veces a su compañera.

Pero todavía no se ha registrado cuál es el auténtico potencial sexual de la muchacha de dieciocho años. La supresión del impulso sexual en las jóvenes ha sido fundamental para estabilizar a las culturas alrededor de la vida familiar establecida. Pero esto no significa que no existiera.

El impacto provocado por la evidencia de que hasta las niñas buenas están tan interesadas como los varones en el sexo, sólo en los últimos tiempos ha empezado a manifestarse en nuestra sociedad. Casi nadie puede dejar de notar que algo ha quedado fuera de nuestra noción tanto tiempo predominante de la sexualidad femenina como algo letárgico y reposado, como un menudo y apretado capullo que sólo se abre después de diez o quince años.

De hecho, la vagina es un espacio extraordinariamente elástico que se agranda con la excitación sexual. Incluso una mujer pequeña o muy joven puede admitir un pene excepcionalmente grande, del mismo modo que puede dar a luz a un bebé de cinco kilos a los dieciocho años. Cuanta más experiencia sexual adquiere, más rápidamente excitable y repetitivamente orgásmica se vuelve, pero ella no necesita ningún lapso de tiempo para volver a estar dispuesta.

Las sociedades siempre han sospechado esto acerca de las mujeres, y de ahí los esfuerzos realizados para reprimir la sexualidad femenina. La simplificación de «siempre lista» me parece exactamente el extremo opuesto del menudo y apretado capullo. La verdad es mucho más compleja. Nos vemos conmovidas por nuestras emociones y somos, además criaturas de nuestras capacidades físicas.

Habiendo disfrutado yo misma y no sin sentimiento de culpa, de una adolescencia bastante ardiente, siempre me pregunté cuánto había de verdad en la idea de «florecimiento retardado» de la sexualidad femenina. Le planteé la cuestión a una amiga.

—Recuerdo mi adolescencia como un período de absoluto frenesí —me respondió—. No transcurría un solo día sin que el setenta y cinco por ciento del tiempo estuviera ocupado en sueños, deseos, observación visual y contactos, cuando ello era posible.

Muchas jovencitas «hicieron de todo» con sus novios formales esperando que fueran, naturalmente, futuros maridos. Otras sólo deseaban complacerlos. Cualquiera haya sido el motivo que tuvieron en aquella época, lo que ahora surge en los grupos que estén tomando conciencia es que se sentían culpables de gozar. No sabían si eso era normal y el tema jamás se mencionaba.

Aunque contrario a nuestra propia experiencia, las mujeres de mi generación aceptamos la visión mitológica del muchacho de dieciocho años que es prisionero de sus hormonas y de la jovencita que está preparada para la reproducción pero no disfrutará sexualmente hasta diez o quince años después. Ciertamente, muchas de nosotras *nos obligamos* a volver a la inactividad sexual. Era habitual que las chicas buenas que «habían ido demasiado lejos» cumplieran penitencia por su irresponsabilidad erótica comenzando un período de revirginación.

Esto explica la carta que un hombre recuerda haber recibido después del verano, remitida por su joven novia: «Lo que hemos hecho está mal. Cuando nos reunamos en el otoño, todo tendrá que ser diferente». Él se sintió atónito: todo lo que habían hecho era maravilloso.

Los últimos cinco años han llevado a las mujeres de mi generación a hablar y reír acerca de la intensidad sexual que sentíamos cuando éramos muy jóvenes. Y de los riesgos que estábamos dispuestas a correr. Gran parte de esta sinceridad fue estimulada por el tema del aborto. Se solicitó a todas las mujeres famosas que habían abortado que lo dijeran en voz alta. La necesidad del aborto no podía ser ignorada si un sólido bloque de celebridades y esposas de hombres importantes —incluso de legisladores— lo habían experimentado. Algunas de ellas habían abortado a los dieciocho, a los diecinueve y a los veinte años.

Esto no significa que la mayoría de las muchachas de dieciocho años de la época anterior a la píldora actuara de una forma que despertar sus energías sexuales, sólo para sugerir que si lo habían hecho poseían una receptividad similar a la del varón. Pero las prohibiciones religiosas y la pauta de doble moralidad —para no mencionar las legiones de eyaculadores precoces— fueron notablemente eficaces para enfriar la actitud de las jóvenes hacia el sexo.

También a los varones se les transmitía un doble mensaje: «No lo hagas, pero ya sabemos que lo harás». En lugar de acentuar la similitud de los deseos y las capacidades de ambos, la pauta de doble moralidad tuvo un efecto opuesto que es bien conocido. El rol de él consistía en hacer de atacante mientras ella adoptaba la pose de víctima poco dispuesta. Cualquier sentimiento que no se ajustara a esta parodia debía ser ocultado o presentado con excusas, y nada de esta contienda ritualizada daba paso a la reciprocidad. Esto era causa de que se ingresara en los años adultos con una gran dosis de desconfianza. Los hombres continuaban creyendo que «las mujeres siempre se hacen de rogar», y las mujeres seguían convencidas de que «a los hombres sólo les interesa una cosa».

Los ciclos divergentes de la vida sexual

La similitud de varones y mujeres a los dieciocho años se extiende a otros campos además del de la capacidad sexual. A esa edad son más parecidos o aliados en la necesidad de romper con sus padres que diferentes como macho y hembra. Se necesitan el uno al otro para descubrir cuán diferentes son. Tanto él como ella son inseguros, inexperimentados y todavía imposibles de diferenciar por el caparazón de firmes roles sociales y vocacionales. Embelesados tanto por lo que están aprendiendo acerca de sí mismos como por el otro, los jóvenes amantes pierden de buena gana sus egos el uno en el otro como en un cálido remolino. Por eso se hace tan difícil renunciar al primer amor.

Cuando ingresan en los veinte, el sistema de elección social empieza a diferenciarlos por las obligaciones domésticas y las oportunidades profesionales; entonces tiene efecto la distinción absoluta de los roles sexuales. Empiezan a separarse en todos los sentidos, incluyendo el sexual. Una abrumadora proporción de nacimientos tiene por protagonistas a mujeres que se encuentran en los veinte. [5] Los embarazos producen interrupciones sexuales y los niños pequeños distraen la atención. Los hombres ya han experimentado «la cima sexual de sus vidas... y jamás volverán a alcanzar niveles más elevados de descarga sexual total». [6]

Es después de concluir la crianza de hijos a la edad estadística de treinta o treinta y un años, cuando la mujer se encuentra en su más plena disponibilidad sexual. Aunque para todos se inicia una lenta decadencia física en los treinta, en la mujer americana este factor queda perfectamente compensado por su pérdida gradual de inhibiciones sexuales. La psiquiatra Mary Jane Sherfey pone especial énfasis en los efectos del embarazo. [7] La capacidad de experimentar orgasmos repetidos (orgasmos que se prolongan en serie ininterrumpida mediante una fase de resolución plena), afirma, se presenta con mayor frecuencia durante los últimos catorce días del ciclo mensual en las mujeres que ya han dado a luz. Esto se debe a los altos niveles de vasocongestión que alcanza la mujer que·ya ha tenido hijos. Las eréctiles cámaras femeninas poseen la capacidad de volver a llenarse de inmediato después de cada clímax, lo que recrea la tensión sexual irrigando toda la pelvis con una provisión inagotable de sangre y fluido. Ésta es una de las diferencias más asombrosas entre hombres y mujeres, y entre las mujeres y otros primates hembras.

¿Y el hombre? ¿Qué es lo que cambia y qué perdura siempre? Se acepta de forma generalizada que después de los treinta el hombre pierde su capacidad de tener orgasmos múltiples. Es decir que pierde la capacidad que tenía el muchacho de volver a experimentar una erección al cabo de diez minutos penetrando repetidas veces a su compañera. A cada eyaculación sigue una resolución plena y como mínimo se requiere media hora para que vuelva a tener una erección. Sin embargo, la cualidad de su vida sexual habitualmente mejora a medida que adquiere más capacidad social y una posición más elevada. Su posición no sólo le hace más deseable a los ojos de las mujeres, sino que le vuelve más potente a sus propios ojos. Nunca se acentuará lo suficiente la importancia que tiene para el hombre la confianza en sí mismo en el nivel de la hormona masculina.

Es un hecho biológico que a medida que transcurren los años la capacidad de erección masculina disminuye y que el hombre necesita períodos de descanso cada vez más prolongados entre un acto sexual y otro. La gradual disminución del ritmo físico que todo el mundo experimenta, no se compensa tan fácilmente en el hombre mediante una nueva experiencia sexual, como ocurre a menudo con las mujeres, porque por lo general él tiene menos inhibiciones que perder. Por el contrario, es probable que en la mitad de la vida se vea afectado, por primera vez por graves inhibiciones.

Obviamente, debe verse afectada la confianza sexual del hombre en un momento en que se están experimentando perturbadores cambios del yo en todos los demás aspectos. Puede tratar de ocultarle a su compañera una libido lánguida, provocando una pelea con ella para sumirse después en una hosquedad de santurrón. O trabaja hasta agotarse, o contrae una enfermedad psicosomática, todo ello para justificar que no puede hacer el amor durante el fin de semana. Existen centenares de formas de evitar el auténtico problema. Aunque probablemente su compañera lo percibe, no lo menciona porque si lo hiciera se expondría quizás a la aniquilación.

En Estados Unidos y en toda la Europa occidental fomentamos el pene vertical. Como dice el antropólogo Ray Birdwhistell: «A menos que el macho pueda elevar este pene vertical hipererecto y no eyacular prematuramente, creerá que está incapacitado».[8] Y a menudo lo está.

Algunas sociedades aceptan el hecho de que es posible el sexo con un pene no rígido. Esto exige la cooperación entre el hombre y la mujer. Ella prepara los tejidos para la recepción del pene parcialmente erecto, utilizando lubricación adicional si es necesario. En una sociedad que sostiene que sólo las chicas malas cooperan, se crea un tabú contra tan útiles esfuerzos. Lo más parecido a una revolución sexual que hemos experimentado, afirma el profesor, es que ahora las mujeres pueden reconocer lo que saben sobre el sexo sin que se les considere malas. Y que se lo enseñen a los hombres. Pero aún rueda un gran tanque cargado de ignorancia a través de la mitad de la vida y yo diría que debemos recorrer aún un largo camino para reducir el número de víctimas sexuales.

El lado brillante del ciclo de vida sexual masculino es el siguiente: el hombre de buena salud general no tiene por qué perder *nunca* su capacidad de erección. El hombre de mediana edad sexualmente educado y experimentado puede ser un amante muy satisfactorio. Una vez que ha superado la angustia de su juventud perdida, puede empezar a apreciar su capacidad madura de dar ternura y recibir amor, y de prolongar su propio estado de excitación reteniendo la eyaculación mientras conduce al éxtasis a su compañera repetidas veces. Pero también debe saber que a las mujeres no les gusta sentir que *deben* tener orgasmos repetidos con el fin de satisfacer la masculinidad del hombre. Al igual que con la erección, toda expectativa rígida de un modelo de comportamiento es incompatible con una buena ecuación sexual.

Considerándonos con fríos y duros términos evolutivos, todos somos relativamente inútiles después de los treinta. Todo lo que necesita una especie para sobrevivir es reproducirse, lo que resulta fácilmente posible a los quince años de edad, y quince años más para criar a la nueva generación hasta que haya alcanzado su propia edad reproductora. Indudablemente, hacia los cuarenta, cuando tanto los testículos masculinos como los ovarios femeninos empiezan a mostrar los cambios de la edad todos somos, desde el punto de vista evolutivo, completamente desechables.

¡Pero no queremos irnos! Estamos haciendo todo lo que nos permite la ciencia para prolongar nuestros años de salud y vigor. En la actualidad, un niño americano de sexo masculino que haya sobrevivido a su primer año de vida puede esperar que vivirá hasta los sesenta y nueve y, si es del sexo femenino, hasta los sesenta y seis años. [9] Prácticamente la crianza de los hijos ha concluido cuando llegamos a los treinta. ¿Qué hacemos con todos los años de fulminante erotismo y potencial no dirigido que tenemos por delante? Lamentando el aparente ataque de impotencia masculina que parece coincidir con la superación de las restricciones de la sexualidad femenina, el escritor Phillip Nobile expresó, en *Esquire* un punto de vista aceptado comúnmente: «En verdad, el diseño parece ser bastante chapucero». [10]

Yo sugeriría que somos nosotros quienes lo hacemos chapucero, sólo porque continuamos fijando el ideal adolescente en cemento y nos tambaleamos cuando los próximos cincuenta años no se corresponden con nuestros deseos de amor adolescente. Continuamos careciendo por completo de preparación para el largo plazo del ciclo vital que pasaremos como seres sexuales improductivos.

El orgasmo masculino adecuado

Una de las razones por las que hemos llegado a creer que los hombres gozan menos del sexo a medida que transcurren los años, en tanto las mujeres experimentan el fenómeno inverso, es herencia de Kinsey. Éste midió la experiencia sexual únicamente en términos del número de «descargas». Reflejando en el esquema de su investigación la predisposición de la cultura de la época (1943), la definición de Kinsey de la satisfacción masculina era la eyaculación... nada más y nada menos. Kinsey no estaba dispuesto a oír la palabra «precoz». Si los primates lo hacen rápido, argumentó, los hombres deberían hacerlo más rápido aún:

> Sería difícil encontrar otra situación en la que un individuo que fue rápido e intenso en sus respuestas fuera calificado de otro modo que superior, lo que probablemente es en casi todos los casos el varón que eyacula rápidamente, por inconvenientes o desafortunadas que sean sus cualidades desde el punto de vista de la mujer que comparte la relación. [11]

De modo que, en cierta medida, debemos agradecerle a Kinsey varias generaciones de eyaculadores precoces.

El orgasmo masculino no ocurre naturalmente. Como señala Birdwhistell, con mucha más frecuencia de lo que parecen dispuestos a admitir los americanos y la mayoría de los europeos occidentales, un orgasmo masculino pleno, que no es lo mismo que una eyaculación, no se produce sin aprendizaje y entrenamiento. La eyaculación se compone de una sensación de dos a tres segundos cuya llegada es inevitable. Seguida de tres o cuatro fuertes contracciones musculares que expelen el semen y producen el mayor placer, después varias contracciones menores y se acabó. Aún más. El hombre de más de cincuenta años puede sentir sólo una o dos contracciones antes de la expulsión o perder totalmente la sensación subjetiva de inevitabilidad y verse reducido a una eyaculación de una sola etapa.

El orgasmo masculino pleno es un ejercicio de exquisita dilación. Entrenándose para aminorar el ritmo cada vez que se aproxima al límite de la necesidad de eyaculación, el hombre puede darse el lujo de saborear olas de cálida tensión, complacerse en la fantasía y deleitarse en llevar a su compañera a una ascendente cadena de orgasmos hasta que ella alcanza un momento de clímax comparable al de él.

Como los jóvenes de hoy por lo general reconocen el placer del encuentro sexual prolongado, hacen esfuerzos y experimentan diferentes métodos para conseguir esa dilación. El problema para el hombre de más edad es distinto. Aunque frecuentemente está más capacitado para ser un eyaculador maduro, lamentablemente éste no era el ideal transmitido por el estilo americano de «acabar» cuando él era un muchacho. El ideal suponía que si lo hacía bien, el hombre «acababa» La mujer también era llevada a creer que había fracasado si no lograba que él «acabara».

En los últimos tiempos y en Estados Unidos, Masters y Johnson han señalado que el hombre de sesenta años encontrará mayor satisfacción sexual si en dos de cada tres ocasiones reserva totalmente su eyaculación. De esa forma la tensión sexual se acumulará hasta producir un clímax que habrá satisfecho sus expectativas. Aunque sólo ahora se empieza a plantear esta tesis —de forma cautelosa— en los Estados Unidos, ha sido el ideal de la cultura oriental. Las antiguas enseñanzas de los manuales sexuales chinos afirman que debe entrenarse al joven para que no eyacule, tanto por su propio placer como por el de su compañera. Según la antigua sabiduría china, el goce mutuo más profundo del sexo se consigue mediante la estimulación de los órganos en la mujer. El hombre es estimulado a perfeccionar este modelo durante toda su vida: retener la mayor cantidad de tiempo posible y si llega a sucumbir, que eso le ocurra con la menor frecuencia posible para que esas ocasiones le encuentren preparado para una liberación satisfactoria: todo encaja perfectamente con el cambio de las capacidades humanas a medida que envejecemos. Claro que la cultura china siempre ha venerado la ancianidad, mientras que la nuestra sólo celebra a una juventud que todos hemos de perder.

Como atestiguan los más juiciosos investigadores, si el único criterio fuera el sexo, el mejor apareamiento sería el del muchacho adolescente con la mujer que le dobla en edad. [12]

Los curiosos altibajos de la testosterona

En cierto sentido, la carga que la edad sitúa sobre los hombres americanos es más intolerable que en el caso de las mujeres. Nuestros hombres deben ser algo que ninguna criatura viviente ha sido capaz de lograr: eternamente fuertes. Los hemos preparado para ello ignorando toda posible evidencia en sentido contrario.

Sabemos que la hormona masculina, la testosterona, está íntimamente relacionada con la conducta agresiva, al igual que con la conducta sexual. Y estamos empezando a descubrir que el nivel de la hormona masculina varía enormemente con el estado emocional del hombre. La doctora Estelle Ramey —fisióloga de la Escuela de Medicina de la Universidad de Georgetown que estudia con gran dedicación las variaciones en la testosterona, y sobre todo el papel que desempeñan en los ataques cardíacos masculinos— llamó mi atención hacia un fascinante estudio del doctor Robert Rose, profesor de la Escuela de Medicina de la Universidad de Boston.

Cuando un mono rhesus es el número uno en la jerarquía de una colonia de primates, su nivel de testosterona es más elevado que el de cualquiera de los otros monos. Podríamos llegar a la conclusión de que la testosterona es la hormona de carga y que el que más tiene es el que llega a la cumbre. Pero tomemos a este primate que se encuentra en la cima de la pirámide y coloquémoslo en una colonia en la que sea desconocido, donde tenga que volver a establecerse, y su nivel hormonal descenderá en picado. Todo depende de su sentido de la seguridad. [13]

El nivel de testosterona no es algo que un individuo «tenga» al margen de su situación social; se trata de un sistema abierto. Otros dos estudios de Rose muestran cuán sensible puede ser este sistema. Cuando un animal ha sido derrotado en una pelea, su nivel hormonal desciende y permanece bajo. Pero pongamos a un macho de bajo status en una jaula con una hembra a la que pueda dominar y con la que pueda mantener una vida sexual activa, y se elevará su nivel hormonal junto con su estado de ánimo.

Aunque modelos similares pueden observarse en los seres humanos, en este campo existe una imperdonable falta de investigación científica. Sólo ahora se están desarrollando en química nuevas técnicas para medir acertadamente los esteroides sexuales en la sangre humana. Empiezan a aparecer datos:

Cuanta más edad tenga el hombre, más fácilmente la angustia provocará una disminución de su hormona testicular.

A partir de los dieciocho años de edad, momento en que la secreción de testosterona alcanza su máximo, se produce una lenta disminución hasta que muere.

No todos los hombres presentan este modelo de pérdida gradual. Con mayor frecuencia de la que se preveía, los hombres muestran un sustancial descenso en el nivel hormonal a partir de algún momento comprendido entre los cuarenta y los cuarenta y cinco años de edad. En ese momento se observa en ellos todos los síntomas y señales de la mujer menopáusica.

Incógnitas del climaterio

Hasta ahora éste ha sido un problema masculino sin denominación. Existe el vago término *climatérico*, pero no existe nada visiblemente notable que cambie: no se interrumpe ningún período menstrual; no se espera que tenga arrebatos de calor ni mareos, fallos de la memoria ni irritabilidad. Puede ensimismarse en el trabajo obsesivo, pero otros síntomas corrientes como permanecer despierto y angustiado durante horas en mitad de la noche, sentir lasitud, fatiga crónica y dolores de cabeza sin duda alguna reducirán la energía y la calidad que antes llevaba a su despacho. Finalmente sus colaboradores notarán que algo anda mal, aun cuando se niegue a reconocerlo ante sí mismo, y especialmente si descarga en ellos su mal talante. Sus colegas empiezan a preocuparse por su rendimiento en la empresa. Los competidores pueden emplear su extraña conducta como arma contra él.

Puede sobrevenir una desagradable espiral descendente. Al sentir que su seguridad en la pirámide tambalea, se vuelve más aprensivo. Está angustiado por el temor a envejecer. Y cuanto más tiempo pasa, esa angustia suprimirá en mayor medida la producción de hormona masculina que necesita para actuar con confianza. Por último, la espiral entrará en su casa para hacer estragos en su vida sexual. Porque como ya sabemos, la relación entre capacidad sexual y nivel de testosterona es de carácter sinérgico. Pero antes de seguir adelante, me apresuro a agregar las palabras tranquilizadoras de la doctora Ramey: «La potencia no es una función dependiente de la cantidad de hormonas que segregues en tanto tengas suficiente». [14] La mayoría de los hombres tienen suficiente para una actividad sexual moderada hasta bien entrada la ancianidad.

Aclarada esta cuestión, las dos preocupaciones que todos tienen son: ¿cuántos hombres sufren graves desajustes de su equilibrio físico, emocional y sexual como resultado del climaterio? ¿Cuál es la edad temible?

Un cálculo actual afirma que alrededor de 15 % de los hombres sufren una rápida y aguda declinación de la testosterona, relacionada con síntomas perturbadores del climaterio. Para el otro 85 % de los hombres, el cambio hormonal es lento y gradual, aunque existen considerables variaciones. La mayoría apenas lo percibe; algunos no experimentan ningún síntoma, y otros se ven afectados por amplios cambios de nivel hormonal durante un período de pocos años, que les produce cambios de humor igualmente imprevisibles, y después los síntomas desaparecen sin tratamiento. Los síntomas de la menopausia también «afectan hasta cierto punto a casi todas las mujeres, pero sólo alrededor del 10 % se ve verdaderamente incomodada por estos problemas». [15] Existen importantes razones para que ese porcentaje haya descendido tanto. La menopausia ha sido estudiada durante muchos años. La mujer sabe lo que le espera. Actualmente se dispone de volúmenes enteros de información educativa al respecto. La terapia de reemplazo hormonal, aunque se pone en entredicho en virtud de una posible relación con el cáncer, tiene abundante uso clínico. Por encima de todo, las mujeres menopáusicas están sufriendo un acontecimiento específico del cual quejarse y al cual adaptarse y todo el mundo lo sabe: pueden esperar que se las comprenda. Para los hombres todo es indefinido e inesperado.

Al presentar resultados concluyentes de un estudio sobre la impotencia en 100 pacientes climatéricos, el urólogo bostoniano Thomas Jakobovits ofrece el siguiente cuadro:

> Después de los cuarenta años, el hombre puede manifestar síntomas de los esfuerzos y tensiones peculiares de esta época específica de la vida. El individuo puede sufrir irritabilidad, nerviosismo y una disminución o pérdida de la función sexual ...esta declinación de la función gonádica asociada con síntomas del climaterio masculino puede empezar a cualquier edad, pero corrientemente tiene su inicio entre los cuarenta y los cincuenta y cinco años.

Refiriéndose a otros tres estudios, informa que la edad promedio del paciente climatérico es de 53,7 años. [16]

El doctor Helmut J. Ruebsaat —cuya práctica en la Columbia Británica esta cada vez más relacionada con hombres que experimentan el climaterio— considera que el fenómeno afecta más intensamente en la década de los cuarenta. Las tres cuartas partes de los casos que han llegado a él empezaron entre los cuarenta y uno y los cincuenta años, y el resto en algún momento antes de los sesenta. Lo realmente problemático en cuanto a asignar una edad promedio es que muchos casos no se presentan hasta mucho tiempo después de la aparición de los primeros síntomas, y muchos otros jamás llegan a los médicos. [17]

Los síntomas del cimaterio se presentan en serie y no son fáciles de identificar. El hombre no despierta una mañana sintiéndose repentinamente enfermo, como le ocurre con la gripe. Pueden aparecer uno o dos síntomas durante un período de días, seguidos por un ataque de síntomas más amenazante; luego todo pasa y se siente bien. Pocas semanas o meses después da comienzo un nuevo acceso. Con toda esta confusión, no es de extrañar que el hombre pueda pensar que está sufriendo una serie de enfermedades sin conexión. En síntesis, he aquí las dolencias más a menudo relacionadas con el climaterio:

Fatiga matinal, lasitud y dolores difusos son las más comunes.

Los síntomas cerebrales son: nerviosismo, irritabilidad, fases depresivas, accesos de llanto, insomnio, fallos de la memoria, aprensión y frustración.

La potencia sexual disminuida y la pérdida de confianza en sí mismo se encuentran especialmente sometidas al efecto recíproco de la situación a que se halla sujeto en el hogar y en el trabajo.

Puede presentarse una mezcla de síntomas circulatorios: mareos, arrebatos de calor, temblores, sudores, dolores de cabeza, entumecimiento y comezón, manos y pies fríos, además de pulso acelerado y palpitaciones. Esto último aterroriza al hombre: cree que está sufriendo un ataque cardíaco.

Pero el síntoma más fastidioso, como lo designa Jakobovits, es la «declinación en la estabilidad psicológica».

Esto es lo que le ocurrió a Raymond Hull, un famoso escritor en perfecto estado físico que empezó a sufrir ataques de temores nocturnos, transpiración copiosa alternando con estremecimientos y unos cuantos días de permanecer estupefacto ante la máquina de escribir en la que corrientemente escribía dos mil palabras diarias. Cuando una atractiva amiga apareció en su casa ansiosa por pasar el fin de semana con él y la dejó dormir sola, supo que había perdido su empuje sexual. Pero lo más enervante fue su confuso cambio de temperamento. Después de varias semanas de estado de ánimo normalmente bueno, siendo un hombre por lo común plácido, caía en una insondable depresión. Durante algunos días permanecía irritado consigo mismo, con su trabajo, sus amigos, la humanidad en general... como espectador cargado de temores por su propia conducta voluble.

«Me pregunto cómo afectan a otros hombres estos cambios de humor —apuntó Hull en el diario que empezó a llevar—. Esta depresión es desagradable pero existe otro efecto emocional que resulta peligroso. En cualquier provocación trivial puedo pasar del estado de ánimo deprimido y apático a una furia casi demencial.» [18] Un par de semanas más tarde bullía de imprevista alegría. Después se presentaba otro ataque, hasta que empezó a pensar que se estaba volviendo loco.

Lo curioso de todo esto es que los síntomas coincidieron con el período de más éxito y más satisfactorio, con mucho, de su vida. En dos años más recuperó prácticamente la normalidad. Por último, de la colaboración entre Hull y el doctor Ruebsaat es fruto *The Male Climacteric,* una obra del año 1965 y aparentemente el primer tratamiento profundo de este tema.

Si no se diagnostica, el climaterio puede tener un efecto ondulante bastante temible. «Obviamente los accesos de mal humor que son un síntoma común del climaterio le provocarán problemas en su trabajo y con sus amistades», señala Ruebsaat. «En casos extremos pueden conducirles a discusiones, peleas, incluso crímenes.» [19] También describe la reacción que cabe esperar del hombre ambicioso que ha alcanzado cierto éxito; habitualmente reacciona con defensas asustadizas contra amenazas inexistentes a su prestigio y su medio de vida.

Un empleador que empieza a evidenciar los síntomas emocionales del climaterio puede convertirse en el terror de su personal: imprevisible, injusto, el hombre más detestado de la empresa. Puede mostrar un criterio imprudente en cuestiones comerciales, volverse lento para tomar decisiones o violentamente arbitrario en éstas, mientras su humor alterna entre el pesimismo y el optimismo.

El hecho de que semejante desquiciamiento pueda afectar a un hombre equilibrado no es una revelación agradable. De acuerdo con mi experiencia, los hombres a menudo descartan toda mención del climaterio como una idea de «mal de muchos consuelo de tontos», inventada por las mujeres menopáusicas. Existe cierta verdad en el presupuesto de que la mujer menopáusica se resiente por haber asumido la mayor parte de la culpa de los problemas de su marido en la mediana edad. Sólo a las mujeres se les ha atribuido, tradicionalmente, una conducta excéntrica originada en un cambio de vida. El terror y la furia sentidas por las esposas «viejas» descartadas, y previstos por las mujeres casadas al acercarse a la edad del abandono, parece encontrar una voz común cuando se menciona el climaterio. Así, cuando en 1973 el *New York Times* publicó un artículo en el que el autor se preguntaba si existía una menopausia masculina, empezaron a llover cartas de mujeres cuyos matrimonios se encontraban en la mediana edad. Sus heridas eran tan grandes como la vida misma:

Lamentablemente, los médicos, los psiquiatras y los hombres en general la han mantenido debajo de la alfombra, hacia donde ellos mismos la barrían. Les aterroriza reconocer un estado que afecta su conducta más allá de su control, pero que atribuyen fácilmente a las mujeres sin ninguna piedad. Ni siquiera pueden tratar el tema entre ellos. [20]

La autora anónima de esa carta también señaló que si hubiera leído algo acerca de los síntomas cuando su marido había sufrido intensos cambios climatéricos a los cuarenta y seis años, no se habría visto abocada al divorcio.

¿Qué puede hacerse? La búsqueda de pociones de rejuvenecimiento sexual es tan antigua como la Biblia. Los hombres ricos han acudido durante años a Suiza para ingerir glándulas de mono, lo que puede haber elevado su moral sexual pero que, desde luego, no ejerció ningún efecto en sus gónadas. Incluso cuando se administra hormona masculina en estado puro, la mente parece ser tan importante como la materia.

Los resultados del estudio del doctor Jakobovits son optimistas. Este médico trató a 100 hombres —la mayoría de los cuales eran septuagenarios y octogenarios— por impotencia. A la mitad de ellos se les administraron tabletas hormonales orales (metiltestosterona) y a la otra mitad placebos. Un mes más tarde se observó una respuesta favorable en el 78 % de los casos tratados con medicación activa. Pero incluso entre aquéllos que habían sido engañados con píldoras de azúcar, el 40 % recuperó su líbido. El urólogo llega a la conclusión de que el tratamiento hormonal proporciona una mejoría tanto física como psicológica de un hombre complejo que puede implicar ambas influencias. «Cuando se restablece una capacidad sexual satisfactoria y el paciente está absolutamente convencido de su virilidad, por lo general deja de ser necesaria la medicación.» [21]

Reemplazar o no las hormonas es, sin embargo, una cuestión

discutible. El problema de la prescripción de testosterona para los hombres mayores consiste en que algunos especialistas consideran que las células cancerígenas se desarrollan bien cuando ese elemento está presente. Una cuarta parte de los hombres de más de cuarenta años tienen cáncer latente de próstata, aunque por lo general permanece en este estado y sólo se descubre cuando se lleva a cabo la autopsia. En consecuencia, es indispensable que el hombre que piensa iniciar una terapia de testosterona se haga practicar primero un exhaustivo examen físico y químico para descartar la posible presencia de un cáncer de próstata incipiente.

Obviamente, sería una torpeza señalar con el dedo a todo hombre nervioso de mediana edad y decirle: «¡Ajá, un menopaúsico masculino!». En la mayoría de los casos el pobre hombre se estará esforzando por atravesar la multiforme crisis de la mediana edad. De acuerdo con lo que sabemos —y no es mucho— sólo el 15 % de los hombres experimentan una modificación desenfrenada de sus niveles hormonales. Teniendo en cuenta las nuevas técnicas de laboratorio, pronto sabremos más acerca de los misterios del climaterio masculino.

El sexo y la menopausia

El comienzo de la lubricación vaginal para la mujer corresponde a la erección del hombre. Después de los cuarenta, a medida que se afirma el proceso de envejecimiento, hasta cierto punto disminuirá la lubricación vaginal. Pero eso no quiere decir que la mujer vaya a ver disminuido su placer o receptividad. Los sexólogos ofrecen un consejo muy directo: úsalo o piérdelo. [22] Sin duda, es la mujer que continúa ejerciendo una vida sexual activa aun sin reemplazo hormonal, la que presenta menos evidencias de este cambio físico. No obstante, para ella significa un «pero» tan importante como para su compañero. Si siente esta demora del humedecimiento como una pérdida de su condición femenina, *podría* deteriorarse su espontaneidad.

La menopausia ataca sigilosamente a las mujeres. Casi todas piensan que en tanto menstrúen regularmente no se encuentran en la menopausia. Pero aunque su flujo sea normal en los cuarenta, un análisis químico evidenciaría, por lo general, cambios notables en sus hormonas sexuales. Esto puede conllevar toda la sintomatología de la menopausia aunque la mujer tenga pruebas mensuales de que sigue siendo fértil y de que puede quedar embarazada.

Como no hemos tenido conciencia de que estas amplias fluctuaciones hormonales se presentan comúnmente a todo lo largo de los cuarenta en ambos sexos, incluso los síntomas más conocidos pueden ser malinterpretados. ¿Qué ocurre cuando olas de calor se extienden por la parte superior del cuerpo, seguidas a menudo de temblores? El término médico para designar este proceso es *inestabilidad vasomotora.* Los nervios vasomotores son responsables del estiramiento o encogimiento del diámetro de los vasos sanguíneos. Comúnmente, estos nervios seguirán el ejemplo de la temperatura corporal; si un ejercicio violento nos acalora, mayor cantidad de sangre será enviada a los capilares dilatados de la superficie cutánea para que el exceso de calor pueda escapar del cuerpo. El mismo proceso tiene validez a la inversa: cuando la temperatura es muy fría, los capilares se contraen y la sangre es atraída a lo más profundo del tronco, donde el calor puede ser mejor conservado y los órganos importantes mejor mantenidos. Pero cuando hay una inestabilidad hormonal, se perturban las señales destinadas a los nervios vasomotores. También el mareo, en hombres o mujeres de edad mediana, por lo general se origina en alguna perturbación del flujo sanguíneo provocada por los agitados nervios vasomotores. Las palpitaciones cardíacas pueden tener la misma causa.

Como ya he dicho, el 90 % de las mujeres de la actualidad no se sienten agobiadas por problemas del período menopáusico, y el cese real de la menstruación aparece más tarde. La grave depresión que experimentan aproximadamente el 10 % de las mujeres, —porcentaje que antes era mayor— ha sido compensada por las crecientes oportunidades y opciones de que dispone la mujer de mediana edad y por un profundo cambio de nivel de conciencia. Todos los expertos hablan acerca de la actitud de «mundo que se abre», que ha reemplazado la inutilidad cerrada que otrora las mujeres sentían cuando sus hijos abandonaban el hogar.

Actualmente muchas mujeres protagonizan un estallido de «entusiasmo postmenopáusico». Cuando el temor del embarazo desaparece junto con los tampones y los contraceptivos, las mujeres de buena salud a menudo experimentarán un nuevo despertar del deseo sexual al mismo tiempo que un gran entusiasmo por encauzar su creatividad en nuevas direcciones. [23]

Con frecuencia nos preguntamos quién es esa mujer. Debe tener cincuenta y cinco años pero su cutis es fantástico y sus pechos permanecen erguidos. ¿Cuál es su secreto? Existe la posibilidad de que se trate de una mujer con glándulas suprarrenales especialmente vigorosas. El estrógeno es producido por estas glándulas, que no se ven afectadas por la menopausia, y también por los ovarios. Así, algunas mujeres compensan el estrógeno perdido que provenía de esta otra fuente; envejecen bien, conservan la fortaleza y la energía, y disfrutan de la misma lubricación y elasticidad vaginal de siempre. Aunque esta defensa contra el envejecimiento sexual escapa al control de la mujer, sí puede controlar el otro factor importante citado por Masters y Johnson. Se trata de la relación íntima regular, una o dos veces por semana, durante un período de años.

Esto es válido para hombres y mujeres. La práctica de las relaciones sexuales es la clave de una expresión sexual constantemente vigorosa.

23
Vivir la fantasía

En California busqué a un ídolo de mi infancia que durante años había sido primera bailarina de una importante compañía norteamericana de baile. Recordaba la belleza de sus rasgos, su moño negro, la forma en que su cuerpo tenso y musculoso dominaba los ejercicios más difíciles. Había bailado en todo el mundo y seguía bailando a los cuarenta. Me dijeron que se había casado y era feliz. Cuando le telefoneé, me invitó sin titubear.

Me abrió la puerta una mujer gruesa, con el pelo teñido de rojo. La camisa colgaba por encima de sus pantalones acampanados. Pronuncié el nombre de la bailarina. Me extendió la mano, con expresión divertida en el rostro: era ella.

Después de acompañarme hasta el solario inundado de luz, me ofreció un bocadillo. Su marido se reunió con nosotras enseguida. Era un hombre apuesto y contagiosamente optimista, evidentemente diez años menor que ella. Ambos encajaban como fragmentos de un cuadro que está siendo reparado. Era evidente que se complementaban notablemente y cuando le pregunté sobre este extremo la bailarina sonrió con su expresión alegre y satisfecha, mientras su marido decía:

—Ahora me resulta inconcebible imaginarme la vida sin Irina.

Me relataron su historia. Aunque es poco convencional, estas dos personas encontraron formas de expandirse más allá de los estrechos límites que los habían confinado y satisfecho en la vida con anterioridad, pero si se extendían los habrían vuelto desdichados. La bailarina ofrece un ejemplo de la forma en que la curva de los cuarenta puede manifestarse en una mujer realizada que nunca tuvo hijos.

El cuerpo era su instrumento. Antes de aprender a leer ya trabajaba ese cuerpo, músculo por músculo. A medida que los huesos crecían, era necesario doblarlos y torturarlos en la barra para cuidar los músculos obligándolos a girar, a estirarse. También era la forma de complacer a sus padres nacidos en Rusia. Los amigos y la diversión vendrían después, cuando concluyera. Irina se sometió a la disciplina. Su amante era su talento, al que siguió monogámicamente a través de una eternidad de barras matinales, ensayos vespertinos, actuaciones nocturnas. Son muy pocos los que conocen la narcisista intensidad que ponen en práctica los bailarines y atletas profesionales.

—Una parte de mi ser era dichosa y la otra no —me dice—. Siempre estaba en conflicto con mi carrera y lo que yo creía debía tener como mujer.

Dos maridos estuvieron presentes brevemente en su vida. Uno cuando ella era muy joven y le preocupaban las convenciones, el otro un gran artista y un buen amigo cuyo virtuosismo —aunque no sus itinerarios— coincidía con el de ella. Él hacía giras y ella hacía giras: nunca se veían. Llamar matrimonios a estas dos intersecciones es, decididamente, una exageración. Pero ella suspiraba por una estabilidad, por una escala a la que pudiera llamar hogar. Esta idea nebulosa del hogar no debía y no podía tenerse en cuenta mientras existieran danzas que no hubiera bailado. La ambición fue su consorte durante más de cuarenta años.

No fue sino cuando empecé a alcanzar cierta madurez, supongo, que comprendí que debía haber algo más, algo aparte de pasar de un rol a otro.

La admirada primera bailarina y el joven coreógrafo reflexivo participaron en una misma gira. Él era un sorprendente personaje de treinta y dos años, entregado a la creación de ballets profundamente ideológicos que no interesaban a Irina. Pero en esa gira se enamoraron. Cayó el telón en la Ópera de Colonia y se metieron juntos en el minúsculo MGA de él para iniciar el viaje de toda la noche a Roma.

Cuando atravesaban la Selva Negra, Irina comenzó a arrojar sus zapatillas de punta por la ventanilla. Riendo entusiasmada a cada gesto, lanzó setenta pares de zapatillas de punta al musgo y los insectos. «¡Ya está!», pensó, «¡Se acabó!» Él se encontraba jubiloso.

En Roma, Irina dejó de bailar y empezó a comer. Engordó. Cambió en pocas semanas. Todo era sorprendente y sublime. Él salía todas las mañanas para trabajar en un espectáculo y ella no hacía nada. Era intensamente feliz. Él estaba maravillado ante lo bien que se llevaban. «Aparte del amor y todo eso, me gustaba y yo le gustaba a ella», decidió. Cablegrafiaron a los amigos informándoles que se habían casado. Recibieron bromas en respuesta: «Espero que disfrutéis bailando juntos en la vida». ¿Y la carrera de ella? ¿La diferencia de edades? Absurdo: el resto del mundo auguró que el matrimonio duraría quince minutos.

Ya ha durado quince años.

En la mitad de la vida, cuando otras voces de otros rincones interiores exigen su incorporación, debemos flexibilizar la estructura de vida impuesta. A menudo el proceso se inicia con una ruptura total, embarcándose en el viaje de fantasía al otro extremo. La bailarina desafía la disciplina de cuarenta años para disfrutar de la gordura y la holgazanería. Finalmente, empero, el nuevo extremo acabará mostrando sus propias limitaciones. La mayoría de nosotros tendrá que avanzar y retroceder hacia tales extremos, hasta encontrar la forma de reunir nuestras partes importantes en una nueva integración.

Irina no podría haber soñado una escapada más romántica del confinamiento de su anterior estructura. Pero tampoco se habría sentido eternamente satisfecha atiborrándose de comida y viendo la televisión hasta que su marido volvía al hogar. La solución tenía que incluirla en el proceso creativo. Pero debía encontrar la forma de hacerlo sin romper la armonía doméstica que tanto valoraba ahora. La rigidez de su vida anterior actuó en su favor. Habiéndose entregado en cuerpo y alma a alcanzar el virtuosismo con los dones que le habían sido dados, no tuvo que luchar consigo misma acerca de la decisión de dejar de bailar, decisión que tomó por cuenta propia.

—Yo tenía mi carrera y con ella me sentía muy segura —dice—. No existía otra realización posible excepto su continuación: había hecho todo lo que me había propuesto.

Se convirtió en ayudante de su marido, mentora creativa, madre espiritual: llámese como se llame, significa todas estas cosas juntas. Él se lanzó a una nueva carrera como director de cine y ella siempre estaba a su lado, descubriendo lugares para filmar exteriores, preparando el reparto y el vestuario, viendo que se cumplieran los plazos. Desde el principio él confió plenamente en ella en cientos de formas.

—Si yo vacilo, ella siempre tiene una opinión definida —interviene él—. Irina tiene un extraordinario sentido del gusto y logra mantenerlo todo en perspectiva para mí. Yo antes era muy autodestructivo. Nunca me levantaba hasta la tarde. Una de las mejores cualidades de Irina es que se despierta muy temprano y del mejor humor —sonríe—. Ya no es tan bueno a las cinco de la tarde, pero las mañanas son maravillosas —la idealización no es tan total como para que él tenga que sentirse absolutamente dependiente de ella; tal vez por esta razón él no siente la necesidad de poner distancia—. Nunca estamos más separados que a la distancia de un grito.

Irina afirma su extraordinaria proximidad. No es difícil

comprender hacia dónde se han canalizado sus instintos generativos.

—No tenemos hijos de modo que estamos volcados el uno en el otro, sin compulsiones exteriores.

La mayor parte del tiempo su especial intimidad permanece en un nivel implícito. Por un instante, el vivaz rostro del director permanece serio. Mira a su esposa:

—Creo que no te lo he dicho, pero a través de ti he aprendido cuál es mi potencial y he hecho realidad todo lo que era capaz de hacer.

—Él es el jefe y yo su subordinada. Es fantástico.

—Eso es lo que dice ella.

—Pero si yo sería incapaz de hacer siquiera la mitad de lo que haces tú.

—Eso es diferente —coincide él.

Él tiene un hermoso ego salvado. Ahora el humor de ambos pasa fácilmente a ser juguetón.

—Digamos que yo hago todo el trabajo duro y ella se da el lujo de retirarse en medio del más abominable rodaje de exteriores para ir de compras.

—Y después volver y criticar tu trabajo.

—Crítica que confirma lo que yo ya sabía y no me atrevía a enfrentar.

Al cabo de un rato no es fácil saber cuál de los dos habla: así se complementa esta pareja.

La aventura del cambio de vida

Por cada Irina, debe de haber una docena de aventureros y aventureras amorosos de edad similar, que no tienen nada tan serio en la mente. La aventura del cambio de vida puede servir a muchos otros objetivos. Puede tratarse de una ostentación («¿Ves que otros hombres todavía me encuentran deseable?») o de un arma («Las mujeres más jóvenes me excitan, no tienen tus languideces») destinada a llamar la atención de una esposa apática. O la idea global puede consistir en dejar cerca una pistola humeante con la esperanza de que sea descubierta y haga estallar al matrimonio.

Pero la mayor tentación del cambio de vida son los fuegos artificiales del amor romántico. Mientras la llamarada es alta nos baña con aureolas de belleza y fuerza, eclipsa la temible visión del pasado y el futuro, fija el tiempo y el jadeante presente o, mejor aún, nos devuelve al alegre egoísmo del enamoramiento adolescente. El «tengo que» se transforma en «quiero». Este nuevo amor no tiene interés en atarnos a una identidad rancia. ¡El límite es el cielo!

Transcurren los meses (el número mágico parece ser el 6) y la llama del amor romántico se apaga. Esta no es la primera vez que ocurre: tendríamos que haberlo previsto. Pero de algún modo nos las arreglamos para olvidar que cuando los fuegos artificiales estallan, las ascuas se disipan en las mismas cosas conocidas: cuidados, compromiso, confianza.

Si esta progresión natural encuentra a los amantes preparados para alterar radicalmente las condiciones de sus vidas, estarán dispuestos a seguir adelante. Pero vadearán aguas más profundas. Ciertas ilusiones acerca de esta aventura del cambio de vida se humedecerán y durante un tiempo se sentirá frío.

Hablé con un editor de cincuenta y dos años que sentía que una mujer veinticinco años menor que él le había devuelto la juventud. Su aventura del cambio de vida se había transformado en un nuevo matrimonio. Otra crisis estaba en vías de formación. Este hombre de ideas, palabras y conceptos mantenía la boca cerrada cuando aparecía el tema de en-qué-punto-de-mi-matrimonio-me-encuentro. El problema lo constituía el deseo de su joven esposa de tener un hijo. Él ya había recorrido ese camino varias veces en su vida anterior. ¿Soportaría otra vez volver a pasar a ser el Número Dos? ¿Cuánto puede dar de sí un hombre para mantener una relación si se encuentra tenso? Se repetía a sí mismo las mismas preguntas. Había algo más en su crisis. Era un hombre que había vivido realistamente y ahora necesitaba ser vulnerable.

—Tengo la sensación de llevar algo pesado en la cabeza, algo así como un ato de paja densamente apretado. Necesito ayuda.

La ironía de todo esto es que como consejero voluntario había ayudado a otros hombres a cambiar de profesión en mitad de la vida. Le pregunté si tener cincuenta y dos años le había vuelto más cauto en su matrimonio y en otras relaciones.

—Ése es uno de mis grandes dilemas. ¿A cuál de mis «yo» deseo escuchar? ¿Al que ayuda a otras personas de cincuenta y dos años a comprender lo que realmente son y pueden hacer? ¿Al que muestra su tensión sanguínea y su nerviosa psique? ¿O al que de tanto en tanto *siente* que tiene cincuenta y dos años y espera que ocurra lo peor?

Poco tiempo después su esposa le abandonó.

Muchos otros amantes de la mediana edad jamás piensan en un compromiso. Se limitan a tratar de escapar a la intimidad. En el pasado se consideraba que esta negativa a aceptar responsabilidades era fundamentalmente una prerrogativa de los hombres. El columnista Art Sidenbaum nos recuerda que

> ...el cincuentón que se regodea con la muchacha de veinticinco años sigue siendo un lugar común, lo que deja a un gran número de mujeres de cuarenta y cinco años sin nada que hacer. Esto sigue siendo una crueldad y quizás una estupidez. Pero sigue siendo un lujo del género masculino porque los hombres tienen más oportunidades de entregarse a los coches deportivos, a las bufandas de seda, a las habitaciones de un hotel junto al mar y a los demás complementos de la irresponsabilidad. Sus ex esposas, por lo general, siguen en el hogar con los hijos y otras pruebas visibles de la adultez. [1]

No si ella dice, como es probable que ocurra en estos tiempos: «De los niños te ocupas tú».

Existe una nueva grieta en este lujo del género masculino de la mediana edad. En los tiempos anteriores a la revolución sexual, una mujer joven se entregaba con más facilidad al hombre mayor. Él era como papá, experimentado, protector. Podía mantenerla elegantemente y estaría encantado con sus pequeños favores sexuales.

En nuestros días, el cazador sexual de patillas plateadas se encuentra en competencia con hombres más jóvenes que en una buena película pornográfica pueden aprender las técnicas que a sus mayores les costó años asimilar. Y entre la actual generación de mujeres jóvenes, es muy probable que encuentre una franqueza agresiva que decididamente le resultará un freno en la cama. Aunque encuentre a la chica perfecta y juntos logren una relación sexual satisfactoria, ¿por qué está ella con él? Ella necesita de su sabiduría, está siguiendo un curso acelerado de conocimiento del mundo. ¿Pero seguirá interesada cuando él le diga lo que significan todas las cosas? ¿Y él?

No obstante, la fantasía persiste. *Puedo romper limpiamente. Yo no necesito compromisos. Estoy por encima de todo eso.* Observemos las pérdidas y ganancias que encontró al final del camino un hombre que llevó esta fantasía hasta el límite.

Antes de adentrarme en la historia de Jay Parrish, deseo dejar en claro la diferencia esencial entre su solución y la de Irina. Desde luego, estas dos biografías no deben sugerir que toda mujer que levante el vuelo impetuosamente en mitad de la vida encontrará el arco iris, y que el hombre que haga lo mismo encontrará algo menos. La diferencia entre ambos relatos no tiene nada que ver con el sexo de sus protagonistas. La bailarina es una persona cuya profunda implicación en las elecciones de su vida anterior hizo posible el enriquecimiento de sus años maduros. Ella está viviendo su fantasía de amor y materialismo con el mismo compromiso que en otro tiempo la había ligado a su profesión. La persona que ahora conoceremos, por contraste, tiene una historia de limitados compromisos emocionales y ninguna ocupación definida. Aunque recupera una gran cantidad de vitalidad gracias a la dirección que sigue en la mitad de la vida, no puede contener más significado que el que él le imprima.

Quemar las naves

A Jay Parrish las cosas le ocurren. Jamás habría pensado en sí mismo como pedagogo sexual, por ejemplo, si aquella noche no se hubiera detenido en el apartamento de su hija para beber un trago antes de coger el tren. Entró en el dormitorio para telefonearle a su esposa. En la ventana había gruesas cortinas que impedían cualquier entrada de luz en la habitación. Cuando terminó de hablar se volvió, una forma femenina le abrazó y se besaron durante largo rato.

—Señor Parrish, ¿quiere hacerme un favor?

Reconoció la voz de la muchacha que compartía el apartamento con su hija.

—Sí, claro, ¿qué?

—Enséñeme a joder.

Nada semejante le había ocurrido en cuarenta y un años de vida. Mudo, guió a la chica por el pasillo hasta que llegaron a la luz y advirtió que era bellísima. También recordó que tenía diecinueve años. Le dijo a su hija que debía apresurarse para no perder el tren.

Muy poco tiempo después, Parrish hizo exactamente lo que la chica le había solicitado. Fue entonces, dice, cuando «empezaron a ocurrirme una serie de cambios. No sólo fui introducido en la franqueza, sino que esa chica estaba profundamente implicada en la política y comprometida con los SDS, de ideas muy liberales. Todo eso era nuevo para mí. Las conversaciones eran fantásticas. También me enviaba notas en las que había volcado sus pensamientos. Recuerdo una: 'No seas un mago, sé mágico'. El tipo de pensamiento al que yo nunca me había enfrentado. Viví dos años gloriosos».

Si vivió alguna sensación de pérdida cuando la aventura concluyó, no lo explicita.

Jay Parrish estaba empezando a desilusionarse de los negocios americanos. Como vicepresidente de una agencia de publicidad, conocía de cerca algunas de las prebendas de que disfrutaban los ejecutivos de las corporaciones importantes, y que no figuraban en los informes anuales de los accionistas: un jet Gulfstream con bar tapizado en piel para volar con las amiguitas a Cape Cod, por ejemplo. El abuso de poder, la evasión de impuestos, las cuentas de gastos falsificadas, tanta mentira y vanidad empezaron a revolverle el estómago. Cuando su esposa se aburría de la última vajilla compraba otra. Los hijos asistían a escuelas privadas. Cada vez que regresaba a la ciudad, le esperaba un coche elegante en el aeropuerto porque se suponía que no debía tomar un taxi. Sólo se le permitía viajar en primera clase. Casi había llegado a creer que tenía derecho a esos privilegios.

Cuando cumplió cuarenta y seis años, el tesorero de la compañía le arrinconó para hablarle de su participación en los beneficios: «¿Se da cuenta, Jay Parrish, que cuando se retire dentro de quince años, sus acciones tendrán como mínimo un valor de medio millón de dólares?».

Así, así es como te atrapan, pensó mientras volvía a su casa de una zona residencial, con siete cuartos de baño y seis hijos. ¿O siete hijos y seis cuartos de baño? Había bebido demasiado. Los dos adolescentes estaban con su ex esposa; la hija mayor vivía con aquella compañera, eso es, quedaban en casa dos chicos y una niña de seis años. Calculó que probablemente no necesitaría comprar nada más mientras viviera.

Aquella noche le dijo a su esposa:

—Nan, tengo que salir de aquí. Porque cada año esos quinientos mil dólares me parecerán más importantes, hasta que llegará un punto en que diré: «¡Dios, sólo me quedan unos pocos años!». Me guste o no, haré todo lo que haga por un dinero que en realidad no necesito. Lo que en realidad deseo es gozar de mi vida. Ahora. No dentro de quince años. Ni siquiera sé si entonces llegaré a estar vivo.

Nan apenas abrió la boca. Este estallido de rebeldía estaba totalmente fuera de lugar en su marido. El barrio conservador en el que vivían había sido el refugio de ella de toda la vida. Allí estaban sus amigas y todos los parientes de quienes esperaba heredar una montaña de dinero. Sabía vestirse y ofrecer las mejores fiestas. El de ellos era un matrimonio seguro, cordial y utilitario, como se supone que debe ser. ¿O no?

Bueno, ésa había sido la idea original, cuando Parrish acababa de ser nombrado vicepresidente. Tenía treinta y cinco años y estaba ansioso por ascender en el mundo. No le perjudicaba casarse con una atractiva heredera.

—Teníamos lo que podría ser un matrimonio realmente maravilloso —murmura Jay— si yo me hubiera contentado con quedarme allí.

Nunca habían conocido lo que puede llamarse una vida sexual tórrida. No cabía esperar eso de alguien tan reprimida como la segunda señora Parrish. Él la había elegido por las mismas razones que a la primera: como complemento de su carrera. Lo cierto es que a sus problemas de mitad de la vida, había añadido el de una vida sexual opaca.

Jay quería ponerse en marcha. Compró una camioneta Vokswagen de camping. Estudió el mapa de California.

Nan buscó evasivas cuando llegó el momento de vender la casa. No podía poner patas arriba la vida de los chicos, dijo. Era importante que Victoria, la niña de seis años, concluyera el año en la misma escuela.

—Los chicos están muy bien formados y a la larga un cambio en este momento no significará ninguna diferencia para ellos —insistió Jay.

—Pero Victoria es retardada.

—Victoria se pondrá bien. La llevaré a Big Sur.

De la noche a la mañana, decidió que había llegado el momento. Después de desayunar subió a la camioneta y empezó a avanzar.

¿Cómo describir lo que es estar en el vórtice de la instantaneidad? La vida en la playa, la gente que iba y venía, dormitar con el muslo contra las cálidas nalgas de una desconocida, las piernas débiles después de hacer el amor, que se tostaban bajo un sol hecho a la medida de los nudistas. Ella era astrólogo. Formaban una unidad en el éxtasis de la meditación y después ella le leía el Tarot. Es verdad que casi todo el tiempo Parrish estaba suspendido en el espacio, pero luego trabajaría ante el caballete. Todo fluía. Decidió que debía escribir un artículo sobre el tema y enviarlo a *Advertising Age*. He aquí un párrafo del artículo inédito que escribió:

> Si crees que deseas vivir como yo, no esperes country clubs, hogares alfombrados y la cuenta de gastos a la que estás acostumbrado ...Éste es un período fantástico para mí. He pintado veintiséis lienzos en los tres meses que llevo aquí y ya he hecho dos exposiciones.

No mencionó qué contenían las pinturas ni qué significaban para él. El artículo parecía un anuncio publicitario: seguía un plan de producción.

Cuando la astrólogo tomó otro amante se sintió aliviado: una carga menos sobre sus hombros.

Nan le escribió y le telefoneó diciéndole que quería reunirse con él. Él respondió: «¿Estás segura de que quieres deambular desnuda, vivir en un camping y alternar dos horas de masajes bajo el sol con baños calientes? Porque debo advertirte que todo esto se ha convertido en una parte importante de mi vida.

Nan respondió que sí.

—Desde que llegué aquí —reconoció Nan tímidamente cuando la conocí en California— no me sentía como parte de todo esto. Westchester es algo remilgado y probablemente yo también lo soy. Pensé que allá en el Este eso me iba, pero aquí no. Y me gustaría ser aceptada por la gente.

540

Era como una pantalla de seda con volantes en los bordes: frágil, un imán para la mugre, patentemente absurda en ese escenario. Perdida. Su marido permanecía tendido, desnudo, a pocos metros de distancia. Ella se sentaba de espaldas a él, con su traje de pantalón de punto y comía en una bandeja. Jay le regaló un ejemplar de *The Happy Hooker*. Ella no hizo ningún comentario.

Para acomodar a Nan y a los chicos, Parrish compró una minúscula casa blanca. También le servía como laboratorio de sus experimentos de carpintería. Pretendía que le contrataran como carpintero, a cincuenta dólares semanales. De tanto en tanto vendía un cuadro. Durante unos cuantos años seguiría recibiendo cheques mensuales de quinientos dólares de su antigua empresa. «Quisiera llegar al punto de poder vivir sin dinero», decía.

Los cambios exteriores que experimentó Parrish fueron extraordinarios. Me mostró su fotografía de antes como hombre de negocios. Vi a un hombre corpulento de mandíbulas cuadradas y ojos opacos con un leve barniz grisáceo. El fugitivo que tenía ante mí dos años más tarde era bronceado, vibrante, de mejillas delgadas, nariz fuerte, ardientes ojos azules y una abundante mata de pelo. Un espécimen físico estupendo. Lo más curioso de todo es que Jay Parrish —a semejanza de otros que se adentran en la vida adulta sin reconocer su fuerte identificación con uno de los progenitores— sólo entonces empezó a parecerse a sí mismo.

Parrish tenía dieciséis años cuando su padre murió. Incapaz de soportar el impacto y la confusión, imposibilitado de practicar un análisis cicatrizante, voló a California. Desde los dieciséis años y con estudios sólo hasta el décimo grado, empezó a vivir por su cuenta. No tuvo adolescencia.

La divorciada con quien se casó a los veinte ya tenía dos hijos. De hijo irresuelto pasó a torpe padrastro. Aunque fue un matrimonio tormentoso desde el principio, la posición social de la esposa resultó útil cuando Jay abrió en el Este un restaurante de moda. El hijo pródigo había retornado a su tierra natal. Comercialmente, prosperó. También vendió toneladas de cerveza mientras su esposa retozaba. Tuvieron hijos. Nada parecía unirlos y cuando Jay llegó a los treinta el matrimonio se deshizo.

No le fue muy bien en la transición de los treinta. Vendía cerveza. Un día resbaló y cayó al suelo en un bar, a causa de su borrachera. Estaba escayolado cuando su madre murió. Apenas es necesario repetir que la muerte de personas importantes durante los pasos sensibles produce un enorme impacto en nuestro sentido de la seguridad. En el funeral, Parrish se arrojó a los brazos de su ex esposa. Apenas pudo esperar a que llegara la hora de volver a casarse con ella.

Sin ninguna otra alteración con respecto a la vida de los veinte, excepto una ampliación de su campo profesional, a los treinta y dos años se trasladó a Manhattan e ingresó en la agencia de publicidad. El matrimonio reconstituido continuó exactamente en el punto en que había quedado: bebida y peleas. Siguieron juntos algunos años. Después y aparentemente con pocos altibajos, cambió a la primera por la segunda señora Parrish. Entonces caminaba, hablaba y se comportaba como una rígida réplica de su padre: Jay Parrish parecía habitado por el fantasma de su progenitor. Posiblemente, la muerte prematura de su padre había dado por tierra con cualquier plan evolutivo.

Lo que se hace evidente en la forma en que ahora Jay Parrish habla de sí mismo es su sensación de que es un fraude. Asume diversas posturas que no ha elegido libremente. La relación entre lo que hace en el mundo y quién es o qué desea interiormente, siempre está desajustada. Si se pregunta qué es Parrish en un sentido profesional, él mismo dirá que nada. No es dueño de un restaurante, ni vendedor de cerveza, ni ejecutivo publicitario, ni pintor, ni carpintero; ni siquiera marido o padre en un sentido profundo. Es un hombre que continuamente cambia de situación a nivel de actividad, lanzándose a un nuevo trabajo o matrimonio, o escapando de cualquiera de estas ocupaciones sin trabajarse a sí mismo. Energía sí: le resulta fácil invertirla. Pero muy poco de su propia sustancia penetra en cualquier ocupación o persona relacionada con él. De ahí que descarte con tanta facilidad su sentido de pérdida. Es la encarnación del transeúnte eterno.

¿Cuáles son entonces las pérdidas y ganancias de su solución en la mitad de la vida? Hasta para Parrish hoy, a los cuarenta y nueve años, resulta claro que se está aferrando ávidamente a la adolescencia que nunca tuvo. En mitad de la vida todos debemos llegar a comprender el hecho de que ya no tenemos veinte años y la mayoría tendrá que cumplir alguna tarea evolutiva que antes dejó de lado. Pero esto no es lo mismo que tratar de volver a tener veinte años.

Nan ha pedido el divorcio. Parrish se acerca a la ferretería. La cajera es una bonita muchacha de dieciocho años.

—Estoy buscando un lugar para vivir —menciona Jay.

—A mí me pasa igual —dice la cajera—. Mi familia se va al Este. Pero ya soy mayor de edad y puedo hacer lo que quiero.

—¿Cómo te llamas?

—Mickey.

—Podríamos encontrar un lugar juntos, Mickey.

Parrish nunca se cansa de mirar el horizonte donde se encuentran el cielo y el mar azul en busca de una clave filosófica. Mickey llena de amigos jóvenes la casa de la playa. Más que una casa es en realidad una choza, pero las conversaciones entre ellos le fascinan. Se exalta discutiendo con los chicos lo que dijo Kant, la numerología, el sufismo.

—No tendría nada de esto en mi grupo —dijo Parrish—. Allí hablaría del mercado de valores. Por eso paso tanto tiempo con la gente joven. Esto puede tener que ver con el hecho de que no fui a la Universidad. Mickey y yo alquilamos juntos esa casa en el entendimiento de que no se trataba de algo serio para ninguno de los dos. No deseo que dure demasiado. Ella insistió en pagar la mitad de la renta y para mí en este momento cien dólares son muy importantes. Ella me está enseñando a encontrar el lado positivo de todo. Si yo le digo que hay niebla, su rostro se ilumina y me dice: ¿No te parece hermosa la forma en que avanza?

Parrish sigue yendo todos los días desde la playa hasta la casa de Nan. Allí hace sus trabajos de carpintería hasta que los chicos vuelven de la escuela. Conversan un rato. La hija le dice: Adiós, papi. Los niños le saludan: Hasta mañana, papá. Vuelve con su amiga de dieciocho años.

—Es un acuerdo extraño —reconoce— pero Nan y yo nos llevamos mucho mejor desde que ha desaparecido la tensión. Nunca ha dicho una sola palabra de la chica con la que vivo. Hace poco sugerí que nos reuniéramos todos e hiciéramos un picnic en la playa, junto a mi casa.

Nan está paralizada.

—Desde que nació nuestra hija subnormal, dejé de pensar en el futuro. No puedo pensar que dentro de cinco años haré tal o cual cosa porque ignoro cuál es el futuro de ella. Quisiera decir que tengo algún talento, pero no es así. En realidad tendría que... —se interrumpe: una expresión de desesperanza recorre su rostro— Tendría que dedicarme a alguna actividad relacionada con la ropa o la decoración. En realidad no sé por dónde empezar. Tendría que ir a algún otro sitio más próximo a San Francisco.

Parrish se opone:

—Sería una tontería. Suponte que conoces a alguien que quiere que vivas en Kansas. En ese caso tendrías que volver a trasladarte.

El está actuando con una táctica eficaz porque sabe que Nan está esperando que le diga que quiere volver a vivir con ella. Pero la verdadera razón por la que él quiere retenerla es para tener acceso a sus hijos y a un hogar que sea al mismo tiempo una base.

—Lo que me resultaría difícil de justificar sería dejar plantada a Nan porque ella no ha hecho nada malo. Pertenece aún a ese mundo en el que todos hemos sido educados para vivir de acuerdo a unos planes: «¿Quieres salir conmigo el sábado por la noche?»,

«El año próximo quisiera ocupar la vicepresidencia». Nan todavía cree que las relaciones se desarrollan de esa manera. Lo que yo he aprendido de la gente más joven que he conocido aquí es que no existen los compromisos planificados. Las cosas se hacen ahora mismo.

Hasta para Parrish es obvio el juego que contiene su solución. No es capaz de encontrar una forma de vivir como adulto, no lo desea y rechaza todo compromiso. Es posible que pase directamente de la adolescencia a la ancianidad.

Una noche que me llevó a ver a Nan, me dijo desde las sombras de su camioneta:

—El demonio con el que tengo que luchar es el de que puedo llegar a ser un viejo solo y decepcionado. Si algo ocurre y no puedo trabajar con las manos, seré un candidato a vivir de la Seguridad Social. Estoy en desventaja. En esta sociedad, en realidad no existe ninguna forma de vivir sin siete u ocho mil dólares anuales como mínimo, ni siquiera como un indigente.

Encendió el motor y se agachó para mirar a través de la bruma.

—Cuando tenga diez años más no podré vivir con chicas de dieciocho, porque ya no me considerarán atractivo. Ahora me siento halagado porque me aceptan. Pero me pregunto si no me estaré engañando a mí mismo. ¿Tendré entonces que encontrar chicas de diecisiete y después de catorce? ¿Y qué hay de las de doce?

Aquel verano Parrish abandonó la choza de la playa para ahorrarse el alquiler. Fue a visitar a su hijo mayor en Colorado. Alguien le dijo que en Guatemala la comida era más barata, que una planta de lechuga costaba unos centavos. Empezó a acariciar la idea de partir hacia Guatemala en el otoño, con su camioneta.

—Con o sin Mickey. Tal vez entonces ya tenga otra.

Lo último que supe de Parrish es que había partido hacia América Central. Con una chica de diecisiete años.

24
Vivir la realidad

Nadie sabe por qué el maestro teme cerrar los ojos. Por qué a los cuarenta y tres años tiene problemas para mantener el equilibrio. Los soportes del éxito no lo sostienen.

La invitación de París llegó cuando Aaron tenía cuarenta años. El golpe de gracia. El bastión del diseño francés solicitaba una exposición de la recién producida obra americana. La muestra de Aaron cambió la dirección del concepto del diseño en Francia. Su exposición fue considerada como un trascendental acontecimiento sociológico. Empezaron a llover invitaciones de todas partes del mundo. La muestra se transformó en una exposición internacional y Aaron y su esposa la acompañaron en la gira siempre que les fue posible.

A pesar de la gloria que significó la gira, de la fabulosa fiesta en París, de la sedosa recepción en Tokio, del champán en Milán, Aaron se sentía perseguido por una agridulce sensación de pérdida. En el momento culminante de la fiesta en París, le notificaron que un amigo querido había ingresado en el hospital, enfermo de muerte. Un nuevo estremecimiento le afectó en Italia: se enteró de otra muerte repentina. Aaron empezó a reflexionar sobre estos hechos. Una nueva convicción empezó a adquirir forma en su mente: *Tienes que estar preparado para renunciar a todo.*

«El más influyente (diseñador) de nuestra época», pronunció un destacado crítico. Aaron leyó el artículo. Cerró los ojos y le invadió una sensación de colapso interno tan poderosa que ya no sintió deseos de seguir oponiendo resistencia.

—Siempre he utilizado mi trabajo para no tener que resolver los problemas de mi vida —sabe ahora—. Todo empezó cuando me casé. Me sumergí en la más intensa actividad con el propósito de evitar importantes decisiones personales. Lo que yo hago es *renunciar* a la autonomía creando una situación de gran demanda, de modo que siempre debo saltar de un proyecto a otro, sin tener tiempo de pensar para qué hago lo que hago. Desde que cumplí los cuarenta, cada vez me resulta más claro que la razón —vacila— estriba en que en realidad no deseo analizar en qué consiste mi vida. La sola idea de detenerse a investigar es indicativa de que algo ha cambiado.

La metrópoli en la que nació, en la parte trasera de una tienda de ultramarinos de un sector pobre de la ciudad, se volvió más alegre y habitable gracias a él. La gente puede señalar su trabajo y decir: «Eso es de Aaron Coleman Webb». Si se le considera por su actividad externa, existe una profunda continuidad en la vida de Aaron. Muchos hombres pasaron años enteros entre dos sillas, sin tener la plena seguridad de si eran innovadores o ejecutivos, investigadores originales o maestros, abogados o políticos, políticos o gacetilleros. La carrera de Aaron es, en cambio, un centro preciso alrededor del cual ha estado organizada su vida desde los cinco años.

Pero no está encerrado como el ciudadano-soldado Kilpatrick. Aaron ha hecho algunos tanteos de sus sentimientos con un gurú del karma-yoga, aunque la mayoría de sus esfuerzos exploratorios se han dirigido al descubrimiento de técnicas de diseño singulares para resolver sofisticados problemas artísticos. «Otras de las obras americanas singulares de Webb», pueden decir los críticos. Él reirá, consciente de que lo que hace es reunir información de todo el mundo, y fundir la experiencia de siglos en el estilo del momento. Es absolutamente influenciable. Es el polo opuesto de Jay Parrish. Una cosa es ir de impulso en impulso, como hace Parrish, y otra totalmente distinta cuando Aaron dice que desea enriquecer su experiencia renunciando a las antiguas fórmulas. Aaron Coleman Webb es un joven prodigio bona fide. Podría pensarse que goza de una posición privilegiada.

Pero eso sólo es cierto en apariencia.

Aaron parece atravesar los procesos de crecimiento en la vida con la misma naturalidad que el césped. Hace años que lo conozco. Vuelca su exhuberancia en las estrellas del rock y en los restaurantes griegos baratos con la misma facilidad que en el arte más elevado. Mientras otros sólo miran, él es capaz de aprender algo de todas las cosas. No sufre ningún bloqueo creativo. Si en el estudio se plantea un problema de diseño él lo resuelve. Usa tejanos y corbatas con verduras y frutas; siempre saluda con un beso.

Por contraste, su esposa Michele es etérea como un helecho. En cuanto al despliegue de su singular imaginación artística, ella ha sido muy reservada... de hecho, recesiva. Cocina estupendamente. O cocinaba. Ahora lo hace él. Los fines de semana emigran a una vieja casa de campo. En lugar de hijos tienen una amplia red de amigos y colaboradores en el mundo entero.

Pero al cerrar los ojos, en el instante de asumir los éxitos externos, Aaron Coleman Webb se encuentra solo con esa sensación de colapso interno.

—Lo que he descubierto este último año es cuánto he suprimido de lo que era inadmisible para mí. Sentimientos que siempre me he negado a reconocer están saliendo a la superficie en una forma que ya no estoy dispuesto a evitar. Estoy decidido a aceptar la responsabilidad de lo que *realmente siento*. Se acabó eso de fingir que esos sentimientos no existen para acomodarme al modelo de lo que debería ser. Ahora estoy realmente impresionado por la envergadura y la calidad de esos sentimientos de temor, de envidia, de codicia, de competencia. Todos esos sentimientos a los que se da el calificativo de malos en realidad aumentan cuando puedo verlos y percibirlos. Me sorprende la increíble energía que todos aplicamos para suprimirlos y no reconocer el dolor.

Michele se graduó en la misma escuela de diseño pero en todos los demás sentidos era, a los ojos de Aaron, exótica. Él era un judío urbano como la crema de huevo. Ella, como la lecha blanca de una granja.

—En cierta forma lo que todavía he de asimilar es que no fue su belleza lo único que me atrajo sino el hecho de que no tenía nada que ver con mis creencias ni con mi historia.

¿Michele también quería ser diseñadora?

—No había indicios de que eso era lo que ella deseaba. Nunca lo dijo y nunca lo demostró.

De hecho, cuando concluyó sus estudios, Michele ocupó el puesto que había dejado libre Aaron Coleman Webb, que estaba en Europa con una beca Fulbright. Él envió algunas postales para saludar a la «chica nueva». Le contaron a Michele con qué rapidez hacía perspectivas Aaron; ella las hacía aún más deprisa. Incluso antes de conocerlo, se sintió en competencia con él.

—Lo extraño es que en el trabajo yo rendía mucho más que Aaron —me contó Michele—. Después llegó la ambivalencia. Yo ansiaba la seguridad que significa estar casada. No supe ver que eso significaría el fin de mi vida creativa. He proyectado en Aaron una enorme cantidad de mi ambición oculta y de mi necesidad de expresarme. Él tenía aspiraciones que yo no podía atreverme a tener. Y me encantaban sus aspiraciones.

A Aaron se le ocurrió crear su propia empresa y convertirla en una auténtica comunidad. Él y su compañera empezaron a contratar jóvenes diseñadores con ideas propias. Tenían la convicción de que cada uno de esos diseñadores debía identificar su obra personalmente. Como resultado de ello, algunos fueron reconocidos, se volvieron famosos, abandonaron la empresa, y entraron otros nuevos. A Aaron le satisfacía ese movimiento de entradas y salidas. Sentía un orgullo paternalista de desarrollar una buena comunidad de diseñadores.

Los leños del hogar eran exquisitamente encendidos por Michele. Aprendió a comprar diez tipos distintos de verdura para ensalada y a distribuirlas decorativamente en galletitas, cada vez a mayor velocidad, a arreglar flores frescas, a preparar canapés y dejarlos en la nevera al lado de los platos de gourmet para que los invitados de última hora de su marido no tuvieran que conformarse con una hamburguesa. Después no se sentía culpable si se sentaba el resto del día a gozar de sus libros y su imaginación.

En una oportunidad, Aaron le preguntó qué le parecía la idea de abrir una galería y montar una exposición para la escuela de bellas artes en la que daba clases. Con toda modestia, Michele lanzó el concepto de las exposiciones temáticas. La idea de reunir a una cantidad de artistas alrededor de un tema en lugar de fatigar al público con la muestra de uno solo, es original de Michele. Posteriormente todas las galerías de arte de Madison Avenue recogieron la idea y entonces se convirtió, en una tendencia. Michele trabajó duramente durante cinco años. Luego, misteriosamente, lo dejó y volvió a su casa a decorar flores y platos de verdura fresca para los invitados de Aaron.

Pocos años más tarde, en una entrega de premios, Aaron recibió los honores por la idea de las exposiciones colectivas referentes a un solo tema.

—Se suponía que ella era la esposa perfecta —dice Aaron—. Siempre me apoyaba y comprendía, era un anfitriona graciosa, agradable, encantadora. Para mí lo más importante y lo que siempre he deseado es que Michele me proporcionara paz mental —ahora Aaron es capaz de encontrar en aquellas idealizaciones sus motivos más egoístas—. Esto es lo más difícil de admitir. Ahora comprendo que en realidad yo buscaba una situación que me liberara de la intimidad en un sentido profundo, una situación en la que yo nunca tuviera que revelarme, que desnudarme, por así decirlo. Es posible que haya elegido una mujer con una historia absolutamente diferente a la mía para poder resentirme con ella si no se ajustaba a mi sueño. No sería más que otro mecanismo para evitar la intimidad.

Cuando Aaron se encontraba a finales de los treinta —momento en que el problema de la propia mortalidad se habría presentado de cualquier modo— su madre enfermó de gravedad. Entonces se vio perseguido por una sola idea que se apoderaba de él todas las mañanas al despertar: *Vas a morir*. Aaron cayó en una profunda depresión y finalmente enfermó de colitis. Durante muchos años su madre había sido la única figura protectora que apoyaba sus sueños artísticos contra la desaprobación del padre. En virtud de que Aaron mantenía una identificación poderosa con su custodio interno, le resultó fácil llegar a creer que su propio yo perecería con ella.

El día que Aaron atendió el teléfono y le dijeron que su madre había muerto, se desvaneció su obsesión por la muerte.

—Entonces se produjo un cambio y mi meta se volvió específica: conseguir que mi empresa fuera la mejor de su tipo en el mundo —abruptamente perdió la capacidad de incorporar inspiraciones de otros—. Esto no tenía nada que ver con la valía de sus obras. No las quería, al margen de su efectividad —la relación entre Aaron y su compañera se vio limitada—. En realidad yo quería alcanzar algún tipo de maestría profesional que me volviera inmune a todo control, llegar a una tal posición de influencia que impidiera la posibilidad de ser criticado. Y en gran medida, lo logré.

¿Había hablado con su esposa acerca del miedo a morir?

—Algo.

—¿Le proporcionó ella paz mental?

—Yo esperaba que lo hiciera.

—Pero entonces ella sufría su propia crisis emocional.

—Sí. Porque en nuestra relación, una de las cosas con que contaba Michele eran mis cualidades parentales, mi apoyo, mi fortaleza, la sensación de que yo sabía a dónde iba. Toda manifestación de debilidad de mi parte era muy destructiva en nuestra relación. Si yo me sentía inseguro, o débil, o temeroso, el miedo de Michele a ser dependiente *de mí* le habría producido más pánico. Lo cual habría significado, naturalmente que aumentara mi angustia. Este tipo de eslabonamiento ha sido muy peligroso para nosotros. La debilidad de mi parte reforzaba la sensación de peligro en Michele. Es un sistema que tiende a destruir.

¿Dónde estaba Michele a los treinta y ocho años? En la casa de campo, sola, leyendo *Zelda* y otras obras acerca de hombres que utilizaban las ideas de las mujeres que les amaban. *¿Por qué?*, se atormentaba Michele. *¿Dónde dice que las mujeres son las únicas criadoras?* Repentinamente sintió una desesperada necesidad de equilibrarse. Corrió al patio y se puso cabeza abajo. Temblando, por un instante en armonía con este universo invertido, sintió un tirón en el cuello: ni siquiera el cuerpo le respondía. Decidió que había llegado el momento de morir. Registró la casa en busca de píldoras y todo lo que encontró fue un frasco de vitamina E: la vitamina de una larga vida. No tuvo más remedio que reír.

En una oportunidad, conversando, la voz normalmente baja de Michele se elevó y pasó a la ofensiva.

—Yo hice de Aaron un diseñador más perfeccionado —declaró—. Y no me importa que a todo el mundo, en este caso a usted, le resulte difícil creerlo.

Respondí que después de haber visto las pruebas que lo evidenciaban no me resultaba difícil creerlo.

—Pero siempre le aclaré a la gente competitiva que yo no estaba en el mismo juego —prosiguió—. No sé si esto me sacó del juego convirtiéndome en ganadora o en perdedora, e ignoro cuál es la diferencia. Además, a los ojos de Aaron, no existía la menor posibilidad de que yo estuviera en el mismo campo que él. No era así como él quería que fueran las cosas.

¿Pero por qué no persistió en la experiencia de la galería de arte y la innovación de las exposiciones temáticas?

—Creo que debió ser por el temor de que si realmente me entregaba a realizarlo lo haría con tanta intensidad que me quedaría sola.

Autonomía igual a soledad. ¡De qué forma tan implacable persigue esta idea a las mujeres! Si no ha sido puesta antes a prueba, aparece el espantoso terror a afrontarla en el camino hacia la mitad de la vida.

Para Aaron, la exposición en el museo francés marcó el fin oficial de aquella parte de su vida. Sólo para convencerse a sí mismo que lo creía, le dijo a varias personas: «Me han dicho formalmente que soy un buen muchacho y que he hecho un buen trabajo. Esto significa que ahora tendré que inventar otra cosa».

Decirlo fue una cosa pero luchar con el pánico otra muy distinta. Si no se inventaba de nuevo a sí mismo, continuaría repitiendo antiguas fórmulas. No, tendría que excavar debajo de todas sus técnicas ganadoras de premios y descubrir que la arcilla creativa todavía estaba blanda. Pero en el proceso correría el riesgo de fracasar en la cumbre.

Hacia el final de nuestra primera entrevista formal, Aaron sugirió la idea de «retirarse un poco». Al mismo tiempo, dejó deslizar la frase «retener algo de control». Su voz se transformó en un murmullo.

—No sé qué hacer. Lo que realmente debo aprender por mí mismo son los sentimientos de pasividad, dependencia, debilidad, fragilidad... todas las cosas que aborrezco a nivel intelectual. Como contrapeso, debo permitirme reconocer mi propia agresividad, mi capacidad de castigar y todo lo demás. Ya no puedo seguir fingiendo que la dualidad de roles no existe. Yo estoy en un momento de confusión, de gran confusión personal.

Michele. La sorprendente blancura de su piel, tan delicada que bajo los ojos es grisácea, y sus brillantes ojos negros. Michele siempre me ha parecido destinada a cumplir las fantasías de otros. Su cualidad básica es el ser etérea. Como todas las cosas exquisitas y febriles, no puede ser capturada ni satisfecha por el mundo racional. Su vida está pletórica de visiones artísticas, ensueños, inquietud, cigarrillos.

Nunca se sabe del todo qué es lo que va a hacer. Observemos a esta frágil mujer que lleva una gardenia en el pecho mientras aspira fuertemente su Lucky Strike y habla acerca del placer de ser una vendedora callejera; sí, en medio del elaborado éxito de su marido, se dedicó a vender baratijas al lado de las viejas buhoneras de un bullicioso barrio de la ciudad. Era algo que le pertenecía, dijo. Cuando volví a verla había comenzado un programa de cuatro años de estudios de una filosofía esotérica.

Espaciamos nuestras charlas. Transcurrió un año.

La vi con Aaron en una fiesta multitudinaria en la que se celebraba el resultado de las elecciones. Se había teñido el pelo de rojo lívido y se lo había rizado en centenares de minúsculos bucles, que constrastaban notablemente con la blancura de su cutis y sus delicados rasgos. Semejante estilo habría transformado a cualquier mujer de su edad en un motivo de risa. A Michele la hacía parecer más atormentada.

No, pensé, la bella de Michele no morirá. Pero primero avanzará hacia esta fosforescencia y permanecerá en ella —¿cuánto tiempo?—, al borde de lo grotesco.

Cuando llamé para fijar una fecha de encuentro, se desconcertó. Pocos días más tarde me avisó que la cita quedaba cancelada.

—He estado indecisa desde que usted llamó —me explicó—. Vacilo entre tantas ideas que surgen y a las que durante mucho tiempo no he prestado atención. No sé, supongo que antes no había pensado que me encontraba en la mediana edad. No me atrevo a reconocer que estoy asustada.

Le dije que no se encontraba en la mediana edad. Tenía cuarenta y dos años y probablemente estaba al borde de la crisis de la mitad de la vida. Su respuesta daba la idea de que había captado maravillosamente la combinación de luz y oscuridad que a tantos les resulta difícil describir.

—Es extraño pero siento en mi interior un movimiento secreto que canta.

Pocas horas más tarde Michele volvió a telefonearme para decirme que quería colaborar en mi libro en ese momento, con la sinceridad de su falta de certeza, sin esperar a haberla alcanzado. Le di las gracias.

Nos encontramos en su restaurante favorito, donde el ritmo es lento y sirven las bebidas con gardenias flotantes.

—Se me ocurrió el domingo, después que hablamos. Quizá tardé más que otras personas. Con respecto a mi talento tuve la intensa sensación de que si no era reconocido, no existía, que existe la posibilidad, realmente, de morir antes de expresarlo. Es la primera vez en la vida que me ocurre. Antes me parecía importante discutir con mi marido por su rol en nuestra relación, culpar al mundo exterior, a mi madre, a mi padre, al lugar en que me había situado la sociedad. El domingo reconocí por primera vez mi contribución a todo eso, mi ocultamiento en todo eso. Todo se me presentó con gran claridad.

Le dije que me parecía una buena señal.

—No sé si es una buena señal pero se trata de un suelo muy movedizo.

Me dijo que le gustaría poner un anuncio en el periódico detallando todas las habilidades que ha adquirido a través de los años. Necesita urgentemente dar salida a su energía y compartirla con otros.

—Creo que es la primera vez que surge en mí un deseo maternal.

Lo de no tener hijos es fundamental. Desde la época en que se enteró de dónde venían los niños, oyó una voz que repetía el mismo lamento: «Yo quería ser artista y habría llegado a ser una de las *grandes*, si no te hubiera tenido a ti». Si a Michele le hubieran unido las trompas, la imposibilidad de tener hijos probablemente no habría sido más fuerte que las palabras de su madre.

—Por lo general las chicas miran a su madre como guía de lo

que quieren ser. Yo superé todo eso a edad temprana. No quería ser como ella porque *ella* no quería ser como era.

Pero mientras Michele revisaba los cálidos recuerdos de haber observado a su madre dibujar noche tras noche, no el bosquejo de un caballo, sino dibujar tomándose el tiempo necesario para explicarle a su hijita cada articulación de la pata de ese caballo, surgió algo importante acerca de aquellos antiguos lazos madre-hija.

—Comprendí... ¡que *quería* ser como ella! —exclamó Michele—. Como ese aspecto de ella. Deseaba más intensamente ser una artista que tener hijos —su voz no denota arrepentimiento— y estoy absolutamente segura de que era para satisfacer los deseos de mi madre.

La mezcla parental fue curiosa en el caso de Michele. Su padre, cuyas propias esperanzas habían sido incumplidas, le advirtió: «Debes conocer tu lugar en la vida. Eres una chica modesta de una familia muy modesta. No apuntes demasiado alto, Michele. Sólo cosecharás el fracaso». Como dice Michele:

—De algún modo logró que sintiera que me estaba prohibido apuntar a cualquier cosa, ya que no la alcanzaría.

Parecería que esta combinación de mensajes parentales neutralizó en ella cualquier acción.

—Al menos ahora todavía conservo todas mis esperanzas... siempre —agregó Michele; levantó la gardenia, aspiró lentamente su fragancia y empezó a profundizar en su propia oscuridad—. Nunca he temido a la muerte. Pero tengo miedo de envejecer. Cuando era joven era muy bonita. Siento el temor de que si estoy abandonada, idea que me asalta a menudo, perderé ese aspecto joven y frágil que siempre hizo que la gente quisiera cuidar de mí misma —una traviesa sonrisa ilumina su rostro—. Pero enfrentada a ese desafío directo, sé que tengo reservas: el movimiento secreto que canta.

Aaron y yo volvimos a hablar cuando ya se había retirado totalmente de su estudio. Su estado de ánimo era muy elevado.

—No quiero renunciar a mi actividad de diseñador —me dijo—.

Sólo deseo iniciar otros caminos. Quiero empezar una obra en lugar de aceptar encargos.

Se refirió a los ambientes, a los restaurantes que estaba diseñando.

—¿Y Michele?

Recordé el fervor con que su esposa me había dicho, después de varias copas: «Creo que la razón por la que ahora me encuentro tan inestable estriba en que siento el resurgimiento de la competitividad y no sé cómo utilizarla».

Aaron siente lo mismo:

—Ella tiene que reconocer sus propios sentimientos, su propia realidad y competencia, y volcarlos en una forma independiente de mi sueño. Esto es precisamente lo que Michele intenta hacer en este momento. Yo trato de apoyarla pero esta es una cuestión parental muy comprometida.

Momentáneamente desvié el tema de Michele. Hablé con Aaron acerca de sus sentimientos por los jóvenes de quienes ha sido mentor y a los que impulsó desde su empresa a alcanzar éxitos propios. ¿Seguía apoyándolos como un padre artístico, y a veces frío y dictatorial, según la lealtad que le profesara un ex discípulo?

—Sé que esa parte de mi capacidad parental puede ser castigadora —señaló—. Y para algunas personas lo ha sido, aunque durante un largo período de mi vida no quise reconocerlo. Me gustaría ser el padre bueno.

—¿Bueno pero detentador del control? —sugerí.

—Todo el control y todo el castigo. Yo era el gurú. Y el gurú mantiene una posición distante: otra forma de evitar la intimidad.

—¿Ha sido a veces un padre castigador con Michele?

—Hmm... —vaciló—. Creo que sí.

—¿Es la reserva una forma de castigo?

—Una forma —hizo una pausa; la operación era dolorosa—. La reserva y la crítica. Si realmente deseo que dependa de mí como una especie de... —no quiso pronunciar la palabra *padre*—. Es tan complicado.

Saltamos a un taxi. Aaron iba camino de la escuela de cocina. Michele estaba en la Universidad, aprendiendo sobre todo a sentirse cómoda en su propio universo. Se están trabajando a sí mismos. Aaron trabaja en renunciar al rol que hasta entonces había desempeñado: el de padre sustituto de Michele; ésta, en liberarse de la dependencia de él, de la que ahora se arrepiente. Pero al cruzar ese umbral, perderá todas sus ilusiones de seguridad absoluta. Y él tendrá la temible oportunidad de reconocer que ahora se está analizando interiormente. Esta es una confesión que llega al corazón mismo de la imagen que Aaron tiene de sí mismo, como creador famoso y como marido fuerte:

—Es muy difícil renunciar a los triunfos de la personalidad, a las cuestiones *manipuladoras* que han funcionado. Pero es necesario hacerlo si uno siente que han sido falsas. No quiero volver a tamizar lo malo para poder ser una «buena» persona —guardó silencio un instante. Su expresión se ablandó—: Lo que realmente deseo es un principio claro y sin trabas.

Le pregunté qué concepto inventaría para definir lo que debe ser el amor en la mediana edad.

Reflexionó un momento.

—Creo que exigiría un reconocimiento de mi propia dependencia. A partir de ahí, posiblemente, podríamos pasar a un interés que no tiene nada que ver con la dependencia. Al punto en que cada uno desea ver y madurar al otro, tanto si es ventajoso para ambos como si no.

—Complacerse en verse vivir mutamente, en libertad.

—Sí. Es algo que ocurre mucho más a menudo en la amistad profunda que en el matrimonio —pareció entusiasmado por su propia comprensión—. Existe algo especial en la amistad.

La última vez que vi a los Webb estaban rodeados de amigos y admiradores en un baile que se celebraba en honor de Aaron. El pelo de Michele había recuperado su color natural. Parecía relajada. Siguen en el paso de la mitad de la vida pero ya no están tan asustados ni confundidos.

—El año pasado ha sido el mejor de nuestro matrimonio —declaró Michele—. Yo creía que era la única que tenía temores y dependencias. ¡Qué alivio sentí al descubrir que eran recíprocos! ¿No le parece que es muy importante que la gente reconozca que es interdependiente?

—Sí, eso creo.

¿Cuántos son los que pueden penetrar en su propia oscuridad? ¿Y cuántos los que lo hacen y se dan autorización para seguir adelante? ¿Quién da este salto de fe hacia un nuevo comienzo? Quizá las ideas de lo opuesto se unen y pierden su calidad de opuestas, y comienzan una nueva comprensión. Tal vez en el más alejado puesto de avanzada de nuestras operaciones llegamos a conocernos a nosotros mismos por vez primera.

Séptima Parte

La renovación

Así avanzan en su circuito los jinetes
de la oscuridad: la luminosa isla
del yo tiembla y espera,
nos espera a todos, amigos míos,
donde el gran pincel del mar da nuevo color
a las vidas agonizantes y a las sonrisas nonatas.

LAWRENCE DURRELL

25
La renovación

Empero, ¿para qué crecer? Si hemos podido ser lo bastante valientes para afrontar cada uno y todos los pasos de la vida, ¿qué podemos esperar?

La mediana edad es el momento de máxima influencia. Mucha gente más joven tiene poder, pero la influencia —que tiene implicaciones más amplias— por lo general es ejercida en la política, la educación, la banca y la comunidad por personas que se encuentran en la mediana edad. La edad promedio de los hombres que se encuentran en los peldaños superiores del mundo empresarial es de cincuenta y cuatro años. Y aunque los americanos entre cuarenta y sesenta y cinco años sólo representan aproximadamente la cuarta parte de la población, ganan más de la mitad de los ingresos nacionales. [1]

La principal virtud tradicionalmente relacionada con la mediana edad es la experiencia, pero esto tiene dos vertientes. La persona que llega a los cincuenta años habiendo ignorado las oportunidades de reafirmación en el paso de la mitad de la vida puede

563

adoptar la conocida postura terca de protectora del status quo. No es ningún error calificar de «cerradas» a esas personas. Otra figura corriente es el muchacho de mediana edad que niega su edad y por lo tanto su experiencia: el de los bigotitos que tendrá veintiséis años hasta el último aliento de los sesenta, la mujer que usa moños inverosímiles y les pide coches lujosos a sus maridos para jugar con ellos, el profesor que suspende el saludable escepticismo de la experiencia para abrazar el evangelio de la juventud y el estilo de vida de un revolucionario latinoamericano.

Por otro lado, aquel que ha visto, sentido e incorporado sus verdades personales durante el paso de la mitad de la vida, ya no espera el sueño imposible ni tiene que proteger una posición inflexible. Habiendo experimentado muchas técnicas para enfrentar los problemas y el cambio, habrá modificado muchos de los presupuestos e ilusiones de la juventud. Tiene práctica. Sabe qué funciona. Puede tomar decisiones con economía de acción. Es posible ahorrar una gran cantidad de burocracia de la conducta cuando se han desarrollado criterios enriquecidos tanto por la experiencia interior como por la externa. Bernice Neugarten observa que este sorprendente perfeccionamiento en el ejercicio del juicio es uno de los aspectos más tranquilizantes de la edad madura. [2]

Nuevas vetas de energía

Intereses secundarios que han sido sofocados con anterioridad, en la edad mediana y anciana pueden florecer en un serio trabajo. Cada apertura a un nuevo vehículo libera en años posteriores otro depósito de energía. No debe esperarse que un aspecto de la vida que con anterioridad era dominante y satisfactorio —la excitación de competir en los negocios o de ocuparse de los hijos, por ejemplo— sea eternamente el pilar o el propósito de la vida.

Pero no habrá edad dorada si en la mitad de la vida no se previó la necesidad de cultivar intereses paralelos. El hombre que se jubila a los sesenta años no coge repentinamente una cámara y se revitaliza con una segunda carrera como fotógrafo. Se tenga o no talento natural, todo período de aprendizaje requiere la disposición a sufrir incertidumbres y molestias. Incluso en los cincuenta es posible que uno esté demasiado cohibido como para soportar semejante período de prueba.

Un modelo inspirador es el del médico que se inició en la fotografía en los treinta. Durante muchos años luchó con esta vocación, pero se atuvo a ella. A los cuarenta y cinco, sus fotografías eran extraordinarias. Llevó a una nueva dimensión a la fotografía en color; lo que había comenzado como un pasatiempo artístico estaba maduro para convertirse en una segunda profesión. Desde entonces ha viajado por todo el mundo, a menudo con su esposa, para fotografiar sus paisajes preferidos. En la actualidad, bien entrado en los setenta, es un hombre que posee la energía física y la actitud mental de quien está en la flor de la vida.

Los hombres de mediana edad reciben indicativos de su edad principalmente a partir de la posición que ocupan en su carrera y de los cambios en su salud; las mujeres tienden a definirla en términos de cronología de acontecimientos familiares. Están más preocupadas por la orientación del cuerpo de su marido que por sí mismas. [3] Ellas no corren tanto peligro de sufrir un ataque cardíaco como de quedar viudas y deben estar preparadas para continuar solas. Es indispensable que la mujer encuentre un sentido de su importancia y un medio de supervivencia independiente antes de que el nido vacío la haga sentirse superflua. De lo contrario, permitirá que sus temores le dicten precisamente el futuro que más la asusta: depender de la salud y la constancia de su marido y de la generosidad de sus hijos ya mayores. Toda mujer teme convertirse en la viuda proverbial que se entromete en la vida familiar de sus hijos casados, o que ronda su periferia diciendo tenazmente: «Ellos tienen su vida». Tanto si tiene dinero suficiente como para recorrer el mundo o hacer cruceros como si tiene que sentarse a alimentar palomas en el banco del parque, sigue siendo una niña anciana que espera la muerte.

Margaret Babcock, la madre del graduado de Yale al que mencionamos anteriormente, nos da el ejemplo de una alternativa más vitalizadora. A los treinta y cinco comprendió que «no tenía ninguna forma, emocional ni económica de producir ningún cambio real en mi vida. Había que hacer algo para aliviar la presión del matrimonio. Entonces no estaba segura de si funcionaría. Tenía la acuciante sensación de que debía encontrar una forma de poder sustentarme por mí misma».

Sintiendo la presión del tiempo, fue abriendo lentamente su camino a la Universidad. La filosofía, la psicología y después el arte llenaron el vacío. Convirtió el lavadero en estudio, un lugar en el que pintaba hasta que el cansancio la vencía y corría, descalza, ya con luz de día, a ver si la prueba de su segunda génesis seguía allí. Además de la alegría que le producía, trabajaba en dirección a una meta que algún día podía convertirse en independencia económica. Pero para acomodar esa meta a las responsabilidades familiares, para atender en el hogar a sus cuatro hijos, tuvo que avanzar lentamente. Margaret tardó ocho años en obtener su diploma.

Hoy, a los cuarenta y seis años, está tan entusiasmada como cualquier graduado a los veinte al que le parece que todo el mundo está al alcance de la mano. Con un título, una carrera como asistente social psiquiátrica y un salario semanal, tiene la seguridad de que puede abandonar el hogar en el momento en que lo desee. Pero ahora no lo desea.

—Es sorprendente después de tantos años. Siento, más que en cualquier otro momento de mi vida, que realmente es posible un matrimonio feliz.

La gente que pertenece al mundo de las corporaciones debe trabajar aún más duramente para destapar nuevas fuentes de energía porque ignoran a qué edad se jubilarán. Algunas corporaciones están jubilando a sus ejecutivos a los sesenta; otras discuten la perspectiva de retirarlos a los cincuenta y cinco. La gente que toma tales decisiones haría bien en consultar las estadísticas de suicidios. El elevado aumento de suicidios de hombres entre cincuenta y cinco y sesenta y cinco años es una evidencia potencial de que muchos retirados se sienten descartados. En Suecia se está intentando un enfoque mucho más humano; se ofrece a los empleados la oportunidad de un «retiro en etapas», una reducción gradual de las horas de trabajo entre los sesenta y los setenta años. Pero aunque todos podemos participar en campañas reformistas, no podemos contar con que se produzcan.

Los ejecutivos se quejan celosamente de que los empleados públicos están en mejores condiciones. Estos pueden empezar a acumular sus veinte años de servicio a tiempo para retirarse con una buena posición aproximadamente a los cuarenta y entonces iniciar fácilmente una segunda carrera o combinar un pasatiempo remunerado con paseos por Florida. Un número sorprendentemente elevado de trabajadores está eligiendo aceptar el retiro prematuro, siempre que no signifique un drástico descenso de sus ingresos. [4] Razón de más para que los empleados no gubernamentales deban recurrir a sus propias capacidades y ponerlas en práctica antes de que queden olvidadas. Y eso es lo que hacen quienes son sensatos. El conocedor de la historia se prepara para el retiro iniciando la investigación de una nueva obra. Para otros se trata, sencillamente, de ampliar su interés por la carpintería en el placer de fabricar armarios. Para quienes leyeron vorazmente durante toda su vida, el sentido de valía proviene de su convicción de ingeniosos conversadores.

Un enfoque no temible del envejecimiento físico

Es nuestra visión de nosotros mismos, por encima de todo, la que determina la pobreza o la riqueza de los años maduros. La gente que enfrenta su edad no espera que su cuerpo responda a la perfección y sin ayuda después de los cuarenta, del mismo modo que no esperamos que un coche antiguo funcione por sus formas elegantes, sin un constante mantenimiento y frecuentes ajustes. La capacidad para el deporte se relaciona con la curva biológica. Pero Frenkel-Brunswik observó que existe una serie de funciones influenciadas por la propia vida interior, tales como el conocimiento y la experiencia, que contrarrestan la decadencia biológica. [5]

Las personas que hoy se encuentran en la edad madura ya no se consideran enfermas. Se han observado cambios impresionantes en los síntomas descritos actualmente por hombres y mujeres de mediana edad que solicitan consejo médico, en comparación con los presentados veinte años atrás. En un estudio comparativo, las analistas Lionells y Mann descubrieron que las dolencias psicosomáticas en el pasado tan características de la edad madura —problemas personales cruciales que solían ser expresados como «una vaga y difusa sensación de fatiga y letargo»—, ahora son enfrentadas por lo que son: problemas de autorrealización. [6]

El concepto de «úselo o piérdalo» popularizado por los investigadores sexuales se aplica también a otra área, por ejemplo a la de la capacidad de aprendizaje. Cuanto más hayamos hecho funcionar nuestro cerebro, más continuará trabajando. La gente que así lo ha hecho evidencia muy poca o ninguna declinación con la edad en las pruebas de rendimiento —por cierto, por lo general la precisión mejora con el paso de los años—, hasta los cincuenta. Después de esta edad, es la disminución de la velocidad, no de la precisión la que marca la decadencia, si es que se produce. La capacidad adulta de aprendizaje no disminuye en un sentido general; es en la asimilación de temas desconocidos o inaplicables donde se nota una pérdida posteriormente. [7]

En este punto quisiera decir algo en favor del estremecimiento de aprender algo nuevo *después* de los cuarenta y cinco. He observado a muchos hombres y mujeres de mediana edad montar en un par de esquíes y deslizarse cuesta abajo detrás de un instructor, decididamente embriagados por el deleite de ser nuevamente aprendices. Nunca realizarán giros y piruetas sobre la nieve, ¿pero eso qué importa? Esto también es válido para las mujeres menopáusicas que me han hablado de seguir un curso de golf o de participar de excursiones a pie por primera vez en su vida. Una profesional muy ocupada que hizo tiempo para tomar lecciones de piano disfrutó tanto haciéndolo que ahora sigue un curso de danza. Cuando uno las emprende con el espíritu adecuado, tales actividades no tienen nada que ver con el diletantismo. La cuestión consiste en derrotar a la entropía que dice detente, abandona, dedícate a ver la televisión, y en abrir otra senda que pueda dar nueva vida a todos los sentidos incluyendo el sentido de que uno es algo más que un perro viejo.

Los beneficios son considerables si una de las nuevas ocupaciones escogidas es de tipo activo y puede realizarse al aire libre. Claro que después de los cuarenta podemos cansarnos más deprisa durante los ejercicios debido a que no podemos incurrir en la misma deuda de oxígeno, lo que significa que no podemos contar con que el oxígeno almacenado nos permita seguir mucho tiempo después que nos hemos quedado sin aliento. El ejercicio regular —más que las acometidas repentinas y violentas— es lo mejor e indudablemente no se puede decir nada bueno de la inactividad física. El cerebro necesita oxígeno y los pulmones ayudan para proveerlo porque la expansión natural del tórax disminuye a medida que transcurren los años. El músculo cardíaco puede utilizar todos los senderos nuevos y colaterales que pueden abrirse con una regular actividad física, para la circulación sanguínea. Los ejercicios bien escogidos pueden retardar, literalmente, el proceso de envejecimiento.

Quienes se disponen a pasar la mediana edad de una forma sedentaria y de puertas adentro son responsables de sus dolores de espalda, de sus hernias, de sus huesos de cadera rotos y de los ataques cardíacos. No puede esperarse que un corazón perezoso responda a demandas repentinas, del mismo modo que no podemos esperar que unos músculos blandos proporcionen suficiente apoyo a la columna vertebral y a los órganos vitales. También en este caso, cuanto más usamos, menos perdemos.

Emprender una ocupación activa en mitad de la vida no significa caer en la trampa de la competencia física con el propio yo atlético, de cuando uno era más joven. Los recursos duramente ganados por la mitad de una vida de experiencia pueden ser dirigidos a otras metas, a otros premios. En algunos lugares del Lejano Oriente, por ejemplo —donde las ocupaciones que más se valoran son aquellas que exigen muchos años de preparación (la contemplación, la meditación, la poesía y las artes)—, el grupo de quienes se encuentran entre los cuarenta y cincuenta años de edad es considerado como relativamente joven. En nuestra cultura suele creerse que en la mediana edad los colores se ven menos brillantes, que los sabores, los olores y los sentidos son menos memorables que durante los vívidos tiempos de la juventud. Este estereotipo encuentra muy poco apoyo —o ninguno— entre los psicólogos. La percepción de la mediana edad tiene su propia luminosidad. [8]

Actitudes redefinidas con respecto al dinero, la religión y la muerte

El «tengo que» de los veinte, que dio paso al «quiero» de los treinta, se transforma en el «debo» de los cuarenta. Algunos de los «debo» son muy reales. El pago de la educación universitaria de los hijos, por ejemplo, suele coincidir con la necesidad de ayuda económica a los padres que envejecen. Pero una buena parte de los «debo» —especialmente cuando se extiende hasta los cincuenta— está matizada por la costumbre y las experiencias formativas de tiempos pasados.

Quienes hoy se encuentran a finales de la mediana edad —la generación de la Depresión— aprendieron a arrodillarse ante el altar de la seguridad económica por el camino más difícil. Mucho después de que desapareciera la amenaza y de que la prosperidad los apaciguara con tarjetas de crédito y automóviles de lujo, persistió en ellos el hábito de la precaución.

Tyler es uno de esos hombres. Cuando era joven entró en el campo de la publicidad porque le parecía un lugar prometedor para ganarse la vida. En ese momento escribir, su aspiración secreta, le parecía algo absolutamente frívolo. Aunque procedía de un ambiente de intenso compromiso social que tenía la intención de imitar, en la mitad de la vida se encontró con que era un administrador y no un artista, un seductor de clientes y no un reformista, un buen ciudadano gris con su propia agencia y anhelos demasiado subversivos para ser reconocidos.

—Me justifiqué ante mis ojos diciéndome que lo hacía por necesidad. Durante los cuarenta se intensificó mi insatisfacción. Compré una barca y me dediqué a navegar con frecuencia, pero la barca no era la respuesta. Acusé a mi esposa de exprimirme, aunque sabía que no tenía ningún derecho a culparla a ella. Yo quería recuperar un sentido de vigorosa participación en la vida. Inicié los juegos sexuales, en los que podía desempeñar diferentes roles con nuevas mujeres. En oportunidades representaba al capitán de industria; otras veces era el artista latente, en ese momento embotado pero destinado a resurgir de las cenizas como el ave fénix. Uno obtiene cierto estímulo en esa forma de aprobación. De corta duración. Esos no son los sitios adecuados para buscar respuestas, pero entonces yo no lo sabía. Es la actitud de uno mismo lo que hace que cualquier cosa que hagas sea una vigorosa participación.

La crisis de Tyler continuó durante quince años más hasta que pudo permitirse actuar siguiendo el auténtico mensaje interior. Sin embargo, bastante inconscientemente había empezado a dar pasos preparatorios mucho antes. A los cuarenta y cinco empezó a tallar piedra.

—Era un sustituto de lo que no escribía y como se trataba de un pasatiempo no tenía que preocuparme por el juicio de los demás.

Otro paso consistió en tomar un estudio en la ciudad. Despreciaba los barrios residenciales pero su último hijo todavía no asistía a la escuela. Al pasar los cincuenta, Tyler llegó a un punto en el que establecer la seguridad parecía menos importante que vivir el tiempo que estaba pasando.

—Tuve que decirme a mí mismo: «De acuerdo, no te lo darán todo servido. Existen otros valores de los que ocuparse en la vida de uno. ¿Cuán segura es la seguridad, de todos modos?».

En su anhelo por una ausencia de riendas, el próximo paso de Tyler consistió en volver a trasladarse a un pequeño apartamento de la ciudad. Tuvo una sensación física de aligeramiento: «Ya no estoy atado a un edificio y a una hipoteca». La última justificación se desmoronó cuando su esposa volvió a trabajar después de veintisiete años de haber permanecido en la casa.

—Eso me ayudó a tomar la decisión porque ahora, si fracasaba, no la perjudicaría a ella.

El momento de mayor estupor de su vida se produjo cuando reunió a sus colaboradores y se oyó decir: «Quiero retirarme». Tyler dejó el mundo de los negocios a los cincuenta y cinco años de edad, para ser el escritor de sus sueños infantiles. Todavía lleva una corbata en el bolsillo, pero ha dejado de usarla.

Si para algunos un examen de actitudes con respecto al dinero es el punto fundamental de la renovación, para otros la coyuntura crítica gira alrededor de cuestiones espirituales.

Margaret Babcock se pregunta actualmente qué habría ocurrido si hubiese permanecido anclada en la «fase religiosa» de los treinta.

—Había pasado por la rutina de ser educada en la religión episcopalista, pero no sabía si creía o no en Dios Y no empecé a pensarlo hasta que me sentí desesperada en mi vida personal. Durante dos o tres años fui muy dogmática.

El manto de seguridad de Margaret se descorrió en medio de la noche, cuando tenía treinta y ocho años, con una llamada de su madre desde Florida: «Papá no está bien». Vio a su padre morir repentinamente de cáncer de esófago, sin expresión de contento en el rostro ni legado de su magia.

—Atravesé un período en que me veía muerta a mí misma, en un ataúd, y la gente asistía a mi funeral. Lo imaginaba con tanta claridad que llegó un momento en que me sentí dispuesta a salir y comprarme una mortaja.

Después de este período enfermizo, Margaret lloró por su propia pérdida de la seguridad, por los designios de Dios y el padre que no habían sido desafiados como autoridades superiores. La prueba suprema llegó a principios de los cuarenta y se refería a su relación con la madre. Con el fin de asimilar su propio dolor, la madre viuda de Margaret sentimentalizó sus cuarenta y siete años de integración en el futuro de un hombre como una «unión sublime» y sus conceptos religiosos se volvieron rígidos. Criticó mordazmente la forma en que Margaret llevaba su vida, «huyendo a la Universidad, descuidando a tu marido y a tus hijos, perdiendo tu fe».

Margaret no podía decir en voz alta qué veía en su madre: «A una persona con un sistema muy cerrado». Toda duda que surgía en cuanto a un más allá golpeaba en el centro de la convicción de su madre de que se reuniría con su marido después de la muerte. Pero ésa era precisamente la cuestión con la que estaban luchando Margaret.

—Yo había llegado a dudar de que existiera el más allá. Por tal razón llegó a ser muy importante para mí hacer lo que tenía que hacer, y hacerlo bien, en esta vida. A medida que me hacía más fuerte y más diferenciada, si esta es la expresión correcta, empecé a comprender que podía permitirme romper con mi madre y no morir por ello.

Después de la ruptura, Margaret —que siempre había querido ser lo más diferente posible de su madre— tardó varios años en descubrir que de hecho se le parecía mucho. Su elección de un trabajo social, su beneficencia esnobista disfrazada de penitencia, sus enjuiciamientos... todo formaba parte de peticiones de auxilio que finalmente reconoció como semejantes a las de su madre. Sólo cuando estas partes son desenterradas en la mitad de la vida y liberadas de sus arcaicas identificaciones infantiles pueden ser plenamente elaboradas y remodeladas en forma más benigna.

Hoy, a los cuarenta y seis años, Margaret puede decir:

—Sólo en los últimos dos años he sido capaz de analizar en mí misma aspectos de mi madre que puedo valorar. Y ya no estoy tan profundamente implicada en la búsqueda de las respuestas espirituales definitivas. Acepto el hecho de que existen muchas respuestas que nunca conoceré. Esto me parece ahora algo perfectamente posible y positivo.

Compañía o gusto por la soledad

Los estudios registran un notorio incremento en la satisfacción con respecto al matrimonio a mediados de los cuarenta para aquellas parejas que han sobrevivido juntas el paso hacia la mitad de la vida. Lo que refleja este descubrimiento no es que nuestro cónyuge mejore milagrosamente, sino que la tolerancia puede volverse espontánea en cuanto dejamos de proyectar sobre la pareja nuestras contradicciones internas. El nivel de satisfacción se equilibra después de los cincuenta en una coordenada más elevada. [9]

Para ese entonces los compañeros se conocen bastante bien (aunque hay, y siempre debe haber, lugar para la sorpresa). La mediana edad ofrece a muchas parejas la oportunidad de una auténtica compañía, porque ahora está claro que los intereses compartidos y un saludable respeto de la intimidad del otro no son mutuamente excluyentes. Existen buenas posibilidades de tener a alguien con quien envejecer, compartir amistades y recuerdos, y caminatas bajo la lluvia. Alguien con quien absorber el silencio de una casa en la que ya no hay niños y hacerla resonar con las alegrías del tiempo recuperado en compañía.

El primer matrimonio entre personas de mediana edad es auténticamente infrecuente. Pero muchos de los que han sido atemperados por una pareja anterior están dispuestos a formar una nueva unión. Entre los que vuelven a casarse cada año, la cuarta parte se encuentra en la edad madura. [10]

A medida que aumenta la edad, decrece la tendencia a compararse con otros. La gente se preocupa más por su vida interior, beneficiándose con dos de las características más salientes de los años maduros: penetración psicológica e interés filosófico. [11] En el proceso de avance hacia esta interioridad, la gente descubre que empieza a disfrutar de una grata separación de los otros. [12]

No sólo el cónyuge es visto como una fuente valiosa de compañía, más que como padre sustituto, sino que por lo general significa una sorpresa descubrir que los hijos mayores pueden aportar una deliciosa compañía. Especialmente porque ya no se arrastran por el suelo espiando a los padres y dejando las botellas de Coca-Cola desparramadas por todos lados. Eso no significa que perdamos interés en otros a medida que envejecemos. Como atestigua la escritora Florida Scott-Maxwell desde el ventajoso punto de vista de sus ochenta y dos años: «Por vieja que sea una madre, vigila a sus hijos de edad mediana buscando señales de perfeccionamiento». [13]

La mitad de la vida es, decididamente, el momento de sentir un saludable respeto por la excentricidad. Esto sólo es posible cuando hemos superado la costumbre de tratar de complacer a todos, evolución que parece ser tardía para muchas mujeres. La doctora Estelle Ramey, una robusta fisióloga que ronda los sesenta, con hijos mayores y un matrimonio de larga duración, se encuentra ahora en ese estado de ánimo: «Me descubro diciendo la verdad más a menudo. Antes no me daba cuenta de que mentía. Pensaba que tenía buenos modales. Lo único que siempre deseé fue gustar a todo el mundo. Ahora no me interesa. Me basta con que *alguna* gente guste de mí».

La gente que está sola en la mediana edad estará dispuesta a aceptar que aprender a vivir sola no es sólo transitoriamente bueno: puede también ser esencialmente bueno. Especialmente si la propia luz ha sido eclipsada por la personalidad dominante de un compañero o compañera o si, habiendo existido durante muchos años como esa entidad corporada conocida como la pareja, uno ignora si posee los recursos para sobrevivir como individuo y descubrir que la respuesta es afirmativa significa una experiencia autoafirmativa.

Varias de las mujeres que entrevisté se refirieron a la emoción de comprender:

—¡Soy absolutamente responsable de mí misma y eso es maravilloso!

En una reunión donde se estaban intercambiando historias de vida, una mujer deliciosamente sincera de cincuenta y dos años empezó diciendo:

—Yo estaba vacía después de treinta años de matrimonio —antes de que alguien tuviera tiempo de sentir pena por ella, concluyó diciendo—: Detesto muchas cosas de estar sola pero si puedo quiero permanecer soltera. Esto es lo más excitante que me ha ocurrido en la vida. Y es asombroso cuánto más real puedo ser con mis hijos ahora que no formo parte de una pareja. No deseo seguir sola el resto de mi vida pero tampoco deseo algo que signifique dedicar todo mi tiempo. Esas nuevas relaciones de fin de semana me parecen fantásticas.

Un viudo expresó un cambio similar. Poco después de la muerte de su esposa, inseguro acerca de su habilidad para guiar a una hija apenada a través de la adolescencia, empezó a salir constantemente con mujeres, en busca de una nueva esposa. Transcurrieron dos años: seguía soltero. Pero entonces, tras haber reestructurado su trabajo de modo que le quedara tiempo para acompañar a sus hijos, ya confiaba en sí mismo como padre soltero. Aunque disfrutó de la amistad de varias mujeres, conservó como un tesoro la recién descubierta habilidad de cocinar y entretenerse a sí mismo.

Quizás el más vívido ejemplo de una figura pública que descubrió la confianza en sí misma en la edad madura, sea el de Katherine Graham. Dolorosamente tímida y dependiente mientras su dinámico marido estaba vivo y dirigía todas las operaciones del *Washington Post*, la señora Graham se resistió a entregar el periódico a otras manos después del suicidio de aquél. Lentamente, reunió la fuerza de sus talentos dormidos hasta que, bastante sorprendida, emergió como una de las ejecutivas más poderosas y respetadas de la nación.

Pero un cambio de tal magnitud puede llevar fácilmente muchos años. A una señora a la que llamaremos Janet le ocupó diez años. Preparada a los cuarenta y cuatro para el reingreso en su campo de trabajo social, después de una década feliz en la que se dedicó por completo a colaborar con su marido, un científico, Janet se quedó estupefacta cuando éste hizo su anuncio: esperaría hasta que su hija volviera de la Universidad en junio y después se iría.

Todavía no ha escrito su libro y acusó a Janet de ser la culpable. ¿Cómo podía escribir él con todas las responsabilidades que implicaba el hogar? De hecho, Janet no sólo había asumido las responsabilidades del hogar y los hijos, sino que había hecho de ello un arte excluyendo todo lo demás. Su marido, que se consideraba un genio, estaba en el proceso de descartar su sueño no cumplido. Y para olvidar el desprecio que sentía por sí mismo, parecía decidido a descartar todo vestigio de aquello que tenía algo que ver con él.

—La peor agonía fue que yo sabía que ése era el mecanismo —dice Janet—. Después de comprenderlo mi ego podría haberse liberado de ello, pero yo estaba enferma. Una enfermedad de hipotiroidismo que había padecido de niña reapareció cuando entré en la menopausia. Físicamente ya no era capaz de tener la presencia de ánimo que antes exhibía cuando me enfrentaba a cualquier calamidad. Para él constituyó una decepción que yo no fuera la fuerte en esa cuestión. Y yo todavía seguía viviendo totalmente en su mundo. No tenía identidad separada de la de él.

Janet reunió las fuerzas necesarias para ir al Sur y conseguir trabajo. Se apoyó en sus amigos durante un año hasta que comenzó a recuperar su energía física. Poco a poco volvió a introducirse en la vida académica, aunque siempre la sintió «irreal» y temporal. A mediados de los cincuenta, había logrado la hazaña de crear un departamento nuevo en la escuela de medicina de la Universidad local. Al descubrir que había generado desde el interior un período de vida absolutamente nuevo y animado, empezó a despertar por las mañanas sin sentir el dolor de la soledad. Salió de su encierro y descubrió que había hombres que la consideraban atractiva y, lo que es más —en virtud de que la mayoría de ellos soportaba la carga de pagar pensiones en concepto de alimentos a sus ex esposas o de la manutención de sus hijos—, que su autosuficiencia era una cualidad excepcional. Janet se encontró organizando conferencias, ofreciendo cenas, escribiendo artículos, incluso disfrutando sola de unas vacaciones en los Mares del Sur, y supongo que por fin era libre.

—Ahora tengo un yo pleno y eso es estremecedor... ¡y pensar que hace diez años carecía de identidad!

Por fin la aprobación de uno mismo

Una de las grandes compensaciones de atravesar el período de desajuste hacia la renovación es el de llegar a aprobarse ética y moralmente, con absoluta independencia de las pautas y planes de otras personas. Al renunciar al deseo de que nuestros padres sean diferentes y al navegar por diversos estilos de vida hasta el punto en que la dignidad merezca defenderse, uno puede alcanzar lo que Erikson llama *integridad*. Con ello se refiere a la llegada a la etapa final de la evolución en una persona adulta, en la que uno puede bendecir su propia vida.

Alcanzar ese peldaño puede suponer romper un modelo de vida que ha sido insatisfactorio. Sin duda, significa tomar conciencia del propio estilo de avance para poder jugar o trabajar en torno a él, pero no ser derrotado por él.

Ken Babcock, con gran sorpresa de su familia, en mitad de la vida se separó tanto de su modelo como de su estilo de avance inhibitorio. Hijo de un padre que inculcó en él la necesidad de esforzarse y proveer, Ken había aceptado pasivamente todos los valores del orden empresarial y se había encerrado prematuramente. Debía llegar a presidente de la empresa. Pero mientras estuvo persiguiendo esta dorada meta, tratando de vivir de acuerdo con los planes de su padre, Ken estaba asustado. Su constante temor al fracaso era inocentemente disfrazado de conservadurismo. De ahí su estilo de avance: con el propósito de evitar correr riesgos, Ken negaba todo lo negativo: negaba que detestara su trabajo, negaba que no podía permitirse el lujo de vivir en la casa en que vivía, negaba que fueran sus propias dudas las que le habían desalentado a presentarse a un cargo político... hasta que alguien le apartó de esa posición.

A los cuarenta y tres años, el sueño de Ken se hizo añicos. Descubrió que los presidentes no ascienden automáticamente a los buenos muchachos para que ocupen su lugar. Cuando la recesión afectó a la empresa, fue despedido. Así, por las buenas. No se le escapó la ironía que ese hecho entrañaba. Tras haber perseguido durante tanto tiempo la seguridad por medio de una sólida posición económica, ¿qué contenían sus marchitas rebeliones, sus blandos riesgos?

—Me llevó tres meses decidirme a correr un riesgo... el único riesgo real que había corrido en mi vida. Sentí que había llegado el momento importante de ver qué podía hacer. Margaret pensaba que yo había sido demasiado conservador desde el primer momento; pero lo más importante para mí es la seguridad económica.

Dio el salto y compró una agencia de cambio de Wall Street que estaba al borde de la quiebra. Apretando los dientes, puso en juego los ahorros de toda su vida, junto con la mayor parte de su capital emocional y cada segundo de los seis meses siguientes, incluso tomando una habitación para estar toda la noche de guardia. Éste era un paso que significaría realmente algo. Significaría que al romper, Kenneth Babcock podía por fin pertenecerse a sí mismo. Un paso totalmente distinto al de su estilo de avance. Fracasó.

¿Qué había ocurrido con la hermosa casa colonial del álbum de fotografías de los Babcock? Vendida.

¿Qué significa esta pequeña vivienda de una planta fotografiada en el álbum de los Babcock? ¿Significa que debemos lamentar el nido laboriosamente construido por la pareja y ahora reducido a unas pocas pajas? ¿Es esto lo que quiere decir un nido vacío?

Tarde, por la noche, cuando Ken atiende el teléfono, dice que le transmitirá el mensaje a Margaret: «Ella está llena de barro hasta el codo... atendiendo el jardín en camisón, iluminada por la luz de una linterna». Una medianoche encontraron un paquete olvidado de zinias. Con una linterna, salieron juntos a plantar las semillas bajo la ventana del dormitorio. Juntos, están embelleciendo su nuevo hogar.

Fue Margaret quien instó a Ken a solucionar los problemas económicos vendiendo la gran casa, que para dos adultos solos resultaba demasiado grande. Pero para Ken la casa era una muestra de todo lo que había logrado, la suma del trabajo de su vida. «Es mi única posesión», dijo, resistiéndose, «aparte de mi familia». Hoy, Ken dice:

—Ahora que hemos salido de aquello, es un alivio. No hecho de menos para nada la antigua casa.

Recobrarse de su fracaso comercial exigió una mirada mucho más profunda hacia el interior. Ken tenía que ignorar y reprimir el hecho de que su sueño de presidente no se había cumplido, o firmar la paz con sus ilusiones perdidas y a partir de ahí buscar una renovación por caminos menos estereotipados.

—Resolví que finalmente había caído víctima del Principio de Peter. Había alcanzado mi máxima ineficacia y me convenía dedicarme a algo que fuese un rotundo éxito, y que consistía en dirigir una sucursal de una agencia de cambios y ser vendedor yo mismo.

Al cambiar su nivel de aspiraciones dentro del ramo en que estaba mejor preparado en lugar de cambiar de campo, como había intentado hacer en el pasado, Ken logró abrir su propia oficina local y ser el capitán de un barco de menor calado. Esto era en sí mismo gratificante, pero había más. Tuvo expresión otra faceta de él. En lugar del hombre compulsado que tenía que correr por Wall Street, surgió un yo más equilibrado que luchó por combinar su trabajo con la paz de un escenario campestre cercano. Fuera de la arena de las finanzas internacionales, descubrió que su sueño podía cumplirse una y otra vez a nivel local.

—Descubrí que cada vez que subía a bordo, me convertía en presidente. Antes estaba agotado como un reloj viejo —le brillan los ojos—. Cuando renuncié a viajar diariamente para ir a trabajar, fue un placer.

El futuro rebosa de planes. Con dos buenos salarios y mínimas obligaciones domésticas, los Babcock esperan viajar juntos y también anhelan una jubilación temprana para Ken. En estos días está probando los precarios placeres del intento de participar en la política local.

El hombre que en el primer encuentro no aparecía, evidentemente, como un ganador si sólo se lo medía con la vara externa de los valores de los negocios americanos, resultó ser un éxito en un sentido más profundo: un hombre que forzó en sí mismo posibilidades que otros consideran demasiado dolorosas, que corrió el riesgo y superó un fracaso, y que en ese vacío reunió una integridad del yo. Un hombre en plenitud.

Ojalá hubiera un premio para la gente que llega a comprender el concepto de bastante. Bastante bueno. Bastante exitoso. Bastante delgado. Bastante rico. Bastante socialmente responsable. Cuando sientas respeto por ti mismo, tienes bastante; cuando tienes bastante, sientes respeto por ti mismo. Afortunadamente, como siempre hay personas y acontecimientos que nos expanden, ninguno de nosotros necesita preocuparse por caer en los abismos autosatisfechos de la madurez «absoluta».

Sería sorprendente que no experimentáramos algún dolor cuando abandonamos la familiaridad de una etapa adulta por la incertidumbre de la siguiente. Pero la disposición a atravesar cada paso es equivalente a la disposición a vivir abundantemente. Si no cambiamos, no crecemos. Si no crecemos, no estamos viviendo realmente. El crecimiento exige un rendimiento transitorio de la seguridad. Puede significar una renuncia a pautas conocidas pero limitadoras, a un trabajo seguro pero insatisfactorio, a valores en los que ya no se cree, a relaciones que han perdido significado. Como dijo Dostoievski: «Lo que casi toda la gente más teme es murmurar una nueva palabra, dar un nuevo paso».

Si se sostiene que la fortaleza física y los placeres de los sentidos son los valores más importantes, nos negamos a nosotros mismos todo más allá de la juventud, salvo un opaco roce con toda experiencia. Si no vemos nada que rivalice en la acumulación de bondades y éxitos, nos atrapamos a nosotros mismos en la mediana edad rancia y repetitiva. Pero siempre están disponibles las delicias del autodescubrimiento. Aunque los seres amados entren y salgan de nuestras vidas, la capacidad de amar perdura. Y para la mente liberada de las constantes tensiones de los primeros años, en los últimos hay tiempo para sondear sin interrupción los misterios de la existencia. El valor de dar nuevos pasos nos permite gozar las satisfacciones de cada etapa y descubrir las nuevas respuestas que liberarán la riqueza de la siguiente. La capacidad de animar todos los períodos de la vida reside en nuestro interior.

Notas y Fuentes

Para una completa información, consúltese la Bibliografía.

CAPÍTULO 1   LOCURA Y MÉTODO

1 En su biografía de *Erik H. Erikson: The Growth of His Work* (1970), Robert Coles ofrece una convincente interpretación de la vida como una serie de pasos, y de la mente como algo que siempre está evolucionando en su esencia.

2 Resulta bastante humillante comprobar que el enfoque de la vida como una serie de pasos en la que anteriores placeres han quedado atrás y son reemplazados por objetivos más elevados y acordes, fue planteado en el siglo II de nuestra era, y es interesante comparar este antiguo concepto indio con ideas acerca del desarrollo adulto que actualmente están evolucionando en Occidente. En el primer estadio propuesto por las escrituras hindúes, los años gloriosamente suspendidos entre los 8 y principios de los veinte, mientras se es estudiante, la única obligación consiste en aprender. La segunda etapa, cuyo principio está marcado por el matrimonio, consiste en ejercer la jefatura familiar. Los veinte o treinta años siguientes son testigo de la satisfacción de las necesidades del hombre: placer, principalmente a través de la familia; éxito a través de su vocación, y deberes mediante el ejercicio de la ciudadanía. Cuando la edad reduce inevitablemente los placeres del sexo y de los sentidos, cuando alcanzar el éxito ya no representa una novedad y cumplir los deberes se ha convertido en algo repetitivo y rancio, ha llegado la hora de pasar a la tercera etapa, la del retiro. A partir del nacimiento del primer nieto, el individuo debe ser libre de comenzar su verdadera educación como adulto, de descubrir quién es y de reflexionar sin interrupción en el significado de la vida.

Tradicionalmente, en este estadio se estimula al hombre a hacerse peregrino. El hombre y su mujer —si ella desea acompañarlo— deben juntar estacas e internarse en la soledad de los bosques en un viaje de autodescubrimiento. Por fin sus responsabilidades sólo se refieren a sí mismos. La etapa final, cuando el peregrino alcanza su meta, es el estado de *sannyasin*. Sin obligaciones ni pertenencias, sin más expectativas del cuerpo, el *sannyasin* es libre de vagar y mendigar en la puerta trasera de la casa de alguien de quien fuera amo en otro tiempo. Según los textos hindúes, el *sannyasin* «vive identificado con el Yo eterno y no contempla ninguna otra cosa».

Este material aparece ampliamente expuesto por Huston Smith en *The Religions of Man* (1958).

3 La obra original de Else Frenkel-Brunswik se titulaba «Studies in Biographical Psychology» (1936) y actualmente aparece bajo el título de «Adjustments and Reorientations in the Course of the Life Span» en *Middle Age and Aging,* ed. Bernice L. Neugarten (1968). Frenkel-Brunswik reconoce la deuda para con su maestra, Charlotte Bühler, una de las pioneras en el campo de la psicología evolutiva, aunque su obra se refería más al proceso de ajuste de metas. Posteriormente, Frenkel-Brunswik se apartó de ella con el fin de dedicarse a la capa central de la personalidad tal como la expone el psicoanálisis.

4 Al presentar las etapas del ciclo vital en un gráfico epigenético, Erikson detalla una serie de conflictos o crisis. En cada estadio puede obtenerse un beneficio que suma una nueva cualidad del ego y otra dimensión de fuerza de la personalidad. Las primeras cuatro etapas se cumplen durante la infancia: confianza básica vs. desconfianza; autonomía vs. vergüenza y duda; iniciativa vs. culpa; laboriosidad vs. inferioridad. La quinta etapa, identidad vs. difusión de roles, está ligada a la adolescencia. A ésta siguen tres estadios adultos mencionados en el texto y tomados de *Childhood and Society,* de Erik H. Erikson (1950).

5 Las observaciones sobre la vida de Erikson fueron leídas entre líneas en su autobiografía —*Life History and the Historical Moment* (1975)— por Marshall Berman en una crítica literaria publicada por *The New York Times* el 30 de marzo de 1975.

6 Paul C. Glick y Arthur J. Norton en «Perspectives on the Recent Upturn in Divorce and Remarriage»; estudio realizado por la Oficina de Censos del Departamento de Comercio en Estados Unidos (1972).

7 Oficialmente, Daniel J. Levinson es profesor de psicología en el Departamento de Psiquiatría de la Escuela de Medicina de la Universidad de Yale, pero con el tiempo se ha convertido en una mezcla de psicólogo-psiquiatra-sociólogo. Los colaboradores de su equipo de estudio son Charlotte N. Darrow, Edward B. Klein, María H. Levinson y Braxton McKee. Aparte de la

tesis general del doctor Levinson, que fue presentada en el simposio patrocinado por la Menninger Foundation, las referencias a su obra y teorías que aparecen en este libro fueron extraídas de entrevistas. La tan esperada publicación de la obra del doctor Levinson está prevista para 1977, bajo el título *The Seasons of a Man's Life*.

8 Roger Gould informa sobre su obra en «The Phases of Adult Life: A Study in Developmental Psychology», *American Journal of Psychiatry* (1972). A partir de la observación de los pacientes externos que hacían terapia de grupo en la Clínica Psiquiátrica de la UCLA, Gould y sus colaboradores dividieron a los pacientes en siete grupos de edades y durante el curso de un año analizaron las características más obvias y sobresalientes de cada grupo. Como resultado de este esfuerzo se preparó un cuestionario que se entregó a 524 no pacientes a los que se solicitó clasificaran ordenadamente manifestaciones referentes a sus relaciones con los padres, los amigos, los hijos y los cónyugues; sus sentimientos acerca de sí mismos, de sus trabajos, del tiempo y del sexo.

9 Estudio de Daniel Yankelovich, Inc. (1973), presentado por *The New York Times* el 22 de mayo de 1974.

CAPÍTULO 2   CRISIS PREVISIBLES DE LA EDAD ADULTA

Las teorías y la escala evolutiva que se presentan en este capítulo son una síntesis de toda la obra y, en consecuencia, de todas las fuentes y entrevistas de donde las extraje.

1 «Hecho demarcador» es la expresión empleada por Daniel Levinson para definir una ocasión determinada o un período amplio que provoca o significa un cambio de gran importancia en la vida de la persona, aunque no siempre se da la presencia de un hecho demarcador señalando el cambio.

2 En su obra *Middle Age and Aging*, Bernice L. Neugarten establece el concepto de «identidad del rol de la edad» y señala que «el desvío de las normas de la edad no influye menos en la conducta de los adultos que en la conducta de los niños... las sanciones sociales relacionadas con las normas referentes a la edad adquieren una realidad psicológica...» (1968).

3 Ejemplificadora de este principio es la biografía de una bailarina de ballet presentada en el capítulo 23.

4 Es interesante notar que la gente con un pasado estable tiene más probabilidades de superación que aquellos que cuentan con antecedentes de pobreza y privación emocional. Para más referencias, véase «Poverty, Social Desintegration and Personality», de Morton Beiser, en *Journal of Social Issues* (1965).

5 La historieta cómica de Feiffer apareció en *The Village Voice* el 22 de septiembre (copyright 1974).

6 En el capítulo 7 de esta obra se plantean y ejemplifican los *«estilos de avance».*

7 Interpretando el punto de vista de Erikson en el sentido de que las etapas se superponen e interpenetran, Coles (1970) lo expone de la siguiente forma: «Cuando adquirimos confianza, no nos liberamos para siempre de la desconfianza y cuando alcanzamos la autonomía no por ello evitamos continuas dudas y vacilaciones». Según palabras de Daniel Levinson: «Los cometidos primordiales de un período nunca están plenamente cumplidos y se dejan de lado cuando aquél concluye».

En el capítulo 20 de esta obra ofrecemos un ejemplo de que la autonomía no se alcanza automáticamente.

CAPÍTULO 3   DEL PECHO A LA RUPTURA

La fuente básica de las representaciones de los conceptos de yo y de objeto —de la que deriva mi descripción del «custodio interno» — es Freud, especialmente su artículo *Introducción al Narcisismo* (1914), y *El yo y el ego* (1923). Para la comprensión de estos conceptos fue muy útil la monografía de Edith Jacobson *The Self and the Object World* (1973), que fue oficialmente auspiciada por la revista de la Asociación Psicoanalítica Americana. Las discusiones con Roger Gould provocaron la aplicación de los conceptos a biografías individuales.

La explicación más clara del proceso de identificación aparece en *The Enterprise of Living* (1972), de Robert White.

1 El proceso de individuación, una importante contribución de Carl Jung a la teoría psicológica, aparece expuesta de modo conciso por Jolande Jacobi en *The Psychology of C. G. Jung* (edición de 1973). «Tomada como totalidad, la individuación es un proceso espontáneo y natural de la psiquis; se encuentra potencialmente presente en todos los hombres, aunque la mayoría no tienen conciencia de ello. A menos que sea inhibido, obstruido o distorsionado por alguna perturbación específica, se trata de un proceso de maduración o despliegue en que el proceso psíquico es paralelo al físico en crecimiento.»

2 Distingo como primer componente de una personalidad sana un sentido de confianza básica», afirmó Erikson en *Psychological Issues* (1959). En un ensayo posterior, «The Golden Rule and the Cycle of Life» (1964), se refería a la reciprocidad no como fase separada, sino como proceso continuo gobernado por el sentido de confianza básica alcanzado en la primera infancia. «La realidad es que la reciprocidad entre adulto y bebé es la fuente original del ingrediente básico de toda acción humana eficaz y al mismo tiempo ética: la esperanza.»

3 Mahler ha planteado que durante los tres primeros meses de vida el bebé no tiene conciencia del yo y el otro. A medida que comprende que sus necesidades se satisfacen desde el exterior se inicia el siguiente estadio, la simbiosis, aunque la madre sigue siendo asumida como parte del yo. Alrededor de los 2 años de edad, el niño pasa a la fase que Mahler ha designado separación-individuación, que permite la construcción gradual de una identidad individual. Véase Mahler (1953 y 1963) y la exposición de Blanck y Blanck sobre el esquema evolutivo de Mahler en *Marriage and Personal Development* (1968).

Peter Blos postula que la primera etapa de individuación se completa hacia el fin del tercer año de vida, al alcanzar la constancia objetal. Considera que la adolescencia es el segundo estadio de la individuación. En *The Second Individuation Process of Adolescence* (1967), señala: «Al fin de la adolescencia las representaciones del yo y del objeto adquieren estabilidad y límites firmes».

4 Cita de Jacobson en *The Self and the Object World* (1964).

John Bowlby —el destacado psicoanalista británico que dedicó toda su obra a analizar los efectos de la separación de los padres en los hijos— lleva ahora su tesis de la infancia a la edad adulta. En *Separation* (1973) señala que la vida emocional del niño está dominada por un sólo tema: su necesidad de proximidad con la madre, y que toda ansiedad es, básicamente, un temor «realista» a separarse de aquélla. En su tercer volumen de la serie «Attachment and Loss» intenta demostrar que la continua necesidad individual de defenderse contra la amenaza de la pérdida puede explicar la mayor parte de las ramificaciones de la personalidad.

5 Jacobson, Blos y Roy Schafer (*Aspects of Internalization,* 1968) consideran que en el núcleo del desarrollo psicológico se encuentra presente algún mecanismo de internalización o identificación.

6 Después de observar en una historia de vida tras otra la interacción dinámica de fuerzas que llegué a describir como Yo Buscador y Yo Fusionador, descubrí que Abraham H. Maslow también había escrito acerca de dos fuerzas opuestas al explicar su teoría del desarrollo. El lector debe saber que Maslow se ha referido a ello, aunque en mi opinión su formulación es demasiado rígida: blanco o negro. «Todos los seres humanos poseen las dos fuerzas en su interior. Una de ellas se aferra a la seguridad y a lo defensivo por miedo, provocando la tendencia a regresar, a adherirse al pasado, *temerosos* de romper la comunicación primitiva con el útero y el pecho de la madre, *temerosos* de correr riesgos, *temerosos* de poner en peligro lo que ya tienen, *temerosos* de la independencia, la libertad y la individualización. El otro conjunto de fuerzas impulsa al individuo hacia adelante, hacia la totalidad y la singularidad del yo, hacia el pleno funcionamiento de todas sus capacidades, hacia la confianza frente al mundo externo, al mismo tiempo que puede aceptar su más profundo yo inconsciente y real» (Maslow, *Toward a Psychology of Being,* 1968).

CAPÍTULO 4   JUGAR HASTA REVENTAR

1 Sobre expectativas parentales véase White, en *The Enterprise of Living,* 1972.

2 Erikson observa: «Jóvenes y más jóvenes, desconcertados por la incapacidad de asumir un rol que les impone la inexorable estandarización de la adolescencia americana, escapan de una forma u otra, abandonando la escuela, dejando el trabajo, permaneciendo toda la noche fuera de su casa, o cayendo en estados de ánimo misteriosos e inaccesibles» (*Identity: Youth and Crisis,* 1968).

3 El estudio hecho por Judith Bardwick, profesora de psicología de la Universidad de Michigan, se expone en el artículo «The Dynamics of Successful People», que aparece en *New Research on Women* (1974), copyright de la Universidad de Michigan. La doctora Bardwick señala: «Un número sorprendente de [los veinte hombres verdaderamente triunfadores a los que entrevistó en profundidad] mencionaron que habían robado o se habían comportado como truhanes en su juventud; quizá ya en aquel entonces eran buscadores de riesgos».

4 El novelista Jerzy Kosinski relata la historia de Lekh, un campesino que como entretenimiento pintaba pájaros y después los soltaba para que los de su especie los mataran (*El pájaro pintado,* Editorial Pomaire, 1977).

CAPÍTULO 5   «SI ME RETRASO, EMPIECEN LA CRISIS SIN MÍ»

En Greenacre (1958) y en Mahler (1958), se encuentran excelentes descripciones del sentido de identidad. Erikson (1968) es insuperable en la exposición de la formación de la identidad del ego en la adolescencia. Jacobson (1973) prefiere plantear la formación de la identidad personal como un proceso ininterrumpido a lo largo de todas las etapas del desarrollo y que conforma la capacidad de preservar toda la organización psíquica. Otra importante consulta sobre el tema es *On Adolescence: A Psychoanalytic Interpretation,* de Peter Blos (1962).

1 Véase King en «Coping and Growth in Adolescence», *Seminars in Psychiatry* (noviembre de 1972).

2 El artículo de J. E. Marcia que define las cuatro posiciones del proceso de formación de la identidad, «Development and Validation of Ego Identity Status», apareció en *Journal of Personality and Social Psychology,* 3 (1966).

3 Las conclusiones acerca de las graduadas universitarias fueron extraídas por Anne Constantinople en su estudio «An Eriksonian Measure of Personality Development in College Students», publicado en 1969 y citado más ampliamente en las notas a pie de página del capítulo 6 de este libro.

4 James M. Donovan, psiquiatra de Harvard, expone las distinciones de Marcia en las posiciones de identidad y les suma su propio estudio de veintidós estudiantes de artes liberales de una importante Universidad del Medio Oeste. Donovan sólo clasificó a dos de sus sujetos como personas con «identidad realizada», y las dos eran mujeres de más de 35 años: «Probablemente a los 21 ambas tenían una identidad cerrada [casadas y viviendo según el modelo de su madre]. Aparentemente, las dos habían experimentado cambios después de alcanzar el estado adulto, lo que las condujo a un creciente conocimiento de sí mismas y a la libertad correspondiente». El artículo de Donovan «Identity Status and Interpersonal Style» fue la base de un artículo aparecido en el *Journal of Youth Adolescence* 4,1 (1975).

5 Esta es la conclusión que extrae King. A partir de un análisis de estudio sobre la adolescencia, incluido uno propio (1972), distingue tres modelos comunes entre los adolescentes de la última etapa: 1) seriamente perjudicados: los que son antisociales y están sobrecogidos por la angustia y la depresión; 2) normales y competentes: quienes tienen éxito en la confrontación, empiezan a desarrollar un sentido de identidad y evidencian una profunda continuidad con experiencias pasadas; 3) sensibles y vulnerables: aquellos que poseen una activa vida fantaseosa, importantes y repentinos cambios de humor, dolorosos interrogantes con respecto a la autoestima, períodos de profunda depresión, idealismo irrealmente elevado y rebelión activa. King asevera que los adolescentes de este grupo, aunque no se ajustan al modelo común, en la mayoría de los casos se convierten en adultos bien integrados y maduros.

6 La conclusión de Vaillant y McArthur, extraída del Grant Study of Adult Development at Harvard University, aparece en *Seminars in Psychiatry* (noviembre de 1972). En el capítulo 15 de este libro se expone una descripción más amplia de este importante estudio.

7 El estudio de Yankelovich —aparecido en *The New York Times* del 22 de mayo de 1974— observaba que: «Los estudiantes de hoy están predispuestos a reconciliarse con la sociedad, se sienten menos alienados y abrigan la esperanza de funcionar constructivamente en ella».

8 La teoría de Sutherland y Cressey sobre conducta criminal es expuesta por James Q. Wilson en «Crime and the Criminologists», publicado en *Commentary*, julio de 1974.

9 Las cifras porcentuales sobre la juventud radical están tomadas de *Generations Apart*, un estudio sobre la brecha generacional preparado por Daniel Yankelovich, Inc., para CBS News (1969).

10 Cita de Erikson (1968).

11 Cita de White (1972).

12 Cita de Erikson (1968).

13 Cita de Wilson (1974).

14 Palabras del reverendo Moon en su arenga del Madison Square Garden (1974).

CAPÍTULO 6   EL DESEO DE FUSIÓN

1 Maslow presentó su teoría de la estructura jerárquica de las necesidades en *Motivation and Personality* (1954).

2 Erikson (1968) ha observado: «En general, es la incapacidad de asentarse en una identidad profesional lo que más perturba a los jóvenes». Señalando la cuestión con más fuerza aún, Burt Schacter insiste en que las experiencias profesionales que confirman la competencia de una persona son las más importantes, incluso más que encontrar un rol de grupo, un rol sexual o una perspectiva del mundo. Véase «Identity Crisis and Occupational Processes», publicado en Child Welfare, 47,1 (1968).

3 Conclusiones del estudio Bardwick (1974).

4 Jessie Bernard plantea la planificación de carrera en *The Future of Marriage* (1972).

5 Para una síntesis de las razones del deseo de tener hijos, véase *Psychology of Birth Planning,* de Edward H. Pohlman (Schenkman, 1969).

6 En el año 1968, por ejemplo, las cifras de HEW (Departamento de Salud, Educación y Bienestar Social de Estados Unidos) demuestran que casi la mitad (46 %) de las mujeres casadas que tenían entre 15 y 19 años, tuvieron un hijo, mientras sólo una cuarta parte de las mujeres casadas de 20 a 24 años de edad —el grupo con la tasa de nacimientos más alta después del anterior— dieron a luz ese año. HEW también calcula que «aproximadamente el 60 % de los hijos de madres adolescentes nacidos el mismo año fueron concebidos fuera del matrimonio». Datos tomados de *Teenagers: Marriages, Divorces, Parenthood, and Mortality,* publicación del U. S. Department of Health, Education, and Welfare (agosto de 1973).

7 Graffiti obligado extraído de las cifras del censo presentado por Gloria Stevenson en *Occupational Outlook Quarterly* (primavera de 1973), publicación del Departamento de Trabajo. Véase también el informe actualizado de Paul Glick para la Oficina de Censos del Departamento de Comercio de Estados Unidos: «The Life Cycle of the Family» (en preparación en el momento de escribir esta obra).

8 Entre aproximadamente cinco mil graduados de la escuela secundaria estudiados durante un período de cuatro años, quienes «persistieron en la Facultad tuvieron más probabilidades de avanzar hacia una disposición libre de prejuicios, flexible y autónoma [que] quienes fueron a trabajar o se dedicaron a estructurar un hogar». Esta conclusión proviene de un estudio efectuado por Trent y Medsker en 1968, y recogido por Stanley H. King (noviembre de 1972) en «Coping and Growth in Adolescence», *Seminars in Psychiatry*.

9 Del informe de HEW, *Teenagers: Marriages, Divorces, Parenthood, and Mortality* (1973).

10 Utilizando 952 sujetos del sexo femenino y masculino provenientes de cuatro cursos univesitarios, Anne Constantinople preparó un estudio titulado: «An Eriksonian Measure of Personality Development in College Students», publicado en el *Journal of Developmental Psychology*, 1,4 (1969).

CAPÍTULO 7 LOS PRINCIPIOS DEL ENCAJE DEL ROMPECABEZAS DE LA PAREJA

1 El concepto de estilo de avance procede de un intercambio de ideas entre el doctor Roger Gould y yo.

CAPÍTULO 8 EL DESPEGUE HACIA UNA SALIDA LANZADA

1 Cita tomada de *Lives Through Time*, de Block y Haan (1971).

El fin de este período preparatorio aparece alrededor de los 28 años, y en este punto los observadores se muestran de acuerdo con el esquema original de Else Frenkel-Brunswik. Pero dado que ésta operaba con datos reunidos en la década de los treinta, situó la edad promedio inicial alrededor de los diecisiete años. Desde entonces, cada vez se les ha otorgado más prórrogas a los jóvenes, de modo que los primeros esfuerzos serios por ser admitidos en el mundo adulto se inician, más probablemente, aproximadamente a los 22 años.

2 En esta cuestión mis datos coinciden con los de Levinson y los de Gould y se corresponden con las pruebas estadísticas de los ciclos de siete años.

3 La explicación de Jung sobre las ilusiones que caracterizan al matrimonio durante la primera mitad de la vida y proveen su «armonía peculiar», se basa en su concepto de las imágenes arquetípicas. En tanto algunos disienten con las ideas de Jung de que estas imágenes eternas del sexo opuesto son innatas —de-

pósito de todas las experiencias ancestrales—, muy pocos discuten la noción de que las imágenes inconscientes del hombre y la mujer, ya sean innatas o adquiridas, informan las relaciones románticas de los veinte. Y puesto que estas imágenes son inconscientes, como afirma Jung, son proyectadas inconscientemente sobre la persona elegida como compañera. Véase *The Portable Jung* (1971).

4 Erikson (1968) menciona la «reacción tardía» cuando, a punto de alcanzar nuestra identidad, nos sorprendemos al conocerla.

5 También Gould (1972) observó que la actitud de «el auténtico camino en la vida» es característica de los veinte.

CAPÍTULO 9   LA VERDADERA PAREJA

1 Cita de Alvin Toffler, *Future Shock* (1971).

2 Véase el resumen de O. G. Brim sobre una serie de estudios que indican que la felicidad alcanza su punto máximo en el primer año de matrimonio, decrece gradualmente durante los quince años siguientes y vuelve a ascender al nivel de una llanura elevada; resumen titulado «Adult Socialization», en *Socialization and Society,* compilación de J. A. Clausen (1968). Véase también la curva de la satisfacción en el matrimonio de Roger Gould en «The Phases of Adult Life» (1972); Neugarten (1968), e I. Deutscher, *Married Life in the Middle Years* (1959), Kansas City Community Studies.

3 Las mujeres más jóvenes y mejor educadas también piensan tener menos hijos. En un estudio del descenso previsto en la tasa de nacimisntos, la Oficina de Censos del Departamento de Comercio informó en 1974 que las mujeres pertenecientes al grupo de edades comprendido entre los 18 y los 24 años espera tener nada más que 2,2 hijos, comparadas con las mujeres que actualmente se encuentran entre los 35 y los 39 años y que tuvieron 3,1 hijos cada una.

CAPÍTULO 10   ¿POR QUÉ SE CASAN LOS HOMBRES?

1 Berkowitz y Newman: *How To Be Your Own Best Friend,* Random House, Nueva York (1961).

2 La formulación del doctor Gould surgió en una de nuestras discusiones.

3 Cita de *Earthwalk,* de Philip Slater (1974).

4 *The Mirages of Marriage* (1968), de Lederer y Jackson: «De acuerdo con el concepto de sistemas, se produce un cambio cuando las partes afines se reaco-

modan, ya se trate de átomos o de la conducta de seres humanos íntimamente relacionados, como en el caso de dos personas que están casadas... El concepto de sistemas deja en claro que un cambio en la conducta de uno de los cónyugues es, por lo general, una reacción ante ciertos cambios en la conducta del compañero, lo que a su vez produce cambios adicionales en la conducta del otro. Este sistema de acción-reacción actúa de manera *circular* (a veces en círculo vicioso, en ocasiones positivamente)».

CAPÍTULO 11   ¿POR QUÉ NO PUEDE LA MUJER PARECERSE MÁS A UN HOMBRE, Y EL HOMBRE MENOS A UN CABALLO DE CARRERA?

1 Margaret Mead hizo una comparación similar en 1935, en *The Forum*.

2 Levinson presentó su tesis en el simposio «Normal Crises of the Middle Years», patrocinado por la Menninger Foundation de Nueva York en 1973.

3 Incluso Freud advirtió sobre esta trampa (aunque él mismo cayó repetidas veces en ella): «...aunque la anatomía puede señalar las características de la masculinidad y la feminidad, la psicología no puede hacerlo —escribió en 1930—. Para la psicología, el contraste entre ambos sexos se convierte en un contraste entre actividad y pasividad, en el que con demasiada facilidad identificamos la actividad con lo masculino y la pasividad con lo femenino, punto de vista que en modo alguno queda universalmente confirmado en el reino animal». Ambos sexos y todo individuo, enfatizó Freud, muestran una combinación de actividad y pasividad. *Civilization and Its Discontents*, J. Strachey, dir. (1962).

4 Los resultados del Oakland Growth and Development Study fueron analizados en 1969 en la obra *Lives Through Time*, preparada por los psicólogos Jack Block y Norma Haan. Las conclusiones extraídas de la obra, que detallan las diversas adquisiciones de la personalidad de hombres y mujeres, pueden encontrarse en un artículo de Norma Haan: «Personality Development from Adolescence to Adulthood in the Oakland Growth and Guidance Studies», *Seminars in Psychiatry*, 4:4 (noviembre de 1972).

Existen importantes diferencias entre los estudios longitudinales como éste y los transversales como el previamente descrito de Constantinople, correspondiente a la comparación de estudiantes universitarios masculinos y femeninos. Los estudios transversales se realizan en un momento y lugar dados y por lo general representan grupos de edades. Aunque resultan informativos, no tienen en cuenta el hecho de que la gente difiere según la etapa vital en que se encuentra y el grupo generacional a que pertenece. En un estudio longitudinal, sólo se estudian los miembros de un grupo generacional y se reúnen datos sobre ellos a intervalos regulares durante un período de muchos años. Como la configuración de un estudio tan prolongado es en principio imprevisible y como los sujetos pueden no estar realizados en el curso de la vida de su autor, los estudios longitudinales no son corrientes. El estudio longitudinal del Institute of Human Development no tiene precedentes por su magnitud y duración.

5 Del ensayo «On Freud and the Distinction Between the Sexes», de Juliet Mitchell, aparecido en *Women and Analysis*, 1974.

6 La disertación doctoral y médica de Matina Horner se titulaba «Sex Differences in Achievement Motivation and Performance in Competitive and Non-Competitive Situations» (1968).

7 Para un estudio más amplio de las diferencias sexuales, véase *The Psychology of Sex Differences*, de Maccoby y Jacklin (1974), y *Man's Aggression, The Defense of the Self*, de Gregory Rochlin (1973).

CAPÍTULO 12   BREVE ANTICIPO: HOMBRES Y MUJERES EN CRECIMIENTO

1 La presentación más clara del pensamiento de Jung en este campo aparece en el capítulo «Marriage as a Psychological Relationship», en *The Portable Jung* (1971). El trabajo original se encuentra en *The Development of Personality*.

2 Cita de *The Psychology of C. G. Jung*, de Jolande Jacobi (edición de 1973).

3 Según Levinson una de las siete empresas del hombre en la transición de la edad mediana es la superación de la «polaridad masculino-femenina», reconociendo su parte femenina y viendo a la mujer amada como a un auténtico par. «Normal Crises of the Middle Years», simposio de la Menninger Foundation (1973).

4 Cita de Fellini aparecida en *Time*, 7 de octubre de 1974.

5 Extraído de un estudio hecho por Career Design, una empresa de San Francisco que realiza seminarios para adultos que desean producir cambios en su carrera.

6 La disertación doctoral de Margaret Hennig se titula «Career Development for Women Executives», Graduate School of Business Administration de la Universidad de Harvard (1970).

7 Hennig (1970).

CAPÍTULO 13   ALCANZAR LOS TREINTA

1 La cita de Blecher apareció en *New American Review 14* (1972).

2 La descripción de Frenkel-Brunswick correspondiente a esta fase se encuentra en *Middle Age and Aging* (1968).

3 Blecher (1972).

4 El relato de Bertrand Russell aparece en *The Autobiography of Bertrand Russell* (1971).

5 Frenkel-Brunswick (1968) y Gould (1972).

6 Citas de Russell (1951).

7 Dado el hecho —previamente señalado (Glick y Norton, 1972)— de que la duración media del matrimonio antes del divorcio había sido de aproximadamente siete años durante el último medio siglo, y el hecho de que la edad promedio del primer matrimonio no ha variado demasiado en las últimas décadas entre los 20 y 21 años para las mujeres y 22 a 23 para los hombres, no es sorprendente que los investigadores de la Oficina de Censos del Departamento de Comercio descubrieran que la edad cumbre para el divorcio es entre los 28 y los 30.

8 El material sobre la díada cerrada, tomado de entrevistas con Ray L. Birdwhistell, aparece con mayor amplitud en «Can Couples Survive?», de Gail Sheely, Nueva York, 19 de febrero de 1973.

9 La cita de Galbraith fue publicada en «How the Economy Hangs on Her Apron Strings», *Ms.* (mayo de 1974).

CAPÍTULO 14   EL VÍNCULO DE LA PAREJA, EL ESPACIO DE LA SOLTERÍA, EL REBOTE

1 Como ejemplo de un hombre que rebota, véase la biografía de Jay Parrish en el capítulo 23 de esta misma obra.

2 Jacobson (1964).

CAPÍTULO 15   PAUTAS MASCULINAS DE VIDA

1 Cita de Jerry Rubin en *Do It, Scenarios of the revolution* (1970). Posteriormente en «From the Streets to the Body», *Psychology Today* (septiembre de 1973).

2 Erikson (1968) ofrece una historia clínica completa y esclarecedora de Bernard Shaw.

3 Desde 1960 se ha producido un continuo y significativo aumento de la proporción de hombres menores de 35 años que siguen solteros. Tomado del informe de Arthur Norton y Robert Grymes en «Marital Status and Living Arrangements» para el Departamento de Comercio de Estados Unidos (marzo de 1973).

4 Barbara Fried: *The Middle-Age Crisis* (1967).

5 El trabajo de Vaillant y McArthur (noviembre de 1972) al que me he referido en notas de capítulos anteriores presenta un breve panorama del Grant Study.

6 El estudio de Harriet Zuckerman «Nobel Laureates in Science: Patterns of Productivity, Collaboration and Authorship» fue publicado en la *American Sociological Review*, 32 (1967).

7 Cita extraída del estudio de Bardwick (1974).

8 El estudio sobre los hombres superrealizados se titula *Sex and the Significant Americans* (1965) y pertenece a John F. Cuber y Peggy B. Harroff. Para otras historias clínicas véase también *Victims of Success*, del psiquiatra Benjamin B. Wolman.

9 Diez de los hombres que estudié se ajustan claramente al modelo del joven prodigio. Todos ellos padecieron confusiones y depresiones y algunos se sintieron solivantados con el mundo cuando, después de trabajar tan duramente para que sus sueños originales llegaran a ser realidad, sacudieron las ramas doradas con la esperanza de ver derramarse sobre sus cabezas la gratificación personal y oyeron en cambio el sonido del vacío. Tan directa y dolorosa confrontación con la oscuridad de la transición de la mitad de la vida motivó a algunos de ellos a avanzar hacia la etapa más avanzada de la renovación, que mucha gente jamás alcanza. Un hombre que reconoce no haber querido afrontar una crisis, vio sus perspectivas limitadas al ingresar en los cincuenta y actualmente desprecia su trabajo, a su familia y a sí mismo. Los demás siguen en estado de transición.

10 La observación de Shana Alexander apareció en su artículo «Korff's Last Tape», *Newsweek*, 30 de septiembre de 1974.

11 Las descripciones del doctor Williard Gaylin referentes a las personalidades sociópata y paranoica proceden de su artículo «What's Normal?», *The New York Times Magazine*, 1 de abril de 1973.

12 Bardwick (1974).

13 Estadísticas proporcionadas por Arthur Norton al Departamento de Comercio de Estados Unidos.

14 La comparación de perfiles de salud mental de hombres y mujeres casados, y de mujeres solteras comparadas con casadas —que se presenta en la obra *The Future of Marriage* (1972) del doctor Bernard— se basa en tablas compiladas por el Centro Nacional de Estadística Sanitaria en *Selected Symptoms of Psychological Distress*, Departamento de Salud, Educación y Bienestar Social de Estados Unidos (1970), tabla 17. Véase también «The Mental Health of the Unmarried», de Genevieve Knupfer, Walter Clark y Robin Room, en *American Journal of Psychiatry*, 122 (febrero de 1966).

15 Para las comparaciones psicológicas entre los hombres que nunca se casaron y las mujeres que nunca se casaron, véase *Americans View Their Mental Health* (1960), de Gerald Gurin, Joseph Veroff y Sheila Feld. Las comparaciones socieconómicas han sido extraídas de las cifras del censo (1970), de *Marital Status*, tablas 4, 5 y 6. Los síntomas de perturbaciones provienen de estadísticas de salud mental compiladas por el Departamento de Salud, Educación y Bienestar Social en *Selected Symptoms of Psychological Distress* (1970), tabla 17.

16 La obra de Robert E. Samples descrita en «Learning with the Whole Brain», *Human Behavior* (febrero de 1975) constituye la base para las exposiciones acerca de los dos hemisferios cerebrales.

17 Samples (febrero de 1975).

CAPÍTULO 16   PAUTAS FEMENINAS DE VIDA

1 En 1974, Virginia Slims encargó a The Roper Organization que hiciera una encuesta sobre la actitud de las mujeres sobre el amor, el matrimonio, el divorcio, los roles y estereotipos sexuales, la esposa que trabaja, etc.

2 Estudios realizados por Social Research, Inc. Desde la década de los cuarenta hasta 1965 evidenciaron que la vida de la esposa del obrero «estaba cautiva en el triángulo marido, hijos y hogar». Los cambios profundos de actitud reflejados en estudios más recientes fueron informados por el doctor Burleigh B. Gardner en «The Awakening of the Blue Collar Woman», que apareció en *Intellectual Digest* (marzo de 1974).

3 *The Total Woman*, de Marabel Morgan (1973).

4 Morgan (1973).

5 El folleto de la vigésima reunión se titula *Radcliffe 1954 in 1974.*

6 Betty Friedan lo reconoció en un artículo titulado «Up from the Kitchen Floor», publicado en *The New York Times Magazine*, 4 de marzo de 1973.

7 De tanto en tanto los economistas intentan calcular el valor en dólares de los servicios de una esposa de dedicación completa. La inflación y los nuevos salarios mínimos vuelven obsoletas las cifras en el transcurso de un año. Un cálculo realizado por el Chase Manhattan Bank en 1972 determinó el valor económico de una ama de casa en 257,53 dólares semanales o 13.391,56 dólares anuales. Esas cifras quedaron rápidamente superadas por el incremento del 6 % anual en los salarios pero, más importante aún, el banco no computó muchas de las tareas realizadas por las esposas. En marzo de 1974 la revista *Potomac* —de *The Washington Post*— solicitó a amas de casa con dos hijos —uno en la escuela y otro en edad preescolar— que expusiera la forma en que ocupaban una semana corriente. Las funciones mencionadas por dichas esposas fueron: compradora de alimentos, enfermera, tutora, camarera, costurera, obrera de mantenimiento, amante, niñera, mujer de la limpieza, cocinera, ama de llaves, lavandera, chófer, jardinera, consejera psicológica, recadera, bibliotecaria, decoradora de interiores, proveedora de servicios generales, veterinaria. *Potomac* evaluó esos servicios en el mercado libre y llegó a un total de 793,60 dólares semanales.

Según informó William V. Shannon en *The New York Times* del 9 de septiembre de 1974, sólo el 2 % de las viudas cobra una pensión personal.

8 Los datos reunidos por el Departamento de Salud, Educación y Bienestar Social de Estados Unidos aparecen en *Selected Symptons of Psychological Distress* (1970).

9 En el caso de las madres nacidas después de 1930, la edad promedio a que dan a luz a su último hijo es los 30 años. Véase el artículo de Arthur J. Norton, «The Family Life Cycle Updated» para la Oficina de Censos del Departamento de Comercio de Estados Unidos, que aparece en *Selected Studies in Marriage and the Family* (marzo de 1974), 9ª edición.

10 El estudio sobre mujeres realizadas seleccionadas al azar en diversas ediciones del *Quién es quién de las mujeres americanas* pertenece a la doctora M. Elizabeth Tibdall, profesora de Fisiología del George Washington Medical Center. Presentado en *The Executive Woman* (febrero de 1975).

11 La mujer realizada que difiere la crianza es un modelo apoyado por la socióloga Jessie Bernard, quien apunta a demostrar que el índice de matrimonio es menor entre las mujeres jóvenes que tienen mejores trabajos y salarios más elevados. «Esto lleva a la conclusión de que las jóvenes a menudo se casan porque es lo único que sienten que pueden hacer», observa Bernard en *The Future of Marriage* (1972).

12 La Oficina de Censos me proporcionó las cifras comparativas de ingresos de las mujeres con ingresos de la población total. De *Current Population Reports*, Serie P-60, n.º 97, tabla 64.

13 La investigación fue realizada por la empresa consultora neoyorquina

Spence Stuart and Assoc. y presentada en *The Executive Woman* (enero de 1975).

14 La tesis de la doctora Hennig se titula «Career Development for Women Executives» (1970).

15 La doctora Ramey, profesora de fisiología y biofísica de la Escuela de Medicina de la Universidad de Georgetown hizo esta mordaz observación al final del artículo «A Feminist Talks to Men», que apareció en *Johns Hopkins Magazine* (septiembre de 1973).

16 Cita extraída de *My Earlier Years*, de la autobiografía de Margaret Mead. Salvo cuando lo señalo específicamente, todas las demás citas de esta sección corresponden a entrevistas personales con la doctora Mead.

17 Mead (1972).

18 Mead (1972).

19 Mead (1972).

20 Esta idea fue expresada en un manuscrito inédito del doctor Levinson: «Toward a Conception of Adult Development».

21 Extraído de un artículo de *The New York Times,* de la página de Consuelo Saer Bahr titulada «Blondie, Dagwood, Jiggs, Maggie and Us», 24 de agosto de 1974.

22 Repetición de los estudios citados en la nota 14 del Capítulo 15.

23 De la introducción de Louise Bernikow a *The World Split Open: Four Centuries of Women Poets in England and America, 1552-1950* (1974).

CAPÍTULO 17   INICIAR EL CAMINO DEL PASAJE DE LA MITAD DE LA VIDA

Me resultaron de gran utilidad para sintetizar los diversos aspectos del período de la mitad de la vida las entrevistas personales que mantuve con los investigadores científicos Bernice L. Neugarten de la Universidad de Chicago; Roger Gould de la Universidad de California, Los Angeles; Daniel Levinson de la Universidad de Yale; Marylou Lionells y Carola Mann del William Alanson White Institute de Nueva York, y la escritora Barbara Fried. En cuanto a textos, ha sido fundamental Jung, el primer pensador analítico importante en la conceptualización de los cambios de personalidad en la segunda mitad de la vida (y el único que diferencia las edades del inicio de la misma en hombres y mujeres). Las referencias a la obra de Elliott Jaques (psicoanalista americano que actualmente ejerce su profesión en Londres) a lo largo de este capítulo y el siguiente pertenecen a su artículo «Death and the Mid-Life Crisis». El análisis que hace Jaques del genio creativo y su interpretación del proceso de la mitad de la vida se ha convertido en un clásico en su campo. También han resultado útiles algunos de los descubrimientos de Kenneth Soddy en su obra *Men in Middle Life*.

1 De una entrevista con Bernice Neugarten. Para una información más amplia véase «The Awareness of Middle Age», *Middle Age and Aging* (1968).

2 Fried (1967).

3 La fuente es el Servicio de Salud Pública de Estados Unidos, tabla sobre la expectativa de vida en América (basada en datos de 1968).

4 Cita de Terkel, *Wording* (1972).

5 Jung, Jaques y Levinson insisten en la inevitabilidad del cambio de personalidad.

6 Un informe del año 1973 del Departamento de Salud, Educación y Bienestar Social titulado «Work in America» señala que algunos ejecutivos prefieren sufrir consecuencias fatales antes que aceptar una imagen reducida de sí mismos: «Una sensación general de obsolescencia parece atacar a los ejecutivos intermedios cuando llegan al fin de los 30. Sus carreras parecen haber alcanzado un punto muerto y comprenden que a partir de ese momento la vida será un largo e inevitable declive. Es observable un marcado aumento en la tasa de mortalidad de hombres empleados entre los 35 y los 40 años, aparentemente como resultado de esta 'crisis de la mitad de la vida'...».

7 El psiquiatra Roger Gould me resultó de particular utilidad en la formulación de las ideas acerca de los cambios subjetivos en las representaciones de yo y objeto durante el período de la mitad de la vida. El psicoanalista Judd Marmor también describe la crisis de la mitad de la vida como una etapa evolutiva, cuyo tema central es una pérdida que implica la renuncia a las esperanzas ideales de la juventud y una confrontación con la mortalidad personal. En un artículo leído en la reunión anual de la American Orthopsychiatric Association en marzo de 1967, Marmor citó cuatro modos de atravesar la crisis de mitad de la vida: negación mediante el escapismo en una actividad frenética; negación mediante un exceso compensatorio (por ejemplo en escapadas sexuales); descompensación, incluyendo angustia, depresión e ira difusa; o integración a un nivel más elevado con menor implicación narcisista.

8 Cita de *The Velveteen Rabbit*, de Margery Williams, Doubleday (1958).

9 Jaques (1965) se refiere al «penoso trabajo» de la mitad de la vida y al retorno a la posición depresiva infantil. Este duelo por nuestras ilusiones e inocencia perdidas es lo que otorga a la crisis de la mitad de la vida su calidad depresiva.

10 De una entrevista mantenida con el doctor Levinson.

CAPÍTULO 18   ESTÁS EN BUENA COMPAÑÍA

1   Parcialmente ha extraido detalles biográficos y alguna interpretación de la vida de Dante del ensayo de George P. Elliott en *Brief Lives* (1965).

2   Esta cita de Michael Harrington y las siguientes provienen de su artículo «Notes on My Nervous Breakdown», adaptado de su libro *Fragments of the Century*, para *New York*, 24 de septiembre de 1973.

3   Todo el material de Jaques procede de su artículo «Death and the Mid-Life Crisis» (1965).

4   Jaques (1965).

5   Jaques (1965) cita la biografía de Gitting sobre Keats.

6   Fitzgerald (1945).

7   Jaques (1965).

8   Las psiquiatras Marylou Lionells y Carola H. Mann perfilaron a los analistas jóvenes y viejos en su artículo «Patterns of Mid-Life in Transition». La investigación plantea la cuestión de si una paridad en las edades de analista y paciente no sería un requisito indispensable para una terapia eficaz en estas etapas de la vida.

9   Bernice Neugarten señaló esta diferencia en la percepción del ciclo vital en su artículo «The Middle Years» (marzo de 1972).

10 Cita de Neugarten (1968).

11 La razón por la que la mayoría de los que están en los cuarenta no muestran disposición a identificarse con la mediana edad fue sugerida por Fried (1967).

CAPÍTULO 19   LA PERSPECTIVA DE LOS TREINTA Y CINCO

1   Todas las citas de los diarios de Eleanor Roosevelt aparecen en *Eleanor and Franklin*, de Joseph P. Lash (1971).

2   Véase Sears y Feldman: *The Seven Ages of Man* (1973); Linda Wolfe: *Playing Around* (1975); Cuber y Harroff: *Sex and the Significant Americans* (1965), y el estudio de Morton Hunt para *Playboy* (1975).

3   Cifras de censo publicadas en *Occupational Quarterly* (primavera de 1973) del Departamento de Trabajo por Gloria Stevenson. En octubre de 1972, por ejemplo, el 51,3 % de todas las mujeres entre 35 y 39 años trabajaba o

buscaba trabajo, lo mismo que el 54,5 % de las que se encontraban entre los 40 y los 44, y el 55,7 % de las mujeres de los 45 a los cuarenta y nueve años.

4 La conclusión acerca de las mujeres que trabajan para contribuir al sostenimiento económico del hogar procede de una encuesta realizada en 1969 en todo el país por el Instituto de Investigación Social de la Universidad de Michigan.

5 La Oficina de Censos detalla 250 ocupaciones diferentes, pero la mitad de las mujeres que trabajan están empleadas sólo en 21 de ellas, por lo general las peor pagadas y de menor responsabilidad.

6 El dato de que desde 1972 sólo el 10 % de las mujeres entre treinta y cuarenta y cuatro años de edad poseían títulos universitarios ha sido extraído de un artículo de Larry E. Suter para el Departamento de Comercio de Estados Unidos, titulado «Occupation, Employment, and Lifetime Work Experience of Women» (1973). Las mujeres más jóvenes presentan expedientes educacionales mucho más brillantes. El 18 % de las mujeres entre 20 y 24 años de edad había concluido algún curso universitario en 1957 y en 1972 el porcentaje ascendía al 34 %.

7 El dato de que las tres cuartas partes de las mujeres que trabajan no tienen marido o los ingresos percibidos por el suyo son inferiores a los siete mil dólares anuales fue publicado en 1973 por la Oficina de Censos.

8 La mujer de obrero citada es Barbara Mikulski, concejal de la ciudad de Baltimore, en su introducción al excelente folleto de Nancy Seifer «Absent from the Majority» (1973).

9 Véase «Occupation, Employment, and Lifetime Work Experience of Women» de Larry E. Suter para el Departamento de Comercio de Estados Unidos, basado en el Estudio Longitudinal de Mujeres, de carácter nacional, efectuado en el año 1967, que midió los efectos acumulativos de la discontinuidad de la experiencia de trabajo en mujeres entre 30 y 44 años de edad.

   Las estadísticas sobre las perspectivas del reingreso al mundo del trabajo para las mujeres de más de 30 años provienen de un estudio de la Universidad de Ohio para la Administración de Mano de Obra del Departamento de Trabajo (1973).

10 La edad promedio en que vuelven a casarse las mujeres ha sido extraída de las estadísticas presentadas por Norton en «The Family Life Cycle Updated» (1974).

11 El relato de Irma Kurtz sobre su tardía inclinación a la maternidad apareció en *Nova* (abril de 1973).

12 Kurtz (abril de 1973).

13 De *Textbook of Gynecology,* de Novak (1970). Entre otras fuentes consultadas para la sección correspondiente a embarazos y partos después de los treinta y cinco, se encuentran el doctor Kurt Hirschhorn, director de la Sección de Medicina Genética del Mount Sinai Hospital; el doctor Raymond L. Vande Wiele, profesor y jefe del Departamento de Obstetricia y Ginecología del Columbia Presbyterian Medical Center; el doctor Len Schoenberg, director de Medicina de Paternidad planificada; un análisis de 3.100 muertes infantiles realizado por la National Foundation March of Dimes en *Perinatal Health: Challenge to Medicine and Society;* «The Elderly Primagravida» del doctor Ian Morrison en *American Journal of Obstetrics and Gynecology* (marzo de 1975), y «Antenatal Diagnosis of Genetic Disease», de T. A. Doran en *American Journal of Obstetrics and Gynecology* (febrero de 1974).

CAPÍTULO 20   LOS CRUCIALES CUARENTA

1 Véase *The Portable Jung* (1971).

2 De *Man and Superman,* acto IV, de George Bernard Shaw.

3 Estudio de la American Management Association: «The Changing Success Ethic», presentado en «Why a Second Career?», de Richard J. Leider para *The Personnel Administrator* (marzo-abril de 1974).

CAPÍTULO 21   LA CURVA DE LOS CUARENTA Y LA PAREJA

1 Cita de *The Psychology of C. G. Jung,* de Jacobi (edición de 1973).

2 Cita de Fitzgerald (1945).

3 Cita de *A Season in Heaven* (1974), de William Gibson.

4 Según Margaret Mead y basada en un material inédito de casos clínicos reunidos por Geoffrey Gore, a menudo se produce un brote de creatividad cuando una mujer sabe que no tendrá hijos (ya sea como consecuencia de una histerectomía prematura, o porque deliberadamente se haya hecho unir las trompas o a causa de la menopausia natural).

En un estudio de «Transition to the Empty Nest: Crisis, Challenge, or Relief?» (1972), Lowenthal y Chiriboga examinaron profundamente una muestra de 54 hombres y mujeres de la clase media baja y la clase media media cuyos hijos menores estaban a punto de dejar el hogar. En oposición al estereotipo, los investigadores llegaron a la conclusión de que tanto los hombres como las mujeres «esperaban establecer un estilo de vida de algún modo menos complejo, y el previsto relajamiento o reorientación del objetivo de criar a los hijos afecta su moral favorablemente».

5 Véase Jung (1973), Marmor (1967), y Gould (1972).

6 El doctor Paul Glick, de la Oficina de Censos del Departamento de Comercio, confirmó en una entrevista que no parece haber un salto en las tasas de divorcio durante el período de la mitad de la vida. Continúa dándose una continua disminución desde el punto máximo alcanzado a finales de los veinte y principios de los treinta.

CAPÍTULO 22   EL DIAMANTE SEXUAL

1 Esta cita procede de *Human Sexual Inadequacy* (1970). He utilizado esta obra de Masters y Johnson como una de las fuentes básicas de este capítulo. Otras importantes referencias consultadas fueron: *Fundamentals of Human Sexuality*, de Katchadourian y Lunde (1972); *The Natura and Evolution of Female Sexuality*, de la Dra. Mary Jane Sherfey (1972); *The Male Climacteric*, de Ruebsaat y Hull (1975); *The Psychology of Sex Differences*, de Maccoby y Jacklin (1974); *An Analysis of Human Sexual Response*, de Ruth y Edward Brecher (1966); *Sex in Later Life*, del Dr. Ivor Felstein (1970); y «Human Sexual Behavior», de la *Encyclopaedia Britannica* (1974).

   Significaron una gran ayuda tanto para la interpretación del material impreso como para el desarrollo de mis ideas, la doctora Estelle Ramey, fisióloga de la Escuela de Medicina de la Universidad de Georgetown; el doctor Ray Birdwhistell, antropólogo y profesor de Comunicaciones en la Annenberg School de la Universidad de Pensilvania; y el doctor David Marcotte del Kinsey Institute.

2 Datos de Masters y Johnson (1970) y de la *Encyclopaedia Britannica* (1974).

3 Masters y Johnson (1970).

4 Aunque poco advertido por los biólogos, como señala el doctor Sherfey, la «feminidad innata de los embriones mamíferos (fue) un descubrimiento sorprendente (firmemente probado en 1958) que echó por tierra siglos de mitología y años de teoría científica». Cita de *The Natura and Evolution of Female Sexuality* (1972). En la edición de 1974, la *Encyclopaedia Britannica* lo explica así: «Si el embrión tiene un cromosoma Y las gónadas se convertirán en testículos, de lo contrario, en ovarios. Los testículos de feto producen andrógenos, lo que hace que el feto desarrolle una anatomía masculina. Los

experimentos realizados en animales demuestran que si se extraen los testículos de un feto macho, el individuo se desarrollará en algo similar a una hembra (aunque sin ovarios). En consecuencia, se ha afirmado que los seres humanos son básicamente femeninos».

5 El 67 % de los nacimientos se produce a los 20; el 17 % entre los 15 y los 19 años; el 10 % entre los 30 y los 34, y el 6 % superados los 35. De las estadísticas correspondientes a tasas de nacimiento en el año 1970, del Centro Nacional de Estadística Sanitaria: *Monthly Vital Statistics Report* (marzo de 1974).

6 Cita de Katchadourian (1972).

7 Véase Sherfey (1972).

8 De una entrevista mantenida con el doctor Birdwhistell.

9 La expectativa de vida de los nacidos en 1971 era de 67,4 años para los varones y de 74,8 para las mujeres. Al año de edad pasó a ser de 68,9 para los varones y de 76,1 para las mujeres. A cada año sobrevivido se produce un incremento en la expectativa de la vida. Por ejemplo, en 1971 un hombre de 40 años de edad podía esperar vivir hasta los 72 y una mujer de la misma edad, seis años más. Esto se aplica a las edades comprendidas entre 34 y los 41. Hacia los 42, el hombre puede esperar concluir su 72 año, y la mujer de 43, los 78. *Life Tables,* Vol. 2, Sección 5, Centro Nacional de Estadística Sanitaria (1971).

10 Cita de «What Is the New Impotence, and Who's Got It?», de Philip Nobile, *Esquire* (octubre de 1974).

11 Cita de Kinsey (1948).

12 Véase Katchadourian (1972).

13 Algunos de los estudios del doctor Rose fueron informados en «I. S. Plasma Testosterone Levels in the Male Rhesus: Influences of Sexual and Social Stimuli», *Science* (1972), de Rose, Holaday y Bernstein.

14 De una entrevista con la doctora Ramey.

15 Katchadourian y Lunde (1972).

16 Jakobovits presentó la edad promedio de 53,7 años a partir de un estudio realizado por Heller y Myers (1944) y de dos llevados a cabo por Werner (1945, 1946). Para mayores detalles, véase el artículo del doctor Jakobovits para *Fertility and Sterility* (enero de 1970), titulado «The Treatment of Impotence with Methyltestosterone Thyroid».

17 Ruebsaat y Hull (1975), en *The Male Climacteric.* Los síntomas descritos en el texto han sido extraídos de esta obra y del artículo de Jakobovits (1970).

18 De la introducción de Hull a *The Male Climacteric* (1975).

.19 Cita de Ruebsaat (1975).

20 De la columna de «Cartas» de *The New York Times Magazine*, 28 de enero de 1973.

21 De Jakobovits. (1970).

22 De una charla ofrecida por Masters y Johnson en la Harvard Business School (mayo de 1974).

23 Véase Lionells y Mann (1974), y Katchadourian y Lunde (1972). La expresión «entusiasmo postmenopáusico pertenece a Margaret Mead.

CAPÍTULO 23   VIVIENDO LA FANTASÍA

1 Cita de la columna de Art Sidenbaum en *Los Angeles Times*, 26 de septiembre de 1973.

CAPÍTULO 25   LA RENOVACIÓN

1 Cálculo de «Generation in the Middle», Informs de Blue Cross, vol. 23, n.º 1 (1970).

2 De una investigación de Neugarten correspondiente a 100 hombres y mujeres (1968).

3 En 1850, tanto el hombre como la mujer en los Estados Unidos tenían una expectativa de vida de 40 años. Hacia 1900, la mujer excedió por primera vez la expectativa de vida del hombre y vivió un promedio de dos años más, 48 contra los 46 de él. Hoy, las mujeres viven un promedio de seis años más que los hombres y una de cada seis mujeres estadounidenses es viuda. En tanto más de los siete décimos de los hombres que superan los 75 años están casados, sólo tres décimas partes de las mujeres de la misma edad tienen marido. Están solas (si la tendencia actual continúa, hacia el año 2000 puede haber en Estados Unidos un 40 % más de mujeres que de hombres). La preocupación de las mujeres por la inclinación del cuerpo de sus maridos está bien fundada en la estadística.

Las diferencias entre indicativos de la edad para hombres y mujeres en la mediana edad pertenecen a Neugarten (1968).

4 De un informe del Committee on Work and Personality in the Middle Years (junio de 1973).

5 De Frenkel-Brunswik en «Adjustments and Reorientations in the Course of the Life Span» (1968).

6 Del artículo de Lionells y Mann (1974).

7 Tratado en *Men in Middle Life,* de Soddy (1967).

8 De Soddy (1967).

9 Véase el resumen de estudios de Brim (1968), Roger Gould (1972), Neu garten (1968), y Deutscher (1959).

10 La fuente es el Servicio de Salud Pública de Estados Unidos: sólo el 1 % de todos los primeros matrimonios de la nación implica a gente de mediana edad, pero el 26 % de los que vuelven a casarse se encuentran en esta edad.

11 Las características salientes de la mediana edad fueron informadas por Norma Haan, a partir de los Berkeley Growth and Development Studies (noviembre de 1972). Véase también el artículo de Neugarten en *Journal of Geriatric Psychology* (1970), y el de Lionells y Mann (1974).

12 Cita de *The Measure of My Days,* de Florida Scott-Maxwell (1968).

Bibliografía

BARDWICK, JUDITH: «The Dynamics of Successful People», *New Research on Women*. 1974. Ann Arbor: University of Michigan.

BEISER, MORTON: «Poverty, Social Disintegration and Personality». *Journal of Social Issues* 21(1), 1965.

BERNARD, JESSIE: *The Sex Game*. Nueva York, Atheneum, 1972.

— *The Future of Marriage*. Nueva York, Bantam edition 1973.

BERNIKOW, LOUISE (ed.): *The World Split Open: Four Centuries of Women Poets in England and America, 1552-1952*. Nueva York, Vintage Books, 1974.

BETTELHEIM, BRUNO: «Individual and Mass Behavior in Extreme Situations». *Journal of Abnormal and Social Psychology*, 1943.

BLANCK, RUBIN y GERTRUDE: *Marriage and Personal Development*. Nueva York, Columbia University Press, 1968.

BLECHER, GEORGE: «The Death of the Russian Novel». *New American Review 14* 1972, Nueva York, Simon & Schuster.

BLOCK, JACK, y HAAN, NORMA: *Lives Through Time*. Berkeley, Calif., Bancroft Books, 1971.

609

BLOS, PETER: *On Adolescence: A Psychoanalytic Interpretation*. Nueva York, The Free Press, 1962.

— «The Second Individuation Process of Adolescence». De *Psychoanalytic Study of the Child*. 1967.

BOWLBY, JOHN: *Separation*. Nueva York, Basic Books, 1973.

BRECHER, RUTH y EDWARD: *An Analysis of Human Sexual Response*. Nueva York, New American Library, a Signet book, 1966.

BRIM, O. G., JR.: «Adult Socialization». En *Socialization and Society*, editado por J. A. Clausen. Boston, Little, Brown, 1968.

BUHLER, CHARLOTTE, y MASSARIK, FRED (eds.): *The Course of Human Life*. Nueva York, Springer, 1968.

CARO, ROBERT A.: *The Power Broker*. Nueva York, Alfred A. Knopf, 1974.

COLES, ROBERT: *Erik H. Erikson: The Growth of His Work*. Boston, Little, Brown, 1970. Hay traducción al castellano: *Erikson. La evolución de su obra*. México, F. C. E., Col. Psicología y Psicoanálisis, 1975.

COMMITTEE ON WORK AND PERSONALITY IN THE MIDDLE YEARS: Nueva York: Social Science Research Council. Multicopista. Junio, 1973.

CONSTANTINOPLE, ANNE: An Eriksonian Measure of Personality Development in College Students». *Developmental Psychology* 1(4), 1969.

CUBER, JOHN F., y HARROFF, PEGGY B.: *Sex and the Significant Americans*. Pelican Book, 1965.

DANTE ALIGHIERI: *La Divina Comedia*. Múltiples ediciones. Véase, por ejemplo, Vosgos, Barcelona, 1974. 2 Vol.

DEUTSCHER, I.: *Married Life in the Middle Years*. Kansas City; Community Studies, 1959.

DONOVAN, JAMES M.: «Identity Status and Interpersonal Style and Object Relatedness». Base de un artículo para *The Journal of Youth and Adolescence*, 1975.

EPSTEIN, JOSEPH: *Divorced in America*. Nueva York, E. P. Dutton, 1974.

ERIKSON, ERIK H.: *Childhood and Society*. Nueva York, W. W. Norton, 1950.

— *Insight and Responsibility*. Nueva York, W. W. Norton, 1964.

— «The Golden Rule and the Cycle of Life». A George W. Gay Lecture, Harvard Medical School, 4 de mayo, 1962. La conferencia de Erikson fue publicada en forma de ensayo en *The Study of Lives*. Robert W. White (ed.). Nueva York, Atherton Press, 1964.

610

— *Identity, Youth and Crisis.* Nueva York, W. W. Norton, 1968.

— «Once More the Inner Space: Letter to a Former Student». *Women & Analysis.* Nueva York, Grossman, 1974.

— *Life History and the Historical Moment.* Nueva York, W. W. Norton, 1975.

FELSTEIN, IVOR: *Sex in Later Life.* Baltimore, Penguin Books, 1970.

FERGUSON, MARY ANNE: *Images of Women in Literature.* Boston, Houghton Mifflin, 1973.

FITZGERALD, F. SCOTT: *The Crackup.* New York, J. Laughlin, 1945. Hay traducción al castellano: *Derrumbe.* Madrid, Rodas, 1975.

FRENKEL-BRUNSWIK, ELSE: «Adjustments and Reorientations in the Course of the Life Span». En *Middle Age and Aging.* Bernice Neugarten (ed.). Chicago, University of Chicago Press, 1968.

— *Frenkel-Brunswik, Else: Selected Papers.* Nanette Heiman y Joan Grant (eds.,) Nueva York, International Universities Press, 1974. (Publicado como Monografía 31 por *Psychological Issues.*)

FREUD, S.: Casos (1893, 1895) en *Obras completas.* Madrid, Biblioteca Nueva, 1974.

— *El malestar en la cultura,* en *Obras completas.*

FRIED, BARBARA: *The Middle-Age Crisis.* Nueva York, Harper & Row, 1967.

FRIEDAN, BETTY: *The Feminine Mystique.* New York, Dell, 1962. Hay trad. al castellano: *Mística de la feminidad.* Barcelona, Sagitario, 1975.

— «Up from the Kitchen Floor». *The New York Times Magazine,* 4 de marzo, 1973.

GARDNER, BURLEIGH, B.: «The Awakening of the Blue Collar Woman». *Intellectual Digest,* marzo, 1974.

GAYLIN, WILLARD: «What's Normal?» *The New York Times Magazine,* 1 de abril, 1973.

GESELL INSTITUTE OF CHILD DEVELOPMENT: *Child Behavior.* Ilg, Francis L., y Ames, Louise Bates. Nueva York, Dell, 1955.

GLICK, PAUL, y NORTON, ARTHUR: «Perspectives on the Recent Upturn in Divorce and Remarriage». Bureau of the Census, U. S. Dept. of Commerce, 1972.

GLICK, PAUL C.: «The Life Cycle of the Family». U. S. Bureau of the Census. (En preparación en el momento de escribir este libro.)

...ER: The Phases of Adult Life: A Study in Developmental Psy-
... American Journal of Psychiatry, noviembre, 1972.

...ERALD; VEROFF, JOSEPH; FELD, SHEILA: Americans View Their
...tal Health. Nueva York, Basic Books, 1960.

HA..N, NORMA: «The Personality Development from Adolescence to Adulthood in the Oakland Growth and Guidance Studies». Seminars in Psychiatry 4(4), noviembre, 1972.

HARRINGTON, MICHAEL: Fragments of the Century. Nueva York, Saturday Review Press, 1973.

HELLER, JOSEPH: Something Happened. Nueva York, Alfred A. Knopf, 1974.
Hay trad. al castellano: Algo ha pasado. Madrid, Ultramar, 1976.

HELLMAN, LOUIS M., y PRITCHARD, JACK A.: Williams Obstetrics. Nueva
York, Appleton-Century Crofts, 1971.

HENNIG, MARGARET: «Career Development for Women Executives». Tesis
doctoral para la Graduate School of Business Administration, Universidad
de Harvard, 1970. Base para una posterior publicación de Doubleday, a finales de 1976.

HORNER, MATINA: «Sex Differences in Achievement Motivation and Performance in Competitive and Non-Competitive Situations», 1968. Tesis
doctoral para la Universidad de Minnesota, sin publicar.

HORNEY, KAREN: «The Flight from Womanhood: The Masculinity Complex
in Women as Viewed by Men and by Women (1926)». En Women &
Analysis. Jean Strouse (ed.). Nueva York, Grossman, 1974.

HUBER, JOAN (ed.): Changing Women in a Changing Society. Chicago, University of Chicago, 1973.

JACOBSON, EDITH: The Self and the Object World. Journal of the American
Psychoanalytic Association, Monograph Series Number Two. Nueva
York, International Universities Press, 1967.

JACOBI, JOLANDE: The Psychology of C. G. Jung. New Haven, Yale University
Press, 1973. Hay trad. al castellano: La Psicología de C. G. Jung. Madrid,
Espasa Calpe, 1976.

JANEWAY, ELIZABETH: Man's World, Woman's Place. Nueva York, Delta,
1971.

— Between Myth and Morning: Women Awakening. Nueva York, William
Morrow, 1975.

612

JAQUES, ELLIOTT: Death and the Mid-Life Crisis». *International Journal of Psychoanalysis* 46, 1975.

— «Is There a Male Menopause?» *The New York Times Magazine*, 1965.

JUNG, C. G. *The Undiscovered Self.* Nueva York, Mentor Books, 1957. En castellano véase *Lo inconsciente.* Buenos Aires. Losada.

— *Memories, Dreams, Reflections.* (autobiography) Nueva York, Pantheon, 1963.

— *The Portable Jung.* Joseph Campbell (ed.). R. F. C. Hull (tr.). Nueva York, Viking Press, 1971.

KATCHADOURIAN, HERANT; y LUNDE. *Fundamentals of Human Sexuality.* Nueva York, Holt, Rinehart and Winston, 1972.

KEATS, JOHN: *You Might as Well Live: The Life and Times of Dorothy Parker.* Nueva York, Simon & Schuster, 1970.

KING, STANLEY, H.: «Coping and Growth in Adolescence». *Seminars in Psychiatry* 4(4), noviembre, 1972.

KINSEY, A. C.; POMEROY, W. B.; y MARTIN, C. E.: *Sexual Behavior in the Human Male.* Filadelfia, W. B. Saunders, 1948.

KNUPFER, GENEVIEVE; CLARK, WALTER; y ROOM, ROBIN: «The Mental Health of the Unmarried». *American Journal of Psychiatry*, febrero, 1966.

KOMAROVSKY, MIRRA: *Blue-Collar Marriage.* Nueva York, Vintage Books edition, febrero, 1967.

— «Cultural Contradictions and Sex Roles: The Masculine Case». En *Changing Women in a Changing Society.* Chicago, University of Chicago, 1973.

KOSINSKI, JERZY: *The Painted Bird.* Boston, Houghton Mifflin, 1965. Hay trad. al castellano: *El pájaro pintado.* Barcelona, Pomaire, 1977.

KRONENBERGER, LOUIS (ed.): *Brief Lives.* Boston, Atlantic Monthly Press, 1965.

LASH, JOSEPH P.: *Eleanor and Franklin.* Nueva York, W. W. Norton, 1971.

LEDERER, WILLIAM J., y JACKSON, DR. DON D.: *The Mirages of Marriage.* Nueva York, W. W. Norton, 1968.

LE SHAN, EDA: *The Wonderful Crisis of Middle Age.* Nueva York, David McKay, 1973.

LEVINSON, DANIEL: «The Psychological Development of Men in Early Adulthood and the Mid-Life Transition (artículo)». Minneápolis, University of Minnesota Press, 1974.

613

a Conception of Adult Development». En preparación.

~~~ARYLOU, y MANN, CAROLA H.: «Patterns of Mid-Life in Transi-~~~ueva York, pág. 26 de la monografía del William Alanson White te.

~~~THAL, MARJORIE FISKE, y CHIRIBOGA, DAVID: «Transition to the Empty Nest». *Archives of General Psychiatry* 26, enero, 1972.

MACCOBY, E. E., y JACKLIN, C. N.: *The Psychology of Sex Differences.* Stanford, Calif., Stanford University Press, 1974.

MAHLER, M S.: «On the Significance of the Normal Separation-Individuation Phase». En *Drives, Affects and Behavior,* II. M. Schur (ed.). Nueva York, International Universities Press, 1953.

— «Certain Aspects of the Separation Individuation Phase», *Psychoanalytic Quarterly* 32, 1963.

MARCIA, J. E.: «Development and Validations of Ego-Identity Status». *Journal of Personality and Social Psychology,* 1966.

MARMOR, JUDD: *Psychiatry in Transition.* Nueva York, Bruner/Mazel, 1974.

MASLOW, ABRAHAM H.: *Motivation and Personality,* 2.ª ed. Nueva York, Harper & Row, 1954. Hay trad. al castellano: *Motivación y personalidad.* Barcelona, Sagitario, 1975.

— *Toward A Psychology of Being.* Nueva York, D. Van Nostrand, 1968.

MASTERS, WILLIAM H., y JOHNSON, VIRGINIA E.: *Human Sexual Inadequacy.* Boston, Little, Brown, 1970. Hay trad. al castellano: *Incompatibilidad sexual humana.* Buenos Aires, Inter-médica, 1972.

MEAD, MARGARET: *Blackberry Winter: My Earlier Years.* Nueva York, William Morrow, 1972. Hay trad. al castellano: *Mis años jóvenes.* Barcelona, Sagitario, Col. Galba, 1976.

— «On Freud's View of Female Psychology». En *Women & Analysis.* Jean Strouse (ed.). Nueva York, Grossman, 1974.

MILLETT, KATE: *Flying.* Nueva York, Alfred A. Knopf, 1974.

MITCHELL, JULIET: *Psychoanalysis and Feminism.* Nueva York, Pantheon Books, 1974. Hay trad. al castellano: *Psicoanálisis y feminismo.* Barcelona, Anagrama, Col. Argumentos, 1976.

— «On Freud and the Distinction Between the Sexes». En *Women and Analysis.* Jean Strouse (ed.). Nueva York, Grossman, 1974.

MORGAN, MARABEL: *The Total Woman.* Old Tappan, N.J.: Fleming H. Re-

vell, 1973. Hay trad. al castellano: *La mujer total*. 2.ª ed., Barc.
Plaza y Janés, 1976.

NEUGARTEN, BERNICE L. (ed.): *Middle Age and Aging*. Chicago, University of Chicago Press, 1968.

— «Dynamics of Transition of Middle Age to Old Age». *Journal of Geriatric Psychiatry* 4(1), 1970.

NEUGARTEN, B. L., y DOWTY, N. (S. Arieti, ed.): «The Middle Years». *American Handbook of Psychiatry* 1, pt. 3, marzo, 1972.

NORTON, ARTHUR: «Marital Status and Living Arrangements». Washington, D.C., U.S. Government Printing Office, U.S. Dept. of Commerce, marzo, 1973.

— «The Family Life Cycle Updated». *Selected Studies in Marriage and the Family*, 9ª ed. Robert F. Winch y Graham B. Spanier (eds.). Nueva York, Holt, Rinehart and Winston, 1974.

PARKER, RICHARD: *The Myth of The Middle Class*. Nueva York, Liveright, 1972.

PASCAL, JOHN Y FRANCINE: *The Strange Case of Patty Hearst*. Nueva York, New American Library, 1974.

PRESSEY, SIDNEY L., y KUHLEN, RAYMOND G.: *Psychological Development Through the Life Span*. Nueva York, Harper & Row, 1957.

PYNCHON, THOMAS: *Gravity's Rainbow*. Nueva York, Bantam, 1974.

RAMEY, ESTELLE: «A Feminist Talks to Men». *Johns Hopkins Magazine*, setiembre, 1973.

RIESMAN, DAVID: *The Lonely Crowd*. Nueva York, Doubleday Anchor 1955 edition (por convenio con la Yale University Press), 1950.

ROCHLIN, GREGORY: *Man's Agression*. Boston, Gambit, 1973.

ROTHSTEIN, STANLEY H.: «Aging Awareness and Personalization of Death in the Young and Middle Adult Years». Tesis doctoral para la Universidad de Chicago, no publicada. 1967.

RUEBSAAT, HELMUT J., y HULL, RAYMOND: *The Male Climacteric*. Nueva York, Hawthorn Books, 1975.

RUSSELL, BERTRAND: *The Autobiography of Bertrand Russell*. Boston, Little, Brown en asociación con The Atlantic Monthly Press, 1951.

SAMPLES, ROBERT: «Learning with the Whole Brain». *Human Behavior*, febrero, 1975.

615

GERSON, NOEL: *Sex and the Mature Man.* Nueva York, Poc-
... 1964.

... GRANK R.: *Social Problems.* Nueva York, Holt, Rinehart and Wins-
... 974.

SCHAFER, BURT: «Identity Crisis and Occupational Proceses: An Intensive
Exploratory Study of Emotionally Disturbed Male Adolescent». *Child
Welfare* 47 (1), 1968.

SCHAFER, ROY: *Aspects of Internalization.* Nueva York, International Universities Press, 1968.

SCHEINGOLD, LEE D., y WAGNER, NATHANIEL N.: *Sex and the Aging Heart.*
Nueva York, Pyramid, edición 1975.

SCOTT-MAXWELL, FLORIDA: *The Measure of My Days.* Nueva York, Alfred
A. Knopf, 1968.

SEARS, ROBERT R., y FELDMAN, S. SHIRLEY (eds.): *The Seven Ages of Man.*
Los Altos, Calif., William Kaufman, 1973.

SEIFER, NANCY: «Absent from the Majority». Nueva York, National Project
on Ethnic America of the American Jewish Committee, 1973.

SHEEHY, GAIL: «Can Couples Survive?» Revista *New York,* 19 de febrero,
1973.

— «Catch-30 and Other Predictable Crises of Growing Up Adult». Revista *New York,* 18 de febrero, 1974.

— «Mid-Life Crisis: Best Chance for Couples to Grow Up». Revista *New
York,* 29 de abril, 1974.

— «The Sexual Diamond: Facing the Facts of the Male and Female Sexual
Life Cycles». Revista *New York,* 26 de febrero, 1976.

SHERFEY, MARY JANE: *The Nature and Evolution of Female Sexuality.* Nueva
York, Random House, 1972. Hay trad. al castellano: *Naturaleza y evolución de la sexualidad femenina.* Barcelona, Barral, 1974.

SLATER, PHILIP: *The Pursuit of Loneliness.* Boston, Beacon Press, 1970.
— *Earthwalk.* Garden City, N.Y., Anchor Press/Doubleday, 1974.

SMITH, HUSTON: *The Religions of Man.* Nueva York, Harper & Row, 1958.

SODDY, KENNETH, con KIDSON, MARY C.: *Men in Middle Life.* Filadelfia, J.
B. Lippincott, 1967.

STERN, RICHARD: *Other Men's Daughters.* Nueva York, E. P. Dutton, 1973.

STROUSE, JEAN (ed.): *Women & Analysis.* Nueva York, Grossman, 1974.

TERKEL, STUDS: *Working: People Talk About What They Do All Day and How They Feel About What They Do*. Nueva York, Pantheon Books, 1972.

TOFFLER, LAVIN: *Future Shock*. Nueva York, Bantam, 1971. Hay trad. al castellano: *El shock del futuro*. Barcelona, Plaza y Janés, 1976.

U.S. BUREAU OF THE CENSUS: *Current Population Reports*, Serie P-20, nº 239, «Marriage, Divorce, and Remarriage by Year of Birth: June 1971». Washington, D.C., U.S. Government Printing Office, 1972.

U.S. DEPT. OF COMMERCE, BUREAU OF THE CENSUS: «Age at First Marriage and Children Ever Born, for the United States: 1970». 1973.

— «Occupation, Employment, and Lifetime Work Experience of Women». A cargo de Larry E. Suter, 1973.

U.S. DEPT. OF HEALTH, EDUCATION, AND WELFARE: «Marriage Statistics, 1969» y «Births, Marriages, Divorces, and Deaths for 1973». *Vital Statistics Report*, 1969.

— «Selected Symptoms of Psychological Distress». National Center for Health Statistics, Serie 11, no. 37. Rockville, Md., 1970.

— *Life Tables*. vol 2, sec. 5. National Center for Health Statistics. Rockville, Md., 1971.

— «Teenagers: Marriages, Divorces, Parenthood, and Mortality». DHEW Publicación n.º (HRA) 74-1901. Rockville, Md., agosto, 1973.

— «100 Years of Marriage and Divorce Statistics, United States, 1867-1967». DHEW Publicación n.º (HRA) 74-1902. Rockville, Md., diciembre, 1973.

— «Work in America». National Center for Health Statistics. Rockville, Md., 1973.

VAILLANT, GEORGE E., y MC ARTHUR, CHARLES C: «Natural History of Male Psychologic Health. I. The Adult Life Cycle From 18-50». *Seminars in Psychiatry* 4(4), noviembre, 1972.

WHITE, ROBERT W.: *The Enterprise of Living*. Nueva York, Holt, Rinehart and Winston, 1972.

WILLS, GARY: «What? What? Are Young Americans Afraid to Have Kids?» *Esquire*, marzo, 1974.

WILSON, JAMES Q.: «Crime and the Criminologists». *Commentary*, julio, 1974.

WOLFE, LINDA: *Playing Around*. Nueva York, William Morrow, 1975.

AMIN B.: *Victims of Success*. Nueva York, Quadrangle/The Times Book Co., 1973.

HARRIET: «Nobel Laureates in Science: Patterns of Product-Collaboration, and Authorship». *American Sociological Review* 32,

Esta obra se terminó de imprimir
en noviembre de 1991 en
Fuentes Impresores, S.A.
Centeno 09
México 1, D.F.

La edición consta de 2,000 ejemplares.